Ready® Classroom Matemáticas

Grado 4 • Volumen 2

Curriculum Associates

NOT FOR RESALE

978-1-4957-8174-2

North Billerica, MA 01862

6 7 8 9 10 11 12 13 14 15 21

BTS20

800452

Contenido

UNIDAD 1

Números enteros
Valor posicional, comparación, suma y resta

UNIDAD 2 Operaciones

Multiplicación, división y pensamiento algebraico

UNIDAD 3

Operaciones con varios dígitos y medición
Multiplicación, división, perímetro y área

UNIDAD 4

Fracciones, decimales y medición

Suma, resta y multiplicación

UNIDAD 5

Geometría y medición

Figuras, clasificación y simetría

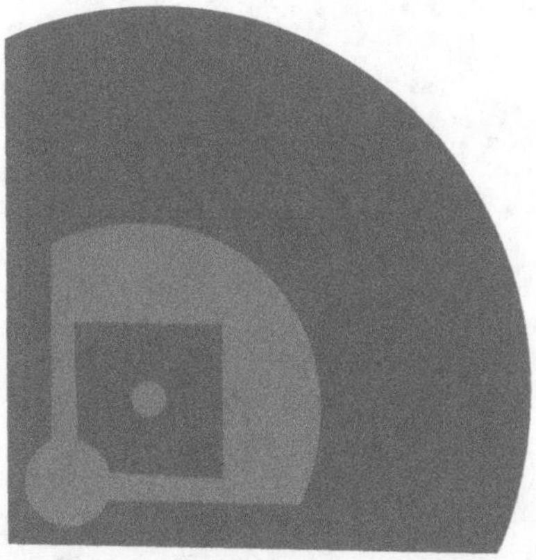

UNIDAD

4

Fracciones, decimales y medición

Suma, resta y multiplicación

COMPRUEBA TU PROGRESO

Antes de comenzar esta unidad, marca las destrezas que ya conoces. Al terminar cada lección, comprueba si puedes marcar otras.

Puedo . . .	Antes	Después
Comparar fracciones con denominadores distintos.	☐	☐
Sumar y restar fracciones y números mixtos.	☐	☐
Sumar y restar fracciones en diagramas de puntos.	☐	☐
Multiplicar una fracción por un número entero.	☐	☐
Convertir decimales a fracciones y fracciones a decimales.	☐	☐
Comparar decimales.	☐	☐
Resolver problemas sobre tiempo y dinero.	☐	☐
Resolver problemas sobre longitud, volumen líquido, masa y peso.	☐	☐

Amplía tu vocabulario

REPASO

denominador
numerador
fracción unitaria
ecuación

Vocabulario matemático

Define las palabras de repaso. Luego trabaja con un compañero para clarificar las definiciones.

Palabras de repaso	Lo que pienso ahora	Revisa tu pensamiento
fracción unitaria		
ecuación		
numerador		
denominador		

Vocabulario académico

Pon una marca junto a las palabras académicas que ya conoces. Luego usa las palabras para completar las oraciones.

☐ conexión ☐ observar ☐ predecir ☐ razonable

1. La respuesta es .... Tiene sentido.
2. Cuando hay una .... entre unos números, esos números tienen algo en común.
3. Una lupa le permite a uno .... los objetos en mayor detalle.
4. Para .... algo, digo lo que creo que va a ocurrir a continuación.

Comprende Fracciones equivalentes

LECCIÓN 17

Estimada familia:

Esta semana su niño está explorando fracciones equivalentes.

Las **fracciones equivalentes** $\frac{2}{3}$, $\frac{4}{6}$ y $\frac{8}{12}$ se pueden mostrar con modelos.

El modelo de la derecha está dividido en 3 partes iguales.

La sección coloreada muestra la fracción $\frac{2}{3}$.

$\frac{2}{3}$

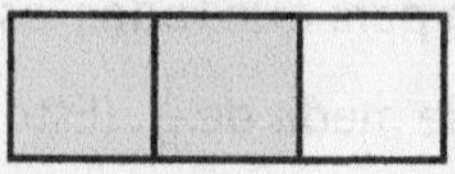

El mismo modelo puede dividirse en 6 partes iguales. Tiene 2 veces la cantidad de partes coloreadas y 2 veces la cantidad de partes iguales que el primer modelo. La sección coloreada muestra la fracción $\frac{4}{6}$.

$\frac{4}{6}$

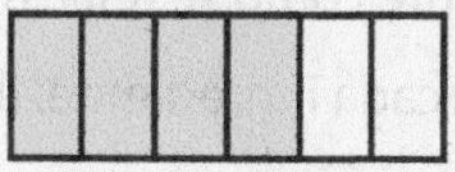

El mismo modelo puede dividirse nuevamente en 12 partes iguales. Ahora tiene 4 veces la cantidad de partes coloreadas y 4 veces la cantidad de partes iguales que el primer modelo. La sección coloreada muestra la fracción $\frac{8}{12}$.

$\frac{8}{12}$

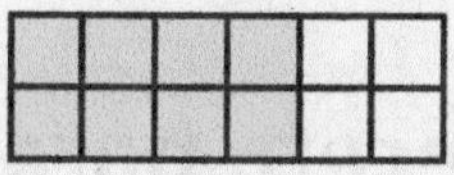

Otra manera de hallar fracciones equivalentes es multiplicar tanto el **numerador** como el **denominador** de una fracción por el mismo número. Esto es lo mismo que multiplicar por 1, porque $\frac{2}{2} = 1$ y $\frac{4}{4} = 1$.

$$\frac{2 \times 2}{3 \times 2} = \frac{4}{6}$$

$$\frac{2 \times 4}{3 \times 4} = \frac{8}{12}$$

Invite a su niño a compartir lo que sabe sobre fracciones equivalentes haciendo juntos la siguiente actividad.

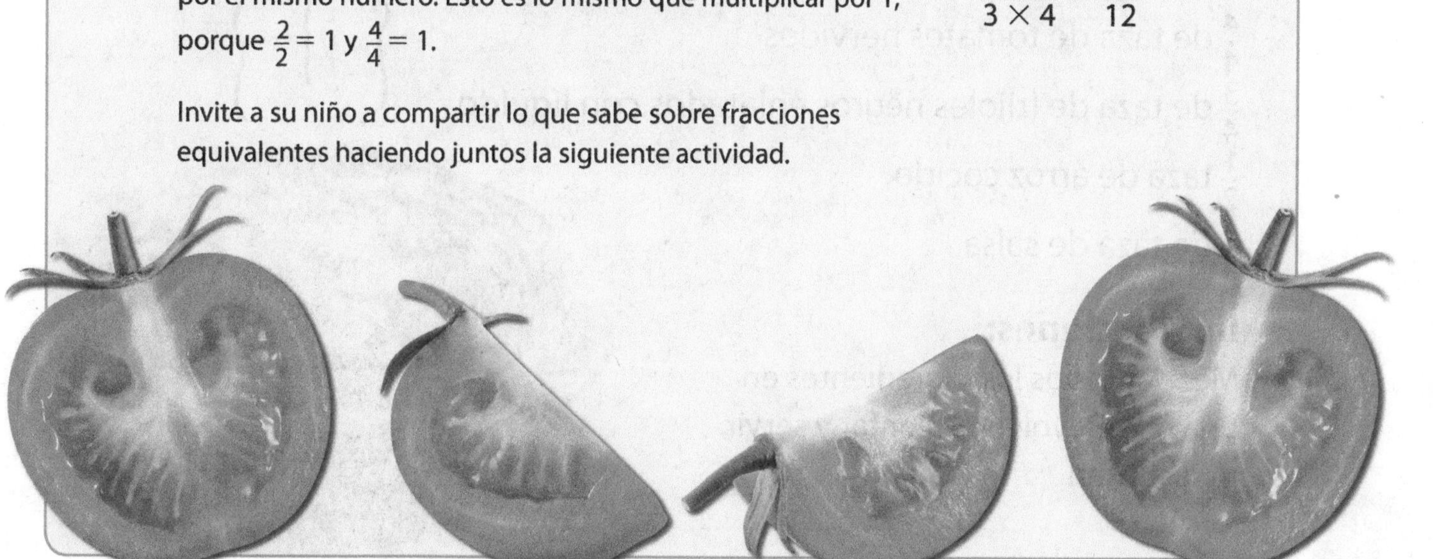

ACTIVIDAD FRACCIONES EQUIVALENTES

Haga la siguiente actividad con su niño para explorar fracciones equivalentes.

Materiales recipiente para medir de $\frac{1}{8}$ de taza, olla, los ingredientes de la receta que se muestra abajo (todo opcional)

Mire la siguiente receta para preparar una sopa mexicana de frijoles. Luego siga los siguientes pasos para hallar fracciones equivalentes.

- Imagine que la única taza de medir disponible es de $\frac{1}{8}$ de taza. Vuelva a escribir la receta para que todos los ingredientes se puedan medir usando solamente la taza de medir de $\frac{1}{8}$. (Esto significa que hallará fracciones equivalentes con 8 como denominador.)
- Comente cómo se relaciona el numerador con el hecho de usar la taza de $\frac{1}{8}$ para medir cada ingrediente. (El numerador es el número de veces que se llena la taza de medir.)
- Prepare la receta para que la disfrute su familia.

Receta para preparar sopa mexicana de frijoles

Ingredientes:

$\frac{4}{4}$ de taza de tomates hervidos
$\frac{3}{4}$ de taza de frijoles negros enlatados con líquido
$\frac{1}{2}$ taza de arroz cocido
$\frac{1}{4}$ de taza de salsa

Instrucciones:

Mezclar todos los ingredientes en una olla. Revolver. Calentar y servir. ¡A disfrutar!

Explora Fracciones equivalentes

¿Qué sucede cuando las fracciones son equivalentes?

Objetivo de aprendizaje

- Explicar por qué una fracción $\frac{a}{b}$ es equivalente a una fracción $\frac{(n \times a)}{(n \times b)}$ utilizando modelos visuales de fracciones, poniendo atención a cómo el número y el tamaño de las partes difiere aun cuando ambas fracciones son del mismo tamaño. Utilizar este principio para reconocer y generar fracciones equivalentes.

EPM 1, 2, 3, 4, 5, 6, 7

HAZ UN MODELO

Completa los problemas y los modelos de abajo.

1 Mira los siguientes modelos de área.

a. Escribe la fracción de cada modelo que está sombreada.

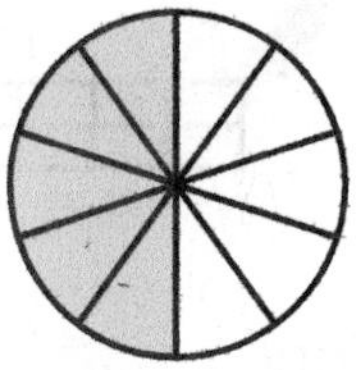

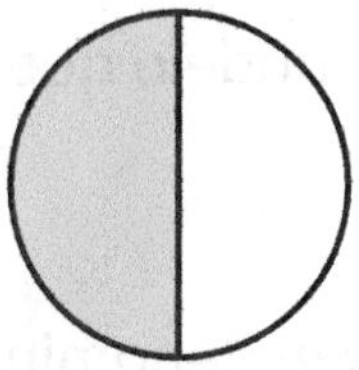

$\frac{5}{10}$ $\frac{1}{2}$

b. ¿En qué se parecen los modelos de las fracciones? ¿En qué son diferentes? Explica.

una diferencia es que un circulo tiene 10 parte y el otro tienen dos.

2 Las fracciones equivalentes nombran la misma parte de un entero. Sombrea los modelos para mostrar fracciones equivalentes a $\frac{1}{2}$. Luego nombra las fracciones.

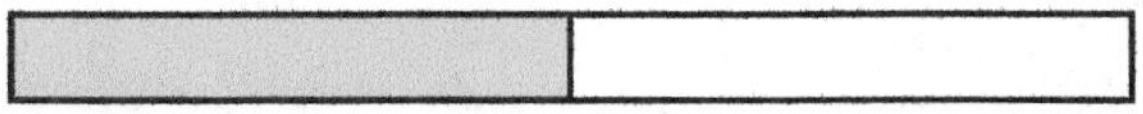

$\frac{1}{2}$

a. 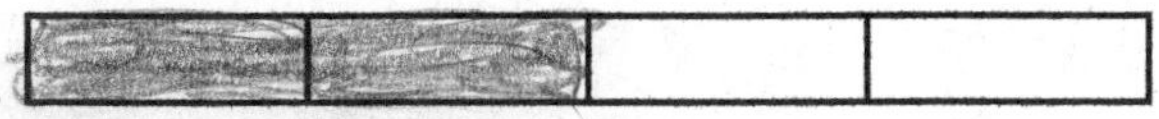 $\frac{2}{4}$

b. 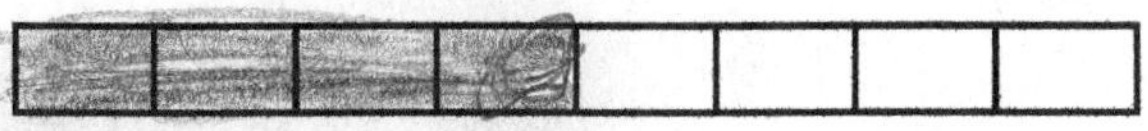 $\frac{4}{8}$

CONVERSA CON UN COMPAÑERO

- ¿En qué se parecen los modelos de las fracciones equivalentes del problema 2? En qué son diferentes los modelos?
- Creo que las fracciones equivalentes muestran la misma cantidad de diferentes maneras porque . . .

HAZ UN MODELO

Completa los modelos y responde las siguientes preguntas.

3 Sombrea cada modelo para representar la siguiente fracción.

$\frac{1}{3}$

a. ¿Es el tamaño del área que sombreaste igual en cada modelo? Sí

$\frac{2}{6}$

b. ¿Cómo sabes que $\frac{1}{3}$, $\frac{2}{6}$ y $\frac{4}{12}$ son fracciones equivalentes?

podemos com parar los coloreado y son igual

$\frac{4}{12}$

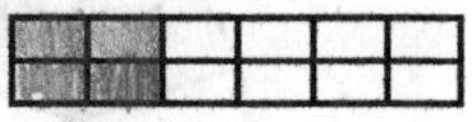

c. Compara los modelos. ¿Cuántas veces tantas partes iguales y partes sombreadas tiene cada modelo como el modelo que está sobre él?

cada vece le estan agregando 1 caja o dos cajas mas

4 También puedes multiplicar el numerador y el denominador de una fracción por el mismo número para obtener una fracción equivalente.

a. Escribe los números que faltan para completar la ecuación.

$$\frac{1 \times 2}{3 \times 2} = \frac{2}{6}$$

multiplicando por 2

b. ¿Cuántas veces es el numerador y el denominador en $\frac{2}{6}$ que en $\frac{1}{3}$?

c. Escribe los números que faltan para mostrar una fracción equivalente diferente para $\frac{1}{3}$.

$$\frac{1 \times 4}{3 \times 4} = \frac{4}{12}$$

CONVERSA CON UN COMPAÑERO

- ¿Cómo pueden usar tu compañero y tú la multiplicación para hallar otra fracción equivalente a $\frac{1}{3}$?
- Creo que los modelos y las ecuaciones pueden ayudar a entender las fracciones equivalentes porque . . .

5 REFLEXIONA

Explica cómo puedes dividir un rectángulo en partes iguales para mostrar fracciones equivalentes.

Prepárate para las fracciones equivalentes

1 Piensa en lo que sabes acerca de las fracciones equivalentes. Llena cada recuadro. Usa palabras, números y dibujos. Muestra tantas ideas como puedas.

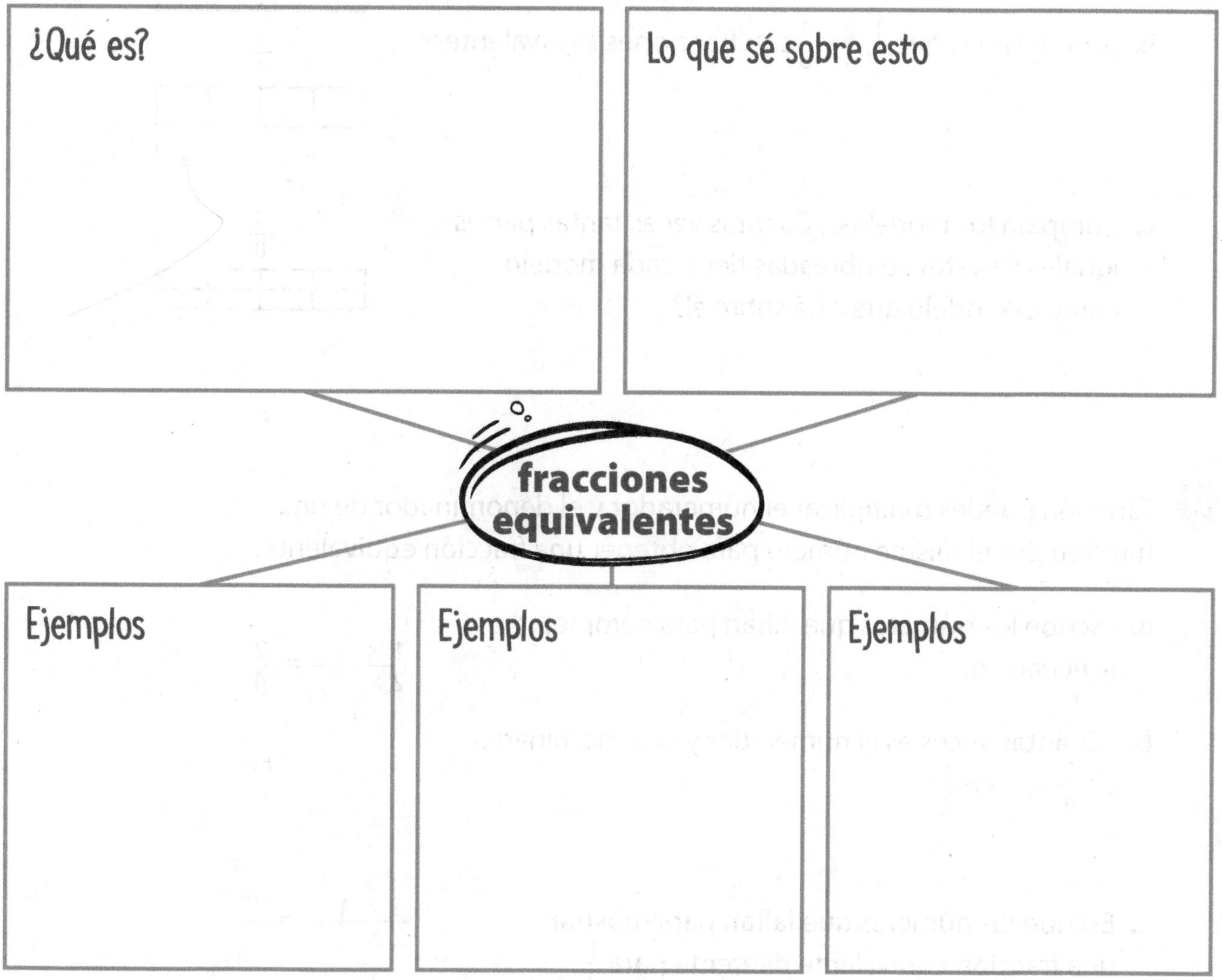

2 Sombrea los modelos para mostrar fracciones equivalentes a $\frac{1}{2}$. Luego nombra las fracciones.

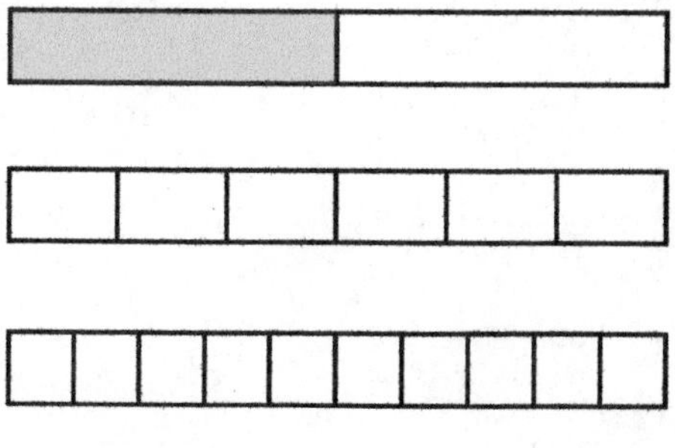

$\frac{1}{2}$

....

....

Resuelve.

3 Sombrea cada modelo para representar la fracción que se muestra.

a. ¿Es igual el tamaño del área que sombreaste en cada modelo?

$\frac{1}{2}$

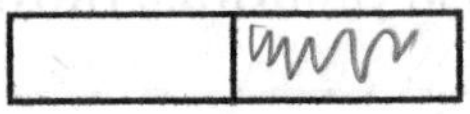

b. ¿Cómo sabes que $\frac{1}{2}$, $\frac{2}{4}$ y $\frac{4}{8}$ son fracciones equivalentes?

$\frac{2}{4}$

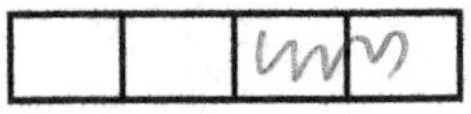

c. Compara los modelos. ¿Cuántas veces tantas partes iguales y partes sombreadas tiene cada modelo como el modelo que está sobre él?

$\frac{4}{8}$

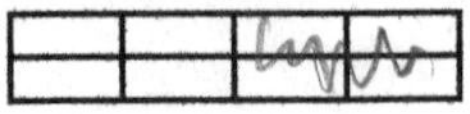

4 También puedes multiplicar el numerador y el denominador de una fracción por el mismo número para obtener una fracción equivalente.

a. Escribe los números que faltan para completar la ecuación.

$$\frac{1 \times 2}{2 \times 2} = \frac{2}{4}$$

b. ¿Cuántas veces es el numerador y el denominador en $\frac{2}{4}$ que en $\frac{1}{2}$?

c. Escribe los números que faltan para mostrar una fracción equivalente diferente para $\frac{1}{2}$.

$$\frac{1 \times 4}{2 \times 4} = \frac{4}{8}$$

Desarrolla Comprender fracciones equivalentes

HAZ UN MODELO: MODELOS DE ÁREA

Prueba estos dos problemas.

1 Usa el modelo de la derecha.

a. Sombrea el modelo para mostrar la fracción unitaria $\frac{1}{4}$.

b. Muestra 8 partes iguales en el modelo y escribe la fracción equivalente. ....

c. ¿Cómo se comparan el número y el tamaño de las partes en las fracciones equivalentes?

2 Usa el modelo de la derecha para mostrar $\frac{2}{5}$. Luego divide el modelo en un número diferente de partes para mostrar una fracción equivalente.

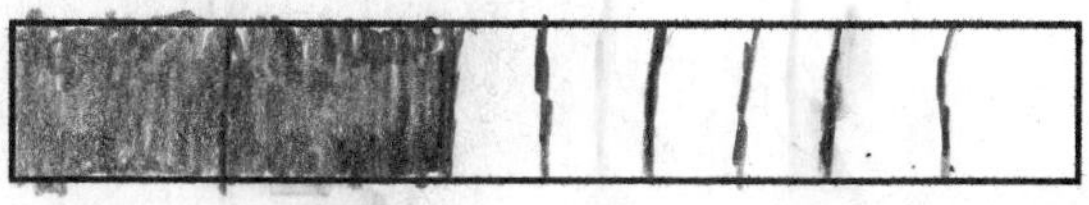

a. ¿Qué fracción equivalente se muestra?

b. ¿Cuántas veces tantas partes sombreadas y partes iguales hay en la fracción equivalente como en $\frac{2}{5}$?

CONVERSA CON UN COMPAÑERO

- Compara tu modelo del problema 2 con el modelo de tu compañero. ¿En qué se parecen los modelos? ¿En qué son diferentes los modelos?
- Creo que los modelos de área me ayudan a entender las fracciones equivalentes porque . . .

HAZ UN MODELO: ECUACIONES

Usa ecuaciones para ayudarte a pensar en fracciones equivalentes.

3 Escribe los números que faltan para hallar una fracción equivalente a $\frac{5}{6}$ usando la multiplicación.

$$\frac{5 \times 2}{6 \times \boxed{2}} = \frac{10}{\boxed{12}}$$

4 **a.** Escribe los números que faltan para hallar una fracción equivalente a $\frac{4}{6}$ usando la multiplicación.

$$\frac{4 \times \boxed{2}}{6 \times \boxed{2}} = \frac{8}{\boxed{12}}$$

b. ¿Qué sucede si se divide tanto el numerador como el denominador en $\frac{4}{6}$ por 2?

5 Para hallar una fracción equivalente a $\frac{6}{8}$, Beth dividió por 2 y obtuvo 4 en el denominador. ¿Qué debería hacer Beth para hallar el numerador? ¿Cuáles son las fracciones equivalentes?

CONVERSA CON UN COMPAÑERO

- Mira los problemas 4a y 5. ¿Cómo supiste por qué número multiplicar o dividir?
- Creo que usar ecuaciones de multiplicación o de división me ayuda a hallar fracciones equivalentes porque . . .

CONÉCTALO

Completa los problemas de abajo.

6 ¿Cómo se pueden usar modelos de área y ecuaciones para crear fracciones equivalentes?

7 Elige cualquier modelo para hallar dos fracciones equivalentes a $\frac{2}{6}$.

Refina Ideas acerca de las fracciones equivalentes

APLÍCALO

Completa estos problemas por tu cuenta.

1 COMPARA

Usa diferentes métodos para hallar dos fracciones que sean equivalentes $\frac{3}{3}$.

2 REPRESENTA

Explica por qué se multiplica tanto el numerador como el denominador por el mismo número para formar una fracción equivalente. Haz un modelo para mostrar un ejemplo.

3 ELIGE

Fia necesita $\frac{3}{4}$ de taza de azúcar morena. Solo tiene una taza de medir de $\frac{1}{3}$ de taza y una taza de medir de $\frac{1}{8}$ de taza. ¿Cuál debería usar y por qué?

EN PAREJA
Comenta con un compañero tus soluciones a estos tres problemas.

APLÍCALO

Usa lo que aprendiste para resolver el problema 4.

4 **Parte A** La parte sombreada de cada rectángulo representa una fracción. Traza líneas para emparejar el modelo de fracción de la izquierda con la fracción equivalente de la derecha.

Modelos de fracciones

a. 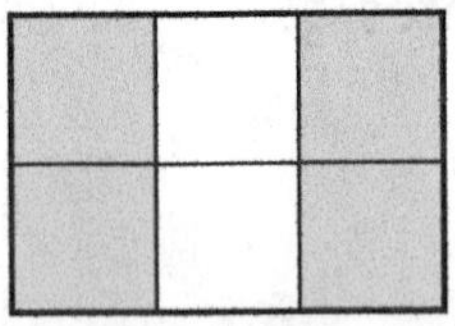

b. 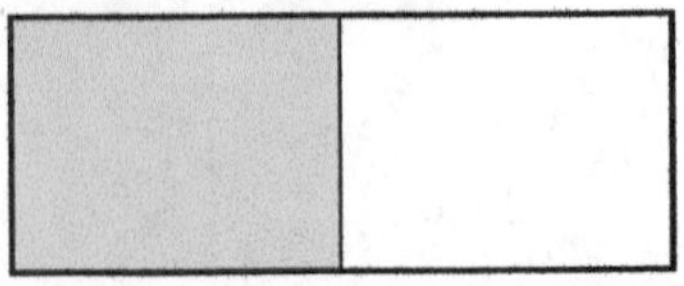

c. 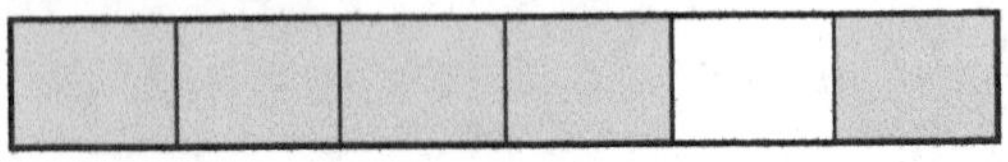

d. 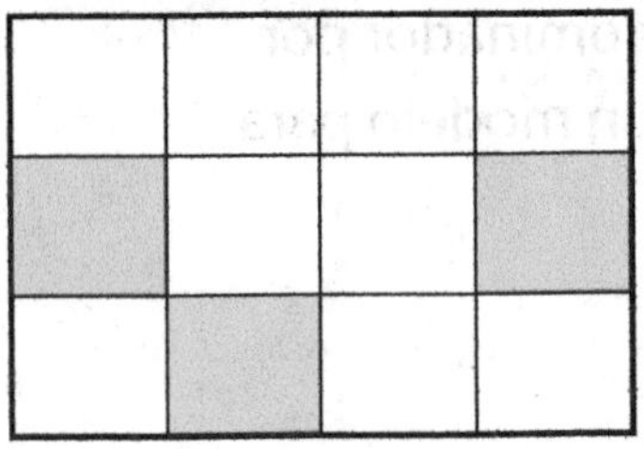

Fracciones

$\frac{1}{3}$

$\frac{2}{3}$

$\frac{10}{12}$

$\frac{3}{6}$

$\frac{1}{4}$

$\frac{6}{10}$

Parte B Elige uno de los modelos de fracciones de la parte A. Explica cómo usar la multiplicación o la división para comprobar la fracción equivalente. ¿Por qué funciona?

5 DIARIO DE MATEMÁTICAS

Explica por qué $\frac{3}{4}$ es equivalente a $\frac{9}{12}$.

Compara fracciones

LECCIÓN 18

Estimada familia:

Esta semana su niño está aprendiendo a comparar fracciones.

Hay diferentes maneras de comparar fracciones.

Una manera de comparar fracciones, como $\frac{3}{5}$ y $\frac{3}{6}$, es usar modelos. Debe usar enteros del mismo tamaño para ambas. Si los enteros tienen diferente tamaño, no tiene sentido comparar las partes. Cada modelo de entero que se muestra abajo tiene el mismo tamaño.

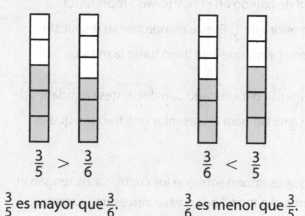

$\frac{3}{5} > \frac{3}{6}$ $\qquad$ $\frac{3}{6} < \frac{3}{5}$

$\frac{3}{5}$ es mayor que $\frac{3}{6}$. $\qquad$ $\frac{3}{6}$ es menor que $\frac{3}{5}$.

Otra manera de comparar fracciones es escribir fracciones equivalentes con el mismo denominador. Tener el mismo denominador significa que cada entero está dividido en el mismo número de partes. Luego se pueden comparar los numeradores para hallar qué fracción tiene un mayor número de partes.

$$\frac{3 \times 6}{5 \times 6} = \frac{18}{30} \qquad \frac{3 \times 5}{6 \times 5} = \frac{15}{30}$$

$$\frac{18}{30} > \frac{15}{30}\text{; por lo tanto } \frac{3}{5} > \frac{3}{6}.$$

Su niño también puede usar una recta numérica para comparar fracciones, comparando cada fracción con una **fracción de referencia**, como $\frac{1}{2}$.

Invite a su niño a compartir lo que sabe sobre comparar fracciones.

ACTIVIDAD COMPARAR FRACCIONES

Haga la siguiente actividad con su niño para comparar fracciones.

Materiales 4 vasos transparentes del mismo tamaño, líquido de color.

- Llene un vaso hasta el borde con líquido de color. Este vaso representa 1 entero. Llene otro vaso hasta la mitad para representar $\frac{1}{2}$. Deje un tercer vaso vacío para representar 0.
- Vierta la cantidad de líquido que quiera en el cuarto vaso. Compare el cuarto vaso con el vaso lleno y con el vaso vacío para determinar si la cantidad de líquido representa una fracción que está más cerca de 0 o más cerca de 1.
- Luego determine si la cantidad de líquido en el cuarto vaso representa una fracción que es mayor o menor que $\frac{1}{2}$. Puede comprobar su respuesta comparando el cuarto vaso con el vaso que está lleno hasta la mitad.
- Ahora vacíe el cuarto vaso. Túrnense para llenarlo con diferentes cantidades de líquido de color y describir la cantidad para representar una fracción que es mayor o menor que $\frac{1}{2}$.
- Hable con su niño sobre por qué es importante que los cuatro vasos tengan el mismo tamaño y la misma forma. (La mitad de un vaso alto es una cantidad diferente de líquido que la mitad de un vaso corto.)

Explora Comparar fracciones

Antes aprendiste a comparar fracciones usando modelos. Usa lo que sabes para tratar de resolver el siguiente problema.

Adriana y June tienen barras de granola del mismo tamaño. Adriana come $\frac{2}{4}$ de su barra de granola. June come $\frac{2}{5}$ de su barra de granola. ¿Cuál de las niñas come más de su barra de granola?

Objetivo de aprendizaje

- Comparar dos fracciones con numeradores distintos y denominadores distintos. Reconocer que las comparaciones son válidas solamente cuando las dos fracciones se refieren al mismo entero. Expresar los resultados de las comparaciones con los símbolos >, = o <, y justificar las conclusiones.

EPM 1, 2, 3, 4, 5, 6, 7

PRUÉBALO

Herramientas matemáticas

- círculos de fracciones
- fichas de fracciones
- rectas numéricas
- barras de fracciones
- tarjetas en blanco
- modelos de fracción

CONVERSA CON UN COMPAÑERO

Pregúntale: ¿Estás de acuerdo conmigo? ¿Por qué sí o por qué no?

Dile: Estoy de acuerdo contigo en que . . . porque . . .

CONÉCTALO

1 REPASA

¿Quién come una mayor parte de su barra de granola, Adriana o June? Explica.

2 SIGUE ADELANTE

Decidir quién come una mayor parte de su barra de granola significa comparar las fracciones $\frac{2}{4}$ y $\frac{2}{5}$. Para comparar fracciones se debe usar un entero del mismo tamaño.

a. Supón que tienes dos barras de granola más del mismo tamaño. Compara las fracciones $\frac{3}{4}$ y $\frac{3}{5}$ usando los modelos de área para saber quién comió más. Usa $>$, $<$ o $=$ para comparar, al igual que como se hace con los números enteros.

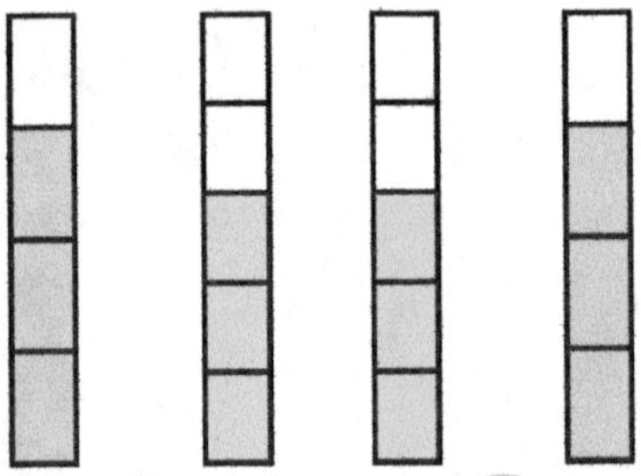

$\frac{3}{4}$ ◯ $\frac{3}{5}$ $\frac{3}{5}$ ◯ $\frac{3}{4}$

b. Puedes usar fracciones equivalentes para comparar fracciones que tienen distintos denominadores. Compara $\frac{3}{4}$ y $\frac{3}{5}$. Vuelve a escribir una o ambas fracciones de manera que tengan el mismo denominador, o un **denominador común**. Usa $>$, $<$ o $=$ para comparar.

$$\frac{3 \times \square}{4 \times \square} = \frac{15}{\square} \qquad \frac{3 \times \square}{5 \times \square} = \frac{\square}{20}$$

$\frac{15}{\square}$ ◯ $\frac{\square}{20}$; por lo tanto, $\frac{3}{4}$ ◯ $\frac{3}{5}$.

3 REFLEXIONA

Supón que las barras de granola eran de diferente tamaño. ¿Todavía podrías comparar $\frac{3}{4}$ y $\frac{3}{5}$ de la misma manera? Explica.

....

....

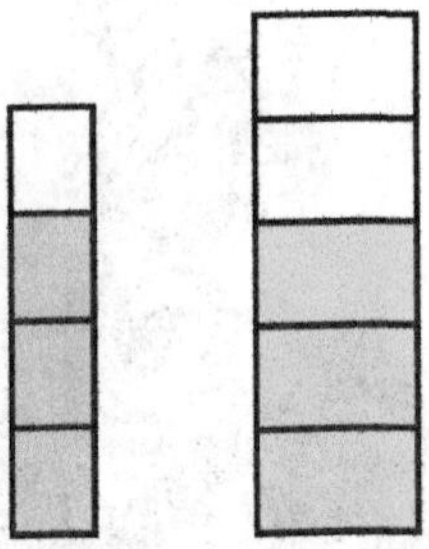

Prepárate para comparar fracciones

1 Piensa en lo que sabes acerca de denominadores comunes. Llena cada recuadro. Usa palabras, números y dibujos. Muestra tantas ideas como puedas.

En mis propias palabras	Mis dibujos
denominador común	
Ejemplos	Contraejemplos

2 Compara $\frac{2}{3}$ y $\frac{2}{5}$. Vuelve a escribir las fracciones de manera que tengan un denominador común. Usa $>$, $<$ o $=$ para comparar.

$$\frac{2 \times \square}{3 \times \square} = \frac{10}{\square} \qquad \frac{2 \times \square}{5 \times \square} = \frac{\square}{15}$$

$\frac{10}{\square} \bigcirc \frac{\square}{15}$; por lo tanto, $\frac{2}{3} \bigcirc \frac{2}{5}$.

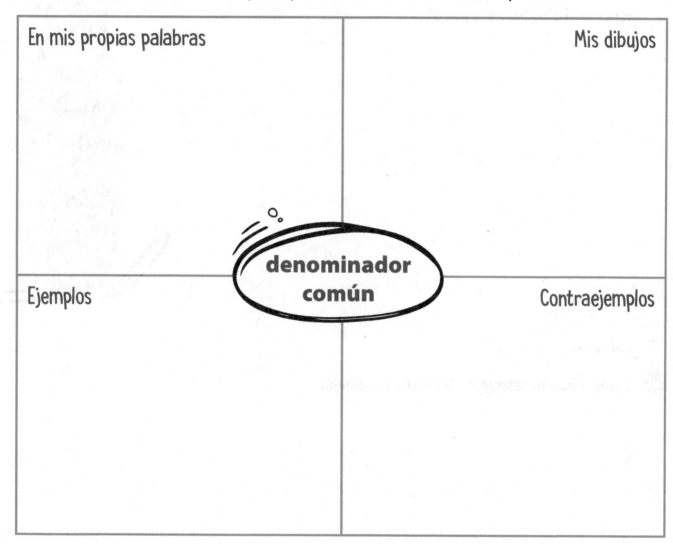

3 Resuelve el problema. Muestra tu trabajo.

Donato y Aman tienen botellas de jugo del mismo tamaño.
Donato bebe $\frac{3}{4}$ de su jugo. Aman bebe $\frac{3}{6}$ de su jugo.
¿Qué niño bebe más jugo?

Solución ....

4 Comprueba tu respuesta. Muestra tu trabajo.

Desarrolla Usar numeradores y denominadores comunes

Lee el siguiente problema y trata de resolverlo.

Un saltamontes pesa $\frac{2}{100}$ de una onza. Un escarabajo pesa $\frac{8}{10}$ de una onza. ¿Cuál pesa más?

PRUÉBALO

Herramientas matemáticas

- rectas numéricas
- cuadrículas de centésimos
- cuadrículas de décimos
- tarjetas en blanco
- modelos de fracción

CONVERSA CON UN COMPAÑERO

Pregúntale: ¿Cómo empezaste a resolver el problema?

Dile: Comencé por . . .

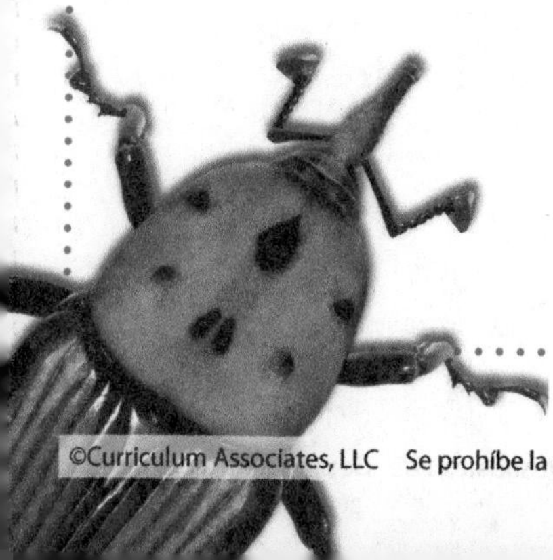

Explora diferentes maneras de entender cómo comparar fracciones.

Un saltamontes pesa $\frac{2}{100}$ de una onza. Un escarabajo pesa $\frac{8}{10}$ de una onza. ¿Cuál pesa más?

HAZ UN MODELO

Puedes usar modelos para ayudarte a comparar fracciones.

Los modelos muestran las fracciones de una onza que pesan el saltamontes y el escarabajo.

Saltamontes

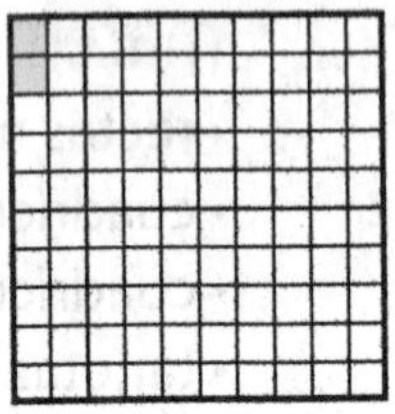

Escarabajo

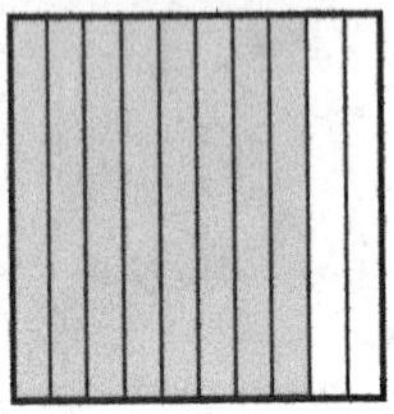

HAZ UN MODELO

Puedes usar un denominador común para ayudarte a comparar fracciones.

Cuando se comparan dos fracciones, es más fácil si tienen un denominador común. Las fracciones que tienen el mismo denominador están formadas por partes del mismo tamaño. Los numeradores indican cuántas de esas partes tiene cada fracción. Cuando dos fracciones tienen el mismo denominador, se pueden comparar los numeradores.

Compara $\frac{2}{100}$ y $\frac{8}{10}$.

Las fracciones no están escritas con un denominador común. Halla una fracción equivalente a $\frac{8}{10}$ que tenga un denominador de 100.

$$\frac{8 \times 10}{10 \times 10} = \frac{80}{100}$$

Ahora compara los numeradores de $\frac{2}{100}$ y $\frac{80}{100}$.

$$80 > 2$$

Por lo tanto, $\frac{80}{100} > \frac{2}{100}$ y $\frac{8}{10} > \frac{2}{100}$.

CONÉCTALO

Ahora vas a usar el problema de la página anterior para ayudarte a entender cómo comparar fracciones hallando un numerador común.

1 ¿Qué fracción equivalente a $\frac{2}{100}$ tiene un numerador de 8? ....

2 Un modelo está dividido en 400 partes iguales y el otro está dividido en 10 partes iguales. ¿Qué modelo tiene partes más pequeñas?

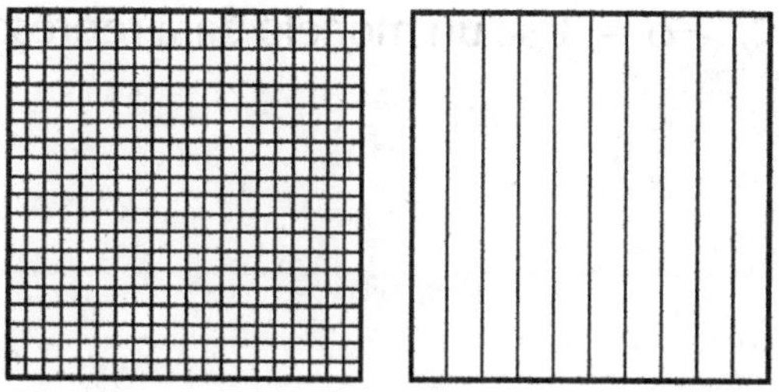

3 Sombrea 8 partes de cada modelo.

4 ¿Qué modelo tiene una mayor área sombreada?

5 ¿Qué fracción es mayor, $\frac{8}{400}$ u $\frac{8}{10}$? ....

6 ¿Cuál pesa más: el saltamontes o el escarabajo? ....

7 Mira los denominadores de $\frac{8}{400}$ y $\frac{8}{10}$. Cuando dos fracciones tienen el mismo numerador pero distintos denominadores, ¿cómo sabes qué fracción es mayor? Explica.

8 **REFLEXIONA**

Repasa **Pruébalo**, las estrategias de tus compañeros, **Haz un modelo** y los problemas de **Conéctalo** en esta página. ¿Qué modelos o estrategias prefieres para comparar fracciones? Explica.

....

....

....

....

APLÍCALO

Usa lo que acabas de aprender para resolver estos problemas.

9 La planta de tomate de Mel mide $\frac{8}{12}$ de pie de alto. Su planta de pimiento mide $\frac{3}{4}$ de pie de alto. Compara las alturas de las plantas usando $<$, $>$ o $=$. Usa un modelo para representar tu comparación. Muestra tu trabajo.

Solución ....

10 Compara las fracciones $\frac{4}{6}$ y $\frac{2}{5}$ usando $<$, $>$ o $=$. Usa un modelo para mostrar tu comparación. Muestra tu trabajo.

Solución ....

11 Morgan tiene los dos modelos de fracciones que se muestran. Morgan sombrea el modelo B para mostrar una fracción menor que la fracción que se muestra en el modelo A. ¿Cuántas partes del modelo B podría haber sombreado? Explica.

Modelo A

Modelo B

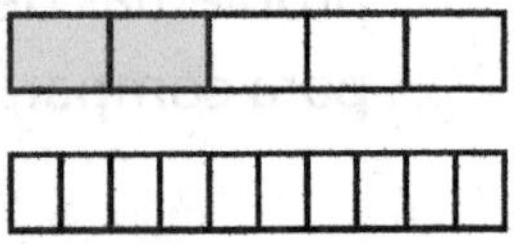

Nombre: ______________________________

Practica con numeradores y denominadores comunes

Estudia el Ejemplo, que muestra cómo comparar fracciones hallando un denominador común. Luego resuelve los problemas 1 a 7.

EJEMPLO

La longitud de una cinta es de $\frac{3}{4}$ de pie. La longitud de otra cinta es de $\frac{5}{6}$ de pie. Compara las longitudes usando un símbolo.

Halla un denominador común. $\frac{3 \times 3}{4 \times 3} = \frac{9}{\mathbf{12}}$ $\frac{5 \times 2}{6 \times 2} = \frac{10}{\mathbf{12}}$

Escribe las fracciones equivalentes. $\frac{3}{4} = \frac{9}{12}$ $\frac{5}{6} = \frac{10}{12}$

Compara los numeradores. $\frac{\mathbf{9}}{12} < \frac{\mathbf{10}}{12}$

Como $9 < 10$, entonces $\frac{9}{12} < \frac{10}{12}$.

$\frac{3}{4} < \frac{5}{6}$

1 Sombrea los modelos para mostrar $\frac{3}{4}$ y $\frac{5}{6}$. Compara las fracciones.
Escribe <, > o =.

$\frac{3}{4}$ ◯ $\frac{5}{6}$

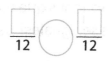

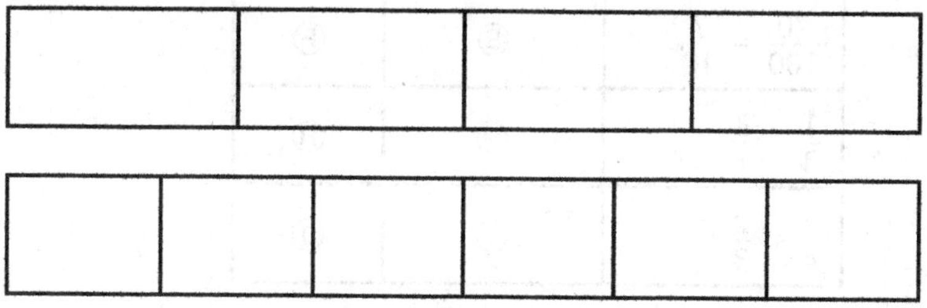

2 Divide cada modelo del problema 1 en 12 partes iguales para mostrar una fracción equivalente. Escribe las fracciones equivalentes y el símbolo para mostrar la comparación.

$\frac{\square}{12}$ ◯ $\frac{\square}{12}$

3 Compara $\frac{2}{3}$ y $\frac{9}{12}$ hallando un denominador común.

a. Escribe una fracción equivalente a $\frac{2}{3}$ que tenga un denominador de 12.

$\frac{2 \times \square}{3 \times \square} = \frac{\square}{12}$

b. Compara las fracciones.

$\frac{\square}{12}$ ◯ $\frac{9}{12}$. Por lo tanto, $\frac{2}{3}$ ◯ $\frac{9}{12}$.

4 Compara $\frac{1}{5}$ y $\frac{2}{12}$ hallando un numerador común.

a. Escribe una fracción equivalente a $\frac{1}{5}$ que tenga un numerador de 2. $\frac{1 \times \square}{5 \times \square} = \frac{2}{\square}$

b. Compara las fracciones. $\frac{2}{\square} \bigcirc \frac{2}{12}$. Por lo tanto, $\frac{1}{5} \bigcirc \frac{2}{12}$.

5 Compara las fracciones. Usa los símbolos <, > y =.

a. $\frac{2}{5} \bigcirc \frac{8}{10}$

b. $\frac{5}{12} \bigcirc \frac{1}{3}$

c. $\frac{3}{5} \bigcirc \frac{60}{100}$

d. $\frac{9}{100} \bigcirc \frac{9}{10}$

6 Di si cada comparación es *Verdadera* o *Falsa*.

	Verdadera	Falsa
$\frac{2}{3} > \frac{5}{6}$	Ⓐ	Ⓑ
$\frac{4}{10} < \frac{4}{5}$	Ⓒ	Ⓓ
$\frac{70}{100} = \frac{7}{10}$	Ⓔ	Ⓕ
$\frac{1}{3} > \frac{3}{1}$	Ⓖ	Ⓗ
$\frac{3}{4} < \frac{2}{3}$	Ⓘ	Ⓙ

7 ¿Pueden dos fracciones que tengan el mismo numerador y distintos denominadores ser iguales? Usa palabras y números para explicar.

Vocabulario

denominador número que está debajo de la línea de una fracción que dice cuántas partes iguales hay en el entero.

denominador común número que es un múltiplo común de los denominadores de dos o más fracciones.

numerador número que está encima de la línea de una fracción que dice cuántas partes iguales se describen.

Desarrolla Usar un punto de referencia para comparar fracciones

Lee el siguiente problema y trata de resolverlo.

La clase de natación de Jasmine dura $\frac{2}{3}$ de hora. Le toma $\frac{1}{6}$ de hora hacer la tarea. ¿A qué dedica más tiempo Jasmine: a hacer su tarea o a la clase de natación?

PRUÉBALO

Herramientas matemáticas
- círculos de fracciones
- fichas de fracciones
- rectas numéricas
- barras de fracciones
- tarjetas en blanco
- modelos de fracción

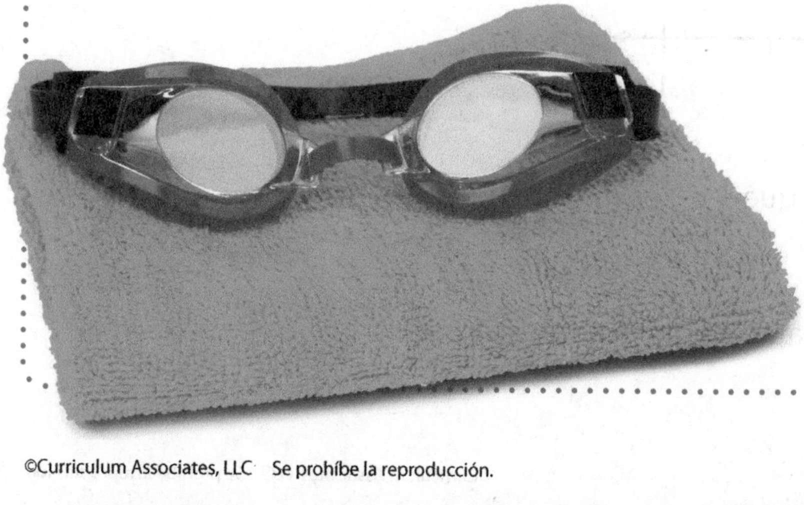

CONVERSA CON UN COMPAÑERO

Pregúntale: ¿Por qué elegiste esa estrategia?

Dile: Yo ya sabía que . . . así que . . .

Explora diferentes maneras de entender cómo usar puntos de referencia para comparar fracciones.

La clase de natación de Jasmine dura $\frac{2}{3}$ de hora. Le toma $\frac{1}{6}$ de hora hacer su tarea. ¿A qué dedica más tiempo Jasmine: a hacer su tarea o a la clase de natación?

HAZ UN MODELO

Puedes usar una recta numérica para ayudarte a comparar fracciones.

La recta numérica muestra dónde están las fracciones $\frac{2}{3}$ y $\frac{1}{6}$ en comparación con 0 y 1.

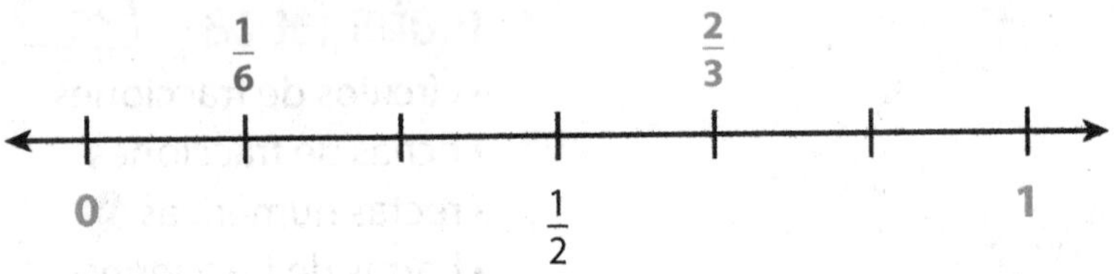

La recta numérica muestra que $\frac{1}{6}$ es más cercano a 0 de lo que es $\frac{2}{3}$.

También muestra que $\frac{2}{3}$ es más cercano a 1 de lo que es $\frac{1}{6}$.

Esto significa que $\frac{1}{6} < \frac{2}{3}$ y $\frac{2}{3} > \frac{1}{6}$.

RESUELVE

Puedes usar una fracción de referencia para resolver el problema.

Otra manera de comparar fracciones es usando una fracción de referencia.

Usa $\frac{1}{2}$ como punto de referencia para comparar $\frac{1}{6}$ y $\frac{2}{3}$.

La recta numérica muestra que $\frac{1}{6}$ es menor que $\frac{1}{2}$ y $\frac{2}{3}$ es mayor que $\frac{1}{2}$.

Por lo tanto, $\frac{1}{6} < \frac{2}{3}$ y $\frac{2}{3} > \frac{1}{6}$.

Jasmine dedica más tiempo a su clase de natación que a hacer su tarea.

CONÉCTALO

Ahora vas a resolver un problema parecido con 1 como punto de referencia. Piensa en las dos fracciones $\frac{11}{10}$ y $\frac{7}{8}$.

1. ¿Qué fracción, $\frac{11}{10}$ o $\frac{7}{8}$, es mayor que 1? ....

2. ¿Qué fracción, $\frac{11}{10}$ o $\frac{7}{8}$, es menor que 1? ....

3. ¿Qué fracción, $\frac{11}{10}$ o $\frac{7}{8}$, es mayor? Explica.

4. Escribe $<$, $>$ o $=$ para mostrar la comparación. $\frac{11}{10} \bigcirc \frac{7}{8}$

5. Explica cómo se pueden usar puntos de referencia para comparar fracciones.

6. ## REFLEXIONA

Repasa **Pruébalo**, las estrategias de tus compañeros, **Haz un modelo** y **Resuelve.** ¿Qué modelos o estrategias prefieres para usar puntos de referencia para comparar fracciones? Explica.

....

....

....

....

APLÍCALO

Usa lo que acabas de aprender para resolver estos problemas.

7 Di qué fracción es mayor, $\frac{4}{8}$ o $\frac{3}{4}$. Usa la fracción de referencia $\frac{1}{2}$ para explicar tu respuesta. Muestra tu trabajo.

Solución ....

8 Nathan camina $\frac{10}{10}$ de milla. Sarah camina $\frac{11}{12}$ de milla. ¿Quién camina una mayor distancia? Explica. Usa un número de referencia en tu explicación.

Solución ....

....

....

9 Usa la fracción de referencia $\frac{1}{2}$ para comparar las siguientes dos fracciones. ¿Qué símbolo compara las fracciones de manera correcta?

$\frac{4}{6} \bigcirc \frac{3}{8}$

Ⓐ $<$

Ⓑ $>$

Ⓒ $=$

Ⓓ $+$

Nombre: ______________________________ **LECCIÓN 18** SESIÓN 3

Practica usar un punto de referencia para comparar fracciones

Estudia el Ejemplo, que muestra cómo usar 1 como punto de referencia para comparar fracciones. Luego resuelve los problemas 1 a 4.

EJEMPLO

Carol compara $\frac{3}{4}$ y $\frac{2}{1}$. Dice que $\frac{3}{4} > \frac{2}{1}$ porque tanto el numerador como el denominador de $\frac{3}{4}$ son mayores que el numerador y el denominador de $\frac{2}{1}$. $3 > 2$ y $4 > 1$. ¿Tiene razón Carol?

Compara cada fracción con el punto de referencia, 1.

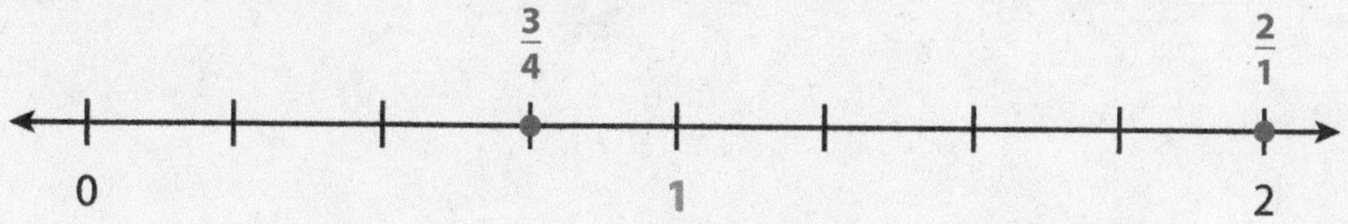

$\frac{3}{4} < 1$ y $\frac{2}{1} > 1$

$\frac{3}{4} < \frac{2}{1}$ y $\frac{2}{1} > \frac{3}{4}$. Carol no tiene razón.

1 Compara $\frac{9}{10}$ y $\frac{3}{2}$.

a. Rotula $\frac{9}{10}$ y $\frac{3}{2}$ en la siguiente recta numérica.

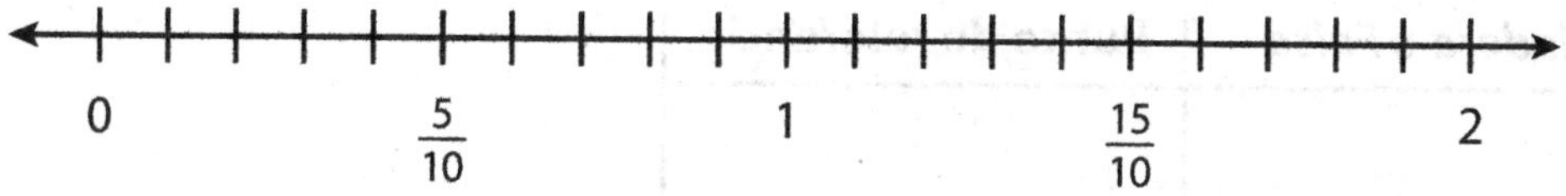

b. ¿Qué fracción es mayor que 1? ....

c. ¿Qué fracción es menor que 1? ....

d. Escribe $<$, $>$ o $=$ para mostrar la comparación. Explica cómo hallaste tu respuesta. $\frac{9}{10}$ ◯ $\frac{3}{2}$

Vocabulario

fracción de referencia fracción común con la que se pueden comparar otras fracciones. Por ejemplo, $\frac{1}{4}$, $\frac{1}{2}$, $\frac{2}{3}$ y $\frac{3}{4}$ suelen usarse como fracciones de referencia.

2 Compara $\frac{5}{6}$ y $\frac{1}{3}$ usando la fracción de referencia, $\frac{1}{2}$.

a. Rotula $\frac{5}{6}$ y $\frac{1}{3}$ en la siguiente recta numérica.

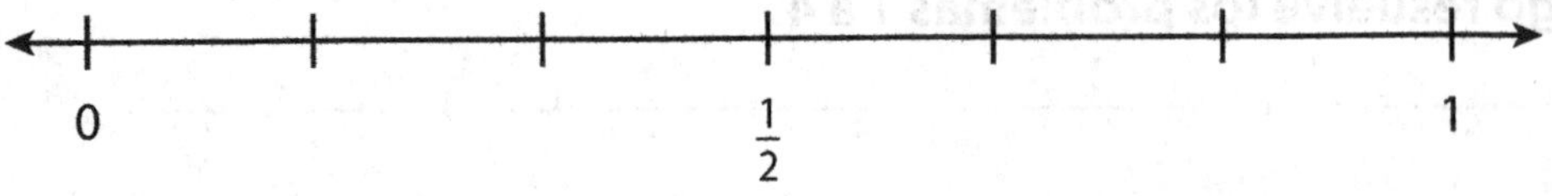

b. ¿Qué fracción es mayor que $\frac{1}{2}$? ....

c. ¿Qué fracción es menor que $\frac{1}{2}$? ....

d. Escribe $<$, $>$ o $=$ para mostrar la comparación. Explica cómo hallaste tu respuesta.

$\frac{5}{6}$ ◯ $\frac{1}{3}$

3 Usa una fracción de referencia para comparar las fracciones $\frac{7}{10}$ y $\frac{5}{12}$. Explica cómo hallaste tu respuesta.

4 Escribe *Verdadera* o *Falsa* para cada comparación. Luego escribe el punto de referencia que podrías usar para comparar las fracciones.

	Verdadera o Falsa	**Punto de referencia**
$\frac{9}{8} > \frac{11}{12}$		
$\frac{2}{5} < \frac{5}{6}$		
$\frac{7}{10} < \frac{2}{4}$		
$\frac{4}{5} > \frac{2}{2}$		
$\frac{3}{2} < \frac{9}{10}$		

Refina Comparar fracciones

Completa el Ejemplo siguiente. Luego resuelve los problemas 1 a 9.

EJEMPLO

Becker atrapa un pez que mide $\frac{3}{12}$ de yarda de largo. Para conservarlo, el pez debe ser más largo que $\frac{1}{3}$ de yarda. ¿Puede Becker conservar el pez?

Mira cómo podrías mostrar tu trabajo usando una recta numérica.

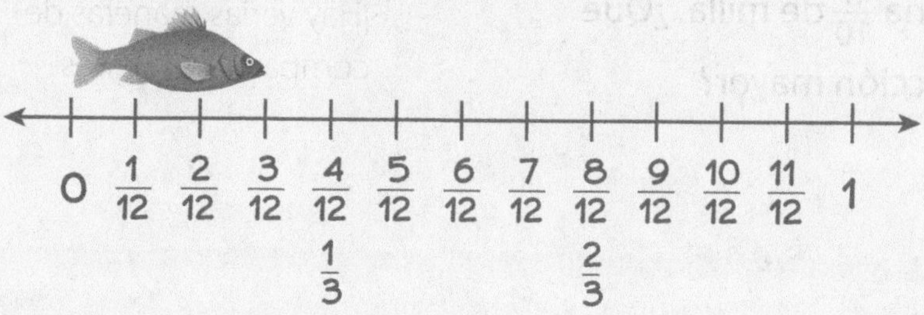

Solución ....

Es importante que ambas medidas tengan la misma unidad.

EN PAREJA

¿De qué otra manera podrías resolver este problema?

APLÍCALO

1 Myron y Jane trabajan con el mismo conjunto de problemas. Myron termina $\frac{5}{6}$ de los problemas, y Jane termina $\frac{2}{3}$ de los problemas. ¿Quién termina una mayor parte de los problemas de su tarea? Muestra tu trabajo.

Solución ....

¿Qué estrategia para comparar crees que funciona mejor con estas fracciones?

EN PAREJA

¿Cómo decidieron tu compañero y tú qué estrategia usar para resolver el problema?

2 Compara las fracciones $\frac{3}{10}$ y $\frac{7}{12}$ usando la fracción de referencia $\frac{1}{2}$. Muestra tu trabajo.

¡Ya conoces el tamaño de $\frac{1}{2}$!

EN PAREJA
Haz un modelo para comprobar tu respuesta.

Solución ....

3 Janelle camina $\frac{3}{6}$ de milla. Pedro camina $\frac{6}{10}$ de milla. ¿Qué enunciado muestra cómo hallar la fracción mayor?

¡Hay varias maneras de comparar fracciones!

Ⓐ $\frac{3}{6} = \frac{6}{12}$ y $\frac{6}{12} < \frac{6}{10}$

Ⓑ $\frac{3}{6} = \frac{6}{12}$ y $\frac{6}{12} > \frac{6}{10}$

Ⓒ $\frac{6}{10} = \frac{3}{5}$ y $\frac{3}{5} < \frac{3}{6}$

Ⓓ $\frac{3}{6} < \frac{1}{2}$ y $\frac{6}{10} > \frac{1}{2}$

Tina eligió Ⓑ como la respuesta correcta. ¿Cómo obtuvo ella esa respuesta?

EN PAREJA
¿Cómo puedes hallar la respuesta usando una fracción de referencia?

4 Grant usa $\frac{2}{3}$ de taza de pasas y $\frac{3}{4}$ de taza de almendras para preparar una mezcla de almendras y frutas secas. ¿Qué enunciado puede usarse para averiguar si hay más pasas o más almendras en la mezcla?

Ⓐ $\frac{2}{3} = \frac{8}{12}$ y $\frac{3}{4} = \frac{9}{12}$

Ⓑ $\frac{2}{3} = \frac{4}{6}$ y $\frac{3}{4} = \frac{4}{5}$

Ⓒ $\frac{2}{3} = \frac{6}{9}$ y $\frac{3}{4} = \frac{6}{12}$

Ⓓ $\frac{2}{3} = \frac{6}{9}$ y $\frac{3}{4} = \frac{6}{7}$

5 Selecciona $>$, $<$ o $=$ para completar una comparación verdadera para cada par de fracciones.

	>	<	=
$\frac{8}{3} \square \frac{9}{4}$	Ⓐ	Ⓑ	Ⓒ
$\frac{7}{10} \square \frac{7}{8}$	Ⓓ	Ⓔ	Ⓕ
$\frac{1}{2} \square \frac{3}{8}$	Ⓖ	Ⓗ	Ⓘ
$\frac{2}{4} \square \frac{4}{6}$	Ⓙ	Ⓚ	Ⓛ
$\frac{7}{5} \square \frac{140}{100}$	Ⓜ	Ⓝ	Ⓞ

6 La maestra de música de Sam le pide que practique con el trombón por $\frac{5}{10}$ de hora. Sam practica por $\frac{2}{6}$ de hora. ¿Practica lo suficiente? Muestra tu trabajo.

Sam .... practica lo suficiente.

7 Compara las fracciones $\frac{5}{10}$ y $\frac{5}{8}$. Escribe el símbolo >, < o =.

$\frac{5}{10}$ ◯ $\frac{5}{8}$

8 Rachel y Sierra tienen el mismo número de cajas de frutas para vender en una función para recaudar fondos. Cada caja tiene el mismo tamaño. Rachel vende $\frac{9}{10}$ de sus cajas, y Sierra vende $\frac{5}{8}$ de sus cajas. ¿Qué niña vende una fracción mayor de sus cajas de frutas? Haz un modelo para mostrar tu respuesta. Muestra tu trabajo.

.... vende una fracción mayor de sus cajas de frutas.

9 DIARIO DE MATEMÁTICAS

Jeff dice que $\frac{3}{4}$ de una pizza pequeña es más que $\frac{1}{3}$ de una pizza grande. Alicia no está de acuerdo. ¿Quién tiene razón? ¿Tienes suficiente información para saber quién tiene razón? Explica.

☑ COMPRUEBA TU PROGRESO Vuelve al comienzo de la Unidad 4 y mira qué destrezas puedes marcar.

Comprende Suma y resta de fracciones

LECCIÓN 19

Estimada familia:

Esta semana su niño está explorando la suma y la resta de fracciones.

Sumar fracciones significa unir o juntar partes del mismo entero. Cuando se suma $\frac{3}{4} + \frac{2}{4}$, se están juntando cuartos.

- Se puede usar una recta numérica para mostrar $\frac{3}{4} + \frac{2}{4} = \frac{5}{4}$.

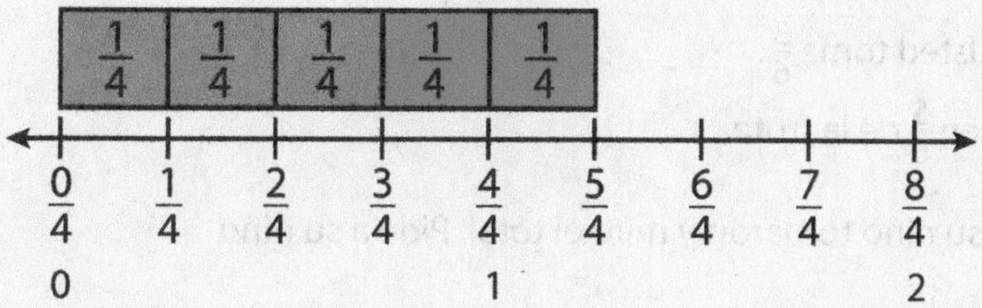

Restar fracciones significa separar o quitar. Al restar $\frac{3}{4}$ de $\frac{5}{4}$, se están quitando cuartos.

- También se puede usar una recta numérica para mostrar la resta de fracciones. La siguiente recta numérica muestra $\frac{5}{4} - \frac{3}{4} = \frac{2}{4}$.

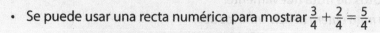

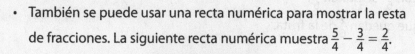

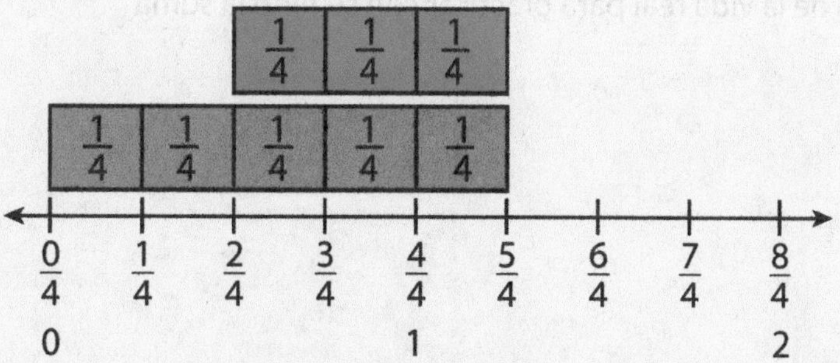

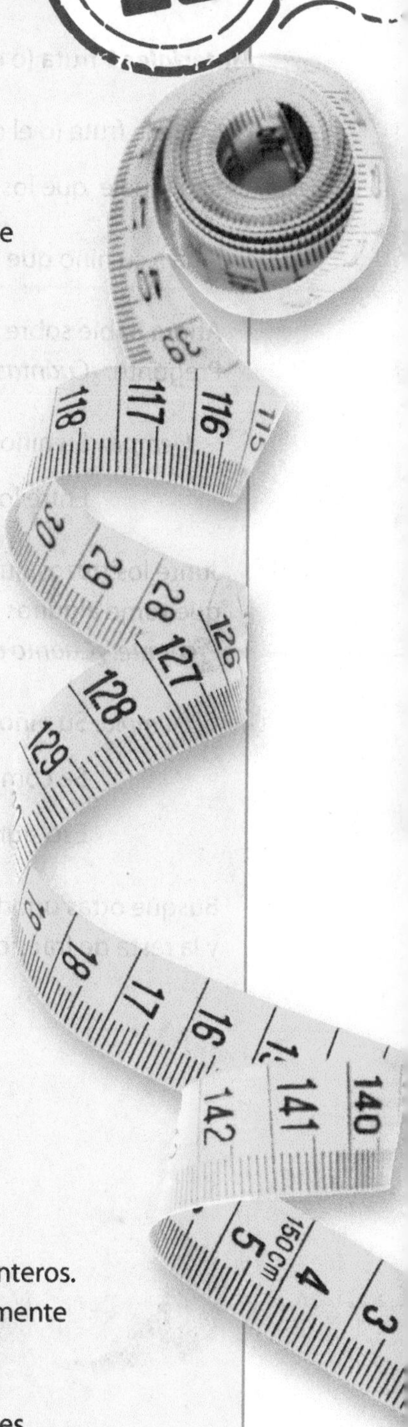

Sumar y restar fracciones es exactamente igual a sumar y restar números enteros. Cuando los denominadores de las fracciones son iguales, se puede simplemente sumar o restar los numeradores.

Invite a su niño a compartir lo que sabe sobre la suma y la resta de fracciones haciendo juntos la siguiente actividad.

ACTIVIDAD SUMA Y RESTA DE FRACCIONES

Haga la siguiente actividad con su niño para explorar la suma y la resta de fracciones.

Materiales 1 fruta (o el dibujo de 1 fruta)

- Corte la fruta (o el dibujo de la fruta) en sextos.
  Explíquele que los 6 trozos deben ser del mismo tamaño, de manera que cada trozo sea $\frac{1}{6}$ del entero.
- Pida a su niño que tome algunos trozos. Tome usted algunos también.
- Ahora hable sobre juntar los trozos de fruta nuevamente.
  Pregunte: *¿Cuántas partes de la fruta entera tienen entre los dos?*

  Ejemplo: Su niño toma $\frac{2}{6}$. Usted toma $\frac{3}{6}$.
  Entre los dos tienen $\frac{5}{6}$ de la fruta.

- Junte los trozos que usted y su niño tomaron y mire el total. Pida a su niño que tome algunos trozos.
  Pregunte: ¿Cuánto queda de la fruta entera?

  Ejemplo: Su niño toma 3 trozos.
  Se comienza con $\frac{5}{6}$. Se quitan $\frac{3}{6}$.
  Eso significa que quedan $\frac{2}{6}$ de la fruta.

- Busque otras oportunidades de la vida real para practicar con su niño la suma y la resta de fracciones.

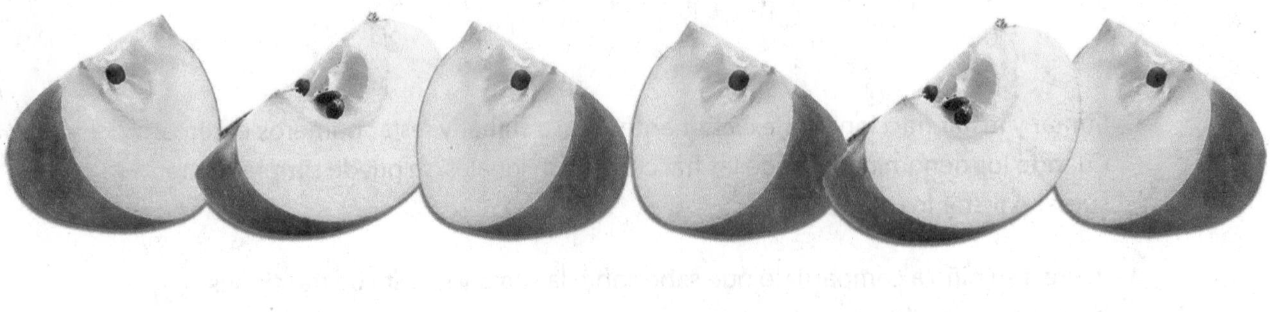

Explora Suma y resta de fracciones

¿Qué sucede cuando sumas y restas números?

Objetivo de aprendizaje

- Entender una fracción $\frac{a}{b}$ con $a > 1$ como una suma de fracciones $\frac{1}{b}$.
  - Entender la suma y la resta de fracciones como la unión y la separación de partes que se refieren a un mismo entero.

EPM 1, 2, 3, 4, 5, 6, 7, 8

HAZ UN MODELO

Completa los modelos de abajo.

1 Muestra cómo hallar 2 + 3 usando una recta numérica.

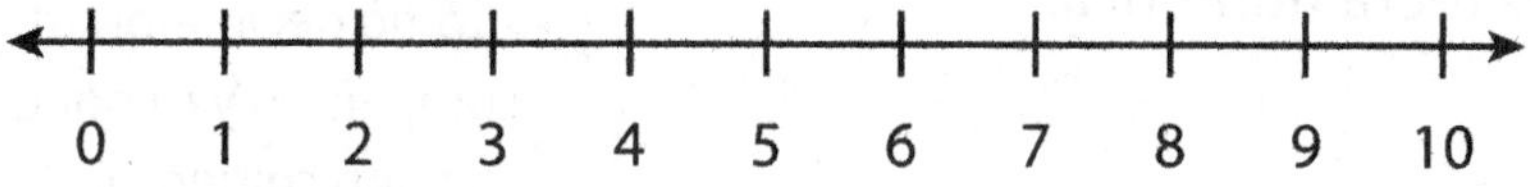

2 Piensa en cómo podrías mostrar $\frac{2}{4} + \frac{3}{4}$ en la recta numérica.

Muestra tu trabajo.

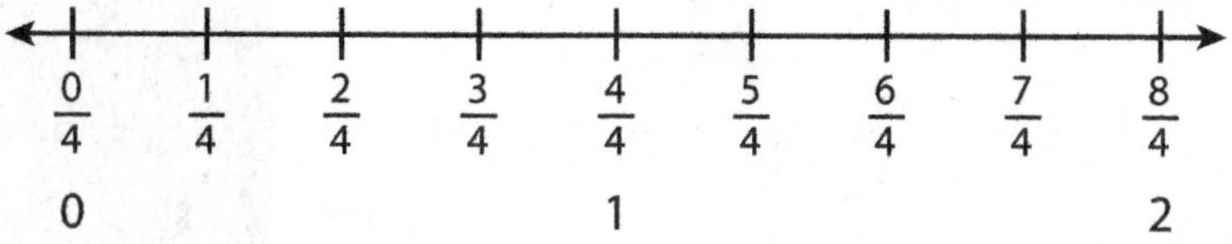

CONVERSA CON UN COMPAÑERO

- Compara tus rectas numéricas con las rectas numéricas de tu compañero. ¿Son iguales?
- Creo que sumar fracciones es como sumar números enteros porque . . .

HAZ UN MODELO

Completa los modelos de abajo.

3 Haz un dibujo para mostrar 5 − 2 en la recta numérica.

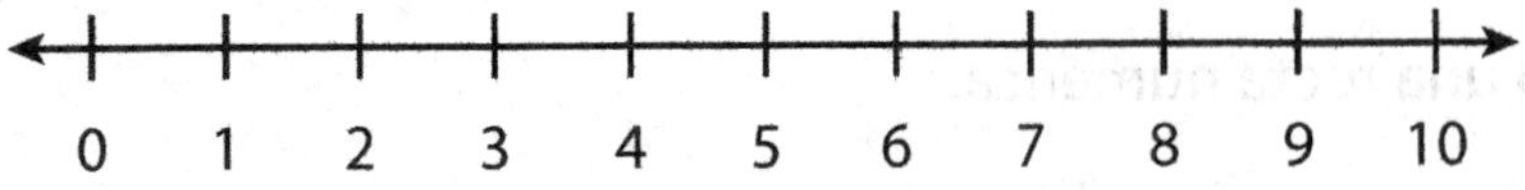

4 Piensa en cómo mostrar $\frac{5}{4} - \frac{2}{4}$ en la recta numérica.

Muestra tu trabajo.

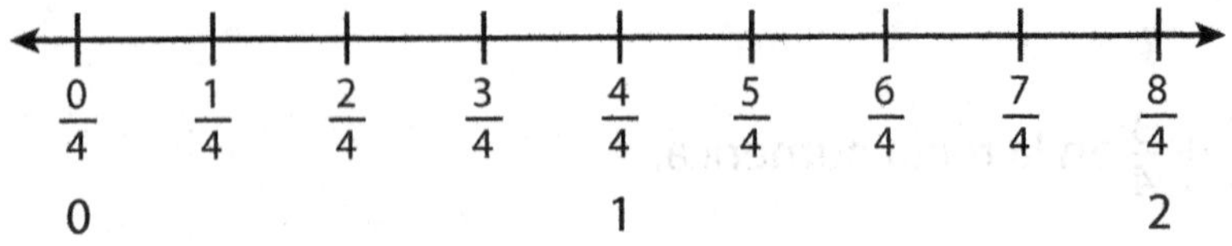

5 ## REFLEXIONA

Compara un modelo de recta numérica para sumar números enteros con un modelo de recta numérica para sumar fracciones. ¿En qué se parecen? ¿En qué son diferentes?

....

....

....

....

....

....

....

CONVERSA CON UN COMPAÑERO

- ¿Cómo decidieron tu compañero y tú por qué fracción comenzar a comparar?
- Creo que restar fracciones es como restar números enteros porque . . .
  Creo que restar fracciones es diferente de restar números enteros porque . . .

Prepárate para la suma y la resta de fracciones

1 Piensa en lo que sabes acerca de las fracciones unitarias. Llena cada recuadro. Usa dibujos, palabras y números. Muestra tantas ideas como puedas.

En mis propias palabras	Mis dibujos
Ejemplos	Contraejemplos

fracción unitaria

2 Muestra $\frac{3}{8}$ usando fracciones unitarias.

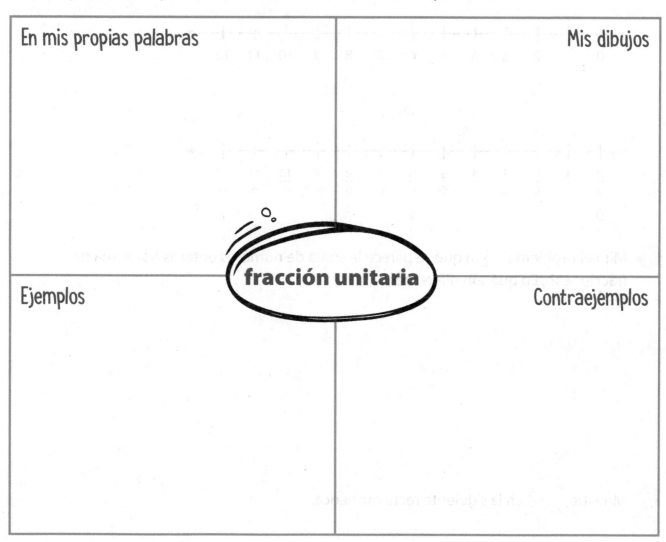

Resuelve.

3 Muestra $3 + 4$ y $\frac{3}{6} + \frac{4}{6}$ en las siguientes rectas numéricas.

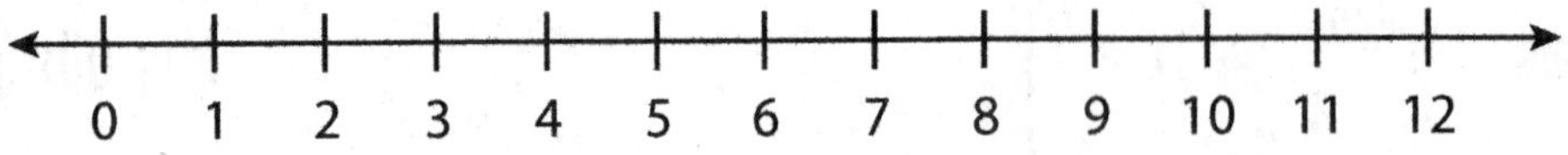

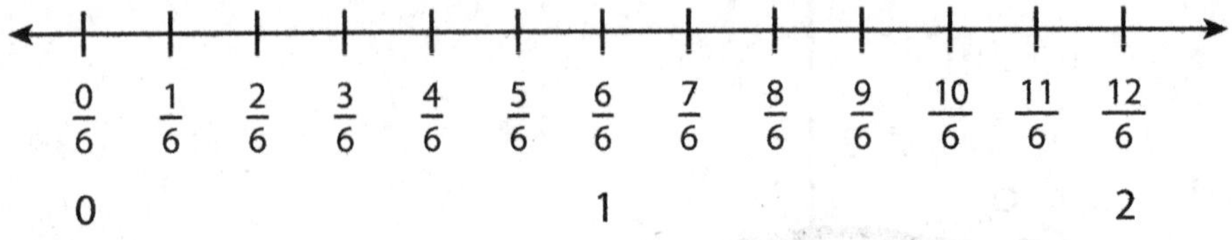

4 Mira el problema 3. ¿En qué se parece la suma de números enteros a la suma de fracciones? ¿En qué son diferentes?

5 Muestra $\frac{7}{5} - \frac{5}{5}$ en la siguiente recta numérica.

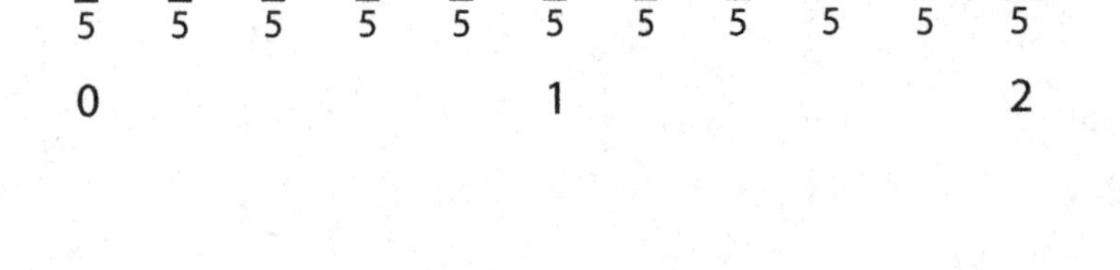

Desarrolla Comprender la suma y la resta de fracciones

HAZ UN MODELO: RECTAS NUMÉRICAS

Prueba estos dos problemas.

1. Rotula la siguiente recta numérica y úsala para mostrar $\frac{2}{4} + \frac{1}{4}$.

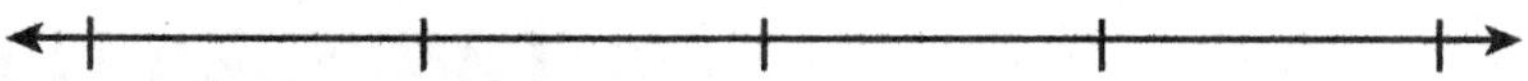

Escribe el total. ....

2. Rotula la siguiente recta numérica y úsala para mostrar $\frac{4}{5} - \frac{2}{5}$.

Escribe la diferencia. ....

CONVERSA CON UN COMPAÑERO

- ¿Mostraron tu compañero y tú la suma y la resta en las rectas numéricas de la misma manera?
- Creo que las rectas numéricas representan la suma y la resta de fracciones porque . . .

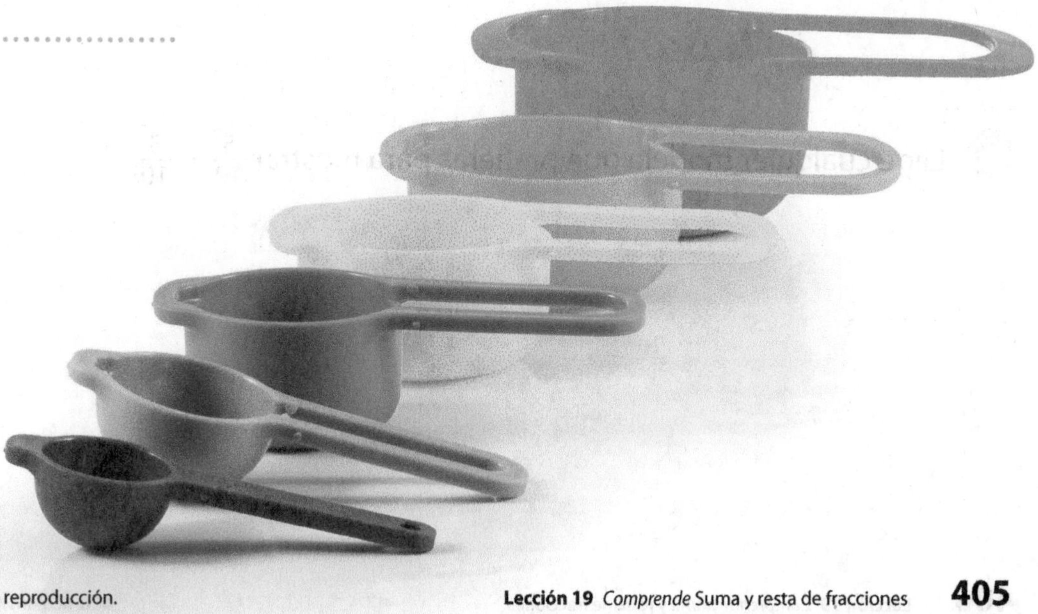

HAZ UN MODELO: MODELOS DE ÁREA

Usa los modelos de área para mostrar la suma o la resta de fracciones.

3 Muestra $\frac{1}{8} + \frac{2}{8}$.

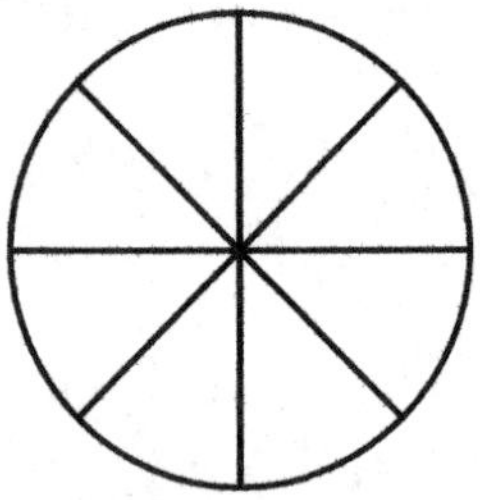

4 Muestra $\frac{6}{10} - \frac{2}{10}$.

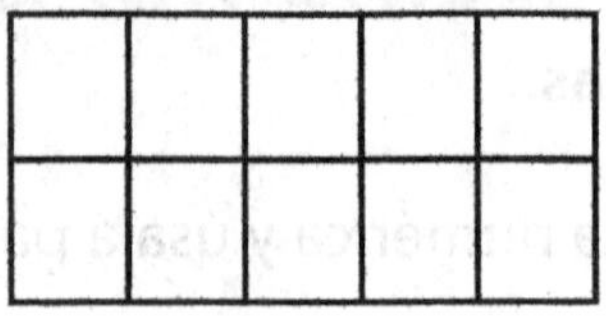

CONVERSA CON UN COMPAÑERO

- ¿Cómo supiste cuántas partes iguales mostrar en cada modelo?
- Creo que los dos modelos de área diferentes muestran fracciones porque . . .

CONÉCTALO

Completa los problemas de abajo.

5 ¿En qué se parecen las rectas numéricas y los modelos de área? ¿En qué son diferentes?

6 Elige cualquier modelo que prefieras para mostrar $\frac{5}{10} - \frac{3}{10}$.

Practica la suma y la resta de fracciones

Estudia cómo el Ejemplo muestra la suma de fracciones.
Luego resuelve los problemas 1 a 12.

EJEMPLO

Puedes contar hacia delante o hacia atrás para sumar o restar números enteros. Puedes hacer lo mismo para sumar o restar fracciones.

Para sumar cuartos, usa una recta numérica que muestre cuartos.

Suma $\frac{3}{4}$ y $\frac{2}{4}$.

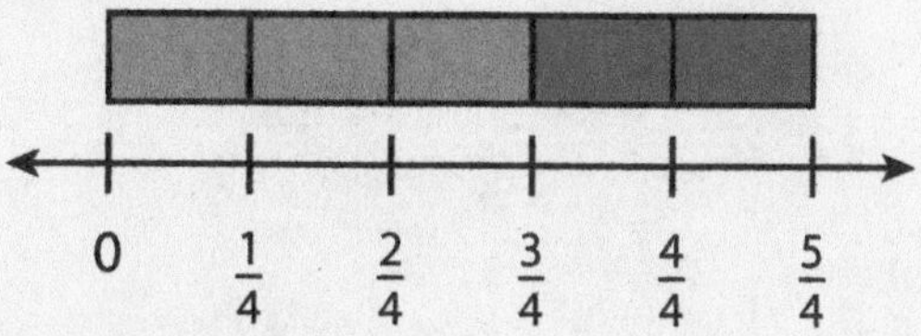

Comienza con $\frac{3}{4}$. Un cuarto más es $\frac{4}{4}$ y otro cuarto es $\frac{5}{4}$.

$$\frac{3}{4} + \frac{2}{4} = \frac{5}{4}$$

1. Cuenta de sexto en sexto para completar los espacios en blanco.

   $\frac{1}{6}$, $\frac{2}{6}$, ..., ..., ..., ..., ..., ..., ..., ...

2. Ahora rotula la recta numérica para mostrar los sextos.

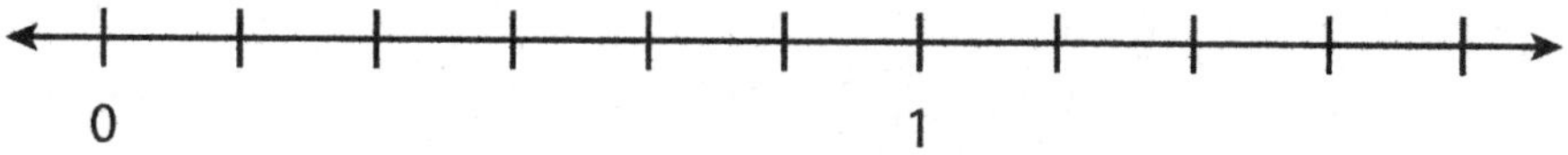

3. ¿Cuánto es $\frac{1}{6}$ más que $\frac{2}{6}$? ....

4. ¿Cuánto es $\frac{1}{6}$ más que $\frac{6}{6}$? ....

5. ¿Cuánto es $\frac{1}{6}$ menos que $\frac{2}{6}$? ....

6. ¿Cuánto es $\frac{1}{6}$ menos que $\frac{6}{6}$? ....

7 Rotula la recta numérica para mostrar cuartos.

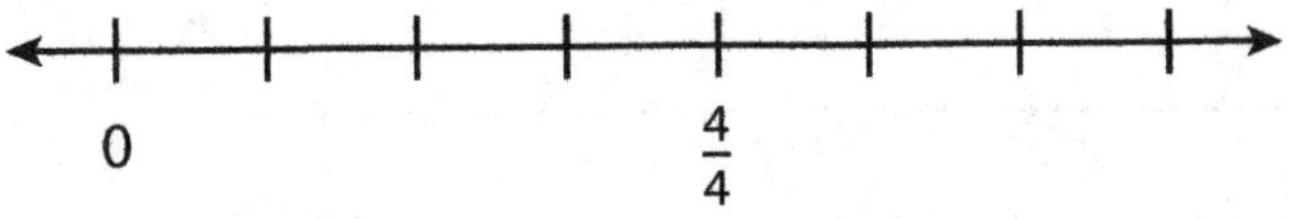

8 Ahora usa la recta numérica del problema 7 para mostrar $\frac{2}{4} + \frac{2}{4}$.

9 Rotula la siguiente recta numérica para mostrar cuartos de nuevo.

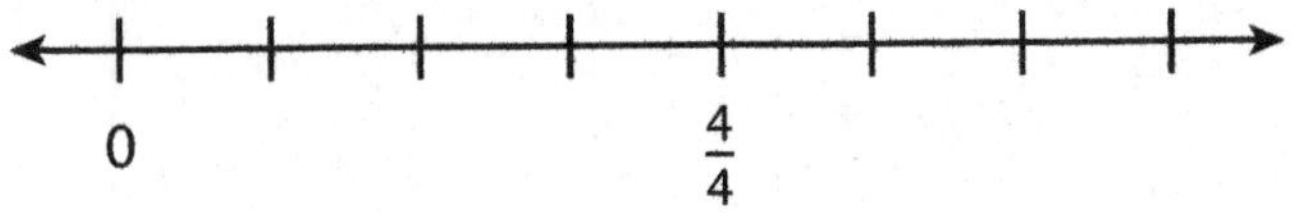

10 Ahora usa la recta numérica del problema 9 para mostrar $\frac{4}{4} - \frac{2}{4}$.

11 ¿Tienen $\frac{5}{8} + \frac{2}{8}$ y $\frac{4}{8} + \frac{3}{8}$ el mismo total? Explica.

12 Mira los tres modelos de área. ¿Cuál elegirías para mostrar $\frac{1}{8} + \frac{2}{8}$?

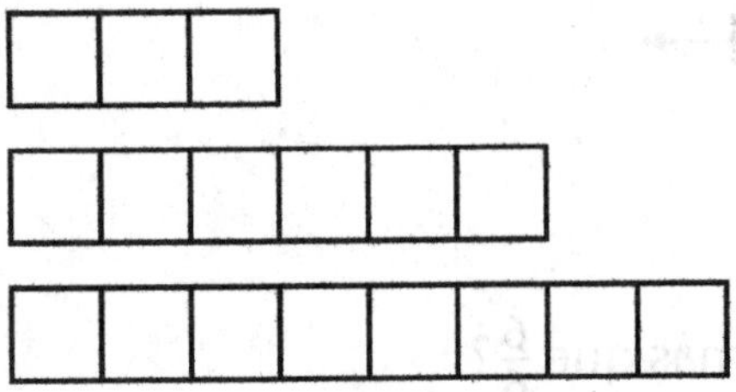

Explica cómo te ayuda el denominador de la fracción a elegir el modelo.

Refina Ideas acerca de la suma y la resta de fracciones

APLÍCALO

Completa estos problemas por tu cuenta.

1 COMPARA

Haz dos modelos diferentes para mostrar $\frac{2}{3} - \frac{1}{3}$.

2 EXPLICA

Rob tiene una pizza grande y una pizza pequeña. Rob corta cada pizza en cuartos. Él toma un cuarto de cada pizza y usa el siguiente problema para mostrar la suma: $\frac{1}{4} + \frac{1}{4} = \frac{2}{4}$. ¿Cuál es el error de Rob?

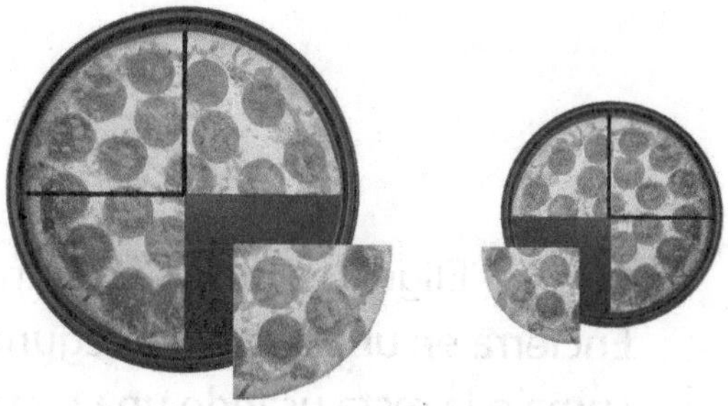

3 DEMUESTRA

Piensa en cómo se suman tres números enteros. Se comienza sumando dos de los números. Luego se suma el tercer número a ese total. Se suman tres fracciones de la misma manera.

Usa la recta numérica y el siguiente modelo de área para mostrar $\frac{1}{10} + \frac{3}{10} + \frac{4}{10}$.

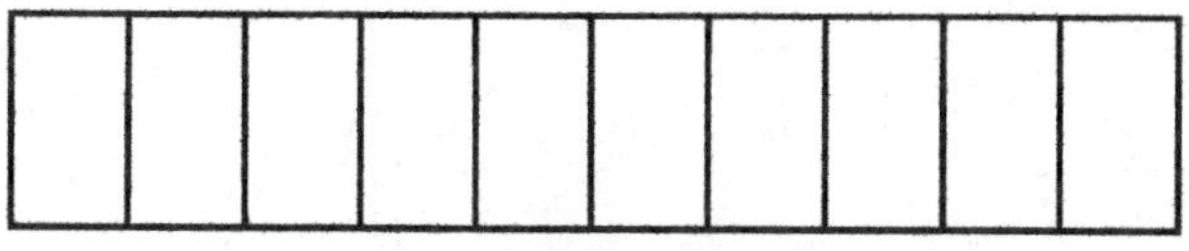

EN PAREJA

Comenta con un compañero tus soluciones a estos tres problemas.

Usa lo que aprendiste para resolver el problema 4.

4 Jen tiene $\frac{4}{10}$ de kilogramo de comida para perros. Luis tiene $\frac{3}{10}$ de kilogramo de comida para perros. Un perro grande come $\frac{2}{10}$ de kilogramo en una comida.

Parte A Escribe dos preguntas diferentes acerca de este problema que requieran sumar o restar fracciones.

Pregunta 1:

Pregunta 2:

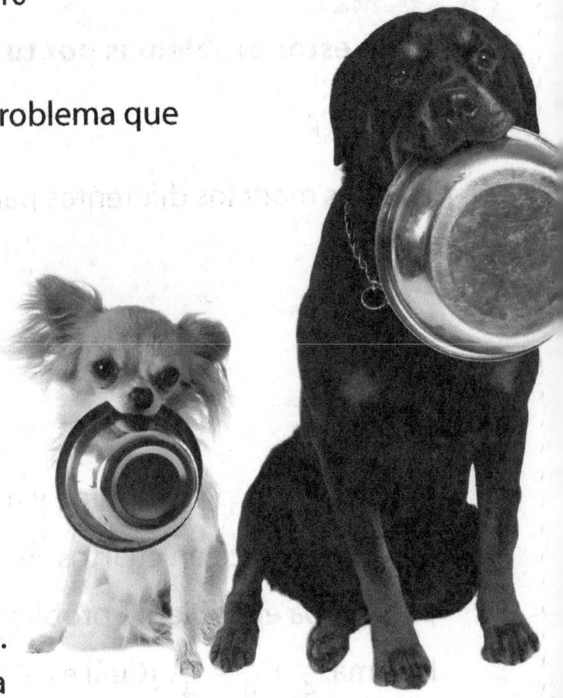

Parte B Elige una de tus preguntas para hacer un modelo. Encierra en un círculo la pregunta que elegiste. Muestra la suma o la resta usando una recta numérica y un modelo de área.

5 DIARIO DE MATEMÁTICAS

Mira la expresión $\frac{1}{8} + \frac{1}{8} + \frac{1}{8} + \frac{1}{8} + \frac{1}{8}$. ¿Es este total mayor que, menor que o igual a $\frac{5}{8}$? Explica cómo lo sabes.

Suma y resta fracciones

LECCIÓN 20

Estimada familia:

Esta semana su niño está aprendiendo cómo sumar y restar fracciones con denominadores comunes.

Las fracciones que tienen el mismo número debajo de la línea tienen denominadores comunes.

denominadores comunes: $\frac{1}{4}$ y $\frac{3}{4}$ distintos denominadores: $\frac{1}{2}$ y $\frac{3}{4}$

Para hallar la suma de fracciones con denominadores comunes, se debe comprender que se están sumando unidades iguales. Al igual que 3 manzanas más 2 manzanas es igual a 5 manzanas, 3 octavos más 2 octavos es igual a 5 octavos. De manera similar, cuando se quita, o se resta, 2 octavos de 5 octavos, quedan 3 octavos.

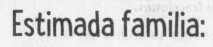

$\frac{3}{8} + \frac{2}{8} = \frac{5}{8}$

También se puede usar una recta numérica para comprender la suma y la resta de fracciones semejantes.

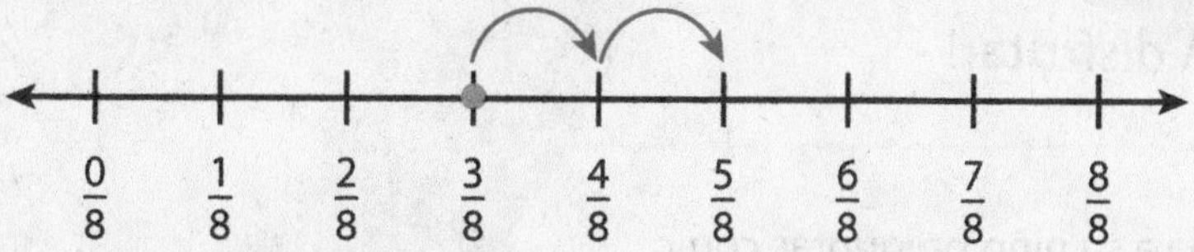

Recuerde que el denominador nombra las unidades de la misma manera que "manzanas" nombra unidades.

Por lo tanto, cuando se suman dos fracciones con denominadores comunes, la suma de los numeradores indica cuántas de esas unidades tiene.

Cuando se restan dos fracciones con denominadores comunes, la diferencia entre los numeradores indica cuántas de esas unidades tiene.

Invite a su niño a compartir lo que sabe sobre sumar y restar fracciones haciendo juntos la siguiente actividad.

ACTIVIDAD SUMAR Y RESTAR FRACCIONES

Haga la siguiente actividad con su niño para sumar y restar fracciones.

Materiales un tazón, una taza de medir y los ingredientes que se muestran en la receta

Siga esta receta para preparar una salsa cremosa para galletas saladas o vegetales en trozos.

Salsa cremosa de queso

Ingredientes

$\frac{5}{8}$ de taza de queso crema

$\frac{2}{8}$ de taza de crema agria

Hierbas

Galletas saladas o vegetales

Instrucciones

Mezclar el queso crema, la crema agria y las hierbas en un tazón de tamaño mediano. Servir inmediatamente con galletas saladas o con vegetales frescos cortados en trozos. ¡A disfrutar!

Luego de preparar la salsa, haga a su niño preguntas como las siguientes:

1. *¿Qué fracción de una taza es la cantidad total de salsa?*

2. *Si untas $\frac{1}{8}$ de taza sobre galletas o vegetales, ¿cuánta salsa de queso quedaría?*

¡Invente una receta simple usando fracciones para que otro miembro de la familia la prepare!

Respuestas: **1.** $\frac{7}{8}$ de taza; **2.** $\frac{6}{8}$ de taza

Explora Sumar y restar fracciones

Antes aprendiste que sumar fracciones es muy parecido a sumar números enteros. Usa lo que sabes para tratar de resolver el siguiente problema.

Lynn, Paco y Todd se reparten un paquete de 12 tarjetas. Lynn recibe 4 tarjetas, Paco recibe 3 tarjetas y Todd recibe el resto de las tarjetas. ¿Qué fracción del paquete recibe Todd?

Objetivos de aprendizaje

- Descomponer una fracción en una suma de fracciones con el mismo denominador en más de una manera, registrando cada descomposición con una ecuación. Justificar las descomposiciones, p. ej., usando un modelo visual de fracciones.
- Resolver problemas verbales con suma y resta de fracciones referidas al mismo entero y con denominador común.

EPM 1, 2, 3, 4, 5, 6, 7

PRUÉBALO

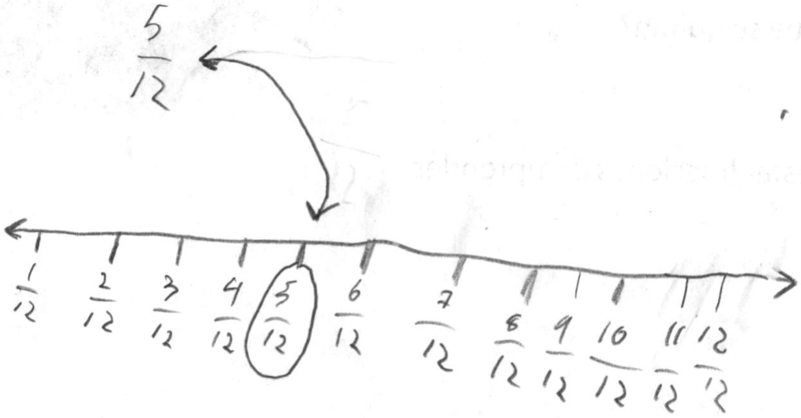

Herramientas matemáticas

- fichas
- círculos de fracciones
- fichas de fracciones
- barras de fracciones
- rectas numéricas
- modelos de fracción

CONVERSA CON UN COMPAÑERO

Pregúntale: ¿Por qué elegiste esa estrategia?

Dile: Al principio, pensé que . . .

CONÉCTALO

1 REPASA

Explica cómo se puede hallar la fracción del paquete que recibe Todd.

usé una linea nu merica

2 SIGUE ADELANTE

En el problema de la página anterior, el entero es el paquete de tarjetas. Como hay 12 tarjetas en el paquete, cada tarjeta representa $\frac{1}{12}$ del entero. Mira el entero que se muestra aquí. El entero es la pizza. Es una sola cosa.

a. ¿Cuántas partes iguales se muestran en la pizza? 8

b. ¿Qué fracción se puede usar para describir cada pedazo de pizza? $\frac{1}{8}$

c. ¿Qué fracción se puede usar para describir el entero? $\frac{8}{8}$

d. ¿Qué fracción se puede usar para describir los tres pedazos que se quitan? $\frac{3}{8}$

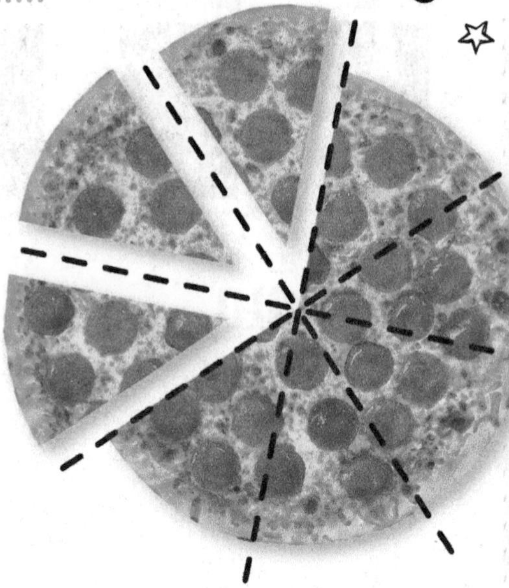

3 REFLEXIONA

¿Cómo nos ayuda a sumar y restar fracciones comprender lo que son las partes iguales?

Prepárate para sumar y restar fracciones

1 Piensa en lo que sabes acerca de las fracciones. Llena cada recuadro.
Usa palabras, números y dibujos. Muestra tantas ideas como puedas.

¿Qué es?

Lo que sé sobre esto

fracción

Ejemplos

Ejemplos

Ejemplos

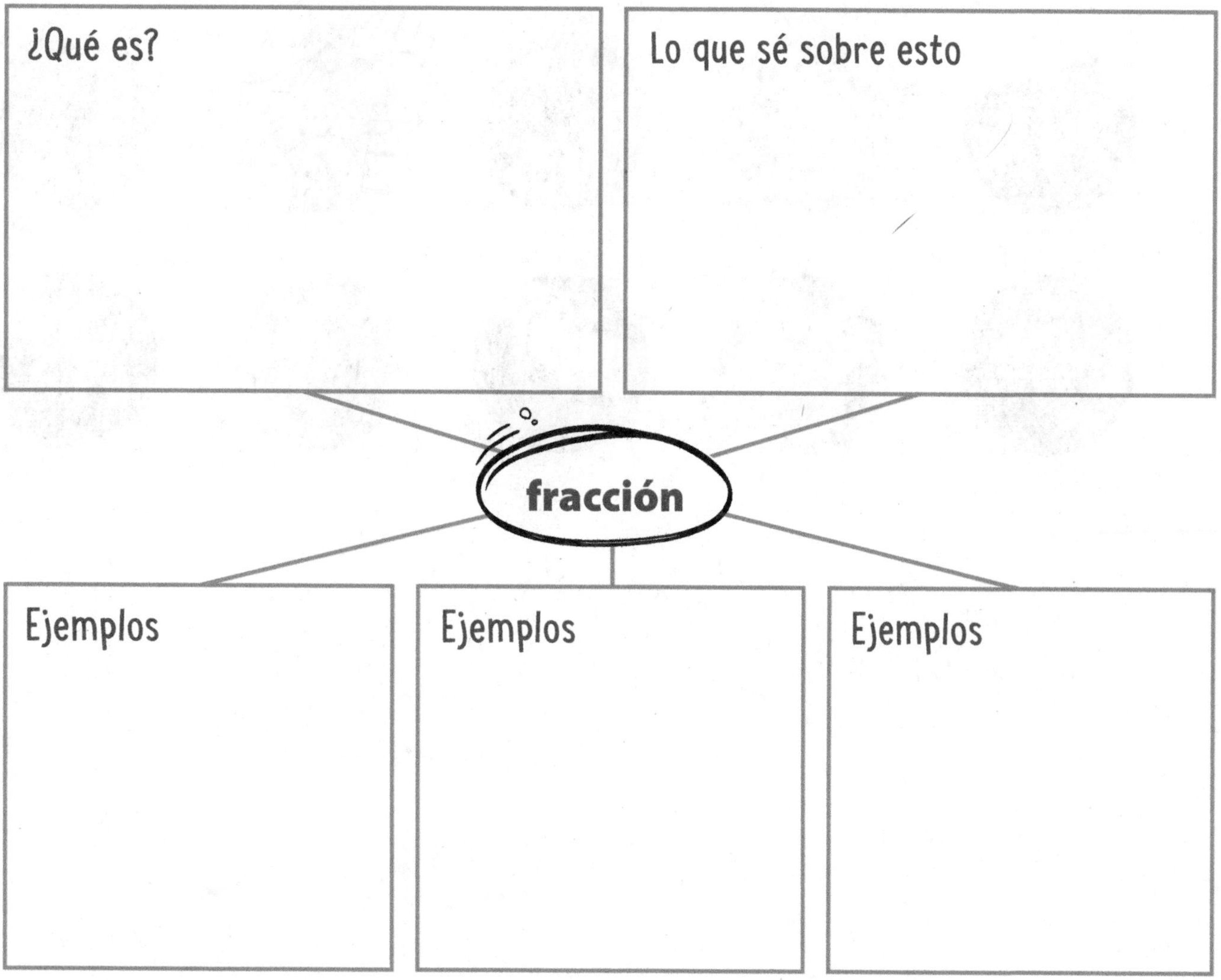

2 ¿Representa octavos el modelo de abajo? ¿Por qué sí o por qué no?

$\frac{1}{8}$	$\frac{1}{8}$	$\frac{1}{8}$	$\frac{1}{8}$	$\frac{1}{8}$	$\frac{1}{8}$	$\frac{1}{8}$	$\frac{1}{8}$

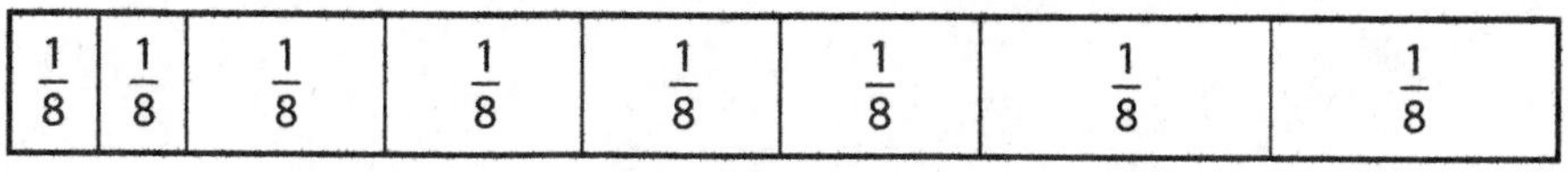

3 Resuelve el problema. Muestra tu trabajo.

María, Juan y Carla comparten un conjunto de 10 calcomanías de animales. María recibe 2 calcomanías, Juan recibe 4 calcomanías y Carla recibe el resto. ¿Qué fracción de las calcomanías recibe Carla?

Solución ....

4 Comprueba tu respuesta. Muestra tu trabajo.

Desarrolla Sumar fracciones

Lee el siguiente problema y trata de resolverlo.

Josie y Margo están pintando de verde una cerca. Josie empieza en un extremo y pinta $\frac{3}{10}$ de la cerca. Margo empieza en el otro extremo y pinta $\frac{4}{10}$ de la cerca. ¿Qué fracción de la cerca pintaron entre las dos?

PRUÉBALO

$\frac{4}{10} + \frac{3}{10} = \frac{7}{10} = \frac{7}{10}$

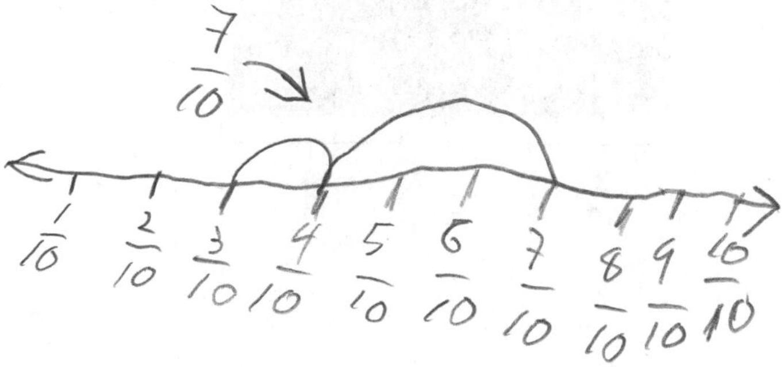

Herramientas matemáticas

- círculos de fracciones
- fichas de fracciones
- barras de fracciones
- rectas numéricas
- tarjetas en blanco
- modelos de fracción

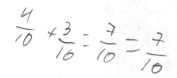

CONVERSA CON UN COMPAÑERO

Pregúntale: ¿Cómo empezaste a resolver el problema?

Dile: Un modelo que usé fue . . . Me ayudó a . . .

Explora diferentes maneras de entender cómo sumar fracciones.

Josie y Margo están pintando de verde una cerca. Josie empieza en un extremo y pinta $\frac{3}{10}$ de la cerca. Margo empieza en el otro extremo y pinta $\frac{4}{10}$ de la cerca. ¿Qué fracción de la cerca pintaron entre las dos?

HAZ UN DIBUJO

Puedes usar un dibujo para ayudarte a entender el problema.

Piensa en cómo se vería una cerca con 10 partes iguales.

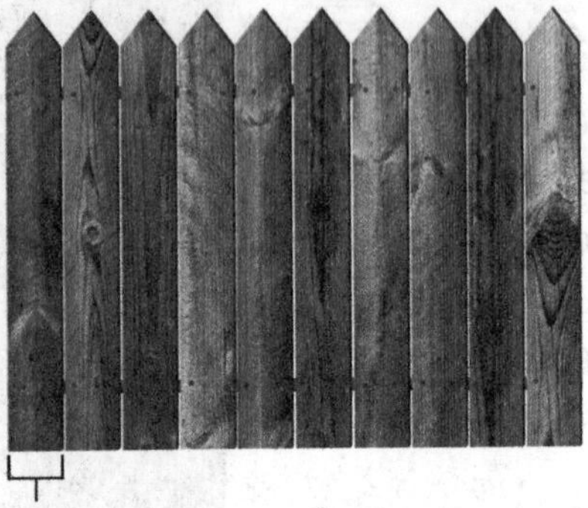

Cada parte es $\frac{1}{10}$ del entero.

Las niñas pintan 3 décimos y 4 décimos de la cerca.

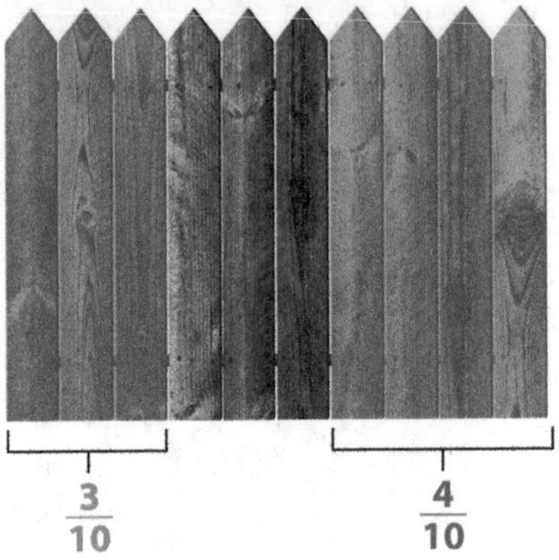

HAZ UN MODELO

También puedes usar una recta numérica para ayudarte a entender el problema.

La recta numérica de abajo está dividida en décimos con un punto en $\frac{3}{10}$.

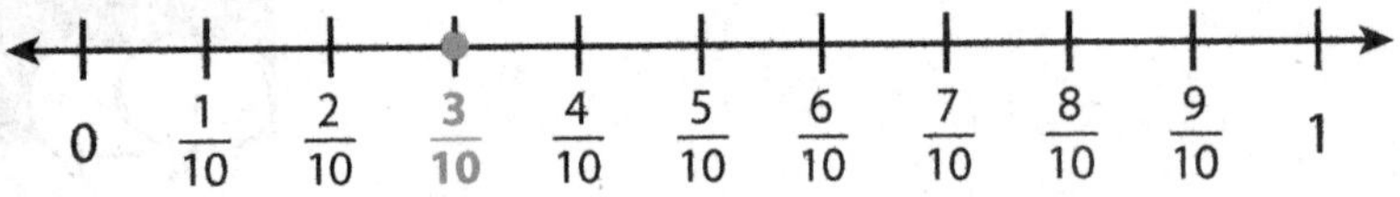

Empieza en $\frac{3}{10}$ y cuenta 4 décimos hacia la derecha para **sumar** $\frac{4}{10}$.

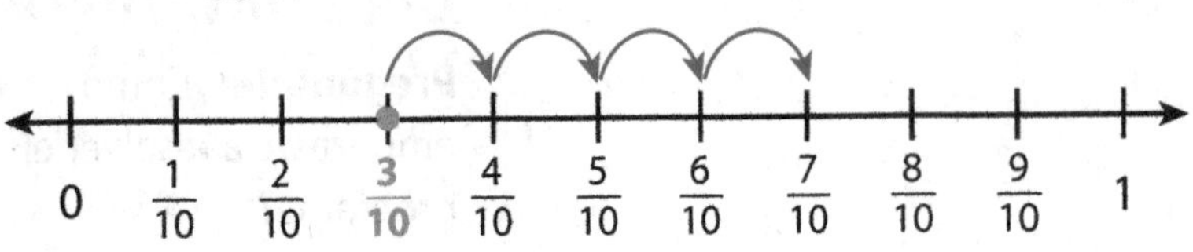

CONÉCTALO

Ahora vas a usar el problema de la página anterior para ayudarte a entender cómo sumar cualesquiera dos fracciones que tengan el mismo denominador.

1. Mira **Haz un dibujo**. ¿Cómo sabes que cada sección de la cerca es $\frac{1}{10}$ de la cerca entera?

   se parando cada tablon se ria $\frac{1}{10}$

2. ¿Qué indican los numeradores, 3 y 4?

   $\frac{1}{10}$

3. ¿Cuántos décimos de la cerca pintaron Josie y Margo entre las dos? $\frac{7}{10}$

4. Completa las ecuaciones para mostrar qué fracción de la cerca pintaron Josie y Margo entre las dos.

   Usa palabras: **3 décimos** + **4 décimos** = 7 décimos

   Usa fracciones: $\frac{3}{10} + \frac{4}{10} = \frac{7}{10}$

5. ¿Cuál sería la suma si las fracciones fueran $\frac{3}{10}$ y $\frac{5}{10}$? $\frac{8}{10}$

6. Explica cómo sumar fracciones que tienen el mismo denominador.

7. # REFLEXIONA

   Repasa **Pruébalo**, las estrategias de tus compañeros, **Haz un dibujo** y **Haz un modelo**. ¿Qué modelos o estrategias prefieres para sumar fracciones? Explica.

APLÍCALO

Usa lo que acabas de aprender para resolver estos problemas.

8 Lita y Otis ayudan a su madre a hacer limpieza. Lita limpia $\frac{1}{3}$ de la casa. Otis limpia $\frac{1}{3}$ de la casa. ¿Qué fracción de la casa limpian Lita y Otis entre los dos? Muestra tu trabajo.

Solución ....

9 Mark e Imani usan cordel para un proyecto. El cordel de Mark mide $\frac{1}{5}$ de metro de largo. El cordel de Imani mide $\frac{3}{5}$ de metro de largo. ¿Cuánto miden los dos cordeles juntos? Muestra tu trabajo.

.... de metro

10 Paola hace un batido de frutas. Ella usa $\frac{2}{8}$ de libra de fresas y $\frac{4}{8}$ de libra de bananas. ¿Cuántas libras de frutas usa ella? Muestra tu trabajo.

Solución ....

Desarrolla Restar fracciones

Lee el siguiente problema y trata de resolverlo.

La botella de agua de Alberto tiene $\frac{5}{6}$ de litro de agua. Él bebe $\frac{4}{6}$ de litro. ¿Qué fracción de un litro de agua queda en la botella?

PRUÉBALO

$\frac{5}{6} - \frac{4}{6} = \frac{1}{6}$

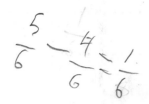

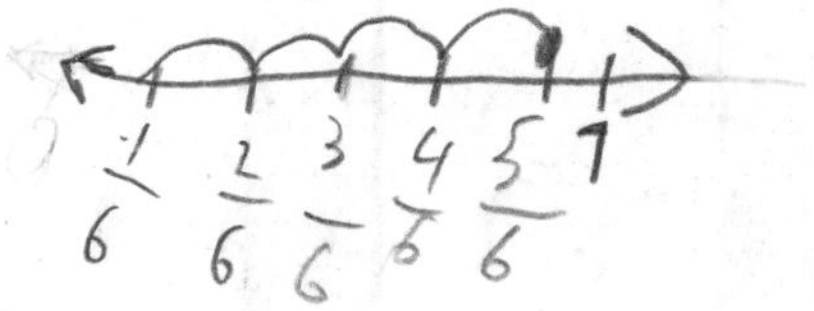

Herramientas matemáticas

- círculos de fracciones
- fichas de fracciones
- barras de fracciones
- rectas numéricas
- tarjetas en blanco
- modelos de fracción

CONVERSA CON UN COMPAÑERO

Pregúntale: ¿Puedes explicarme eso otra vez?

Dile: No estoy de acuerdo con esta parte porque . . .

Explora diferentes maneras de entender cómo restar fracciones.

La botella de agua de Alberto tiene $\frac{5}{6}$ de litro de agua. Él bebe $\frac{4}{6}$ de litro. ¿Qué fracción de un litro de agua queda en la botella?

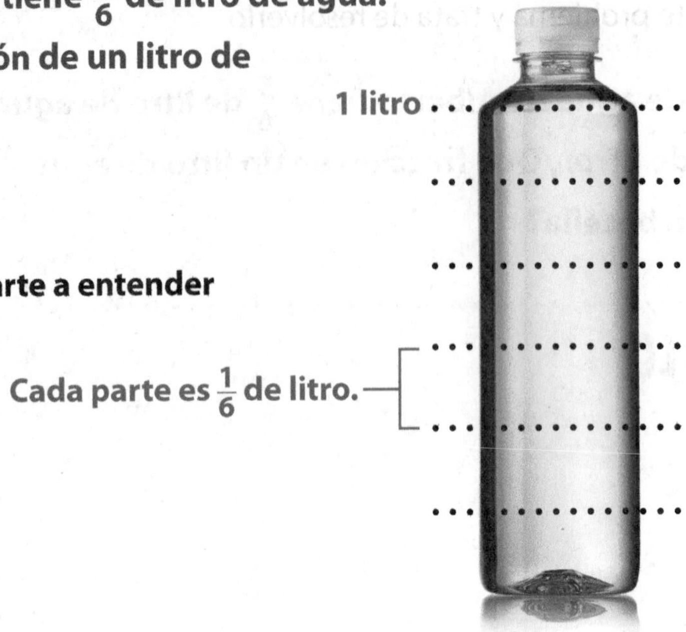

HAZ UN DIBUJO

Puedes usar un dibujo para ayudarte a entender el problema.

El dibujo muestra todo el litro dividido en 6 partes iguales.

Las cinco partes sombreadas muestran cuánta agua hay en la botella. Alberto bebe 4 sextos de litro, así que se quitan 4 partes sombreadas. La 1 parte sombreada que queda muestra la fracción de un litro que queda.

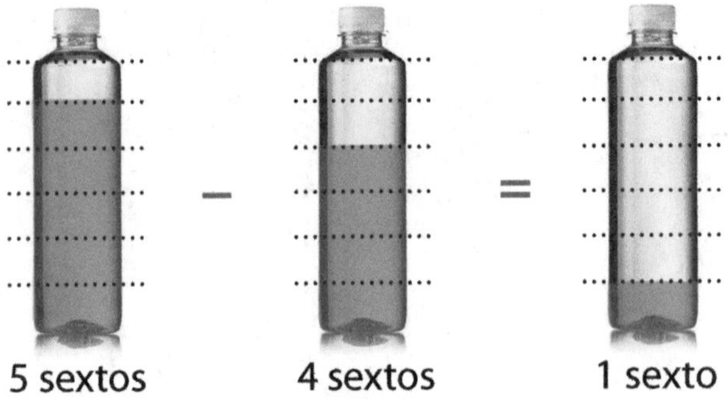

HAZ UN MODELO

También puedes usar una recta numérica para ayudarte a entender el problema.

La recta numérica a la derecha está dividida en sextos, con un punto en $\frac{5}{6}$.

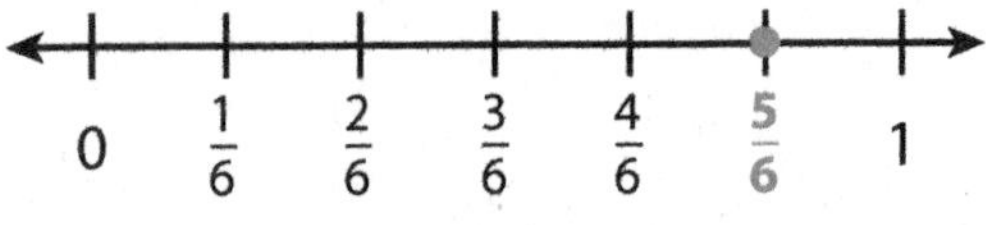

Comienza en $\frac{5}{6}$ y cuenta hacia atrás 4 sextos para **restar** $\frac{4}{6}$.

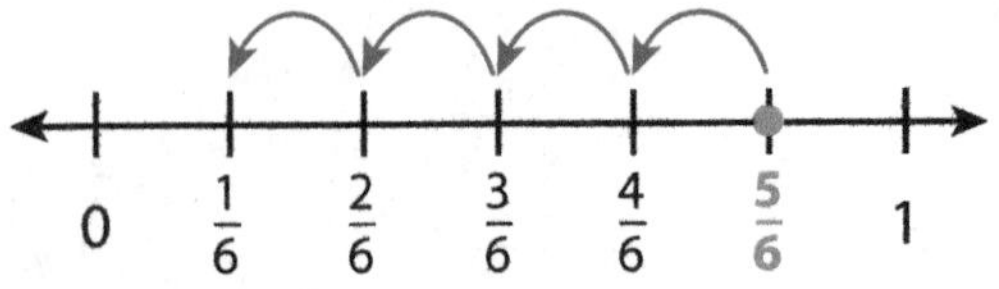

CONÉCTALO

Ahora vas a usar el problema de la página anterior para ayudarte a entender cómo restar cualesquiera dos fracciones que tengan el mismo denominador.

1. En **Haz un dibujo**, ¿por qué representa $\frac{1}{6}$ una de las partes iguales del litro?

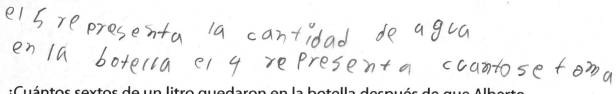

2. ¿Qué indican los numeradores 5 y 4?

el 5 representa la cantidad de agua en la botella el 4 representa cuanto se toma

3. ¿Cuántos sextos de un litro quedaron en la botella después de que Alberto bebió 4 sextos? $\frac{1}{6}$

4. Completa las ecuaciones para mostrar qué fracción de un litro queda en la botella.

Usa palabras: **5 sextos** – **4 sextos** = 1 sexto

Usa fracciones: $\frac{5}{6} - \frac{4}{6} = \frac{1}{6}$

5. Explica cómo restar fracciones que tienen el mismo denominador.

6. REFLEXIONA

Repasa **Pruébalo**, las estrategias de tus compañeros, **Haz un dibujo** y **Haz un modelo**. ¿Qué modelos o estrategias prefieres para restar fracciones? Explica.

APLÍCALO

Usa lo que acabas de aprender para resolver estos problemas.

7 A Carmen le quedaban por cortar $\frac{8}{10}$ del césped. Cortó $\frac{5}{10}$ del césped. Ahora, ¿qué fracción del césped le queda por cortar? Muestra tu trabajo.

Solución ....

8 La Sra. Kirk tenía $\frac{3}{4}$ de un cartón de huevos. Usó algunos huevos para hacer un pastel y ahora le quedan $\frac{2}{4}$ del cartón. ¿Qué fracción del cartón de huevos usó? Muestra tu trabajo.

Solución ....

9 Badru lee $\frac{4}{8}$ de un libro. ¿Cuánto del libro le queda por leer?

Ⓐ $\frac{1}{8}$

Ⓑ $\frac{2}{8}$

Ⓒ $\frac{4}{8}$

Ⓓ $\frac{6}{8}$

Desarrolla Descomponer fracciones

Lee el siguiente problema y trata de resolverlo.

A Dan le falta $\frac{5}{6}$ de su lectura por hacer esta semana. Él tiene pensado completarla en dos o más días entre el lunes y el viernes. ¿Cuáles son dos maneras diferentes en las que Dan podría completar su lectura? Usa una fracción para describir la parte de su lectura que Dan debe hacer cada día.

PRUÉBALO

Herramientas matemáticas

- fichas
- círculos de fracciones
- fichas de fracciones
- barras de fracciones
- rectas numéricas
- modelos de fracción

CONVERSA CON UN COMPAÑERO

Pregúntale: ¿Estás de acuerdo conmigo? ¿Por qué sí o por qué no?

Dile: No entiendo cómo . . .

Explora diferentes maneras de entender cómo descomponer fracciones.

A Dan le falta $\frac{5}{6}$ de su lectura por hacer esta semana. Él tiene pensado completarla en dos o más días entre el lunes y el viernes. ¿Cuáles son dos maneras diferentes en las que Dan podría completar su lectura? Usa una fracción para describir la parte de su lectura que Dan debe hacer cada día.

HAZ UN MODELO

Puedes usar modelos para mostrar cómo descomponer una fracción de distintas maneras.

Descomponer una fracción es separarla en partes.

Estos modelos muestran dos maneras de descomponer $\frac{5}{6}$.

Una manera:

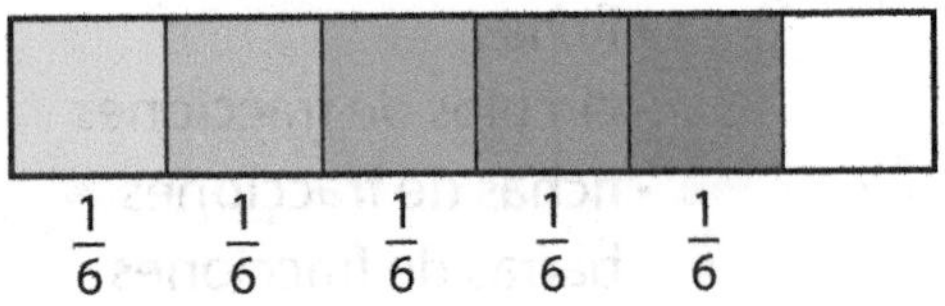

Otra manera:

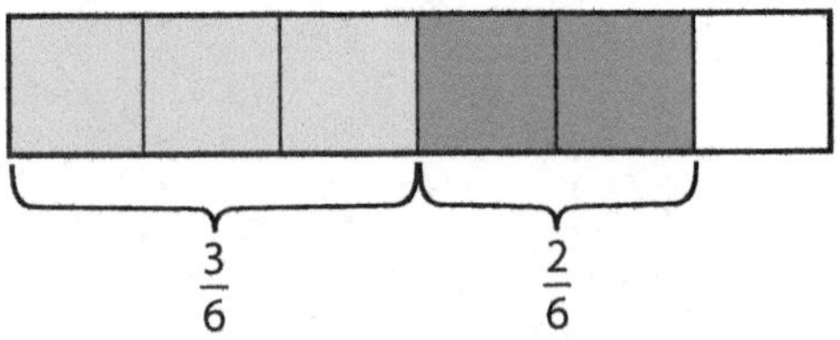

HAZ UN MODELO

También puedes usar ecuaciones para descomponer una fracción de distintas maneras.

Se puede hacer una lista de distintas maneras de sumar fracciones para obtener $\frac{5}{6}$.

$$\frac{5}{6} = \frac{1}{6} + \frac{1}{6} + \frac{1}{6} + \frac{1}{6} + \frac{1}{6}$$

$$\frac{5}{6} = \frac{1}{6} + \frac{1}{6} + \frac{1}{6} + \frac{2}{6}$$

$$\frac{5}{6} = \frac{1}{6} + \frac{2}{6} + \frac{2}{6}$$

$$\frac{5}{6} = \frac{3}{6} + \frac{1}{6} + \frac{1}{6}$$

$$\frac{5}{6} = \frac{3}{6} + \frac{2}{6}$$

$$\frac{5}{6} = \frac{4}{6} + \frac{1}{6}$$

CONÉCTALO

Ahora vas a usar el problema de la página anterior para ayudarte a entender cómo descomponer una fracción de distintas maneras.

1 Mira el primer **Haz un modelo**. ¿Cuántas partes iguales hay en cada modelo? .... ¿Cuántas partes están sombreadas en cada modelo? ....

2 Mira las ecuaciones del segundo **Haz un modelo**. ¿Cómo se puede saber si dos o más fracciones tienen una suma de $\frac{5}{6}$?

3 ¿Cuál es la mayor cantidad de lectura que Dan podría hacer en un día?

4 ¿Cuáles son dos maneras diferentes en las que Dan podría completar su lectura?

5 Explica cómo hallar todas las maneras diferentes de descomponer una fracción.

6 REFLEXIONA

Repasa **Pruébalo**, las estrategias de tus compañeros, y las secciones de **Haz un dibujo**. ¿Qué modelos o estrategias prefieres para descomponer una fracción? Explica.

....

....

....

....

APLÍCALO

Usa lo que acabas de aprender para resolver estos problemas.

7 Halla tres maneras de descomponer $\frac{7}{8}$ en una suma de otras fracciones. Dibuja un modelo para cada manera, que muestre cómo sabes que esa es una manera correcta. Muestra tu trabajo.

Solución ....

8 Completa las ecuaciones para mostrar una manera de descomponer cada fracción.

a. .... $+ \frac{1}{4} + \frac{3}{4} = \frac{5}{4}$

b. $\frac{3}{4} = \frac{1}{4} +$ ....

c. $\frac{9}{12} = \frac{3}{12} + \frac{3}{12} +$ ....

9 Dibuja un diagrama para justificar tu respuesta al problema 8b.

Practica descomponer fracciones

Estudia el Ejemplo, que muestra cómo descomponer una fracción de distintas maneras. Luego resuelve los problemas 1 a 5.

EJEMPLO

A la familia de Sara le queda $\frac{4}{8}$ de un pastel de cerezas. Sara y su hermana comparten lo que queda del pastel. ¿Cuáles son dos maneras distintas en las que Sara y su hermana pueden recibir algo del pastel cada una?

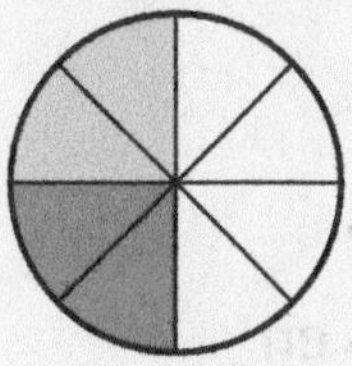

$\frac{2}{8} + \frac{2}{8} = \frac{4}{8}$

Sara y su hermana podrían recibir $\frac{2}{8}$ del pastel cada una.

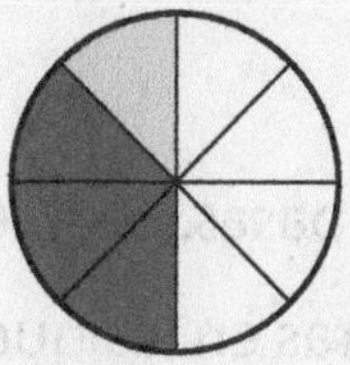

$\frac{1}{8} + \frac{3}{8} = \frac{4}{8}$

Sara podría recibir $\frac{1}{8}$ del pastel y su hermana $\frac{3}{8}$ del pastel.

1. Completa las ecuaciones para mostrar cómo descomponer $\frac{3}{5}$ de dos maneras diferentes.

   a. $\frac{3}{5} = \frac{1}{5} +$ ....

   b. $\frac{3}{5} = \frac{1}{5} +$ .... $+ \frac{1}{5}$

2. Sombrea el modelo de área para mostrar la ecuación del problema 1a.

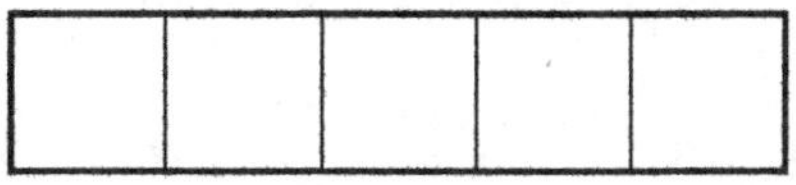

3 Selecciona todas las ecuaciones que muestran una manera correcta de representar $\frac{7}{10}$.

Ⓐ $\frac{1}{10} + \frac{5}{10} = \frac{7}{10}$

Ⓑ $\frac{2}{10} + \frac{5}{10} = \frac{7}{10}$

Ⓒ $\frac{1}{10} + \frac{2}{10} + \frac{4}{10} = \frac{7}{10}$

Ⓓ $\frac{1}{10} + \frac{4}{10} + \frac{3}{10} = \frac{7}{10}$

Ⓔ $\frac{1}{10} + \frac{1}{10} + \frac{1}{10} + \frac{1}{10} + \frac{1}{10} + \frac{1}{10} + \frac{1}{10} = \frac{7}{10}$

4 Víctor tiene $\frac{6}{6}$ de taza de uvas pasas. Él quiere poner las uvas pasas en tres bolsas. ¿Cuáles son dos maneras en las que él podría poner las uvas pasas en tres bolsas? Usa un modelo para mostrar cada manera. Muestra tu trabajo.

Solución ....

....

....

5 ¿Es $\frac{7}{12} + \frac{1}{12}$ equivalente a $\frac{4}{12} + \frac{4}{12}$? Explica tu respuesta.

Refina Sumar y restar fracciones

Completa el Ejemplo siguiente. Luego resuelve los problemas 1 a 9.

EJEMPLO

Jacinta camina $\frac{2}{5}$ de milla por un sendero antes de detenerse para beber agua. Después de beber, Jacinta camina otros $\frac{2}{5}$ de milla. ¿Qué distancia camina Jacinta en total?

Mira cómo podrías mostrar tu trabajo en una recta numérica.

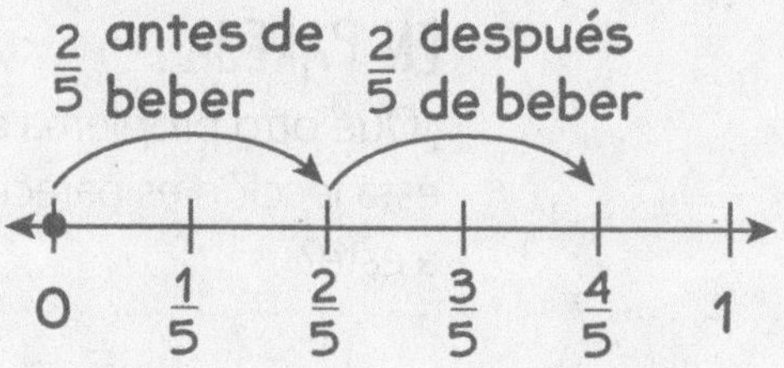

Solución ....

El estudiante usó rótulos y flechas de "salto" para mostrar cada parte de la caminata en una recta numérica. ¡Es igual que sumar números enteros!

EN PAREJA
¿De qué otra manera podrías resolver este problema?

APLÍCALO

1 Raquel hace 1 batido de fruta. Bebe $\frac{1}{3}$ del batido. ¿Qué fracción del batido le queda? Muestra tu trabajo.

¿Qué fracción representa el batido de fruta entero?

Solución ....

EN PAREJA
¿Cómo decidieron tu compañero y tú con qué fracción empezar?

2 El Sr. López tiene varios globos. $\frac{3}{10}$ de los globos son rojos. $\frac{2}{10}$ de los globos son azules. ¿Qué fracción de los globos no son ni rojos ni azules? Muestra tu trabajo.

Creo que hacen falta al menos dos pasos para resolver este problema.

Solución ....

EN PAREJA

¿Qué otro problema de esta lección es parecido a este?

3 Emilia come $\frac{1}{6}$ de una bolsa de zanahorias. Nicolás come $\frac{2}{6}$ de la misma bolsa de zanahorias. ¿Qué fracción de la bolsa de zanahorias comen Emilia y Nicolás entre los dos?

Ⓐ $\frac{1}{6}$

Ⓑ $\frac{1}{3}$

Ⓒ $\frac{3}{6}$

Ⓓ $\frac{3}{12}$

Roberto eligió Ⓓ como la respuesta correcta. ¿Cómo obtuvo él esa respuesta?

Para hallar la fracción de la bolsa que Emilia y Nicolás comieron entre los dos, ¿debes sumar o restar?

EN PAREJA

¿Tiene sentido la respuesta de Roberto?

4 Leandro compra tela. Usa $\frac{5}{8}$ de una yarda para un proyecto de la escuela. Le queda $\frac{2}{8}$ de yarda. ¿Cuánta tela compró Leandro?

Ⓐ $\frac{3}{8}$ de yarda

Ⓑ $\frac{7}{16}$ de yarda

Ⓒ $\frac{7}{8}$ de yarda

Ⓓ $\frac{8}{8}$ de yarda

5 Carmela corta un pastel en 12 porciones iguales. Ella come $\frac{2}{12}$ del pastel y su hermano come $\frac{3}{12}$ del pastel. ¿Qué fracción del pastel queda?

Ⓐ $\frac{1}{12}$

Ⓑ $\frac{5}{12}$

Ⓒ $\frac{7}{12}$

Ⓓ $\frac{12}{12}$

6 Luis preparó panecillos. Usó $\frac{2}{3}$ de taza de leche y $\frac{1}{3}$ de taza de aceite. ¿Cuánta más leche que aceite usó? Muestra tu trabajo.

Solución ....

7 Lucía y Marta trabajan juntas para pintar $\frac{6}{8}$ de una habitación. ¿Qué modelos se podrían usar para mostrar cuánto de la habitación pintó cada una?

Ⓐ 

Ⓑ 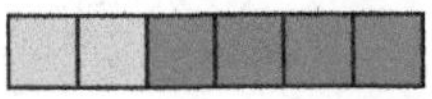

Ⓒ 

Ⓓ $\frac{6}{8} = \frac{3}{8} + \frac{3}{8}$

Ⓔ $\frac{6}{8} = \frac{5}{8} + \frac{1}{8}$

8 En total, Conrado y Max cosecharon $\frac{9}{10}$ de un cubo de arándanos. Conrado cosechó $\frac{3}{10}$ de un cubo de arándanos. ¿Qué fracción de un cubo cosechó Max? Muestra tu trabajo.

Solución ....

9 ## DIARIO DE MATEMÁTICAS

La Sra. Cuevas corta una manzana en octavos. Ella come $\frac{3}{8}$ de la manzana y les da el resto a su hijo e hija. Describe dos maneras diferentes en las que el hijo y la hija pueden compartir el resto de la manzana si ambos comen algo de la manzana.

☑ **COMPRUEBA TU PROGRESO** Vuelve al comienzo de la Unidad 4 y mira qué destrezas puedes marcar.

Suma y resta números mixtos

LECCIÓN 21

Estimada familia:

Esta semana su niño está aprendiendo a sumar y restar números mixtos.

Un número mixto es un número que tiene una parte de número entero y una parte fraccionaria.

Usar modelos puede ayudar a su niño a sumar números mixtos, como $1\frac{2}{6} + 1\frac{5}{6}$.

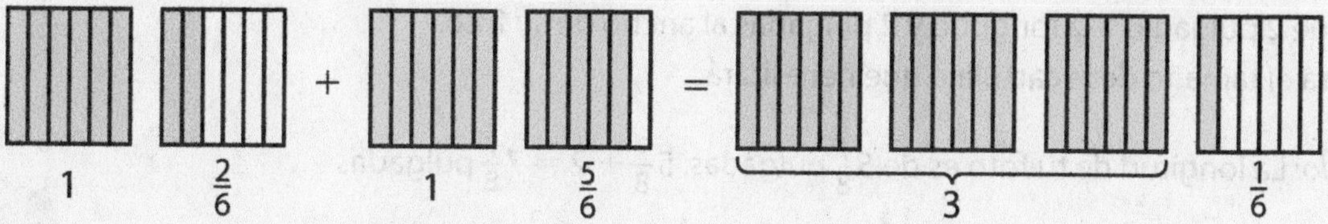

El modelo muestra que puede sumar los enteros: $1 + 1 = 2$.

Luego puede sumar las partes: $\frac{2}{6} + \frac{5}{6} = \frac{7}{6}$.

La fracción $\frac{7}{6}$ es otro entero, $\frac{6}{6}$ o 1, y $\frac{1}{6}$.

El modelo muestra que la suma es 3 enteros y $\frac{1}{6}$ de un entero.

Por lo tanto: $1\frac{2}{6} + 1\frac{5}{6} = 3\frac{1}{6}$.

Invite a su niño a compartir lo que sabe sobre sumar y restar números mixtos haciendo juntos la siguiente actividad.

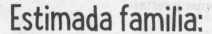

ACTIVIDAD SUMAR Y RESTAR NÚMEROS MIXTOS

Haga la siguiente actividad con su niño para ayudarlo a sumar y restar números mixtos.

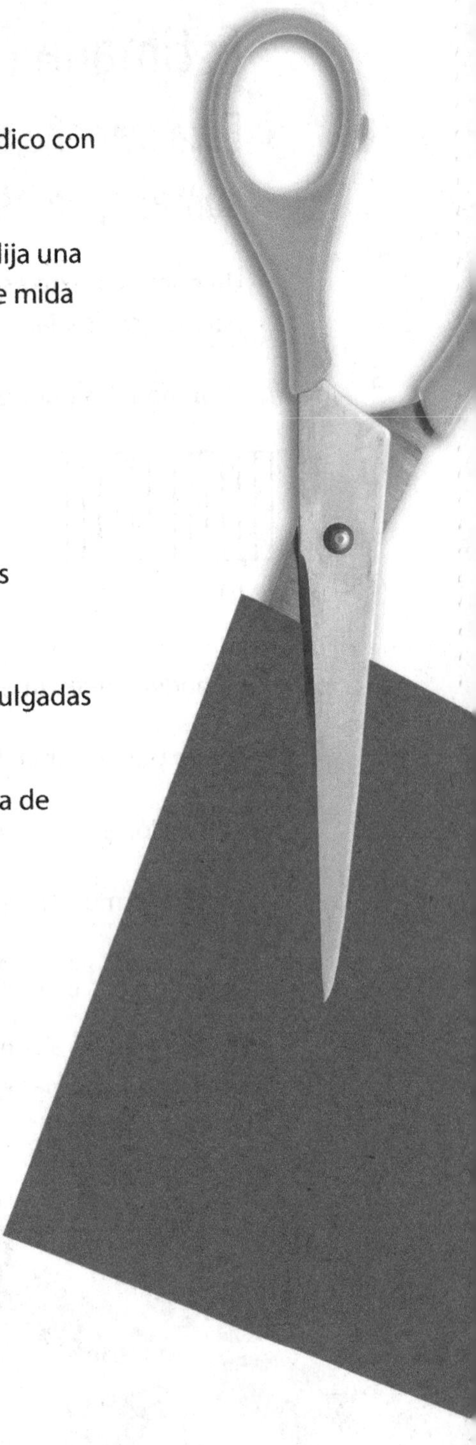

Materiales cartulina $\left(8\frac{1}{2} \times 11\right.$ pulgadas o 9×12 pulgadas$\left.\right)$, revista o periódico con fotos (o una foto propia), tijeras, regla, pegamento o cinta adhesiva

- Use una hoja de cartulina para hacer un marco para una foto divertida. Elija una foto del periódico o de una revista, o use una foto suya. Elija una foto que mida menos de 5 por 8 pulgadas.
- Mida la longitud y el ancho de su foto al $\frac{1}{8}$ de pulgada más cercano.
- Agregue 2 pulgadas a la longitud y 2 pulgadas al ancho de su foto. Ese será el tamaño de la cartulina que necesitará.

  Ejemplo: La longitud de tu foto es de $5\frac{7}{8}$ pulgadas. $5\frac{7}{8} + 2 = 7\frac{7}{8}$ pulgadas

  El ancho de tu foto es de $3\frac{3}{8}$ pulgadas. $3\frac{3}{8} + 2 = 5\frac{3}{8}$ pulgadas

- Reste sus totales del ancho y la longitud de la cartulina. Eso es cuántas pulgadas tiene que recortar de la longitud y el ancho de la cartulina.
- Mida y recorte su cartulina de ese tamaño. Luego centre la foto y péguela de manera que el marco alrededor de la foto quede de 2 pulgadas.

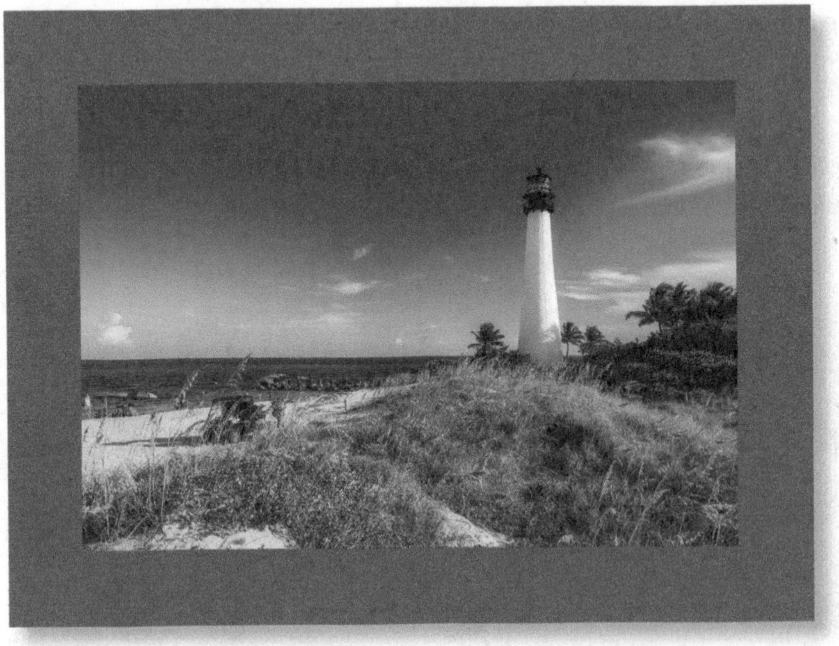

Busque otras oportunidades de la vida real para practicar con su niño la suma y la resta de números mixtos.

Explora Sumar y restar números mixtos

Objetivo de aprendizaje

- Sumar y restar números mixtos con el mismo denominador.

EPM 1, 2, 3, 4, 5, 6, 7

Antes aprendiste acerca de la suma y la resta de fracciones. En esta lección aprenderás acerca de la suma y la resta de números enteros y fracciones. Usa lo que sabes para tratar de resolver el siguiente problema.

Raquel mide la leche con una taza de medir de $\frac{1}{2}$. Ella llena la taza 5 veces y vierte cada $\frac{1}{2}$ de taza de leche en un tazón. ¿Cuánta leche vierte Raquel en el tazón?

PRUÉBALO

Herramientas matemáticas

- círculos de fracciones
- fichas de fracciones
- rectas numéricas
- tarjetas en blanco
- modelos de fracción

CONVERSA CON UN COMPAÑERO

Pregúntale: ¿Cómo empezaste a resolver el problema?

Dile: Comencé por . . .

CONÉCTALO

1 REPASA

Explica cómo hallaste la cantidad total de leche que Raquel vierte en el tazón.

2 SIGUE ADELANTE

Supón que Raquel tiene otro tazón con $2\frac{3}{4}$ tazas de leche. Luego vierte $1\frac{3}{4}$ tazas de leche en este tazón. ¿Cuánta leche tiene este tazón ahora?

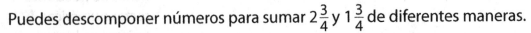

Los números $2\frac{3}{4}$ y $1\frac{3}{4}$ son **números mixtos**. Los números mixtos tienen una parte entera y una parte fraccionaria. Puedes pensar en $2\frac{3}{4}$ como $2 + \frac{3}{4}$.

Puedes descomponer números para sumar $2\frac{3}{4}$ y $1\frac{3}{4}$ de diferentes maneras.

a. ¿Cómo se puede descomponer $2\frac{3}{4}$? ....

b. ¿Cómo se puede descomponer $1\frac{3}{4}$? ....

c. Escribe una ecuación de suma para descomponer $\frac{3}{4}$. ....

d. ¿Cuáles son dos maneras diferentes en las que se puede sumar $2\frac{3}{4}$ y $1\frac{3}{4}$?

Manera 1: ....

Manera 2: ....

3 REFLEXIONA

¿Cómo te ayuda descomponer números a sumar números mixtos?

....

....

Prepárate para sumar y restar números mixtos

1 Piensa en lo que sabes acerca de los números mixtos. Llena cada recuadro. Usa palabras, números y dibujos. Muestra tantas ideas como puedas.

En mis propias palabras	Mis dibujos
Ejemplos	Contraejemplos

números mixtos

2 **a.** ¿Es $1\frac{2}{5}$ un número mixto? Explica.

b. ¿Cómo se puede descomponer $1\frac{2}{5}$?

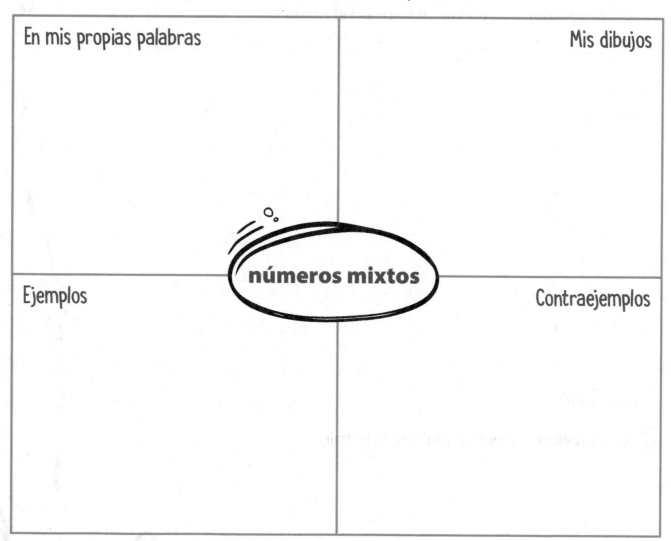

3 Resuelve el problema. Muestra tu trabajo.

Paco mide agua con una taza de medir de $\frac{1}{4}$. Llena la taza 7 veces y vierte cada $\frac{1}{4}$ de taza de agua en un tazón. ¿Cuánta agua vierte Paco en el tazón?

Solución ....

4 Comprueba tu respuesta. Muestra tu trabajo.

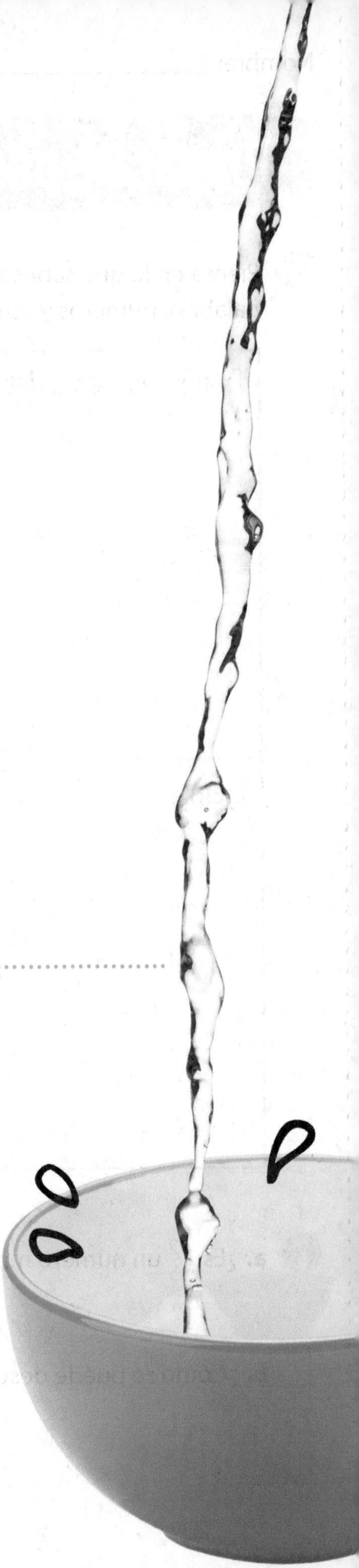

Desarrolla Sumar números mixtos

Lee el siguiente problema y trata de resolverlo.

Los marcadores vienen en cajas de 8. Para un proyecto de arte, un grupo de estudiantes usa $1\frac{5}{8}$ cajas de marcadores y otro grupo usa $1\frac{6}{8}$ cajas. ¿Cuántas cajas de marcadores usan los dos grupos en total?

PRUÉBALO

Herramientas matemáticas

- círculos de fracciones
- fichas de fracciones
- rectas numéricas
- tarjetas en blanco
- modelos de fracción

CONVERSA CON UN COMPAÑERO

Pregúntale: ¿Por qué elegiste esa estrategia?

Dile: Al principio, pensé que . . .

Explora diferentes maneras de entender la suma de números mixtos.

Los marcadores vienen en cajas de 8. Para un proyecto de arte, un grupo de estudiantes usa $1\frac{5}{8}$ cajas de marcadores y otro grupo usa $1\frac{6}{8}$ cajas. ¿Cuántas cajas de marcadores usan los dos grupos en total?

HAZ UN DIBUJO

Puedes usar dibujos para ayudarte a sumar números mixtos.

El dibujo muestra las cajas de marcadores. Cada marcador es $\frac{1}{8}$ de la caja entera.

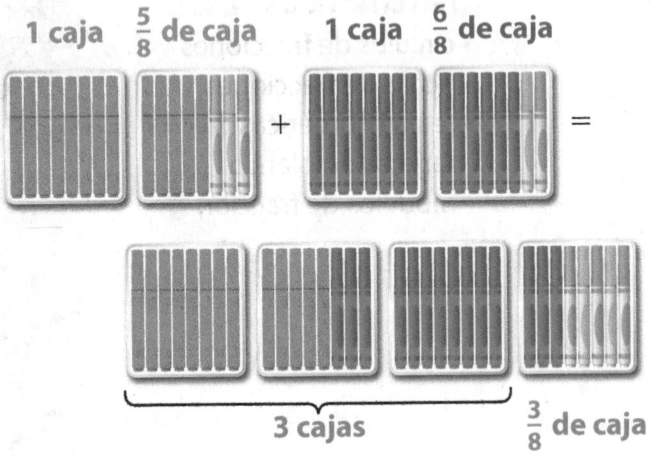

HAZ UN MODELO

También puedes usar una recta numérica para ayudarte a sumar números mixtos.

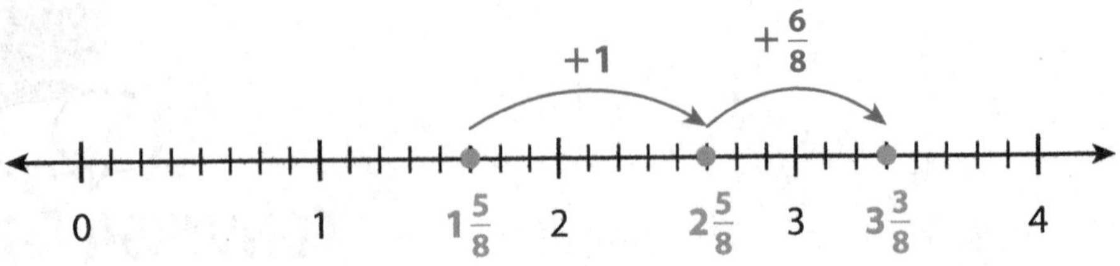

Recuerda que 1 caja entera son 8 marcadores, u $\frac{8}{8}$ de una caja.

CONÉCTALO

Ahora vas a usar el problema de la página anterior para ayudarte a entender cómo sumar números mixtos.

1. ¿Cuál es la suma de solo las partes de número entero de $1\frac{5}{8}$ y $1\frac{6}{8}$? ....

2. ¿Cuál es la suma de solo las partes fraccionarias de $1\frac{5}{8}$ y $1\frac{6}{8}$? ....

3. Piensa en cuántos enteros hay en $\frac{11}{8}$ y cuántos octavos adicionales hay. Completa las siguientes ecuaciones.

   $\frac{11}{8} = \frac{8}{8} + \frac{\square}{8}$ $\qquad$ $\frac{8}{8} =$ .... $\qquad$ Por lo tanto, $\frac{11}{8} = 1 + \frac{\square}{8}$.

4. Ahora suma el total de los números enteros al total de las fracciones.

   $2 + 1 + \frac{3}{8} =$ ....

5. Explica cómo sumaste los números mixtos.

6. ## REFLEXIONA

   Repasa **Pruébalo**, las estrategias de tus compañeros, **Haz un dibujo** y **Haz un modelo**. ¿Qué modelos o estrategias prefieres para sumar números mixtos? Explica.

   ....

   ....

   ....

   ....

   ....

APLÍCALO

Usa lo que acabas de aprender para resolver estos problemas.

7 La Sra. Suarez vende pasteles en una feria. Vende $3\frac{5}{6}$ pasteles el primer día y $1\frac{3}{6}$ pasteles el segundo día. ¿Cuántos pasteles vende en total? Muestra tu trabajo.

Solución ....

8 Muestra dos maneras diferentes de sumar $3\frac{2}{5} + 2\frac{1}{5}$. Muestra tu trabajo.

9 Beth se va de vacaciones $4\frac{1}{2}$ días en junio y $8\frac{1}{2}$ días en julio. ¿Cuántos días se va Beth de vacaciones en junio y julio en total? Muestra tu trabajo.

Solución ....

Practica sumar números mixtos

Estudia el Ejemplo, que muestra una manera de sumar números mixtos. Luego resuelve los problemas 1 a 5.

EJEMPLO

Aaron usa $2\frac{1}{4}$ tazas de harina para preparar pastelitos y otras $1\frac{3}{4}$ tazas de harina para preparar panqueques. ¿Cuántas tazas de harina usa en total?

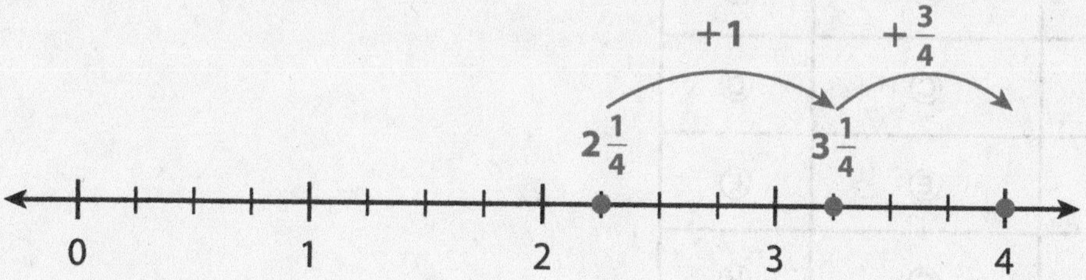

Halla $2\frac{1}{4} + 1\frac{3}{4}$.

Suma los números enteros. $2 + 1 = 3$

Suma las fracciones. $\frac{1}{4} + \frac{3}{4} = \frac{4}{4}$, o 1

Suma los dos totales. $3 + 1 = 4$

Aaron usa 4 tazas de harina.

1 Marissa usa $3\frac{1}{3}$ tazas de avena para preparar avena y $2\frac{1}{3}$ tazas de avena para hacer barras de cereales. ¿Cuántas tazas de avena usa Marissa en total?

a. Suma los números enteros. ....

b. Suma las fracciones. ....

c. Suma los dos totales. ....

Marissa usa .... tazas de avena.

Vocabulario

número mixto número con una parte entera y una parte fraccionaria.

$2\frac{1}{4}$ y $1\frac{3}{4}$ son números mixtos.

2 Haz y rotula una recta numérica para mostrar $1\frac{1}{4} + 2\frac{2}{4}$.

3 Di si cada ecuación de suma es *Verdadera* o *Falsa*.

	Verdadera	**Falsa**
$10\frac{2}{5} + 5\frac{1}{5} = 15\frac{3}{10}$	Ⓐ	Ⓑ
$5\frac{3}{8} + 3\frac{5}{8} = 9$	Ⓒ	Ⓓ
$8\frac{3}{4} + 1\frac{2}{4} = 9\frac{1}{4}$	Ⓔ	Ⓕ
$3\frac{2}{3} + 2\frac{1}{3} + 1 = 7$	Ⓖ	Ⓗ

4 Tim usa $4\frac{1}{2}$ tazas de naranjas, $3\frac{1}{2}$ tazas de manzanas y $5\frac{1}{2}$ tazas de peras en una ensalada de frutas. ¿Cuántas tazas de fruta usa Tim en total? Muestra tu trabajo.

Solución ....

5 Jerry y dos amigos se van de viaje juntos. Jerry conduce $80\frac{7}{10}$ millas. Arthur conduce $60\frac{5}{10}$ millas. Charlie conduce $40\frac{8}{10}$ millas. ¿Cuántas millas conducen en total? Muestra tu trabajo.

Solución ....

Desarrolla Restar números mixtos

Lee el siguiente problema y trata de resolverlo.

Ursula cosecha zanahorias y rábanos de su huerto. Cosecha $4\frac{1}{4}$ libras de zanahorias y $1\frac{3}{4}$ libras de rábanos. ¿Cuántas más libras de zanahorias que de rábanos cosecha?

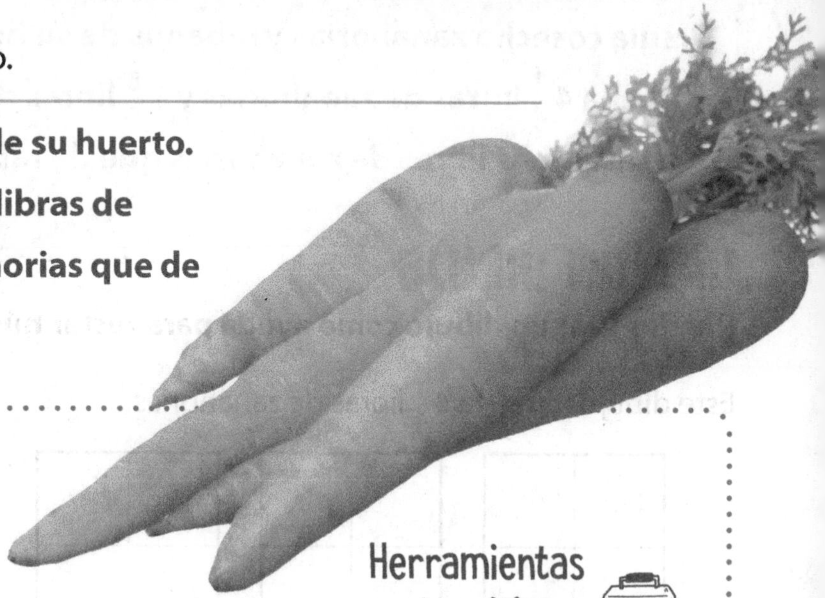

PRUÉBALO

Herramientas matemáticas
- círculos de fracciones
- fichas de fracciones
- rectas numéricas
- tarjetas en blanco
- modelos de fracción

CONVERSA CON UN COMPAÑERO

Pregúntale: ¿Estás de acuerdo conmigo? ¿Por qué sí o por qué no?

Dile: Estoy de acuerdo contigo en que … porque …

Explora diferentes maneras de entender la resta de números mixtos.

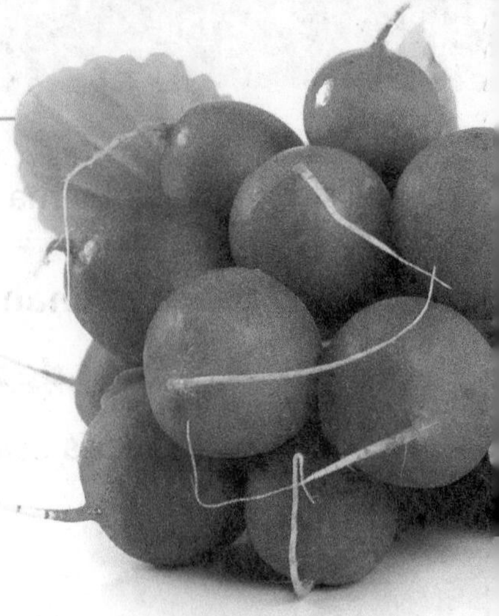

Ursula cosecha zanahorias y rábanos de su huerto.
Cosecha $4\frac{1}{4}$ libras de zanahorias y $1\frac{3}{4}$ libras de rábanos.
¿Cuántas más libras de zanahorias que de rábanos cosecha?

HAZ UN DIBUJO

Puedes usar un dibujo como ayuda para restar números mixtos.

Este dibujo muestra $4\frac{1}{4}$ libras de zanahorias.

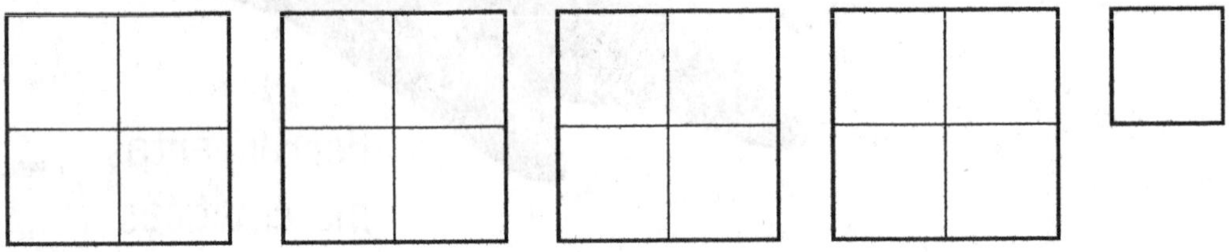

Este dibujo muestra $4\frac{1}{4}$ libras de zanahorias menos $1\frac{3}{4}$ libras de rábanos.

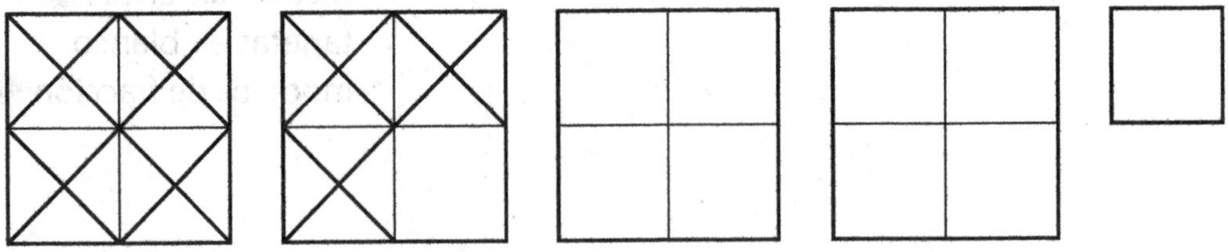

$4\frac{1}{4} - 1\frac{3}{4} = ?$

HAZ UN MODELO

También puedes usar una recta numérica para ayudarte a restar números mixtos.

Para restar usando una recta numérica, comienza por el número del que restas y muévete hacia la izquierda la cantidad que estás restando.

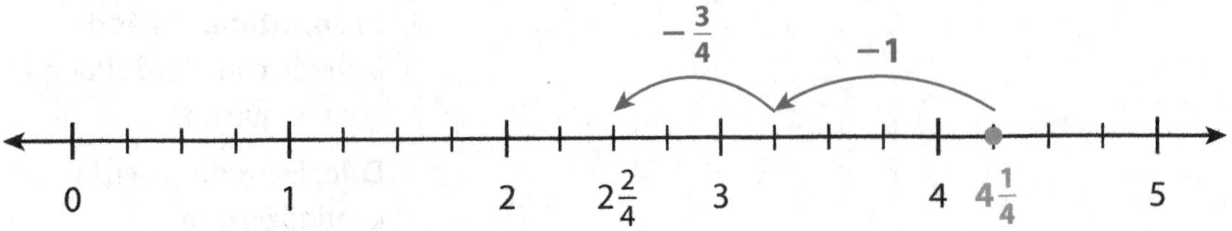

CONÉCTALO

Ahora vas a usar el problema de la página anterior para ayudarte a entender cómo restar números mixtos.

Halla la diferencia: $4\frac{1}{4} - 1\frac{3}{4}$.

1. Completa las ecuaciones para escribir $4\frac{1}{4}$ como una fracción mayor que 1.

   $4\frac{1}{4} = \frac{16}{\square} + \frac{1}{4}$ Por lo tanto, $4\frac{1}{4} = \frac{\square}{4}$.

2. Completa las ecuaciones para escribir $1\frac{3}{4}$ como una fracción mayor que 1.

   $1\frac{3}{4} = \frac{\square}{4} + \frac{3}{4}$ Por lo tanto, $1\frac{3}{4} = \frac{\square}{4}$.

3. Resta las fracciones. Escribe una ecuación que muestre la diferencia.

4. ¿Cuántas más libras de zanahorias que de rábanos cosecha Ursula?

5. Explica cómo se pueden usar las fracciones mayores que 1 para restar números mixtos.

6. ## REFLEXIONA

   Repasa **Pruébalo**, las estrategias de tus compañeros, **Haz un dibujo** y **Haz un modelo**. ¿Qué modelos o estrategias prefieres para restar números mixtos? Explica.

APLÍCALO

Usa lo que acabas de aprender para resolver estos problemas.

7 Monica recorre $3\frac{1}{4}$ millas en su bicicleta el lunes. Recorre $2\frac{2}{4}$ millas el martes. ¿Cuánto más recorre Monica el lunes que el martes? Muestra tu trabajo.

Solución ....

8 Mira el problema 7. Monica quiere recorrer $8\frac{2}{4}$ millas en total. ¿Cuántas millas más debe recorrer? Muestra tu trabajo.

Solución ....

9 ¿Cuál es la diferencia de $8\frac{1}{3}$ y $5\frac{2}{3}$? Escribe tu respuesta como una fracción y un número mixto. Muestra tu trabajo.

Solución ....

Practica restar números mixtos

Estudia el Ejemplo, que muestra una manera de restar números mixtos. Luego resuelve los problemas 1 a 7.

EJEMPLO

En un día feriado, la familia de Sara viaja en carro $3\frac{2}{4}$ horas a la casa de su primo. El viaje por lo general les toma $2\frac{3}{4}$ horas. ¿Cuánto más les toma hacer el viaje el día feriado?

Halla $3\frac{2}{4} - 2\frac{3}{4}$.

$3\frac{2}{4} - 2\frac{3}{4} = \frac{3}{4}$

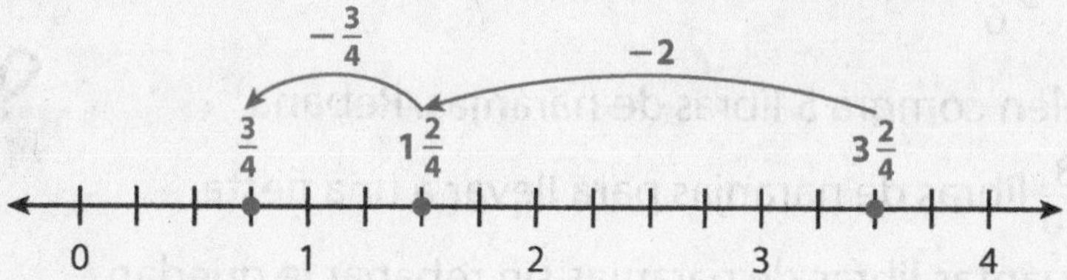

En el día feriado el viaje les toma $\frac{3}{4}$ de hora más.

Steve prepara $9\frac{3}{6}$ tazas de mezcla para panqueques en un fin de semana de viaje de campamento. Él usa $3\frac{4}{6}$ tazas de mezcla para el desayuno del sábado.

1. Escribe cada número mixto como una fracción mayor que 1.

   $9\frac{3}{6} = \frac{\square}{6} + \frac{3}{6} = \frac{\square}{6}$ $3\frac{4}{6} = \frac{\square}{6} + \frac{4}{6} = \frac{\square}{6}$

2. Resta las fracciones para hallar cuántas tazas de mezcla quedan para el desayuno del domingo.

   $\frac{\square}{6} - \frac{\square}{6} = \frac{\square}{6}$

3. Escribe la diferencia como un número mixto.

   $\frac{\square}{6} = \square\frac{\square}{\square}$

4. Usa la suma para comprobar tu respuesta.

   $3\frac{4}{6} + \square\frac{\square}{\square} =$ ....

5 ¿Qué expresiones tienen el mismo valor que $7\frac{5}{6} - 2\frac{3}{6}$?

Ⓐ $10\frac{2}{6}$

Ⓑ $\frac{47}{6} - \frac{15}{6}$

Ⓒ $(7 - 2) + \left(\frac{5}{6} - \frac{3}{6}\right)$

Ⓓ $5\frac{2}{6}$

Ⓔ $9\frac{2}{6}$

6 Helen compra 5 libras de naranjas. Rebana $2\frac{3}{10}$ libras de naranjas para llevar a una fiesta. ¿Cuántas libras de naranjas sin rebanar le quedan a Helen? Muestra tu trabajo.

Solución ....

7 Kira razona que $6\frac{1}{4} - 2\frac{3}{4} = 4\frac{2}{4}$ porque la diferencia entre 6 y 2 es 4 y la diferencia entre $\frac{1}{4}$ y $\frac{3}{4}$ es $\frac{2}{4}$. ¿Es correcto el razonamiento de Kira? Explica.

Refina Sumar y restar números mixtos

Completa el Ejemplo siguiente. Luego resuelve los problemas 1 a 9.

EJEMPLO

Un equipo de futbol bebe $5\frac{2}{3}$ litros de agua durante un juego. Sus oponentes beben $4\frac{2}{3}$ litros de agua. ¿Cuánta agua beben ambos equipos?

Mira cómo podrías mostrar tu trabajo usando dibujos.

Solución ....

¡El estudiante sumó los números enteros y luego combinó las fracciones!

EN PAREJA
¿Cómo podrías usar una recta numérica para ayudarte a resolver este problema?

APLÍCALO

1 Kelly compra $4\frac{7}{8}$ libras de manzanas y $2\frac{3}{8}$ libras de naranjas. ¿Cuántas libras de fruta compra en total? Muestra tu trabajo.

¿Qué operación debes realizar?

EN PAREJA
¿Hay una manera que funcione mejor para resolver este problema?

Solución ....

2 Kari lee un total de $20\frac{2}{4}$ páginas de sus libros de Ciencias y Estudios sociales combinados. Lee $12\frac{3}{4}$ páginas de su libro de Ciencias. ¿Cuántas páginas de su libro de Estudios sociales lee Kari? Muestra tu trabajo.

A veces contar hacia delante o hacia atrás puede ayudarte a resolver problemas como este.

EN PAREJA
¿Cómo sabes si tu respuesta es razonable?

Solución ....

....

3 ¿Cuál de las siguientes muestra una manera correcta de hallar $15\frac{4}{5} - 9\frac{3}{5}$?

Ⓐ Restar los números enteros y luego restar las fracciones. Restar las diferencias.

Ⓑ Sumar los números enteros y luego sumar las fracciones. Restar los totales.

Ⓒ Restar los números enteros y luego restar las fracciones. Sumar las diferencias.

Ⓓ Escribir los números mixtos como fracciones mayores que 1. Luego sumar las fracciones.

¡Resuelve el problema por tu cuenta y luego comprueba tu respuesta!

Marella eligió Ⓐ como la respuesta correcta. ¿Siguió cada paso de manera correcta? Explica.

EN PAREJA
Haz un modelo para comprobar tu respuesta.

4 Ella ordena 16 pizzas para una fiesta. Quedan $3\frac{5}{8}$ pizzas después de la fiesta. ¿Cuántas pizzas se comieron?

Ⓐ $12\frac{3}{8}$

Ⓑ $13\frac{3}{8}$

Ⓒ $13\frac{5}{8}$

Ⓓ $19\frac{5}{8}$

5 Shawn trabaja en su patio por $3\frac{5}{6}$ horas el sábado. Trabaja otras $4\frac{1}{6}$ horas en su patio el domingo. ¿Cuántas horas en total trabaja en su patio?

Ⓐ $\frac{2}{6}$ de hora

Ⓑ 7 horas

Ⓒ $7\frac{5}{6}$ horas

Ⓓ 8 horas

6 Cuatro amigos comparten 3 ordenes de alitas de pollo.

- Alex come $\frac{5}{8}$ de una orden.
- Chase come $\frac{7}{8}$ de una orden.
- Ella come $\frac{6}{8}$ de una orden.

¿Cuánto de una orden de alitas de pollo queda para el cuarto amigo?

Solución ....

7 Marnel usa $4\frac{2}{3}$ tazas de cereal y $3\frac{1}{3}$ tazas de malvaviscos para hacer barras de cereal. ¿Cuántas más tazas de cereal que de malvaviscos usa Marnel? Muestra tu trabajo.

Solución ....

8 Kieran corre la primera parte de una carrera de relevos en $4\frac{4}{6}$ minutos. David corre la siguiente parte en $3\frac{5}{6}$ minutos. ¿Cuánto les toma correr ambas partes de la carrera de relevos? Muestra tu trabajo.

Solución ....

9 DIARIO DE MATEMÁTICAS

Muestra dos maneras de sumar $2\frac{3}{8} + 3\frac{4}{8}$.

☑ COMPRUEBA TU PROGRESO Vuelve al comienzo de la Unidad 4 y mira qué destrezas puedes marcar.

Suma y resta fracciones en diagramas de puntos

LECCIÓN 22

Estimada familia:

Esta semana su niño está aprendiendo a usar diagramas de puntos y a sumar y restar fracciones para resolver problemas.

Un diagrama de puntos es una manera de organizar un grupo de datos, como un conjunto de medidas. Un diagrama de puntos da una imagen visual de los datos.

El diagrama de puntos de abajo muestra la longitud de diferentes trozos de hilo. Cada **X** representa un trozo de hilo. Como hay 9 **X**, hay 9 trozos de hilo.

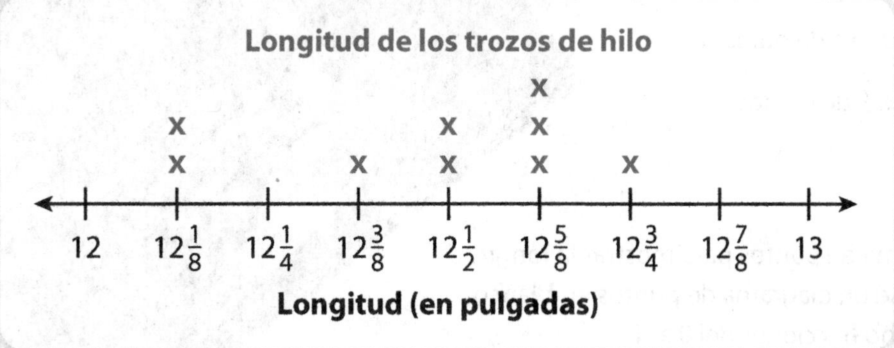

Las **X** que están una sobre otra muestran trozos de hilo que tienen la misma longitud. Puede ver rápidamente que 2 trozos de hilo miden $12\frac{1}{8}$ pulgadas de largo y que el trozo más largo de hilo mide $12\frac{3}{4}$ pulgadas.

Para hallar la longitud total de todos los trozos de hilo que miden $12\frac{5}{8}$ pulgadas de largo, sume las longitudes individuales. Hay 3 **X** sobre $12\frac{5}{8}$ en el diagrama de puntos de arriba; por lo tanto, debe hallar $12\frac{5}{8} + 12\frac{5}{8} + 12\frac{5}{8}$.

Sume los números enteros: $12 + 12 + 12 = 36$

Sume las fracciones: $\frac{5}{8} + \frac{5}{8} + \frac{5}{8} = \frac{15}{8}$

$\frac{15}{8} = \frac{8}{8} + \frac{7}{8}$, o $1\frac{7}{8}$

Sume los dos totales: $36 + 1\frac{7}{8} = 37\frac{7}{8}$

La longitud total de los tres trozos de hilo es $37\frac{7}{8}$ pulgadas.

Invite a su niño a compartir lo que sabe sobre usar diagramas de puntos para resolver problemas haciendo juntos la siguiente actividad.

ACTIVIDAD SUMAR Y RESTAR FRACCIONES CON DIAGRAMAS DE PUNTOS

Haga la siguiente actividad con su niño para ayudarlo a sumar y restar fracciones con diagramas de puntos.

Sergio tomó 12 clavos de una caja de herramientas. Midió la longitud de cada clavo. Esto es lo que escribió:

- 1 clavo mide $\frac{1}{8}$ de pulgada.
- 4 clavos miden $\frac{3}{8}$ de pulgada.
- 3 clavos miden $\frac{1}{2}$ pulgada.
- 3 clavos miden $\frac{5}{8}$ de pulgada.
- 1 clavo mide $\frac{7}{8}$ de pulgada.

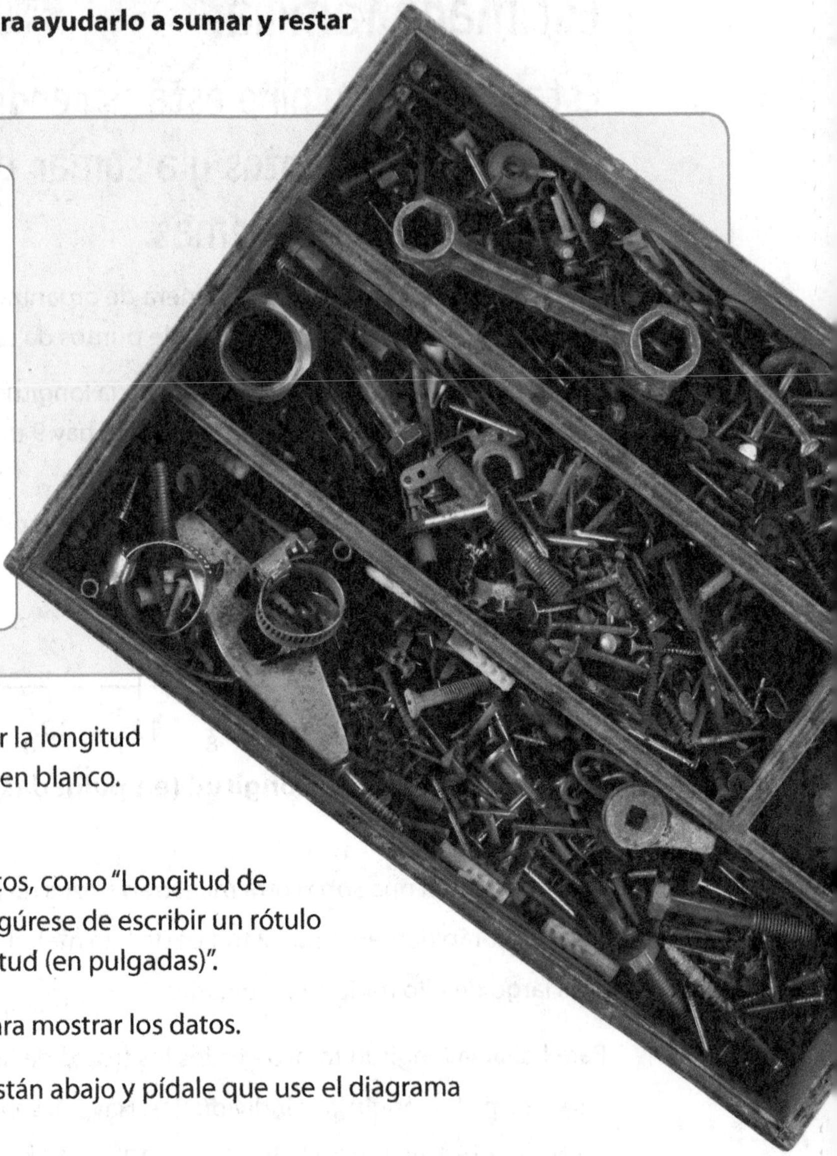

- Haga un diagrama de puntos para mostrar la longitud de los clavos. Use un diagrama de puntos en blanco. Rotúlelo con ocho fracciones del 0 al 1.
- Escriba un título para el diagrama de puntos, como "Longitud de los clavos de la caja de herramientas". Asegúrese de escribir un rótulo debajo de la recta numérica, como "Longitud (en pulgadas)".
- Marque X sobre el diagrama de puntos para mostrar los datos.
- Haga preguntas a su niño como las que están abajo y pídale que use el diagrama de puntos para hallar las respuestas.

1. *¿De qué longitud hay más clavos?*
2. *¿Cuál es la diferencia entre la longitud del clavo más largo y la del clavo más corto?*
3. *¿Cómo cambiaría el diagrama de puntos si hubiera otro clavo que midiera $1\frac{3}{8}$ de pulgadas?*

***Respuestas:* 1.** $\frac{3}{8}$ de pulgada; **2.** $\frac{6}{8}$ de pulgada; **3.** Habría que agregar rótulos de octavos hasta $1\frac{3}{8}$ y poner una X sobre $1\frac{3}{8}$.

Explora Sumar y restar fracciones con diagramas de puntos

Ya has aprendido a sumar y restar fracciones y números mixtos y a hacer diagramas de puntos. Usa lo que sabes para tratar de resolver el siguiente problema.

En la clase de Emma hay un frasco con lombrices. La clase mide la longitud de cada lombriz y anota los datos en un diagrama de puntos. ¿Cuál es la diferencia de longitud entre la lombriz más corta y la lombriz más larga?

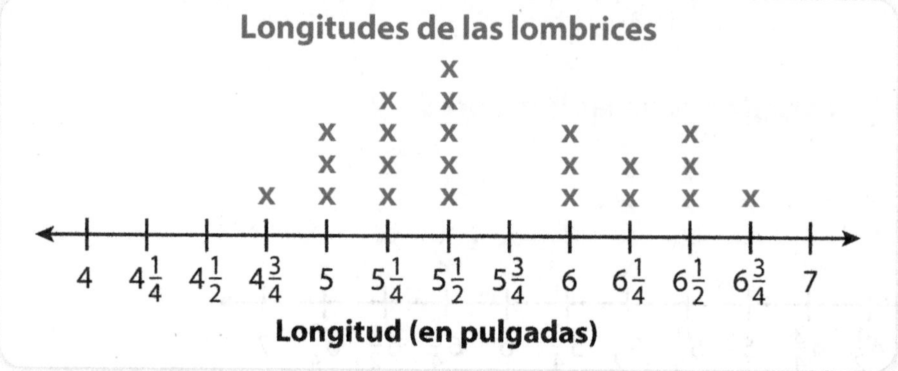

Objetivo de aprendizaje

- Hacer un diagrama de puntos para representar un conjunto de datos de medidas en fracciones de una unidad $\left(\frac{1}{2}, \frac{1}{4}, \frac{1}{8}\right)$. Resolver problemas sobre sumas y restas de fracciones utilizando la información presentada en diagramas de puntos.

EPM 1, 2, 3, 4, 5, 6, 7

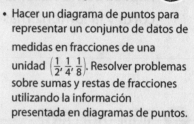

PRUÉBALO

Herramientas matemáticas

- círculos de fracciones
- fichas de fracciones
- barras de fracciones
- rectas numéricas
- papel cuadriculado
- modelos de fracción

CONVERSA CON UN COMPAÑERO

Pregúntale: ¿Puedes explicarme eso otra vez?

Dile: Yo ya sabía que . . . así que . . .

CONÉCTALO

1 REPASA

Explica cómo hallar la diferencia entre la longitud de la lombriz más corta y la lombriz más larga.

2 SIGUE ADELANTE

Un diagrama de puntos es una representación de datos que muestra, con marcas sobre una recta numérica, el número de veces que aparece un valor. Cada valor se representa con una **X**.

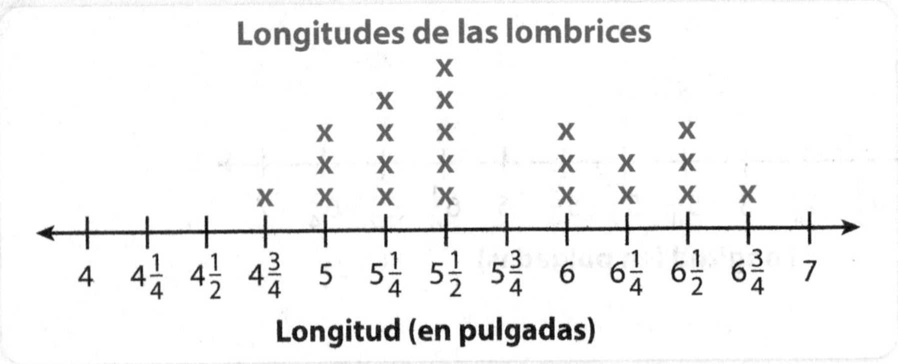

a. ¿Cuántas medidas se anotaron en el diagrama de puntos? Explica cómo lo sabes.

b. ¿Qué representan las dos X que están sobre $6\frac{1}{4}$?

c. ¿Qué longitud tiene la mayoría de las lombrices? Explica.

d. Otra lombriz tiene una longitud de $5\frac{3}{4}$ pulgadas. Muestra esto en un diagrama de puntos.

3 REFLEXIONA

Si el diagrama de puntos está dividido en cuartos, ¿por qué se usan números como $4\frac{1}{2}$ y 5 para rotular la recta numérica en el diagrama de puntos?

Prepárate para sumar y restar fracciones con diagramas de puntos

1 Piensa en lo que sabes acerca de los diagramas de puntos. Llena cada recuadro. Usa palabras, números y dibujos. Muestra tantas ideas como puedas.

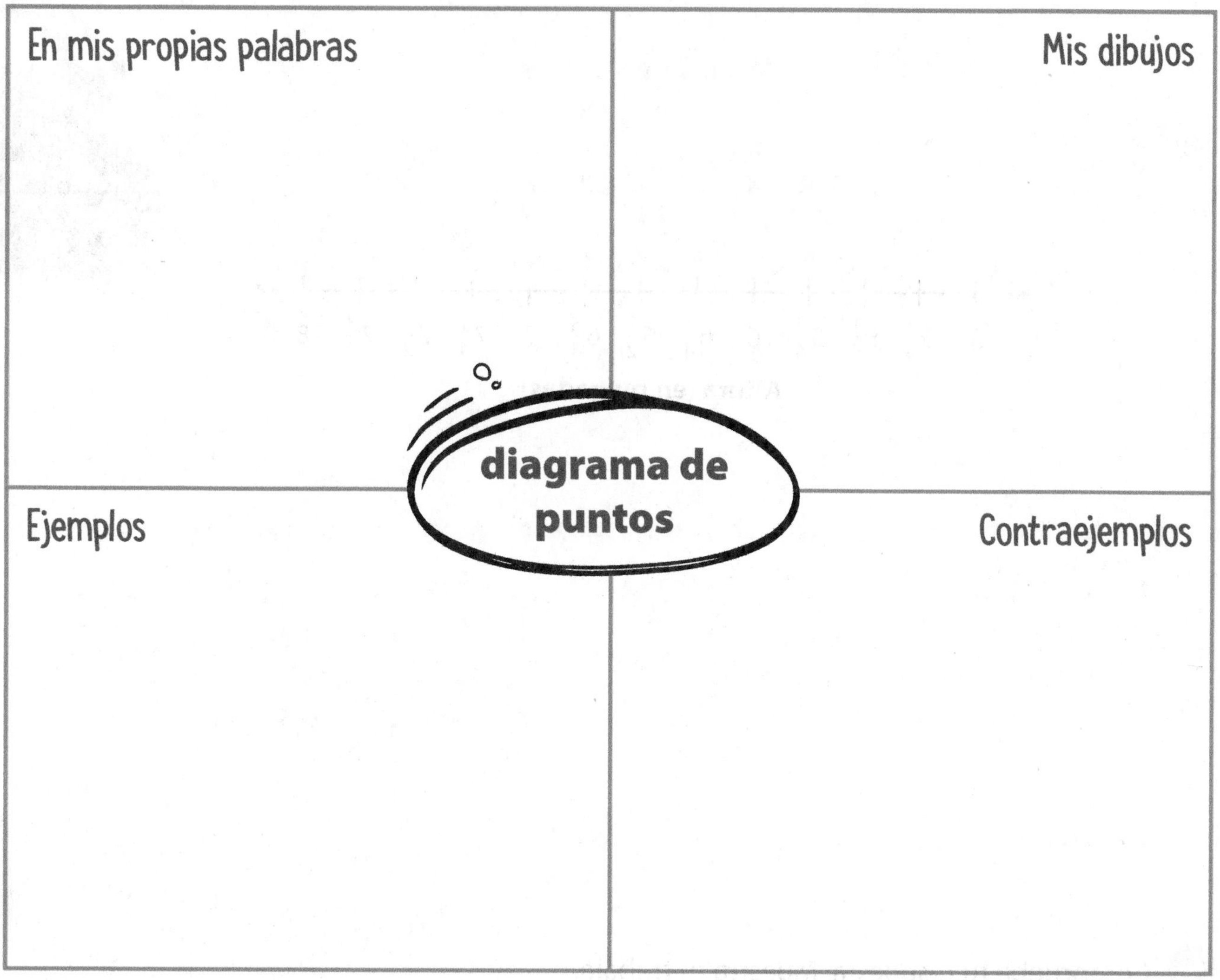

2 Usa el diagrama de puntos para responder las preguntas.

a. ¿Qué longitud tiene la mayoría de las cintas? Explica.

b. Supón que hay otra cinta que mide $9\frac{1}{2}$ pulgadas. Muestra esto en el diagrama de puntos.

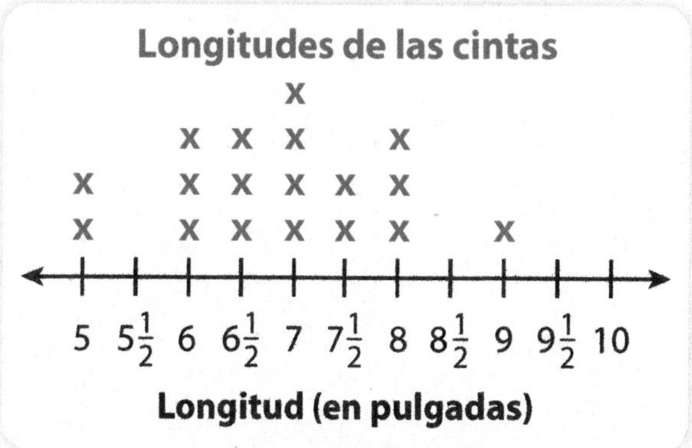

3 Resuelve el problema. Muestra tu trabajo.

Marlon mide la altura de cada flor de un florero. Él anota los datos en un diagrama de puntos. ¿Cuál es la diferencia de altura entre la flor más baja y la más alta?

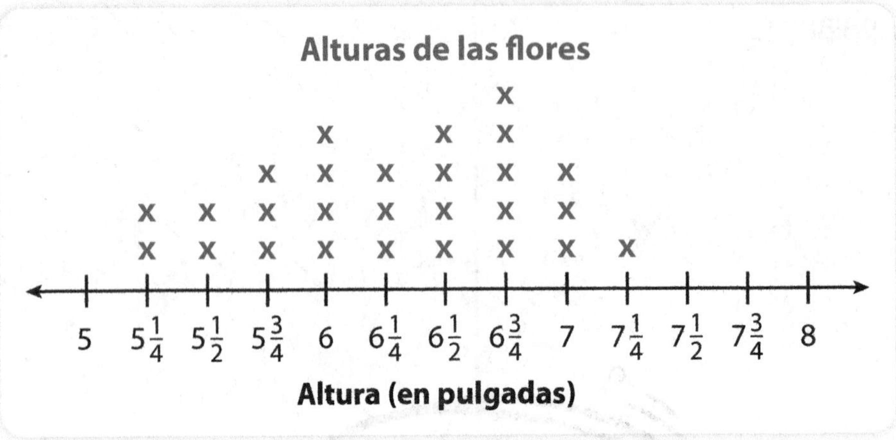

Solución ....

....

4 Comprueba tu respuesta. Muestra tu trabajo.

Desarrolla Representar datos con un diagrama de puntos

Lee el siguiente problema y trata de resolverlo.

Diez estudiantes de la clase de la maestra Holbrook cultivan plantas. Un día, miden la altura de las plantas en pulgadas. Abajo se muestran las alturas. Haz un diagrama de puntos para representar los datos.

$2\frac{1}{2}$, $1\frac{7}{8}$, $1\frac{7}{8}$, $1\frac{1}{4}$, $2\frac{5}{8}$, $2\frac{1}{8}$, $1\frac{7}{8}$, $1\frac{1}{2}$, $1\frac{7}{8}$, $2\frac{1}{8}$

PRUÉBALO

Herramientas matemáticas

- rectas numéricas
- papel cuadriculado
- modelos de fracción

CONVERSA CON UN COMPAÑERO

Pregúntale: ¿Estás de acuerdo conmigo? ¿Por qué sí o por qué no?

Dile: Estoy de acuerdo contigo en que . . . porque . . .

Explora diferentes maneras de entender cómo representar datos en un diagrama de puntos.

Diez estudiantes de la clase de la maestra Holbrook cultivan plantas. Un día, miden la altura de las plantas en pulgadas. Abajo se muestran las alturas. Haz un diagrama de puntos para representar los datos.

$2\frac{1}{2}$, $1\frac{7}{8}$, $1\frac{7}{8}$, $1\frac{1}{4}$, $2\frac{5}{8}$, $2\frac{1}{8}$, $1\frac{7}{8}$, $1\frac{1}{2}$, $1\frac{7}{8}$, $2\frac{1}{8}$

HAZ UN MODELO

Puedes representar los valores que son números mixtos en un diagrama de puntos.

La recta numérica está dividida en octavos desde 1 hasta 3.

Los primeros tres valores son $2\frac{1}{2}$, $1\frac{7}{8}$ y $1\frac{7}{8}$ están representados con una **X** sobre la recta numérica.

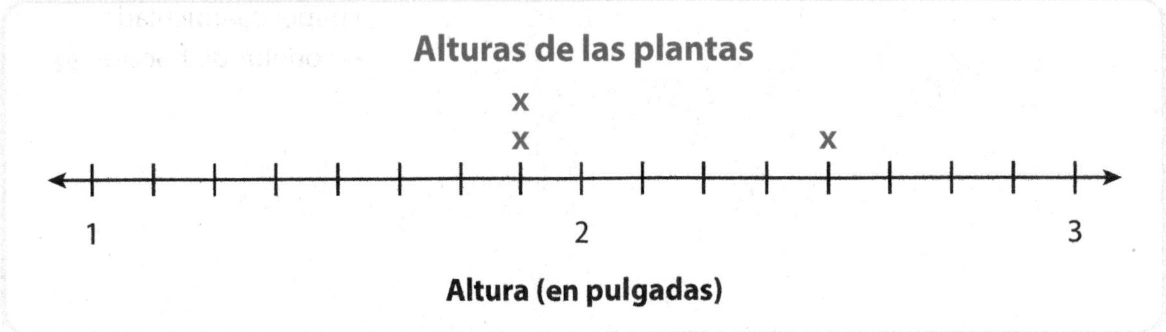

HAZ UN MODELO

Puedes representar los valores que son números mixtos en un diagrama de puntos con una recta numérica dividida y rotulada en octavos.

Cada marca del diagrama de puntos está rotulada. Los rótulos te ayudan a ubicar dónde colocar las **X** para cada valor. Se muestran los primeros tres valores de $2\frac{1}{2}$, $1\frac{7}{8}$ y $1\frac{7}{8}$.

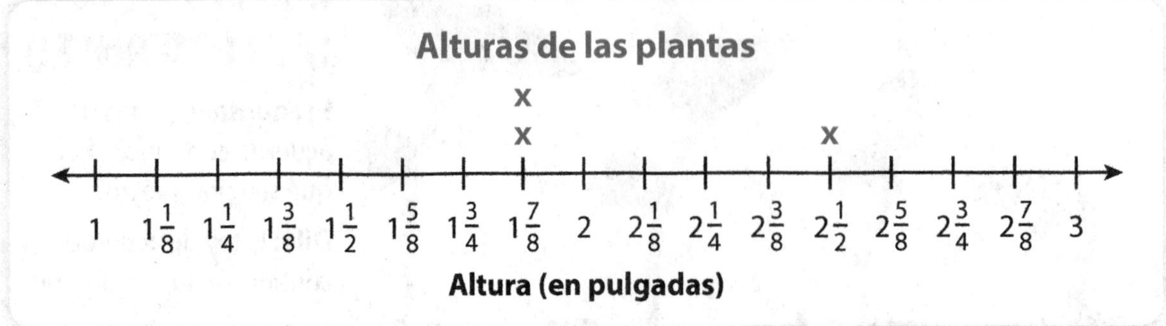

CONÉCTALO

Ahora vas a usar el problema de la página anterior para ayudarte a entender cómo representar datos en un diagrama de puntos.

1 Mira los **Haz un modelo**. ¿Por qué las rectas numéricas van desde de 1 hasta 3? ¿Por qué las rectas numéricas están divididas en octavos?

2 ¿Por qué hay dos X sobre una de las marcas?

3 Marca los valores que quedan para completar la altura de las plantas en el siguiente diagrama de puntos.

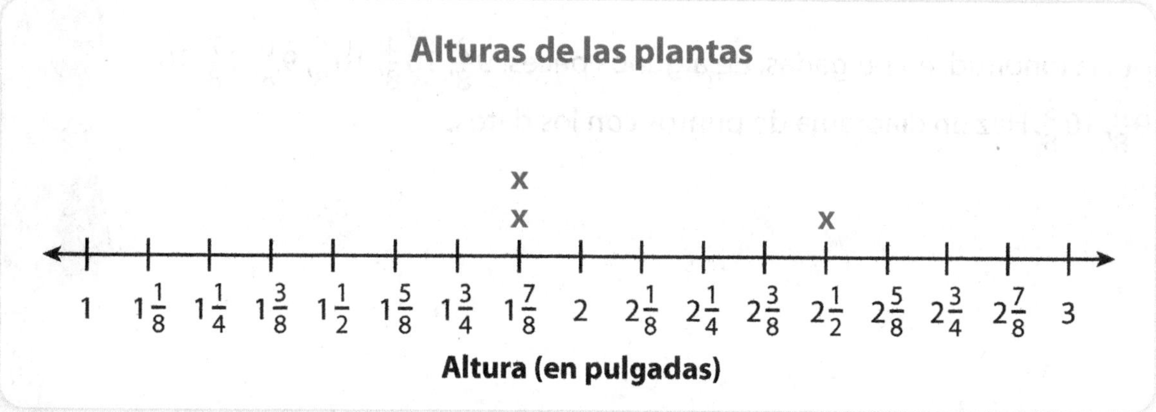

4 Describe cómo hacer un diagrama de puntos con datos que tengan fracciones.

5 ## REFLEXIONA

Repasa **Pruébalo**, las estrategias de tus compañeros y los **Haz un modelo**. ¿Qué modelos o estrategias prefieres para representar datos en un diagrama de puntos? Explica.

APLÍCALO

Usa lo que acabas de aprender para resolver estos problemas.

6 Los siguientes datos muestran la longitud, en pulgadas, de las hojas que recoge Jill. Completa el diagrama de puntos para mostrar los datos.

$2\frac{1}{2}$, $2\frac{1}{4}$, $3\frac{1}{2}$, $2\frac{3}{4}$, 3, $2\frac{1}{2}$, $2\frac{1}{2}$, 3

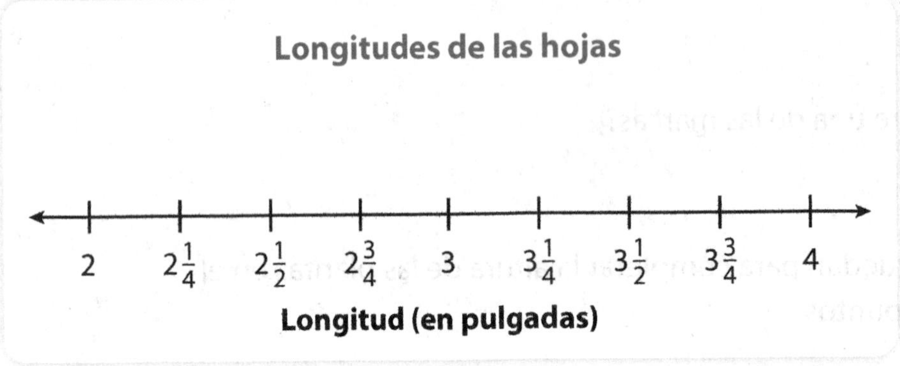

7 Al anota la longitud, en pulgadas, de algunos peces: $9\frac{2}{8}$, $10\frac{4}{8}$, $10\frac{5}{8}$, $9\frac{6}{8}$, $9\frac{7}{8}$, 10, $10\frac{1}{8}$, $9\frac{6}{8}$, $10\frac{3}{8}$. Haz un diagrama de puntos con los datos.

8 Abajo se muestra la longitud en pies de algunos trozos de madera. Corrige el diagrama de puntos de la derecha para mostrar los datos de manera correcta.

1, $1\frac{1}{2}$, 2, $1\frac{3}{4}$, $1\frac{1}{2}$, 2

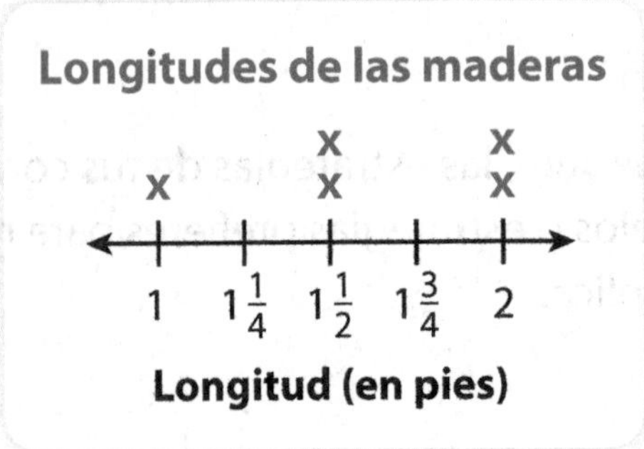

Practica representar datos con diagramas de puntos

Estudia el Ejemplo, que muestra cómo hacer un diagrama de puntos. Luego resuelve los problemas 1 a 5.

EJEMPLO

Los estudiantes de la clase de ciencias miden la distancia que hay entre las puntas de las alas de las mariposas en pulgadas. Los anchos se muestran en la tabla.
Haz un diagrama de puntos para representar los datos.

Distancia entre las puntas de las alas de las mariposas (en pulgadas)					
$\frac{3}{4}$	$\frac{7}{8}$	$1\frac{3}{8}$	$1\frac{1}{2}$	$1\frac{1}{4}$	$\frac{3}{4}$

Haz y rotula una recta numérica en octavos. Pon una X sobre cada distancia entre las puntas de las alas de las mariposas.

Distancias entre las puntas de las alas de las mariposas

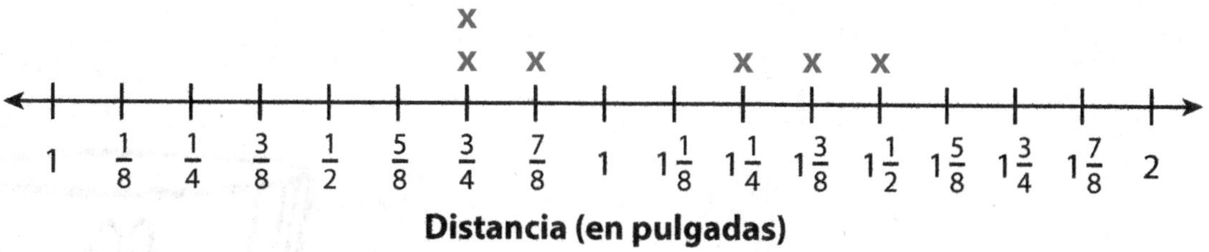

Se mide la estatura de los estudiantes de cuarto grado el primer día de clases y el último día de clases. Abajo se muestra el crecimiento, en pulgadas, de algunos estudiantes.

3, $1\frac{6}{8}$, $2\frac{2}{8}$, $1\frac{4}{8}$, $2\frac{2}{8}$, $2\frac{7}{8}$

1. Completa el siguiente diagrama de puntos para mostrar los datos.

Crecimiento de los estudiantes

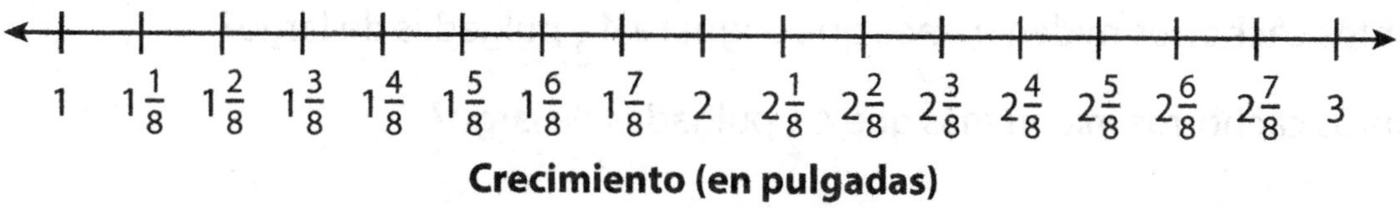

Micaela tiene una perrita que acaba de tener 8 cachorros. Abajo se indica la longitud, en pulgadas, de cada cachorro.

$4, 4\frac{3}{4}, 4\frac{1}{2}, 4\frac{1}{2}, 4\frac{1}{2}, 4\frac{3}{4}, 4\frac{1}{4}, 4$

2 En el diagrama de puntos, ¿qué valor tendrá tres X arriba de él? ....

3 ¿Podría usarse un diagrama de puntos con una recta numérica desde 5 hasta 6 para representar los datos? Explica.

4 Haz un diagrama de puntos para representar los datos.

5 Usa el diagrama de puntos para responder las preguntas.

a. ¿Cuántas medidas se anotaron? ....

b. ¿Cuánto mide el cachorro más largo? ....

c. ¿Cuánto mide el cachorro más corto? ....

d. ¿Cuántos cachorros miden menos que o igual a $4\frac{1}{2}$ pulgadas de largo? ....

e. ¿Cuántos cachorros miden más que $4\frac{1}{2}$ pulgadas de largo? ....

Desarrolla Sumar fracciones con diagramas de puntos

Lee el siguiente problema y trata de resolverlo.

Sophia hace el borde de una colcha de retazos. Quiere usar tiras de tela sobrantes. Ella mide la longitud de cada tira y anota la información en un diagrama de puntos. Sophia junta las cinco tiras de tela que tienen la misma longitud. ¿Cuál es la longitud total de las cinco tiras de tela?

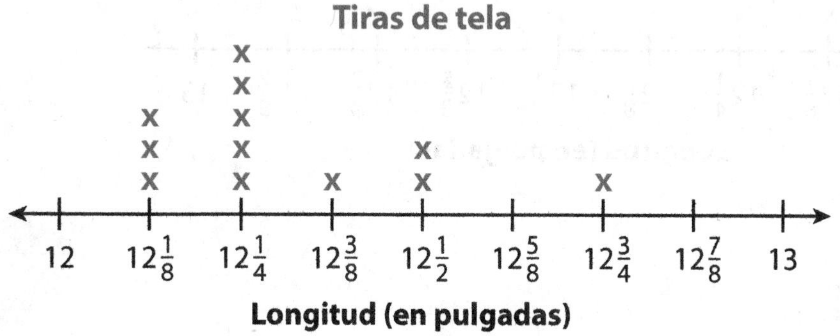

PRUÉBALO

Herramientas matemáticas

- círculos de fracciones
- fichas de fracciones
- barras de fracciones
- rectas numéricas
- papel cuadriculado
- modelos de fracción

CONVERSA CON UN COMPAÑERO

Pregúntale: ¿Cómo empezaste a resolver el problema?

Dile: Comencé por . . .

Explora diferentes maneras de entender cómo sumar fracciones en diagramas de puntos.

Sophia hace el borde de una colcha de retazos. Quiere usar tiras de tela sobrantes. Ella mide la longitud de cada tira y anota la información en un diagrama de puntos. Sophia junta las cinco tiras de tela que tienen la misma longitud. ¿Cuál es la longitud total de las cinco tiras de tela?

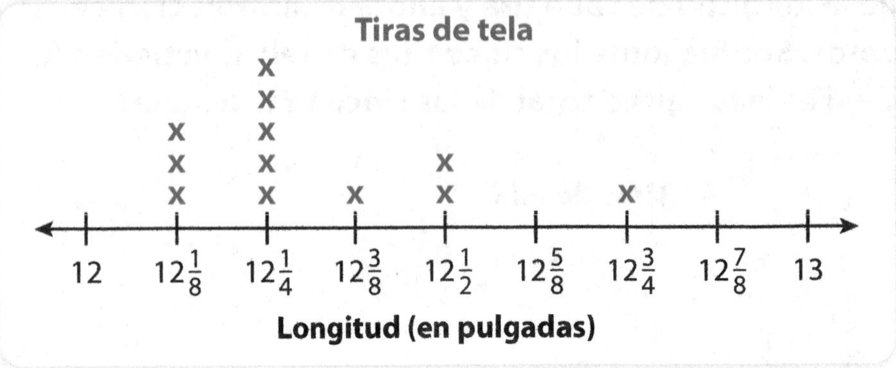

HAZ UN DIBUJO

Puedes usar un dibujo para ayudarte a resolver problemas de suma con diagramas de puntos.

El dibujo muestra las cinco tiras de tela colocadas una al lado de la otra para formar una tira larga.

$12\frac{1}{4}$	$12\frac{1}{4}$	$12\frac{1}{4}$	$12\frac{1}{4}$	$12\frac{1}{4}$

HAZ UN MODELO

Puedes descomponer los números enteros y las fracciones para ayudarte a sumar las longitudes.

Suma los números enteros primero: $12 + 12 + 12 + 12 + 12$

Luego suma las fracciones: $\frac{1}{4} + \frac{1}{4} + \frac{1}{4} + \frac{1}{4} + \frac{1}{4}$

CONÉCTALO

Ahora vas a usar el problema de la página anterior para ayudarte a entender cómo resolver los problemas de suma de fracciones en diagramas de puntos.

1. Escribe una expresión para hallar la longitud total de las cinco tiras de tela que Sophia juntó.

2. ¿Cuál es la suma de los números enteros? ....

   ¿Cuál es la suma de las fracciones? ....

   Escribe la suma de las fracciones como un número mixto. ....

   ¿Cuál es la longitud total de las cinco tiras? ....

3. ¿Cómo resuelves un problema de suma de fracciones o números mixtos con un diagrama de puntos?

4. REFLEXIONA

   Repasa **Pruébalo**, las estrategias de tus compañeros, **Haz un dibujo** y **Haz un modelo**. ¿Qué modelos o estrategias prefieres para resolver problemas de suma de fracciones en diagramas de puntos? Explica.

   ....

   ....

   ....

   ....

APLÍCALO

Usa lo que acabas de aprender para resolver estos problemas.

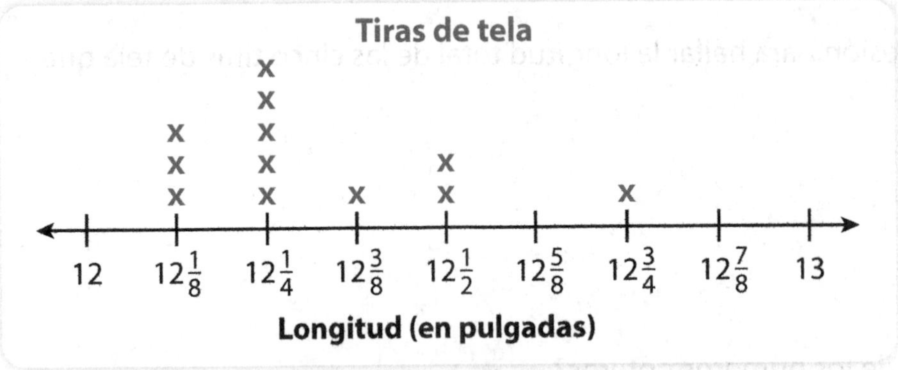

5 Usa el diagrama de puntos de arriba. ¿Cuál es la longitud de las tiras de $12\frac{1}{8}$ pulgadas combinadas? Muestra tu trabajo.

Solución ....

6 Kay camina cuatro días de esta semana. La distancia total que camina es de 10 millas. Pon X en la siguiente recta numérica para hacer un posible diagrama de puntos con los datos.

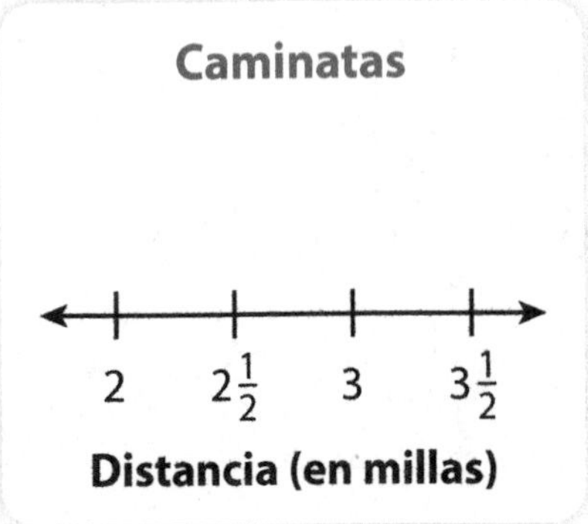

Practica sumar fracciones con diagramas de puntos

Estudia el Ejemplo, que muestra cómo resolver un problema de suma con un diagrama de puntos. Luego resuelve los problemas 1 a 5.

EJEMPLO

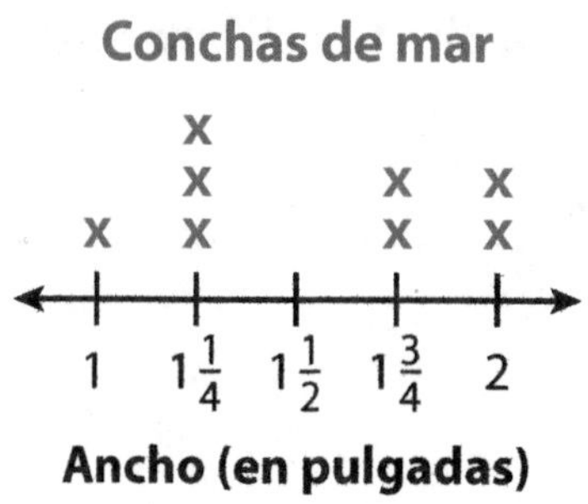

Ashley decora un marco con conchas de mar. Quiere saber si todas las conchas de mar cabrán en el borde de un marco que mide 13 pulgadas de ancho. Ella mide el ancho de cada concha de mar y anota la información en un diagrama de puntos. Supón que Ashley coloca todas las conchas de mar en una fila. ¿Cabrá el ancho total de las conchas de mar en el marco?

Escribe una expresión de suma. $1 + 1\frac{1}{4} + 1\frac{1}{4} + 1\frac{1}{4} + 1\frac{3}{4} + 1\frac{3}{4} + 2 + 2$

Luego suma. $10\frac{9}{4} = 10 + 2\frac{1}{4} = 12\frac{1}{4}$

El ancho total de las conchas de mar es de $12\frac{1}{4}$ pulgadas.

$12\frac{1}{4} < 13$; por lo tanto, las conchas de mar cabrán en el marco.

1 Mira el diagrama de puntos del Ejemplo. Ashley decide pegar las cuatro conchas de mar más grandes a lo largo del borde de otro marco. Las conchas de mar caben perfectamente. ¿Cuál es el ancho del otro marco? Muestra tu trabajo.

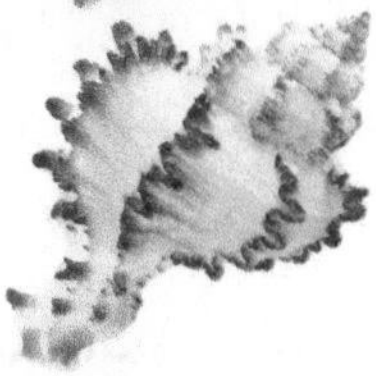

Solución ....

2 Ashley coloca las conchas de mar de $1\frac{1}{4}$ pulgada en una fila, tocándose sin dejar espacios. ¿Cuál es el ancho total de la fila de conchas de mar? Muestra tu trabajo.

Solución ....

Un ladrillo de tamaño estándar debería medir $7\frac{5}{8}$ pulgadas de largo. El diagrama de puntos muestra la longitud real de 12 ladrillos diferentes.

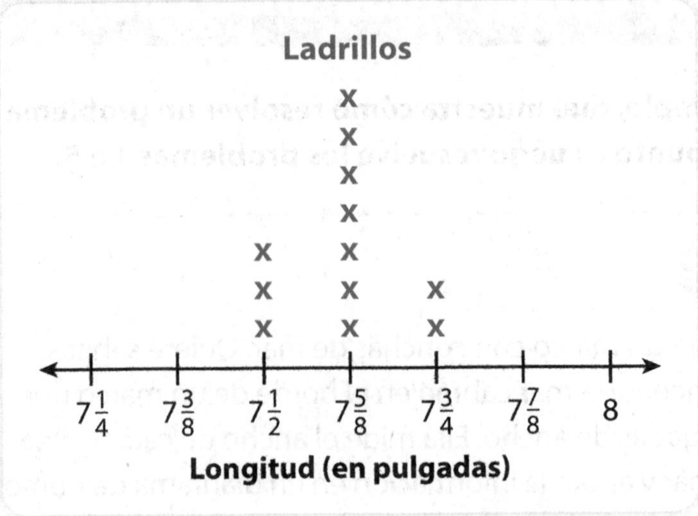

3 ¿Cuál es la suma de las longitudes de todos los ladrillos que miden exactamente $7\frac{5}{8}$ pulgadas de largo? Muestra tu trabajo.

Solución ....

4 ¿Cuál es la suma de las longitudes de todos los ladrillos que miden menos de $7\frac{5}{8}$ pulgadas de largo? Muestra tu trabajo.

Solución ....

5 ¿Cuál es la suma de las longitudes de todos los ladrillos que miden más de $7\frac{5}{8}$ pulgadas de largo? Muestra tu trabajo.

Solución ....

Desarrolla Restar fracciones con diagramas de puntos

Lee el siguiente problema y trata de resolverlo.

Hay muchos tipos de libélulas de diferente longitud. Un científico mide la longitud de diferentes libélulas y hace un diagrama de puntos para mostrar las medidas. ¿Cuál es la diferencia de longitud entre la libélula más larga y la más corta?

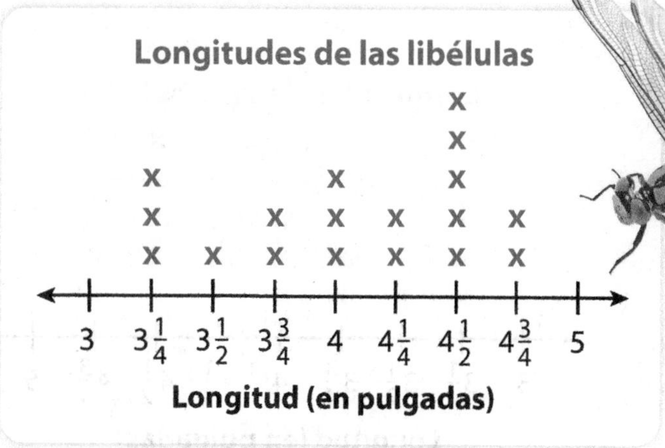

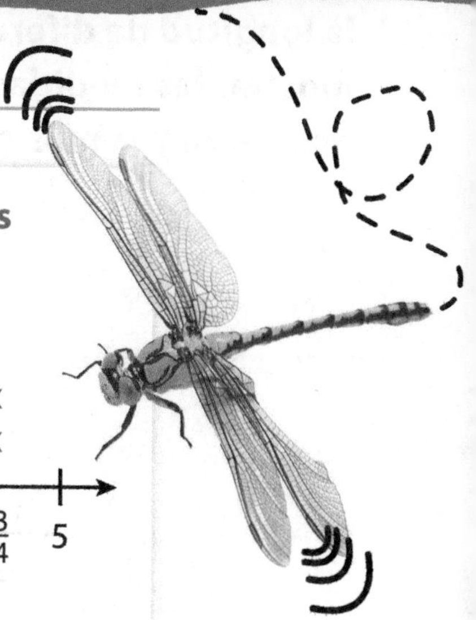

PRUÉBALO

Herramientas matemáticas

- círculos de fracciones
- fichas de fracciones
- barras de fracciones
- rectas numéricas
- papel cuadriculado
- modelos de fracción

CONVERSA CON UN COMPAÑERO

Pregúntale: ¿Por qué elegiste esa estrategia?

Dile: Un modelo que usé fue . . . Me ayudó a . . .

Explora diferentes maneras de entender cómo restar fracciones con un diagrama de puntos.

Hay muchos tipos de libélulas de diferente longitud. Un científico mide la longitud de diferentes libélulas y hace un diagrama de puntos para mostrar las medidas. ¿Cuál es la diferencia de longitud entre la libélula más larga y la más corta?

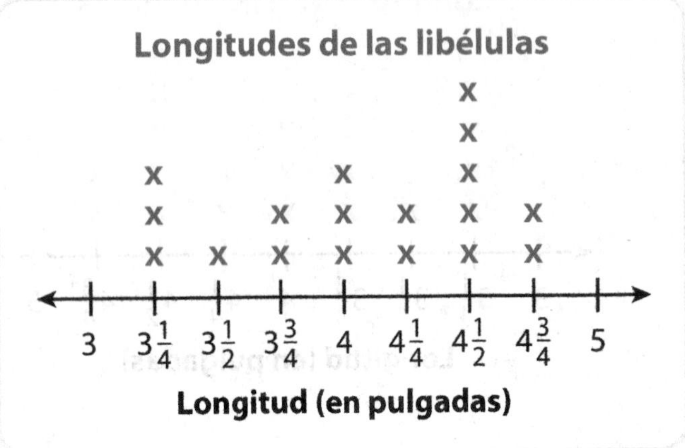

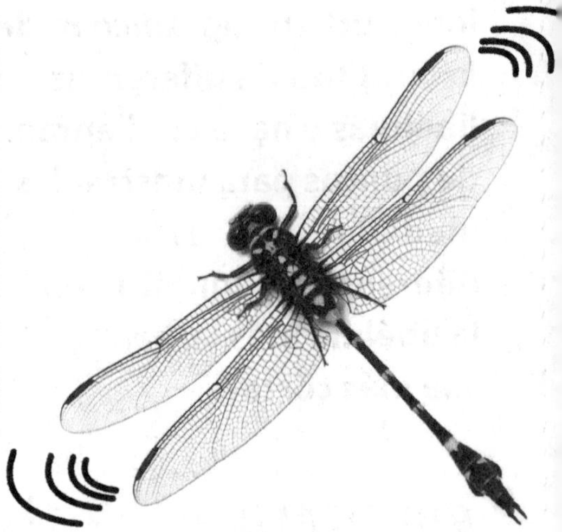

HAZ UN DIBUJO

Puedes usar un dibujo para ayudarte a resolver problemas de resta con diagramas puntos.

Longitud de la libélula más larga: $4\frac{3}{4}$ pulg.	
Longitud de la libélula más corta: $3\frac{1}{4}$ pulg.	Diferencia entre las longitudes: ? pulg.

HAZ UN MODELO

Puedes usar una recta numérica para resolver problemas de resta con diagramas de puntos.

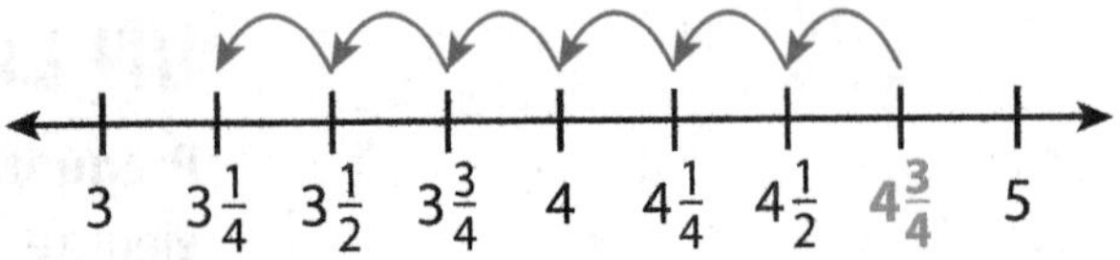

Comienza en $4\frac{3}{4}$. Salta hacia atrás de cuarto en cuarto hasta llegar a $3\frac{1}{4}$.

CONÉCTALO

Ahora vas a usar el problema de la página anterior para ayudarte a entender cómo resolver problemas de resta de fracciones con diagramas de puntos.

1 Longitud de la libélula más larga: ....

Longitud de la libélula más corta: ....

2 Escribe una expresión que pueda usarse para hallar la diferencia entre las dos longitudes. ....

3 Mira el **Haz un modelo** de la página anterior. Explica cómo se puede usar la recta numérica que tiene flechas para hallar la diferencia entre las dos longitudes.

4 ¿Cómo puedes comprobar que la diferencia entre las longitudes que hallaste es correcta?

5 **REFLEXIONA**

Repasa **Pruébalo**, las estrategias de tus compañeros, **Haz un dibujo** y **Haz un modelo**. ¿Qué modelos o estrategias prefieres para resolver problemas de resta de fracciones con diagramas de puntos? Explica.

....

....

....

....

APLÍCALO

Usa lo que acabas de aprender para resolver estos problemas.

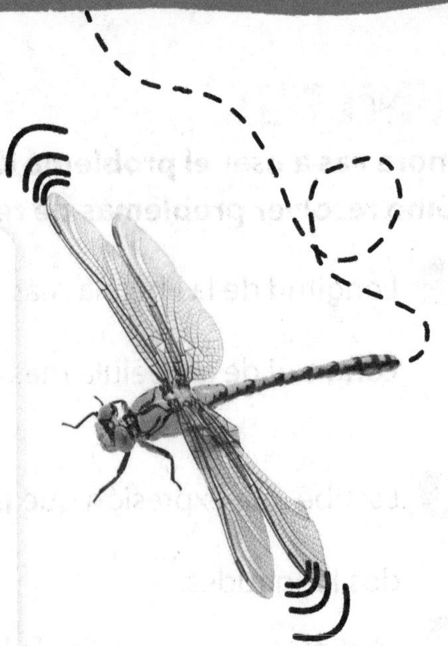

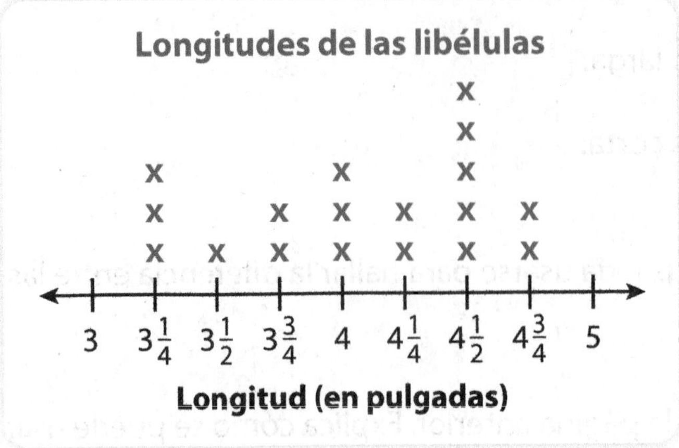

6. Usa el diagrama de puntos de arriba. ¿Qué longitud tiene la mayoría de las libélulas? ¿Qué longitud tiene menor número de libélulas? ¿Cuál es la diferencia entre las dos longitudes?

7. El siguiente diagrama de puntos muestra las longitudes de algunos trozos de cinta.

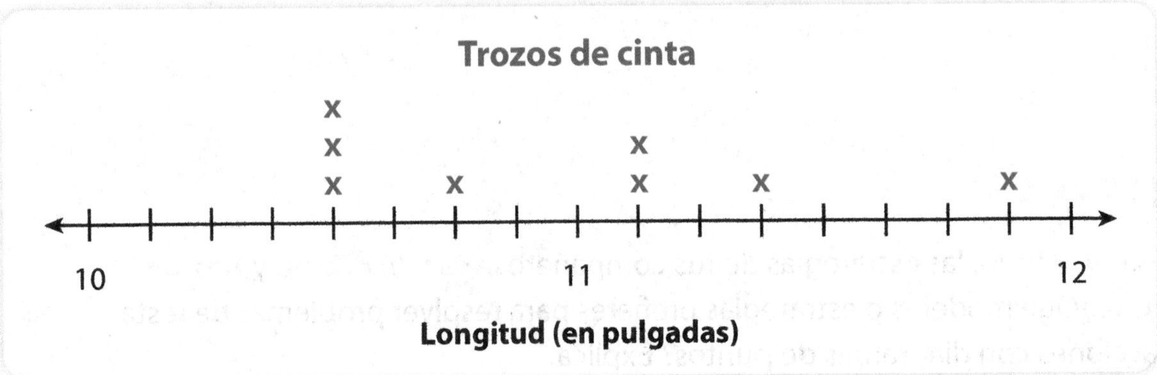

El trozo de cinta de Terri es $1\frac{5}{8}$ pulgadas más corto que el trozo de cinta más largo. ¿Cuánto mide el trozo de cinta de Terri? Explica.

Nombre: ____________________

Practica restar fracciones con diagramas de puntos

Estudia el Ejemplo, que muestra cómo resolver un problema de resta con un diagrama de puntos. Luego resuelve los problemas 1 a 4.

EJEMPLO

En el diagrama de puntos se muestra la lluvia mensual, en pulgadas, de una ciudad. ¿Cuál es la diferencia de lluvia, en pulgadas, entre el mes con la mayor cantidad de lluvia y el mes con la menor cantidad de lluvia?

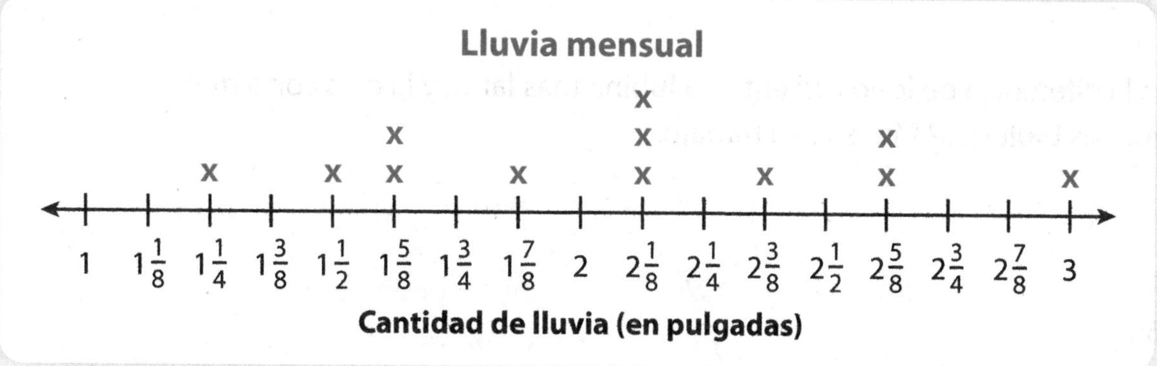

Escribe una expresión de resta. $3 - 1\frac{1}{4}$ o $\frac{12}{4} - \frac{5}{4}$

Halla la diferencia. $\frac{12}{4} - \frac{5}{4} = \frac{7}{4}$ o $1\frac{3}{4}$

La diferencia es de $1\frac{3}{4}$ pulgadas.

1 ¿Cuáles de las siguientes preguntas pueden responderse con el diagrama de puntos del Ejemplo de arriba?

Ⓐ En 3 meses, llovió la misma cantidad. ¿Cuál es la diferencia entre esa cantidad y la cantidad del mes en el que llovió más?

Ⓑ ¿Cuánta lluvia cayó en los 3 meses con la mayor cantidad de lluvia?

Ⓒ ¿En cuántos meses llovió más de 2 pulgadas?

Ⓓ ¿Cuánta lluvia cayó en enero?

Ⓔ ¿Cuál es la suma de la cantidad de lluvia del mes pasado y de este mes?

Un grupo de biólogos marinos atrapa peces para hacer investigaciones. Miden las lubinas que atrapan y anotan las longitudes en el siguiente diagrama de puntos.

Longitudes de las lubinas

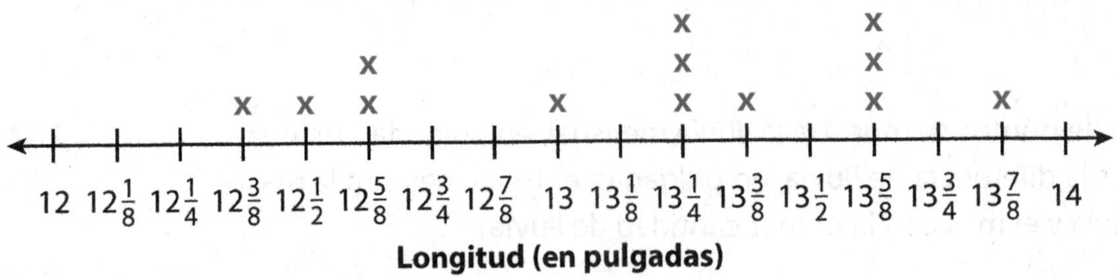

2. ¿Cuál es la diferencia de longitud entre la lubina más larga y la más corta que atraparon los biólogos? Muestra tu trabajo.

Solución ....

3. Las lubinas que miden menos de 13 pulgadas deben regresarse al océano. ¿Cuántas pulgadas más debe crecer el pez más corto para alcanzar las 13 pulgadas? Muestra tu trabajo.

Solución ....

4. Las lubinas pueden crecer hasta alcanzar las 23 pulgadas de largo. ¿Cuál es la diferencia entre 23 pulgadas y la longitud del pez más largo según estos datos? Muestra tu trabajo.

Solución ....

Refina Sumar y restar fracciones con diagramas de puntos

Completa el Ejemplo siguiente. Luego resuelve los problemas 1 a 7.

EJEMPLO

Sue anota las distancias que corre en una semana. ¿Qué distancia corre en total?

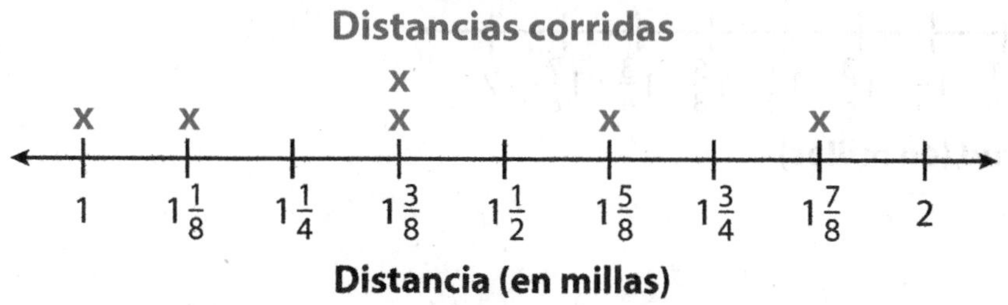

Mira cómo podrías mostrar tu trabajo usando ecuaciones.

Suma los números enteros: $1 + 1 + 1 + 1 + 1 + 1 = 6$

Suma las partes fraccionarias de cada número mixto:

$\frac{1}{8} + \frac{3}{8} + \frac{3}{8} + \frac{5}{8} + \frac{7}{8} = \frac{19}{8} = 2\frac{3}{8}$

Solución ....

El estudiante suma los números enteros y las fracciones por separado.

EN PAREJA
¿De qué otra manera se puede resolver el problema?

APLÍCALO

1 Un biólogo marino anota la longitud, en pies, de los delfines de un acuario. Haz un diagrama de puntos con los datos que se muestran abajo.

$8\frac{3}{4}$, $9\frac{1}{2}$, $9\frac{1}{4}$, $8\frac{1}{2}$, $8\frac{7}{8}$, $9\frac{1}{2}$, $8\frac{1}{2}$, $9\frac{1}{4}$, $9\frac{5}{8}$, $9\frac{1}{2}$

¿Qué longitud tiene la mayoría de los delfines?

EN PAREJA
Explica cómo rotulaste las marcas.

2 Un parque tiene varios senderos de diferente longitud. La longitud de los senderos se muestra en el diagrama de puntos. La familia de Ellie recorre todos los senderos que miden $1\frac{3}{8}$ millas de largo. ¿Qué distancia recorren? Muestra tu trabajo.

¿Cuántos senderos tienen una longitud de $1\frac{3}{8}$ millas?

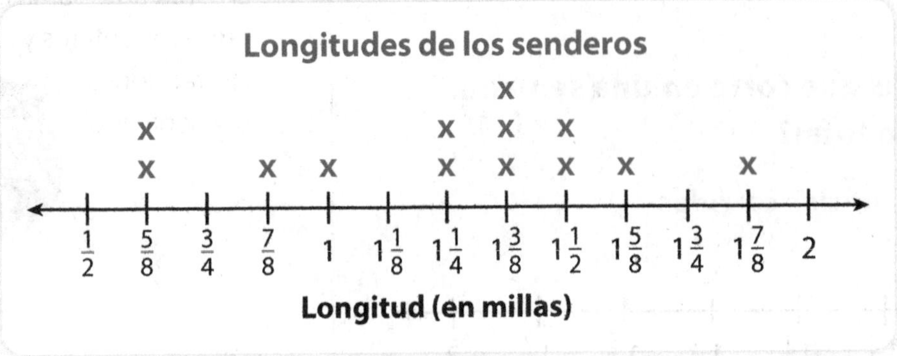

EN PAREJA

Describe todas las maneras en las que se puede resolver el problema. ¿Cuál es tu favorita? ¿Por qué?

Solución ....

3 Usa el diagrama de puntos del problema 2.

¿Cuál es la diferencia de longitud entre el sendero más largo y el sendero más corto?

¿Qué harás para hallar la diferencia: sumar o restar?

Ⓐ $\frac{6}{8}$ de milla.

Ⓑ 1 milla

Ⓒ $1\frac{2}{8}$ millas

Ⓓ $2\frac{4}{8}$ millas

Tom eligió Ⓓ como la respuesta correcta. ¿Cómo obtuvo él esa respuesta?

EN PAREJA

¿Tiene sentido la respuesta de Tom?

4 La veterinaria de un albergue para animales pesa los cachorros todos los días. Un día anota los pesos en un diagrama de puntos.

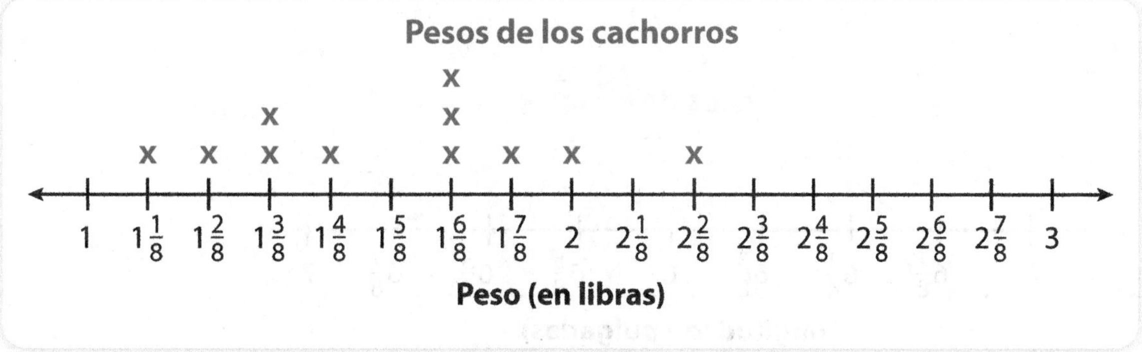

Usa el diagrama de puntos de arriba para decir si cada enunciado es *Verdadero* o *Falso*.

	Verdadero	**Falso**
La diferencia de peso entre los dos cachorros más pesados es de $\frac{1}{8}$ de libra.	Ⓐ	Ⓑ
El peso combinado de los dos cachorros más livianos es de $2\frac{2}{8}$ libras.	Ⓒ	Ⓓ
La diferencia de peso entre el cachorro más pesado y el cachorro más liviano es de $1\frac{1}{8}$ libras.	Ⓔ	Ⓕ

5 En el diagrama de puntos del problema 4 hay tres cachorros que pesan lo mismo. ¿Cuál es el peso combinado de esos tres cachorros? Muestra tu trabajo.

Solución ....

6 Alexandra tiene una cinta que mide 50 pulgadas de largo. La corta en cuatro trozos. El siguiente diagrama de puntos muestra las longitudes de los trozos que cortó.

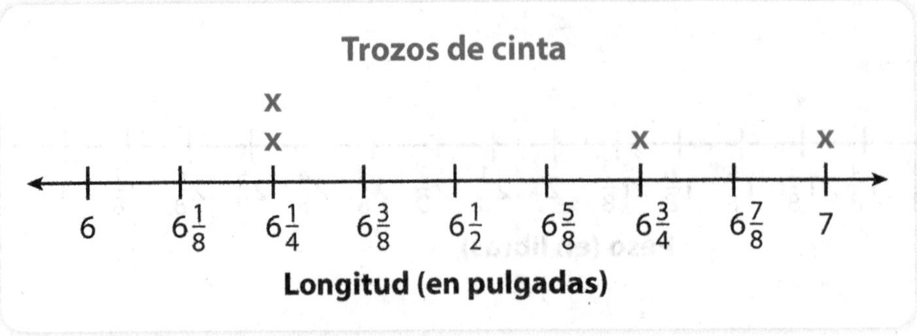

¿Cuál es la longitud total de los cuatro trozos? Muestra tu trabajo.

Solución ....

7 DIARIO DE MATEMÁTICAS

Escribe un problema verbal diferente para el diagrama de puntos del problema 6 que puedas resolver sumando o restando números mixtos. Explica cómo hallar la respuesta.

☑ **COMPRUEBA TU PROGRESO** Vuelve al comienzo de la Unidad 4 y mira qué destrezas puedes marcar.

Comprende Multiplicación de fracciones

LECCIÓN 23

Estimada familia:

Esta semana su niño está explorando la multiplicación de fracciones.

Multiplicar fracciones es hallar el número total de partes de igual tamaño en grupos iguales.

Su niño puede usar un modelo para comprender la multiplicación de fracciones.

Este modelo muestra $5 \times \frac{1}{3}$.

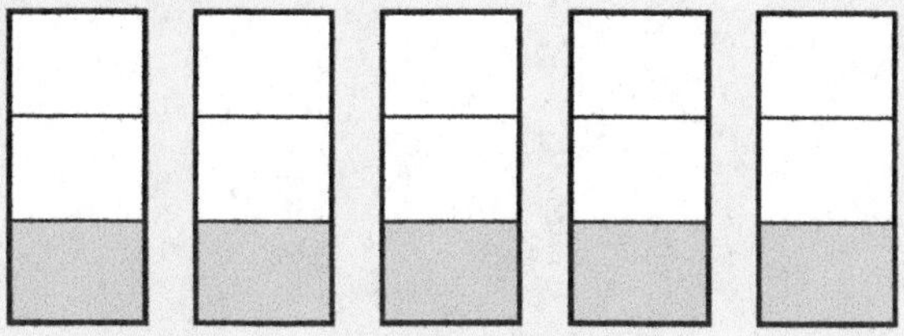

Puede ver que hay 5 grupos de $\frac{1}{3}$.

Hay $\frac{5}{3}$ en total.

El denominador indica el número de partes del mismo tamaño en el entero.

Hay 3 partes del mismo tamaño en cada entero.

Su niño también puede pensar en la suma repetida para comprender la multiplicación de fracciones.

Sumar $\frac{1}{3}$ cinco veces es lo mismo que multiplicar $\frac{1}{3} \times 5$.

$$\frac{1}{3} + \frac{1}{3} + \frac{1}{3} + \frac{1}{3} + \frac{1}{3} = \frac{5}{3}$$

Invite a su niño a compartir lo que sabe sobre la multiplicación de fracciones haciendo juntos la siguiente actividad.

ACTIVIDAD MULTIPLICACIÓN DE FRACCIONES

Haga la siguiente actividad con su niño para explorar la multiplicación de fracciones.

Materiales un tazón, una taza de medir y los ingredientes que se muestran en la receta

- Mire la receta de abajo para preparar una mezcla de nueces y frutas secas.
- Vuelva a escribir la receta de manera que pueda preparar cuatro veces esa cantidad de mezcla. Multiplique la cantidad de cada ingrediente por 4.
- Prepare la receta y ¡a disfrutar!

Receta para preparar mezcla de nueces y frutas secas

Ingredientes

$\frac{1}{4}$ de taza de pretzels

$\frac{3}{4}$ de taza de nueces

$\frac{1}{2}$ taza de pasas

$\frac{2}{3}$ de taza de cereal

$\frac{1}{3}$ de taza de pepitas de chocolate (opcional)

Instrucciones

Mezclar todos los ingredientes. Guardar en un recipiente.

Respuesta: 1 taza de pretzels, 3 tazas de nueces, 2 tazas de pasas, $\frac{8}{3}$ o $2\frac{2}{3}$ tazas de cereal, $\frac{4}{3}$ o $1\frac{1}{3}$ tazas de pepitas de chocolate

Explora Multiplicación de fracciones

¿Qué sucede cuando se multiplican números?

Objetivos de aprendizaje

- Entender una fracción $\frac{a}{b}$ como un múltiplo de $\frac{1}{b}$.
- Entender un múltiplo de $\frac{a}{b}$ como un múltiplo de $\frac{1}{b}$, y utilizar este entendimiento para multiplicar una fracción por un número entero.

EPM 1, 2, 3, 4, 5, 6, 7, 8

HAZ UN MODELO

Completa los problemas de abajo.

1. Mira el modelo. Escribe una ecuación de suma para sumar los $\frac{1}{3}$.

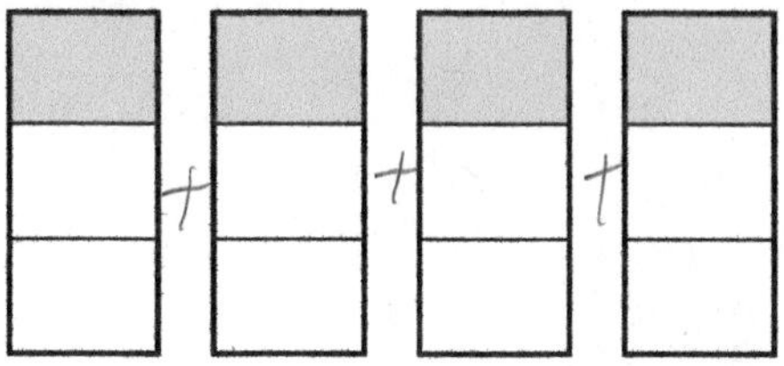

$\frac{1}{3} + \frac{1}{3} + \frac{1}{3} + \frac{1}{3} = \frac{4}{3}$

2. Puedes usar la multiplicación con fracciones para mostrar la suma repetida de fracciones, al igual de como lo haces con números enteros. Completa el enunciado y la ecuación de abajo.

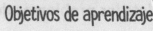

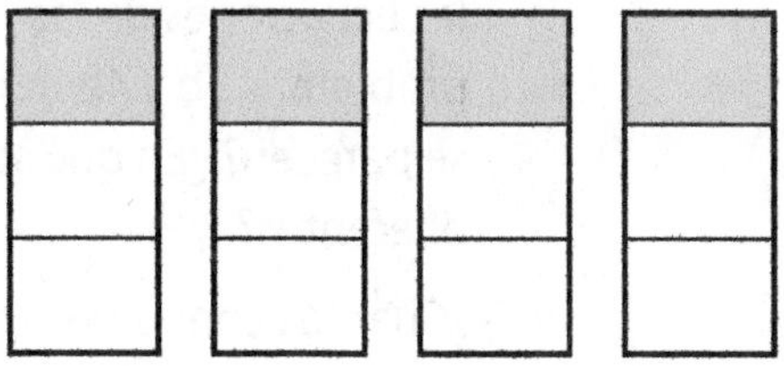

4 copias de $\frac{1}{3}$ = $\frac{4}{3}$

4 $\times \frac{1}{3}$ = $\frac{4}{3}$

CONVERSA CON UN COMPAÑERO

- Compara las ecuaciones que escribiste en los problemas 1 y 2 con las ecuaciones de tu compañero. ¿Son iguales?
- Creo que la multiplicación de fracciones se parece a la suma repetida de fracciones porque . . .

HAZ UN MODELO

Completa los problemas de abajo.

3 Mira el siguiente modelo.

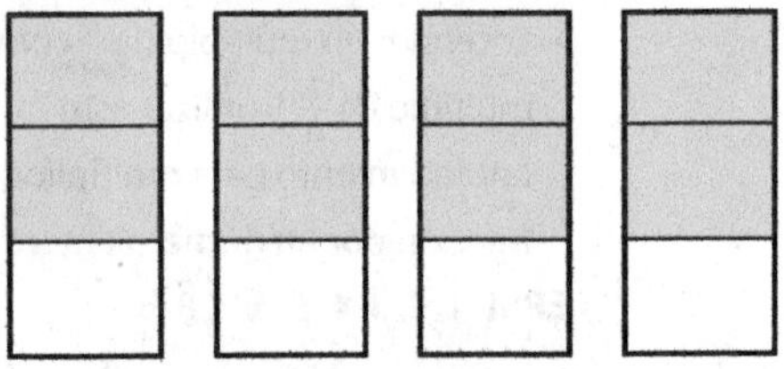

a. Escribe una ecuación de suma para sumar los $\frac{2}{3}$.

$\frac{2}{3} + \frac{2}{3} + \frac{2}{3} + \frac{2}{3} = \frac{8}{3}$

b. Completa la ecuación de multiplicación.

$4 \times \frac{2}{3} = \frac{8}{3}$

4 Mira el siguiente modelo.

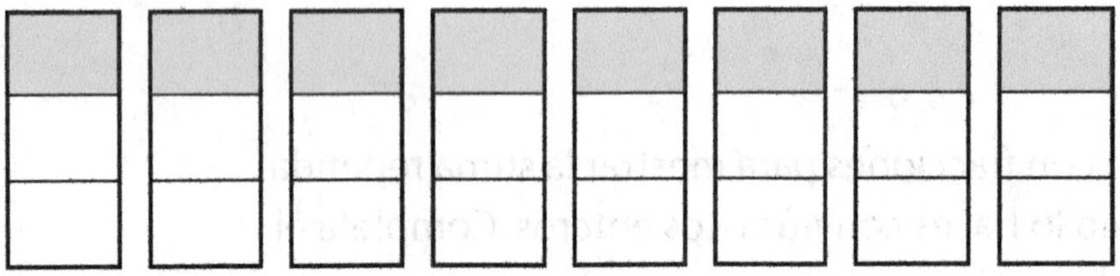

a. Escribe una ecuación de suma para sumar los $\frac{1}{3}$.

$\frac{1}{3} + \frac{1}{3} + \frac{1}{3} + \frac{1}{3} + \frac{1}{3} + \frac{1}{3} + \frac{1}{3} + \frac{1}{3} = \frac{8}{3}$

b. Completa la ecuación de multiplicación.

$8 \times \frac{1}{3} = \frac{8}{3}$

CONVERSA CON UN COMPAÑERO

- Compara los modelos y las ecuaciones de los problemas 3b y 4b. ¿En qué se parecen? ¿En qué son diferentes?
- ¿Cuántas copias de $\frac{1}{3}$ hay en cada modelo?

5 REFLEXIONA

Mira tus respuestas a los problemas 3 y 4. ¿Por qué puedes usar la suma o la multiplicación para describir cada modelo?

porque ma fasil

Desarrolla Comprender la multiplicación de fracciones

HAZ UN MODELO: MODELOS DE ÁREA

Prueba estos dos problemas.

1 Haz un modelo de área para mostrar $3 \times \frac{2}{5}$. Luego escribe el producto.

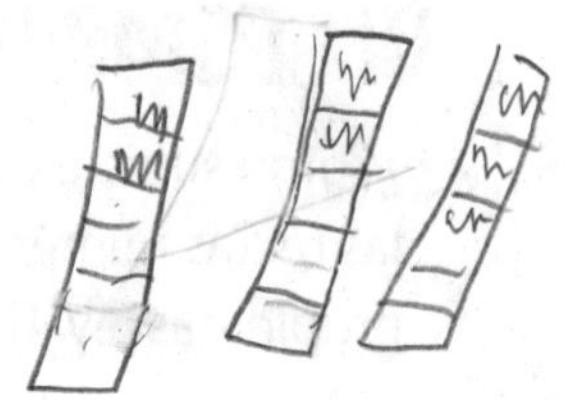

$3 \times \frac{2}{5} =$ $\frac{6}{5}$

2 Haz un modelo de área para mostrar $6 \times \frac{2}{10}$. Luego escribe el producto.

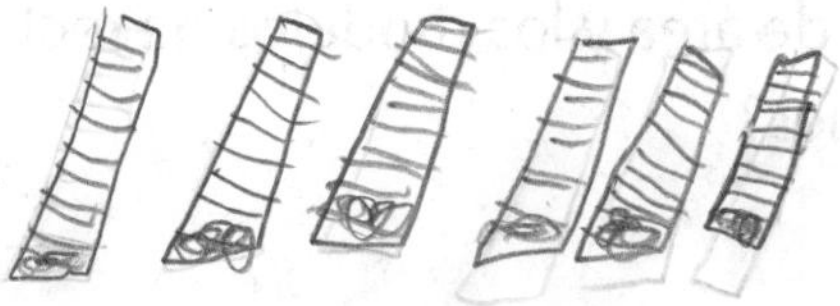

$6 \times \frac{2}{10} = \frac{12}{10}$

$6 \times \frac{1}{5} =$ ....

CONVERSA CON UN COMPAÑERO

- Compara tus modelos de los problemas 1 y 2 con los modelos de tu compañero. ¿En qué se parecen los modelos? ¿En qué son diferentes los modelos?
- Creo que los modelos de área muestran la multiplicación de una fracción por un número entero porque . . .

HAZ UN MODELO: RECTAS NUMÉRICAS

Usa las rectas numéricas para mostrar la multiplicación de una fracción por un número entero.

3 Completa los espacios en blanco en la recta numérica para mostrar $4 \times \frac{3}{5}$. Luego escribe el producto.

0 $\frac{3}{5}$ 1 $\frac{6}{5}$ $\frac{9}{5}$ 2 $\frac{12}{5}$ 3

$$4 \times \frac{3}{5} = \frac{12}{5}$$

4 Rotula la siguiente recta numérica para mostrar $6 \times \frac{2}{10}$.

Luego escribe el producto.

0 $\frac{2}{10}$ $\frac{4}{10}$ $\frac{6}{10}$ $\frac{8}{10}$ 1 $\frac{10}{10}$ $\frac{12}{10}$

$$6 \times \frac{2}{10} = \frac{12}{10}$$

> ## CONVERSA CON UN COMPAÑERO
>
> • ¿Cómo supiste cómo rotular las rectas numéricas en los problemas 3 y 4?
>
> • Creo que usar rectas numéricas puede ayudarme a multiplicar una fracción por un número entero porque . . .

CONÉCTALO

Completa los problemas de abajo.

5 ¿En qué se parecen y en qué son diferentes los modelos de área y los modelos de recta numérica cuando muestran la multiplicación de fracciones?

la regla numérica de primero es más pequeña

6 Elige cualquier modelo para mostrar $3 \times \frac{2}{4}$. Luego escribe el producto.

$$3 \times \frac{2}{4} = \frac{6}{4}$$

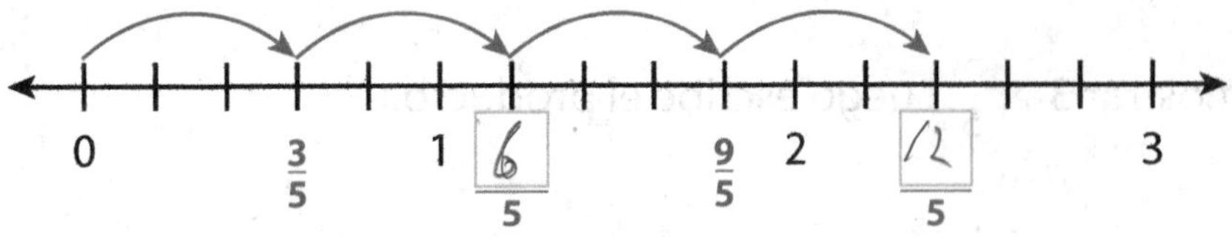

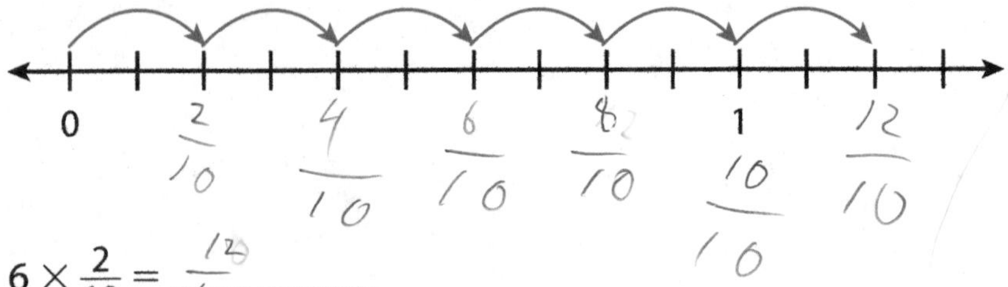

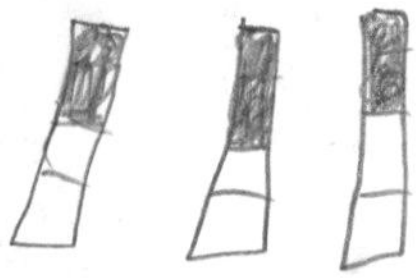

Refina Ideas acerca de la multiplicación de fracciones

APLÍCALO

Completa estos problemas por tu cuenta.

1 ANALIZA

¿En qué se parece $3 \times \frac{3}{6}$ a $9 \times \frac{1}{6}$?

2 EVALÚA

Violet resuelve $4 \times \frac{7}{10}$ como se muestra. ¿Cuál es su error?

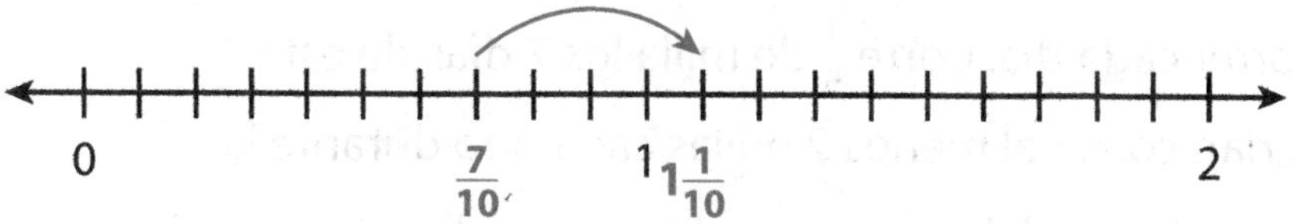

3 CONSTRUYE

Anders triplica una receta y necesita $\frac{3}{2}$ tazas de harina. Tiene una taza de medir de $\frac{1}{2}$ taza. ¿Cuántas veces llena la taza de medir con harina? Haz un dibujo y escribe una ecuación de multiplicación para representar el problema.

EN PAREJA
Comenta con un compañero tus soluciones a estos tres problemas.

Solución ....

Usa lo que aprendiste para resolver el problema 4.

4 Joaquin corre $\frac{4}{5}$ de milla cada día los lunes, los miércoles y los viernes. ¿Cuántas millas corre en total?

Parte A Describe dos métodos que podrías usar para resolver el problema $3 \times \frac{4}{5}$.

i

ii

Parte B Escribe un problema de multiplicación diferente que tenga el mismo producto que $3 \times \frac{4}{5}$. Usa $\frac{1}{5}$ en lugar de $\frac{4}{5}$. ....

Parte C Allison comienza a correr cada día. Corre $\frac{1}{5}$ de milla los 7 días de esta semana. Joaquin y Allison querían correr al menos 2 millas cada uno durante la semana. ¿Lo hicieron? Usa un dibujo o palabras para explicar cómo lo sabes.

5 **DIARIO DE MATEMÁTICAS**

¿En qué se parecen $4 \times \frac{2}{6}$ y $8 \times \frac{1}{6}$? Usa un modelo o palabras para mostrar cómo lo sabes.

Multiplica fracciones por números enteros

LECCIÓN 24

Estimada familia:

Esta semana su niño está aprendiendo a multiplicar fracciones por números enteros para resolver problemas verbales.

Puede que su niño vea un problema como este.

Randy practicó guitarra por $\frac{2}{3}$ de una hora durante 4 días esta semana. ¿Cuánto tiempo practicó guitarra Randy esta semana?

Usar modelos de fracciones puede ayudar a su niño a resolver este problema verbal.

Cada modelo de fracciones de abajo está dividido en tercios y muestra $\frac{2}{3}$, la cantidad fraccionaria de una hora que Randy practicó guitarra cada día.

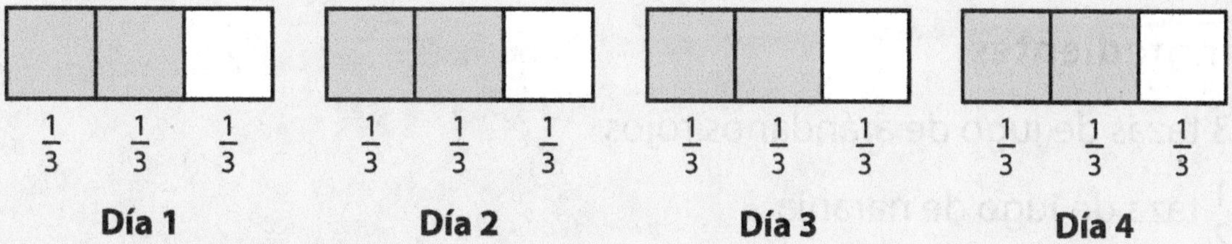

Los modelos de fracciones muestran $4 \times \frac{2}{3}$. Los modelos de fracciones muestran $\frac{8}{3}$.

Su niño también puede escribir una ecuación para hallar cuánto tiempo practicó Randy.

$$4 \times \frac{2}{3} = \frac{8}{3}$$

Luego su niño puede comprobar su respuesta usando la suma repetida.

$$\frac{2}{3} + \frac{2}{3} + \frac{2}{3} + \frac{2}{3} = \frac{8}{3}$$

La respuesta es que Randy practicó guitarra $\frac{8}{3}$ de hora, o $2\frac{2}{3}$ horas, esta semana.

Invite a su niño a compartir lo que sabe sobre multiplicar fracciones por números enteros haciendo juntos la siguiente actividad.

ACTIVIDAD MULTIPLICAR FRACCIONES POR NÚMEROS ENTEROS

Haga la siguiente actividad con su niño para ayudarlo a multiplicar fracciones por números enteros.

Materiales una jarra grande, una taza de medir y los ingredientes que se muestran en la receta

- Mire la receta de abajo para preparar un refresco de frutas.
- Vuelva a escribir la receta de manera que pueda preparar tres veces más refresco. Multiplique la cantidad de cada ingrediente por 3.
- Haga la receta y ¡a disfrutar!

Receta para preparar refresco de arándanos rojos

Ingredientes:

3 tazas de jugo de arándanos rojos

$\frac{1}{2}$ taza de jugo de naranja

2 tazas de jugo de uva

$\frac{1}{4}$ de taza de jugo de limón

$\frac{1}{2}$ taza de piña triturada

Instrucciones:

Mezclar todos los ingredientes.

Servir en vasos.

Respuestas: 9 tazas de jugo de arándanos rojos, $\frac{3}{2}$ o $1\frac{1}{2}$ tazas de jugo de naranja, 6 tazas de jugo de uva, $\frac{3}{4}$ de taza de jugo de limón, $\frac{3}{2}$ o $1\frac{1}{2}$ tazas de piña triturada

Explora Multiplicar fracciones por números enteros

Objetivo de aprendizaje

- Resolver problemas verbales con multiplicación de una fracción por un número entero, por ejemplo, utilizando modelos visuales de fracciones y ecuaciones para representar el problema.

EPM 1, 2, 3, 4, 5, 6, 7

Antes aprendiste a multiplicar fracciones por números enteros. En esta lección multiplicarás fracciones por números enteros para resolver problemas verbales. Usa lo que sabes para tratar de resolver el siguiente problema.

Una porción de galletas saladas es aproximadamente $\frac{3}{10}$ de toda la caja de galletas. Bella come 3 porciones esta semana. ¿Qué fracción de la caja de galletas come?

PRUÉBALO

Herramientas matemáticas

- círculos de fracciones
- fichas de fracciones
- barras de fracciones
- rectas numéricas
- papel cuadriculado
- modelos de fracción

CONVERSA CON UN COMPAÑERO

Pregúntale: ¿Puedes explicarme eso otra vez?

Dile: Un modelo que usé fue . . . Me ayudó a . . .

CONÉCTALO

1 REPASA

Explica cómo podrías hallar la fracción de la caja de galletas que come Bella.

2 SIGUE ADELANTE

Puedes multiplicar una fracción por un número entero para resolver problemas sobre combinar partes de igual tamaño.

En el problema de las galletas saladas, la parte de igual tamaño es el tamaño de la porción, o $\frac{3}{10}$ de la caja de galletas. Bella come 3 porciones. El modelo de la derecha muestra la fracción de la caja de galletas que come Bella.

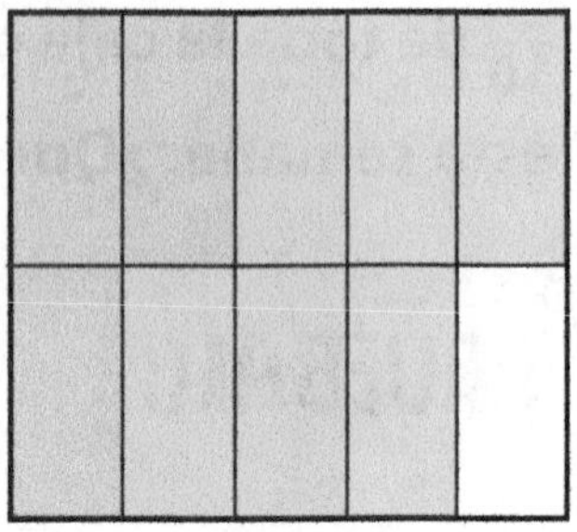

$\frac{3}{10}$ de la caja = 1 porción

a. Puedes mostrar tres veces el tamaño de la porción como $3 \times \frac{3}{10}$, o $\frac{3 \times 3}{10}$.

Completa la ecuación. $3 \times \frac{3}{10} = \frac{\square}{\square}$

b. Cuando se multiplica una fracción por un número entero, la respuesta podría ser una fracción menor que 1 o una fracción mayor que 1. Puedes usar lo que sabes acerca de las fracciones y los números mixtos para saber entre qué dos números enteros se encuentra la respuesta. ¿Cómo es la fracción de la caja de galletas que come Bella: menor que 1 entero o mayor que 1 entero? ....

c. ¿Entre qué dos números enteros se encuentra la fracción de la caja de galletas que come Bella? ....

3 REFLEXIONA

Describe una situación de la vida real en la que multiplicarías una fracción por un número entero.

....

....

Prepárate para multiplicar fracciones por números enteros

1 Piensa en lo que sabes acerca de multiplicar una fracción por un número entero. Llena cada recuadro. Usa palabras, números y dibujos. Muestra tantas ideas como puedas.

Palabra	En mis propias palabras	Ejemplo
multiplicar		
fracción		
número entero		

2 Completa la ecuación para decir cómo muestra el modelo la multiplicación de una fracción por un número entero.

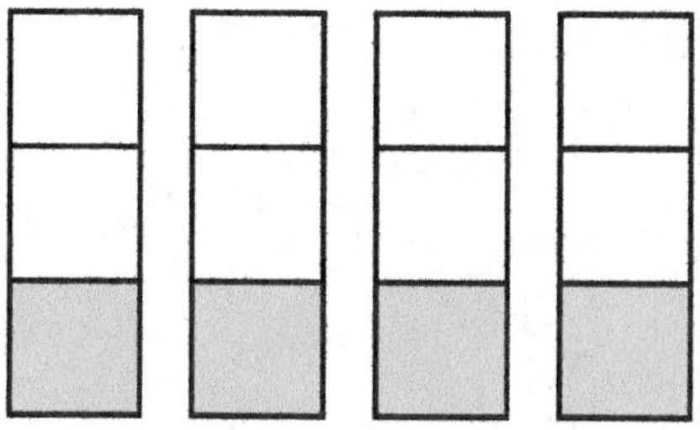

.... × .... = ...

número entero × fracción = producto

3 Resuelve el problema. Muestra tu trabajo.

Una familia come $\frac{3}{8}$ de una caja entera de cereal cada día. ¿Qué fracción de la caja de cereal come la familia en 2 días?

Solución ....

4 Comprueba tu respuesta. Muestra tu trabajo.

Desarrolla Multiplicar fracciones por números enteros

Lee el siguiente problema y trata de resolverlo.

James hornea galletas. Una tanda de galletas requiere $\frac{2}{4}$ de una cucharadita de vainilla. James quiere preparar 3 tandas de galletas. ¿Cuánta vainilla necesita James?

PRUÉBALO

Herramientas matemáticas

- círculos de fracciones
- fichas de fracciones
- cucharas de medir
- barras de fracciones
- rectas numéricas
- modelos de fracción

CONVERSA CON UN COMPAÑERO

Pregúntale: ¿Cómo empezaste a resolver el problema?

Dile: Yo ya sabía que . . . así que . . .

Explora diferentes maneras de entender la multiplicación de fracciones por números enteros para resolver problemas verbales.

James hornea galletas. Una tanda de galletas requiere $\frac{2}{4}$ de una cucharadita de vainilla. James quiere preparar 3 tandas de galletas. ¿Cuánta vainilla necesita James?

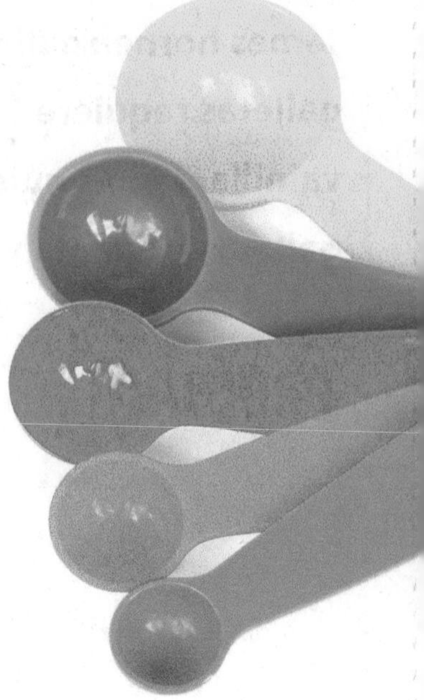

HAZ UN DIBUJO

Puedes usar un dibujo para ayudarte a resolver el problema verbal.

El dibujo muestra seis $\frac{1}{4}$ de cucharaditas para 3 tandas.

Tanda 1 Tanda 2 Tanda 3

$\frac{1}{4}$ cta $\frac{1}{4}$ cta $\frac{1}{4}$ cta $\frac{1}{4}$ cta $\frac{1}{4}$ cta $\frac{1}{4}$ cta

HAZ UN MODELO

También puedes usar barras de fracciones para resolver el problema verbal.

La siguiente barra de fracciones está dividida en cuartos y muestra $\frac{2}{4}$, la cantidad de vainilla que hay en cada tanda.

$\frac{1}{4}$	$\frac{1}{4}$	$\frac{1}{4}$	$\frac{1}{4}$

El siguiente modelo muestra la cantidad de vainilla que se necesita para **3 tandas**.

Tanda 1

$\frac{1}{4}$	$\frac{1}{4}$	$\frac{1}{4}$	$\frac{1}{4}$

Tanda 2

$\frac{1}{4}$	$\frac{1}{4}$	$\frac{1}{4}$	$\frac{1}{4}$

Tanda 3

$\frac{1}{4}$	$\frac{1}{4}$	$\frac{1}{4}$	$\frac{1}{4}$

CONÉCTALO

Ahora vas a usar el problema de la página anterior para ayudarte a entender cómo multiplicar una fracción por un número entero para resolver un problema verbal.

1. ¿Cuánta vainilla necesita James para cada tanda? ....

2. ¿Cuántas tandas quiere preparar James? ....

3. Escribe una ecuación para averiguar cuántas cucharaditas de vainilla necesita James.

   .... × .... = ...

   número de tandas — cucharaditas para 1 tanda — cucharaditas que se necesitan

4. Explica cómo puedes comprobar tu respuesta usando la suma repetida.

5. Escribe la fracción que muestra cuántas cucharaditas de vainilla necesita James como un número mixto. ....

6. ¿Entre qué dos números enteros de cucharaditas está la cantidad de vainilla que necesita James?

7. ¿En qué se parece el modelo de barra de fracciones al modelo de cucharadita para mostrar cómo multiplicar una fracción por un número entero?

8. ## REFLEXIONA

   Repasa **Pruébalo**, las estrategias de tus compañeros, **Haz un dibujo** y **Haz un modelo**. ¿Qué modelos o estrategias prefieres para multiplicar una fracción por un número entero para resolver un problema verbal? Explica.

   ....

   ....

   ....

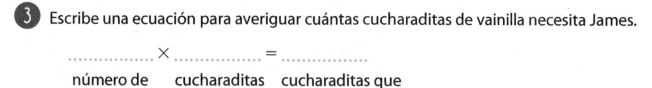

APLÍCALO

Usa lo que acabas de aprender para resolver estos problemas.

9. Micah corre $\frac{8}{10}$ de milla. Sarah corre esa misma distancia 3 días seguidos. ¿Qué distancia corre Sarah en total?

Solución ....

10. El lunes, Sylvia pasa $\frac{5}{12}$ del día a ir en carro a la casa de su primo. El viernes, pasa la misma cantidad de tiempo para volver a su casa. ¿Qué fracción del día pasa Sylvia a ir a la casa de su primo y volver?

Solución ....

11. Isabella llena su pecera usando un botellón de agua. El botellón de agua tiene una capacidad de $\frac{4}{5}$ de galón. Isabella usa 9 botellones completos para llenar su pecera. ¿Con cuántos galones de agua se llena la pecera?

Ⓐ $\frac{36}{45}$ galones

Ⓑ $2\frac{3}{5}$ galones

Ⓒ $7\frac{1}{5}$ galones

Ⓓ $36\frac{1}{5}$ galones

Nombre: ______________________________

Practica multiplicar fracciones por números enteros

Estudia el Ejemplo, que muestra cómo multiplicar una fracción por un número entero para resolver un problema verbal. Luego resuelve los problemas 1 a 7.

EJEMPLO

Malik duplica una receta de galletas para preparar dos tandas de galletas. Usa $\frac{7}{8}$ de taza de harina para cada tanda. ¿Cuánta harina usa Malik para las dos tandas?

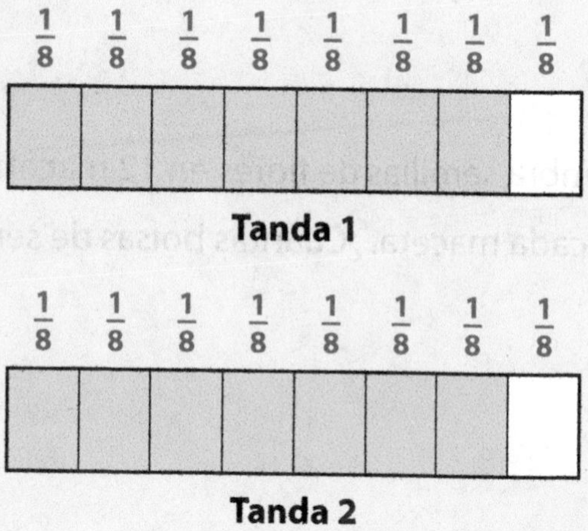

$$2 \times \frac{7}{8} = \frac{14}{8}$$

↑ número de tandas ↑ tazas por cada tanda ↑ tazas usadas

Malik usa $\frac{14}{8}$, o $1\frac{6}{8}$, tazas de harina.

1. Benson dedica $\frac{5}{6}$ de una hora a leer cada día durante 3 días. ¿Cuánto tiempo dedica Benson a leer esta semana?

   $3 \times \frac{5}{6} = \frac{\square}{\square} = \square\frac{\square}{\square}$

   Benson dedica .... horas a leer esta semana.

2. Muestra cómo usar la suma repetida para comprobar tu respuesta al problema 1.

3. Sabrina recorre $\frac{3}{4}$ de milla en bicicleta. Katrin recorre la misma distancia en bicicleta cada uno de 4 días. ¿Qué distancia recorre Katrin en bicicleta en total?

4 Jorge enseña futbol durante $\frac{1}{12}$ de día el sábado. Ese día también enseña tenis y natación, cada uno por la misma cantidad de tiempo que futbol. ¿Qué fracción del día sábado enseña Jorge? Muestra tu trabajo.

Solución ....

5 Greta siembra semillas de flores en 12 macetas. Usa $\frac{2}{6}$ de una bolsa de semillas de flores en cada maceta. ¿Cuántas bolsas de semillas usa Greta? Muestra tu trabajo.

Solución ....

Leslie practica flauta por $\frac{2}{6}$ de hora 3 veces esta semana.
Practica piano por $\frac{2}{3}$ de hora 2 veces esta semana.

6 ¿Qué expresiones se pueden usar para mostrar cuánto tiempo practica Leslie tanto la flauta como el piano esta semana?

Ⓐ $\left(3 \times \frac{2}{6}\right) + \left(2 \times \frac{2}{3}\right)$

Ⓑ $5 \times \left(\frac{2}{6} + \frac{2}{3}\right)$

Ⓒ $\frac{2}{6} + \frac{2}{6} + \frac{2}{6} + \frac{2}{3} + \frac{2}{3}$

Ⓓ $\frac{(3 \times 2)}{6} + \frac{(2 \times 2)}{3}$

Ⓔ $\left(2 \times \frac{2}{6}\right) + \left(3 \times \frac{2}{3}\right)$

7 ¿Qué practica Leslie por más tiempo: la flauta o el piano? Muestra tu trabajo.

Solución ....

Refina Multiplicar fracciones por números enteros

Completa el Ejemplo siguiente. Luego resuelve los problemas 1 a 8.

EJEMPLO

Cinco amigos comparten una pizza. Cada amigo come $\frac{2}{12}$ de la pizza. ¿Cuánta pizza comen en total?

Mira cómo podrías mostrar tu trabajo usando un modelo.

$$5 \times \frac{2}{12} = \frac{10}{12}$$

Solución ....

¡El estudiante rotuló el modelo para mostrar cada uno de los 5 amigos!

EN PAREJA
¿Cómo podrías escribir la expresión de una manera diferente?

APLÍCALO

1 Cada una de 4 mesas en una fiesta tiene un tazón de uvas. Cada tazón contiene $\frac{5}{8}$ de libra de uvas. ¿Cuántas libras de uvas hay en total? Muestra tu trabajo.

¿Cómo será el peso total: mayor o menor que 1 libra entera?

Solución ....

EN PAREJA
Comprueba tu respuesta usando la suma repetida.

2 Leo pinta durante $\frac{2}{3}$ de hora cada día el lunes, el martes, el jueves y el viernes. ¿Durante cuánto tiempo pintó Leo esta semana? Muestra tu trabajo.

¿Pinta Leo la misma cantidad de tiempo cada día?

EN PAREJA
Haz un modelo para representar la situación o problema.

Solución ....

3 Karime camina $\frac{3}{4}$ de milla cada día durante 5 días. ¿Entre qué dos números enteros está el número de millas que camina Karime en total?

Ⓐ 0 y 1

Ⓑ 1 y 2

Ⓒ 3 y 4

Ⓓ 4 y 5

¡Asegúrate de que tu respuesta sea razonable!

Lacey eligió Ⓐ como la respuesta correcta. ¿Cómo obtuvo ella esa respuesta?

EN PAREJA
¿Cómo obtuviste la respuesta que elegiste?

4 Un concierto de coro dura $\frac{5}{6}$ de hora. El coro da 3 conciertos el fin de semana.

Halla el número de horas que el coro actuó el fin de semana.

¿Entre qué dos números enteros está la respuesta?

Ⓐ 0 y 1

Ⓑ 1 y 2

Ⓒ 2 y 3

Ⓓ 3 y 4

5 Halla los productos para completar la tabla.

	Producto
$3 \times \frac{4}{6}$	
$2 \times \frac{4}{5}$	
$5 \times \frac{2}{3}$	
$2 \times \frac{3}{6}$	

6 Morgan compra 6 tomates que pesan $\frac{1}{4}$ de libra cada uno.

Russ compra 14 tomates que pesan $\frac{1}{8}$ de libra cada uno.

¿Quién compra los tomates que pesan más?
Muestra tu trabajo.

.... compra los tomates que pesan más.

7 Di si cada expresión tiene un valor de $\frac{15}{4}$.

	Sí	No
$5 \times \frac{3}{4}$	Ⓐ	Ⓑ
$1 \times \frac{5}{4}$	Ⓒ	Ⓓ
$15 \times \frac{1}{4}$	Ⓔ	Ⓕ

8 DIARIO DE MATEMÁTICAS

Usa palabras, ecuaciones o dibujos para explicar cómo hallar la respuesta al siguiente problema.

Brittany practica batear pelotas de softbol durante $\frac{2}{3}$ de hora cada día durante tres días. ¿Cuántas horas practica batear pelotas de softbol?

☑ COMPRUEBA TU PROGRESO Vuelve al comienzo de la Unidad 4 y mira qué destrezas puedes marcar.

Fracciones como décimos y centésimos

LECCIÓN 25

Estimada familia:

Esta semana su niño está aprendiendo sobre fracciones como décimos y centésimos.

Puede que su niño vea un problema como $\frac{2}{10} + \frac{30}{100}$. Una fracción del problema tiene 10 como denominador. La otra fracción tiene 100 como denominador.

Su niño está aprendiendo cómo escribir fracciones con **décimos** como fracciones equivalentes con **centésimos.** $\frac{1}{10} = \frac{10}{100}$

Este modelo muestra $\frac{2}{10}$.

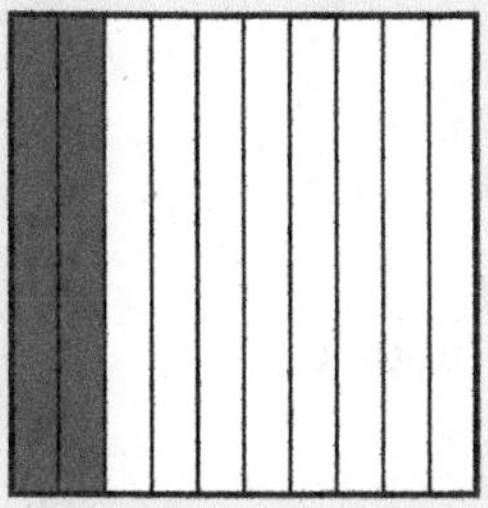

Los modelos muestran fracciones equivalentes.
$\frac{2}{10} = \frac{20}{100}$

Este modelo muestra $\frac{20}{100}$.

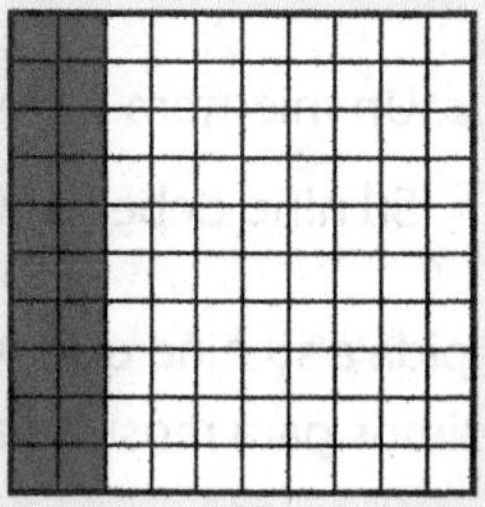

Para sumar $\frac{2}{10}$ y $\frac{30}{100}$, represente $\frac{2}{10}$ como $\frac{20}{100}$. Luego represente $\frac{30}{100}$ más.

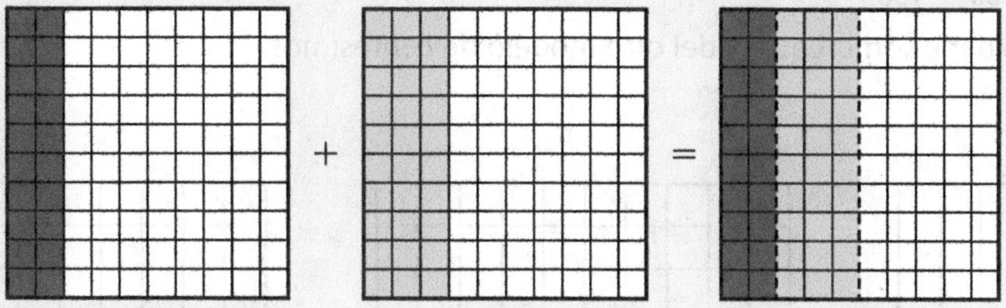

$\frac{20}{100}$ + $\frac{30}{100}$ = $\frac{50}{100}$

$$\frac{20}{100} + \frac{30}{100} = \frac{50}{100}, \text{ y } \frac{2}{10} + \frac{30}{100} = \frac{50}{100}.$$

Invite a su niño a compartir lo que sabe sobre fracciones como décimos y centésimos haciendo juntos la siguiente actividad.

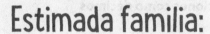

ACTIVIDAD FRACCIONES COMO DÉCIMOS Y CENTÉSIMOS

Haga la siguiente actividad con su niño para explorar fracciones como décimos y centésimos.

- Use los modelos de décimos y centésimos que se muestran abajo o haga sus propios modelos usando papel rayado y papel cuadriculado.

- Pida a su niño que elija un número entre 1 y 5. Su niño sombrea el modelo de décimos para mostrar ese número de décimos.

  Ejemplo: Su niño elige 4.
  Su niño debe sombrear 4 décimos $\left(\frac{4}{10}\right)$ del modelo de décimos.

- Luego pida a otro miembro de la familia que elija un número de dos dígitos entre 10 y 50. Su niño debe sombrear el modelo de centésimos para mostrar ese número de centésimos.

  Ejemplo: Un miembro de la familia elige 28.
  Su niño debe sombrear $\frac{28}{100}$ del modelo de centésimos.

- Después pida a su niño que sume las fracciones. Su niño sombrea el otro modelo de centésimos para mostrar la suma.

  Ejemplo: $\frac{4}{10} + \frac{28}{100}$
  $\frac{40}{100} + \frac{28}{100} = \frac{68}{100}$
  Su niño debe sombrear $\frac{68}{100}$ del otro modelo de centésimos.

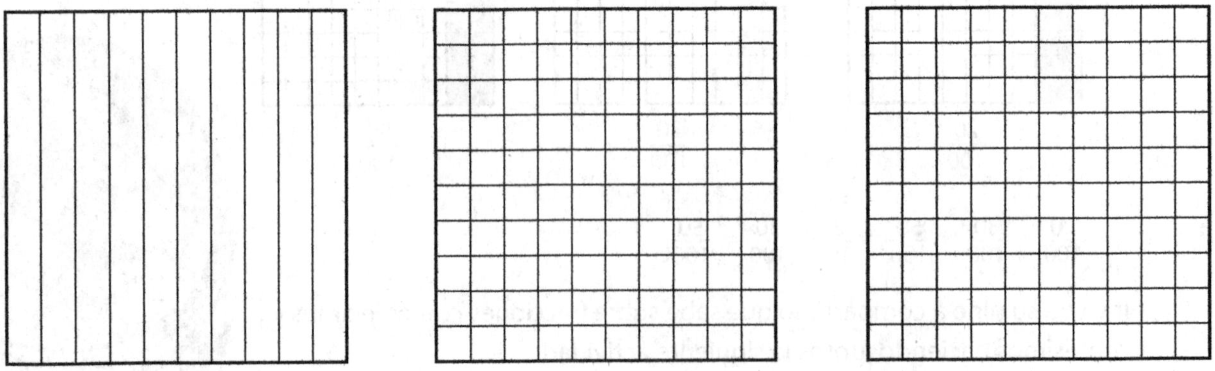

Explora Fracciones como décimos y centésimos

Antes trabajaste con fracciones equivalentes. En esta lección te enfocarás en fracciones equivalentes con denominadores de 10 y 100. Usa lo que sabes para tratar de resolver el siguiente problema.

Objetivo de aprendizaje

- Expresar una fracción con denominador de 10 como una fracción equivalente con denominador de 100, y utilizar esta técnica para sumar dos fracciones con denominadores respectivos de 10 y 100.

EPM 1, 2, 3, 4, 5, 6, 7

Doss vuelve a casa en bicicleta. Le quedan siete décimos de una milla por recorrer. Escribe una fracción equivalente para mostrar cuánto le queda a Doss por recorrer en centésimos de una milla.

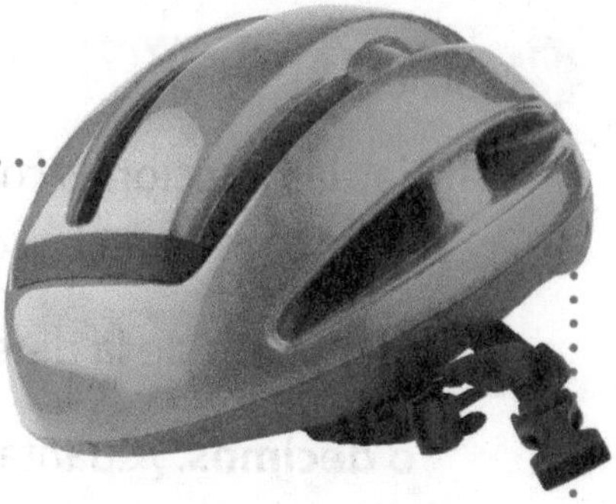

PRUÉBALO

Herramientas matemáticas

- bloques de base diez
- cuadrículas de décimos
- cuadrículas de centésimos
- rectas numéricas
- tarjetas en blanco

CONVERSA CON UN COMPAÑERO

Pregúntale: ¿Por qué elegiste esa estrategia?

Dile: Yo ya sabía que . . . así que . . .

CONÉCTALO

1 REPASA

Explica cómo se puede usar la multiplicación para hallar una fracción con un denominador de 100 que sea equivalente a $\frac{7}{10}$.

2 SIGUE ADELANTE

Todas las fracciones con un denominador de 10 se pueden escribir como una fracción con un denominador de 100.

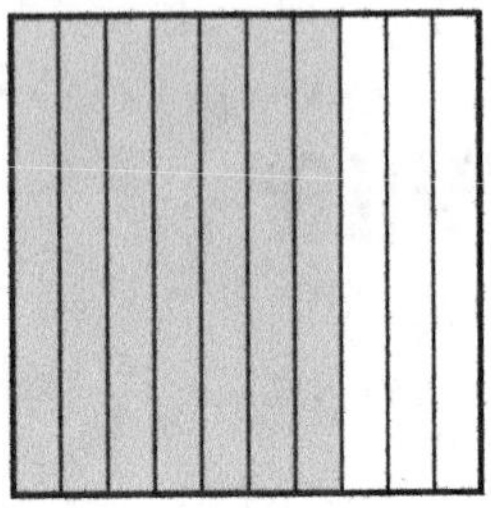

a. El modelo de la derecha está dividido en 10 partes iguales, o **décimos**. ¿Cuántas partes están sombreadas? ....

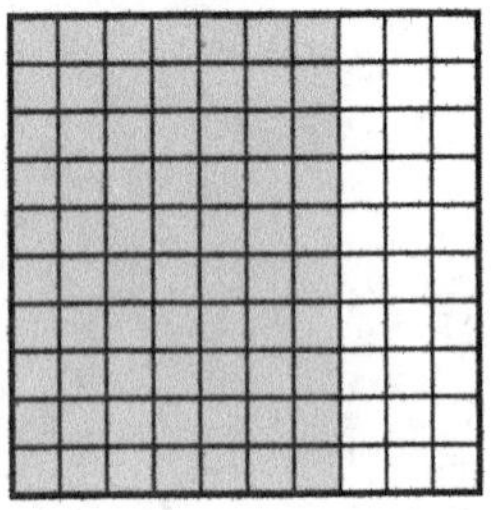

b. Si se divide cada décimo en 10 partes iguales, el entero está dividido ahora en 100 partes iguales, o **centésimos**.

¿Cuántos centésimos están sombreados? ....

c. Completa la ecuación para mostrar una fracción con un denominador de 100 que sea equivalente a $\frac{7}{10}$.

$$\frac{7}{10} = \frac{7 \times \square}{10 \times \square} = \frac{\square}{100}$$

d. También puedes usar dinero para pensar en las fracciones equivalentes con denominadores de 10 y 100. Piensa en 1 dólar, o 100 centavos, como el entero. Completa los espacios en blanco.

1 moneda de 10¢ = $\square$ centavos = $\frac{\square}{100}$ de un dólar

1 moneda de 10¢ = $\frac{\square}{10}$ de un dólar

Por lo tanto, $\frac{1}{10} = \frac{10}{100}$.

3 REFLEXIONA

¿Cómo puedes usar fracciones equivalentes para escribir décimos como centésimos?

....

....

Prepárate para las fracciones como décimos y centésimos

1. Piensa en lo que sabes acerca de las fracciones. Llena cada recuadro. Usa palabras, números y dibujos. Muestra tantas ideas como puedas.

Palabra	En mis propias palabras	Ejemplo
numerador		
denominador		
décimos		
centésimos		

2. Escribe siete décimos y siete centésimos como fracciones. Di en qué se parecen y en qué se diferencian las dos fracciones.

3 Resuelve el problema. Muestra tu trabajo.

Akiko va al parque trotando. Le quedan seis décimos de milla por trotar. Escribe una fracción equivalente para mostrar cuánto le queda a Akiko por trotar en centésimos de milla.

Solución ....

4 Comprueba tu respuesta. Muestra tu trabajo.

Desarrolla Sumar fracciones con décimos y centésimos

Lee el siguiente problema y trata de resolverlo.

Carmen tiene $\frac{4}{10}$ de un dólar. Troy tiene $\frac{50}{100}$ de un dólar. Juntos, ¿qué fracción de un dólar tienen?

PRUÉBALO

Herramientas matemáticas
- bloques de base diez
- dinero de juguete
- cuadrículas de décimos
- cuadrículas de centésimos
- rectas numéricas

CONVERSA CON UN COMPAÑERO

Pregúntale: ¿Cómo empezaste a resolver el problema?

Dile: Al principio, pensé que . . .

Explora diferentes maneras de entender cómo sumar fracciones con denominadores de 10 y 100.

Carmen tiene $\frac{4}{10}$ de un dólar. Troy tiene $\frac{50}{100}$ de un dólar. Juntos, ¿qué fracción de un dólar tienen?

HAZ UN DIBUJO

Puedes usar un dibujo para ayudarte a sumar fracciones con denominadores de 10 y 100.

Sabes que $\frac{4}{10}$ de un dólar son 4 monedas de 10¢ y $\frac{50}{100}$ de un dólar son 5 monedas de 10¢.

Dinero de Carmen

Dinero de Troy

Juntos, Carmen y Troy tienen 9 monedas de 10¢.

HAZ UN MODELO

Puedes usar un modelo para ayudarte a sumar fracciones con denominadores de 10 y 100.

Dinero de Carmen **Dinero de Troy** **Dinero en total**

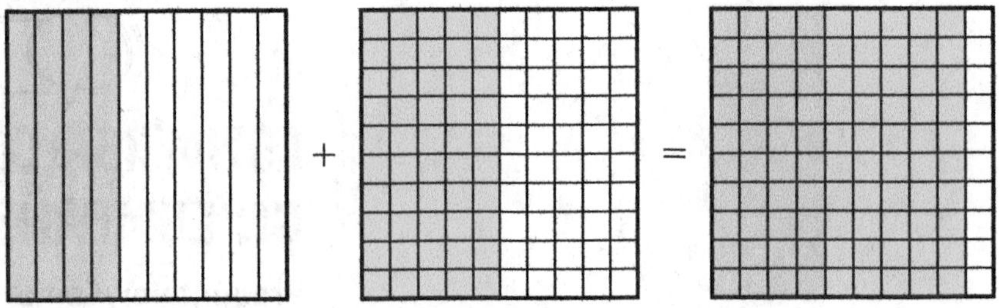

$\frac{4}{10}$ $\frac{50}{100}$?

CONÉCTALO

Ahora vas a usar el problema de la página anterior para ayudarte a entender cómo sumar fracciones con denominadores de 10 y 100.

1 ¿Cuáles son los denominadores de las fracciones que estás sumando? ¿Son iguales?

2 Completa la ecuación para usar la multiplicación para hallar la fracción con denominador de 100 que es equivalente a $\frac{4}{10}$.

$$\frac{4}{10} = \frac{4 \times \square}{10 \times \square} = \frac{\square}{\square}$$

3 $\frac{40}{100} + \frac{50}{100} =$ ....

4 Juntos, ¿qué fracción de dólar tienen Carmen y Troy? ....

5 Explica cómo usar fracciones equivalentes para sumar una fracción con un denominador de 100 a una fracción con un denominador de 10.

6 **REFLEXIONA**

Repasa **Pruébalo**, las estrategias de tus compañeros, **Haz un dibujo** y **Haz un modelo**. ¿Qué modelos o estrategias prefieres para sumar fracciones con denominadores de 10 y 100? Explica.

....

....

....

....

APLÍCALO

Usa lo que acabas de aprender para resolver estos problemas.

7 Giselle gastó $\frac{7}{10}$ de su dinero en un libro y $\frac{10}{100}$ de su dinero en alimentos. ¿Qué fracción de su dinero gastó Giselle en total? Muestra tu trabajo.

Solución ....

8 Muestra cómo sumar $\frac{4}{10}$ y $\frac{19}{100}$. Escribe la suma. Muestra tu trabajo.

Solución ....

9 Tucker quita la maleza de su jardín. El modelo sombreado de la derecha representa la fracción del jardín que Tucker ya limpió.

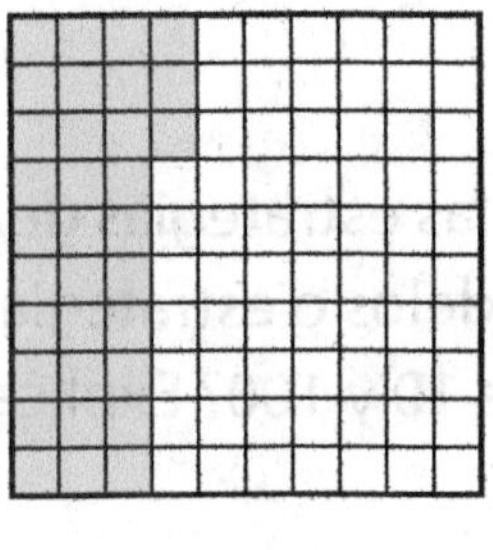

Tucker planea quitar la maleza de $\frac{5}{10}$ más del jardín antes del almuerzo. ¿Qué fracción del jardín habrá limpiado Tucker antes del almuerzo?

Ⓐ $\frac{38}{100}$

Ⓑ $\frac{83}{100}$

Ⓒ $\frac{38}{110}$

Ⓓ $\frac{83}{10}$

Practica sumar fracciones con décimos y centésimos

Estudia el Ejemplo, que muestra cómo sumar fracciones con denominadores de 10 y 100. Luego resuelve los problemas 1 a 7.

EJEMPLO

Jaden encuentra $\frac{8}{10}$ de un dólar en cambio en su mochila.
Encuentra $\frac{15}{100}$ de un dólar en cambio en su bolsa de almuerzo.
¿Qué fracción de un dólar en cambio encuentra en total?

Multiplica para hallar la fracción con denominador de 100 que sea equivalente a $\frac{8}{10}$.

$$\frac{8}{10} = \frac{8 \times 10}{10 \times 10} = \frac{80}{100}$$

Suma las fracciones con centésimos.

$$\frac{80}{100} + \frac{15}{100} = \frac{95}{100}$$

Jaden encuentra $\frac{95}{100}$ de un dólar en cambio.

1. Escribe $\frac{2}{10}$ como una fracción equivalente con un denominador de 100.

$$\frac{2}{10} = \frac{2 \times 10}{10 \times 10} = \frac{\square}{\square}$$

2. Completa los espacios en blanco para mostrar cómo hallar la suma de $\frac{2}{10}$ y $\frac{10}{100}$.

$$\frac{\square}{100} + \frac{10}{100} = \frac{\square}{\square}$$

3. ¿Cuál es la suma de $\frac{3}{10}$ y $\frac{50}{100}$? Muestra tu trabajo.

Solución ....

Mila tiene 100 problemas de matemáticas para resolver esta semana. Ella resuelve $\frac{2}{10}$ de los problemas el lunes y $\frac{25}{100}$ de los problemas el martes.

4 Sombrea los modelos para mostrar la fracción de los problemas de matemáticas que Mila resuelve el lunes y el martes.

Lunes

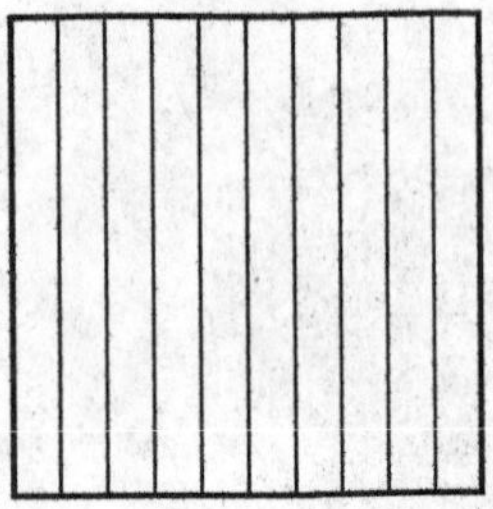

Martes

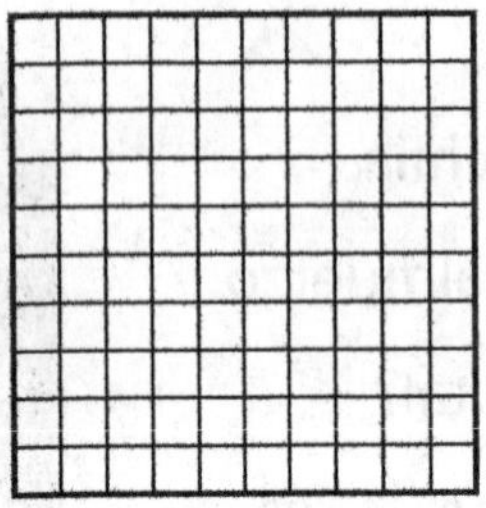

5 ¿Qué fracción de los problemas de matemáticas para la semana resuelve Mila el lunes y el martes? Muestra tu trabajo.

Solución ....

6 Mira el problema 5. ¿Cómo es la suma que hallaste: mayor que o menor que $\frac{1}{2}$? Explica.

7 ¿Ha resuelto Mila más de la mitad de sus problemas de matemáticas para la semana? Explica.

Refina Fracciones como décimos y centésimos

Completa el Ejemplo siguiente. Luego resuelve los problemas 1 a 10.

EJEMPLO

Un agricultor siembra maíz en $\frac{68}{100}$ de su campo y habichuelas en $\frac{3}{10}$ del campo. ¿Qué fracción de su campo siembra con maíz y habichuelas el agricultor?

Mira cómo podrías mostrar tu trabajo usando un modelo.

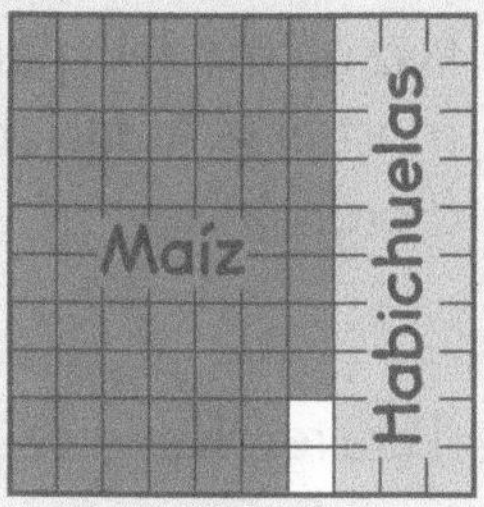

Solución ....

El estudiante hizo y sombreó un modelo para mostrar la suma de $\frac{68}{100}$ y $\frac{3}{10}$.

EN PAREJA
¿Cómo puedes resolver el problema usando fracciones equivalentes?

APLÍCALO

1 ¿Cuál es la suma de $\frac{7}{100}$ y $\frac{1}{10}$? Muestra tu trabajo.

¡Hay más de una manera de resolver este problema!

Solución ....

EN PAREJA
¿Puedes explicar el problema usando monedas de 10¢ y de 1¢?

2 Jared, Consuela y Reggie tienen una granja de hormigas. Jared reunió $\frac{25}{100}$ de las hormigas para la granja. Consuela reunió $\frac{6}{10}$ de las hormigas. ¿Qué fracción de las hormigas reunieron Jared y Consuela en total? Muestra tu trabajo.

¿Qué notas acerca de los denominadores de estas fracciones?

EN PAREJA
Haz un modelo para mostrar la situación o problema.

Solución ....

3 Heath tiene 100 cromos. Los cromos de exploración del espacio forman $\frac{7}{100}$ de su colección de cromos. Los cromos de beisbol forman $\frac{7}{10}$ de su colección de cromos. ¿Qué fracción de la colección de cromos de Heath son los cromos de beisbol y de exploración del espacio combinados?

Ⓐ $\frac{7}{110}$

Ⓑ $\frac{14}{100}$

Ⓒ $\frac{77}{200}$

Ⓓ $\frac{77}{100}$

Ezra eligió Ⓒ como la respuesta correcta. ¿Cómo obtuvo él esa respuesta?

Para resolver este problema sin un modelo, ¿qué debes hacer primero?

EN PAREJA
Chelsea eligió Ⓓ. ¿Cómo obtuvo ella esa respuesta?

4 ¿Qué ecuación es verdadera?

Ⓐ $\frac{3}{100} + \frac{8}{10} = \frac{11}{110}$

Ⓑ $\frac{3}{100} + \frac{8}{10} = \frac{38}{100}$

Ⓒ $\frac{3}{100} + \frac{8}{10} = \frac{83}{100}$

Ⓓ $\frac{3}{100} + \frac{8}{10} = \frac{11}{10}$

5 Noelle recorre $\frac{5}{10}$ de kilómetro en su bicicleta hasta la biblioteca. Luego recorre $\frac{22}{100}$ de kilómetro hasta la casa de su amiga. ¿Qué distancia recorre Noelle en su bicicleta en total?

Ⓐ $\frac{27}{110}$ de kilómetro

Ⓑ $\frac{27}{100}$ de kilómetro

Ⓒ $\frac{72}{100}$ de kilómetro

Ⓓ $\frac{225}{100}$ de kilómetro

6 Completa cada recuadro con 10 o 100 para que la ecuación sea verdadera.

$$\frac{4}{\square} + \frac{20}{\square} = \frac{60}{100}$$

7 ¿Cuál es la fracción que falta en la ecuación de abajo? Muestra tu trabajo.

$$\frac{6}{10} + \square = \frac{82}{100}$$

Solución ....

8 Di si cada ecuación es *Verdadera* o *Falsa*.

	Verdadera	Falsa
$\frac{2}{10} + \frac{1}{100} = \frac{21}{110}$	Ⓐ	Ⓑ
$\frac{4}{10} + \frac{4}{100} = \frac{44}{100}$	Ⓒ	Ⓓ
$\frac{1}{100} + \frac{9}{10} = \frac{19}{100}$	Ⓔ	Ⓕ

9 Ramona tiene $100. Gasta $\frac{60}{100}$ de su dinero en un par de tenis. Gasta $\frac{3}{10}$ de su dinero en una raqueta de tenis. ¿Qué fracción de su dinero gastó Ramona? Muestra tu trabajo.

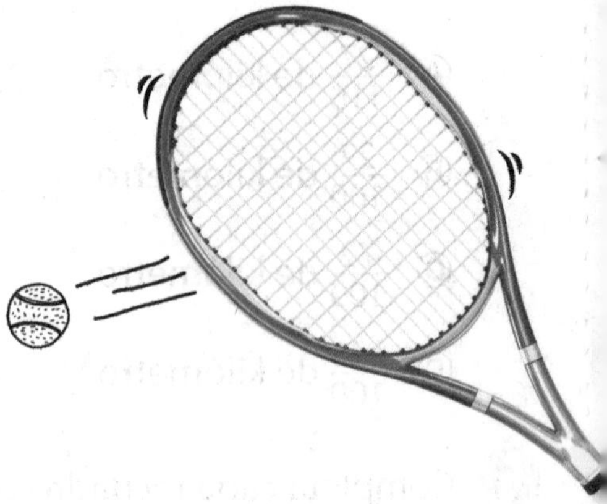

Ramona gastó .... de su dinero.

10 DIARIO DE MATEMÁTICAS

Usa palabras, ecuaciones o dibujos para explicar cómo resolver el siguiente problema.

Jasmine camina $\frac{6}{10}$ de milla hasta la escuela. Luego camina otros $\frac{29}{100}$ de milla hasta la biblioteca. ¿Cuántas millas camina Jasmine en total?

☑ COMPRUEBA TU PROGRESO Vuelve al comienzo de la Unidad 4 y mira qué destrezas puedes marcar.

Relaciona decimales y fracciones

LECCIÓN 26

Estimada familia:

Esta semana su niño está aprendiendo a relacionar decimales y fracciones.

Las décimas y las centésimas se pueden escribir como fracciones decimales.

Puede usar modelos para mostrar la fracción $\frac{36}{100}$ como el **decimal** 0.36.

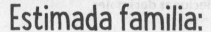

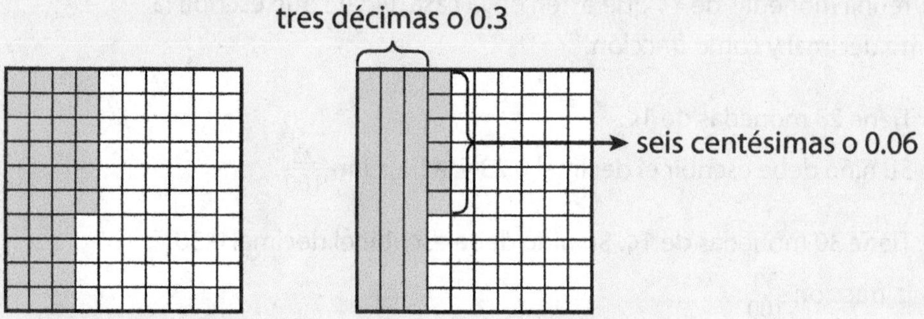

36 centésimas (0.36) son 3 décimas (0.3) y 6 centésimas (0.06).

Puede usar una tabla de valor posicional para escribir el número mixto $4\frac{36}{100}$ como decimal.

punto decimal

Unidades	.	Décimas	Centésimas
4	.	3	6

número entero — número menor que 1

Su niño está aprendiendo a leer el número decimal 4.36:

1. Diga la parte del número entero, si es que la hay. *cuatro*
2. Diga *punto* para el **punto decimal.** *punto*
3. Lea el resto de los dígitos como un número entero. *treinta y seis*
4. Diga el nombre del valor posicional del último dígito. *centésimas*

Diga: *cuatro punto treinta y seis centésimas.*

Invite a su niño a compartir lo que sabe sobre relacionar decimales y fracciones haciendo juntos la siguiente actividad.

ACTIVIDAD RELACIONAR DECIMALES Y FRACCIONES

Haga la siguiente actividad con su niño para ayudarlo a relacionar decimales y fracciones.

Puede usar dinero para relacionar decimales y fracciones porque el dinero se cuenta en décimas y centésimas. Hay 100 monedas de 1¢ en 1 dólar, así que una moneda de 1¢ es 0.01 o $\frac{1}{100}$ de un dólar. Hay 10 monedas de 10¢ en 1 dólar, así que una moneda de 10¢ es 0.1 (o 0.10), o $\frac{1}{10}$ de un dólar.

- Con su niño, reúna monedas de 1¢ que estén en la casa. Pídale que escriba la cantidad como decimal y como fracción.

Ejemplo: Tiene 23 monedas de 1¢.
Su niño debe escribir el decimal 0.23 y la fracción $\frac{23}{100}$.

Ejemplo: Tiene 30 monedas de 1¢. Su niño debe escribir el decimal 0.30 y la fracción $\frac{30}{100}$.

- Luego, reúna monedas de 10¢ que estén en la casa y pida a su niño que escriba la cantidad como decimal y como fracción.

Busque otras oportunidades de la vida real para practicar con su niño la relación entre decimales y fracciones.

Explora Relacionar decimales y fracciones

Ya sabes cómo escribir fracciones equivalentes con denominadores de 10 y 100. En esta lección aprenderás otra manera de escribir estas fracciones. Usa lo que sabes para tratar de resolver el siguiente problema.

Objetivo de aprendizaje

- Utilizar notación decimal parar las fracciones con denominadores de 10 o 100.

EPM 1, 2, 3, 4, 5, 6, 7, 8

Max tiene 248 monedas de 1¢. ¿Cuántos dólares completos tiene Max? ¿Qué fracción de un dólar sobra?

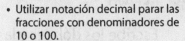

PRUÉBALO

Herramientas matemáticas

- bloques de base diez
- dinero de juguete
- cuadrículas de centésimos
- tarjetas en blanco

CONVERSA CON UN COMPAÑERO

Pregúntale: ¿Estás de acuerdo conmigo? ¿Por qué sí o por qué no?

Dile: Estoy de acuerdo contigo en que . . . porque . . .

CONÉCTALO

1 REPASA

Escribe los dólares y la fracción de un dólar que tiene Max como un número mixto. ....

2 SIGUE ADELANTE

a. Las fracciones con denominadores de 10 y 100 se pueden escribir como **decimales**. Los modelos muestran la fracción $\frac{48}{100}$.

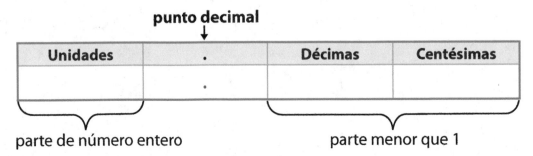

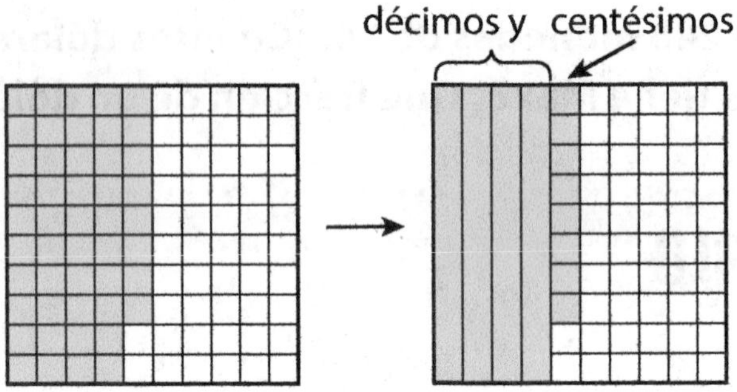

48 centésimos son .... décimos y .... centésimos.

b. Escribe el número mixto $2\frac{48}{100}$ como decimal en la siguiente tabla de valor posicional.

punto decimal ↓

Unidades	.	Décimas	Centésimas
	.		

parte de número entero (Unidades) — parte menor que 1 (Décimas, Centésimas)

c. Completa los espacios en blanco para decir cómo se lee el decimal.

parte de número entero en palabras	punto decimal	parte menor que 1 en palabras	nombre del valor posicional del último dígito
↓	↓	↓	↓
....	*y*	....	....

3 REFLEXIONA

Explica cómo pensar en dinero te ayuda a entender los decimales.

....

....

Prepárate para relacionar decimales y fracciones

1 Piensa en lo que sabes acerca de los decimales. Llena cada recuadro. Usa palabras, números y dibujos. Muestra tantas ideas como puedas.

En mis propias palabras	Mis dibujos
número decimal	
Ejemplos	Contraejemplo

2 Completa los espacios en blanco para decir cómo se lee el decimal 1.32.

parte de número entero en palabras	punto decimal	parte menor que 1 en palabras	nombre del valor posicional del último dígito
↓	↓	↓	↓
....	y	....	....

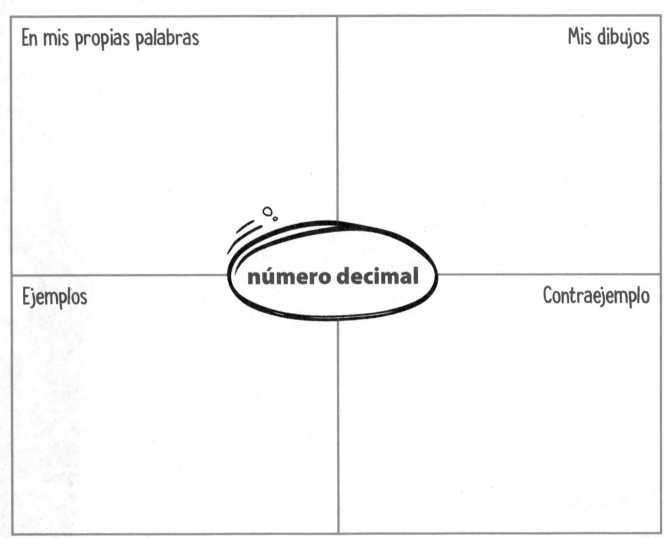

3 Resuelve el problema. Muestra tu trabajo.

Lelia tiene 323 monedas de 1¢.
¿Cuántos dólares completos tiene Lelia?
¿Qué fracción de un dólar sobra?

Solución ....

4 Comprueba tu respuesta. Muestra tu trabajo.

Desarrolla Decimales y fracciones

Lee el siguiente problema y trata de resolverlo.

Un campamento de futbol tiene lugar para 100 estudiantes. Hasta ahora, 60 lugares están ocupados. Escribe una fracción y un decimal tanto en centésimas como en décimas para mostrar la parte de los 100 lugares para los estudiantes que ya están inscritos.

PRUÉBALO

Herramientas matemáticas

- bloques de base diez
- cuadrículas de centésimos
- cuadrículas de décimos
- tablas de valor posicional decimal de centésimas
- rectas numéricas

CONVERSA CON UN COMPAÑERO

Pregúntale: ¿Puedes explicarme eso otra vez?

Dile: Comencé por . . .

Explora diferentes maneras de entender cómo usar fracciones y decimales para nombrar la misma cantidad.

Un campamento de futbol tiene lugar para 100 estudiantes. Hasta ahora, 60 lugares están ocupados. Escribe una fracción y un decimal tanto en centésimas como en décimas para mostrar la parte de los 100 lugares para los estudiantes que ya están inscritos.

HAZ UN MODELO

Puedes usar un modelo para entender cómo escribir centésimos o décimos como una fracción y como decimal.

Cada modelo representa la parte de los 100 lugares del campamento de futbol que están ocupados.

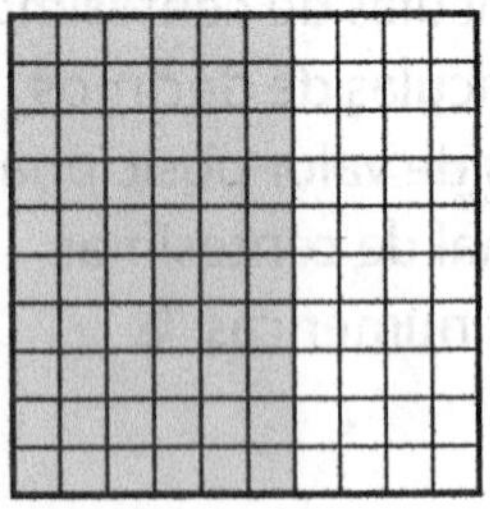

Cada cuadrado pequeño es $\frac{1}{100}$ del entero.

Sesenta cuadrados pequeños están sombreados.

0.60 del entero está sombreado.

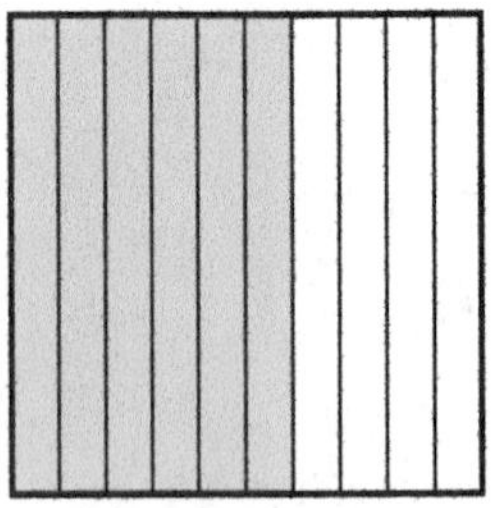

Cada sección es $\frac{1}{10}$ del entero.

Seis secciones están sombreadas.

0.6 del entero está sombreado.

HAZ UN MODELO

Puedes usar una tabla de valor posicional para entender cómo escribir centésimos o décimos como decimal.

La tabla de valor posicional muestra el valor de 0.60.

Unidades	.	Décimas	Centésimas
0	.	6	0

CONÉCTALO

Ahora vas a usar el problema de la página anterior para ayudarte a entender cómo escribir décimos y centésimos como fracciones y como decimales para nombrar la misma cantidad.

1. Mira el primer **Haz un modelo**. El modelo de la izquierda muestra 60 cuadrados sombreados. Escribe una fracción para el modelo. .... El modelo de la derecha muestra 6 secciones sombreadas. Escribe una fracción para el modelo. ....

2. ¿De qué manera muestra el modelo de la derecha en el primer **Haz un modelo** la fracción que escribiste para el modelo del problema 1?

3. Mira la tabla de valor posicional en el segundo **Haz un modelo**. Escribe un decimal en décimas y el decimal equivalente en centésimas. ¿En qué se diferencian los dos decimales?

4. Escribe un número en cada una de las siguientes líneas para describir cómo se relacionan los decimales con fracciones con denominadores de 10 y 100.

   Si el denominador de una fracción es 10, el decimal equivalente tiene .... lugar después del punto decimal.

   Si el denominador de una fracción es 100, el decimal equivalente tiene .... lugares después del punto decimal.

5. **REFLEXIONA**

   Repasa **Pruébalo**, las estrategias de tus compañeros, y los **Haz un modelo**. ¿Qué modelos o estrategias prefieres para escribir décimos y centésimos como fracciones y como decimales? Explica.

   ....

   ....

   ....

APLÍCALO

Usa lo que acabas de aprender para resolver estos problemas.

6 Escribe un equivalente decimal a $\frac{2}{10}$. Haz un modelo que muestre la fracción y el decimal. Muestra tu trabajo.

Solución ....

7 Escribe un equivalente decimal a $\frac{83}{100}$. Muestra tu trabajo.

Solución ....

8 Escribe el número mixto $7\frac{9}{10}$ como decimal. Muestra tu trabajo.

Solución ....

Nombre: ____________________

Practica con decimales y fracciones

Estudia el Ejemplo, que muestra maneras de nombrar la misma cantidad como fracción y como decimal. Luego resuelve los problemas 1 a 7.

EJEMPLO

¿Cómo escribes equivalentes decimales a $\frac{7}{10}$ y $\frac{70}{100}$?

El modelo muestra $\frac{7}{10}$.

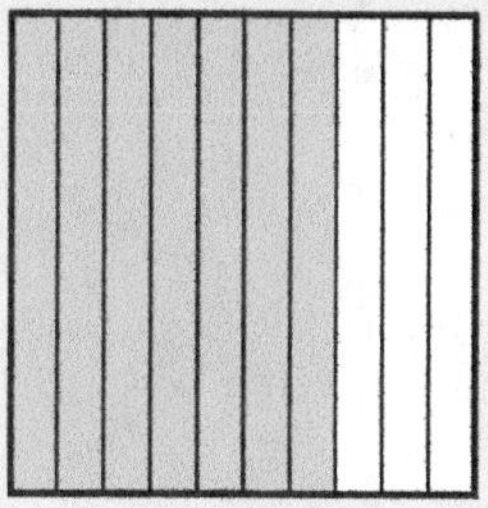

El modelo muestra $\frac{70}{100}$.

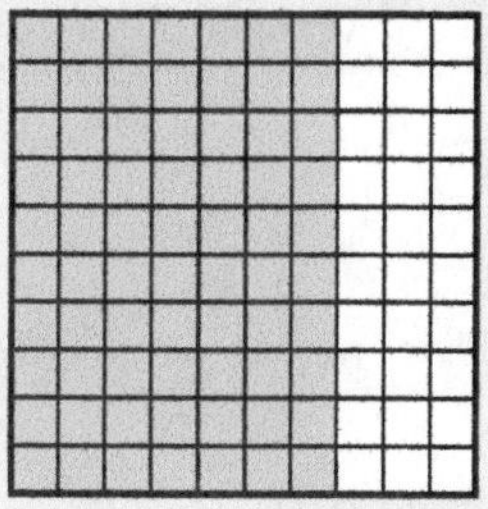

La tabla de valor posicional muestra el valor de $\frac{7}{10}$ y $\frac{70}{100}$.

Unidades	•	Décimas	Centésimas
0	•	7	0

$\frac{7}{10} = 0.7$ $\frac{70}{100} = 0.70$

1. Escribe el equivalente decimal a $\frac{3}{10}$ en la tabla de valor posicional.

Unidades	•	Décimas
	•	

2. Escribe el equivalente decimal a $\frac{55}{100}$ en la tabla de valor posicional.

Unidades	•	Décimas	Centésimas
	•		

3. Escribe un equivalente decimal a $\frac{75}{100}$. ....

Vocabulario

número decimal número que contiene un punto decimal que separa la posición de las unidades de las posiciones fraccionarias (décimas, centésimas, etc.).

0.7 y 0.70 son números decimales.

punto decimal punto que se usa en un número decimal para separar la posición de las unidades de la posición de las décimas.

4 ¿Cómo se escribe $2\frac{5}{10}$ como decimal?

Ⓐ 0.25

Ⓑ 2.05

Ⓒ 2.5

Ⓓ 5.2

5 ¿Qué decimal es equivalente a $\frac{80}{100}$? Sombrea el siguiente modelo para mostrar la fracción y el decimal. Luego escribe el decimal.

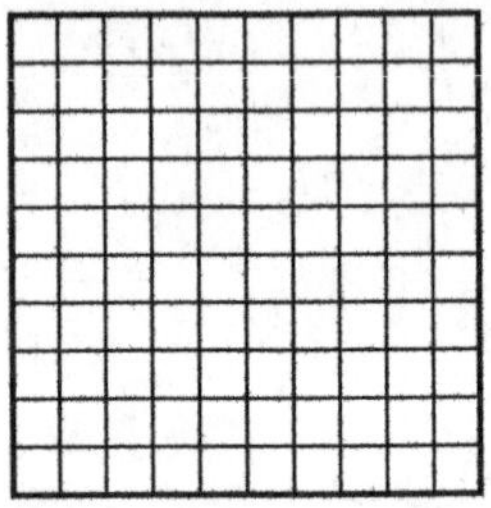

$\frac{80}{100}$ = ...

6 Mira el problema 5. Sombrea el siguiente modelo para mostrar la fracción equivalente y el decimal en décimas. Luego escribe la fracción y el decimal.

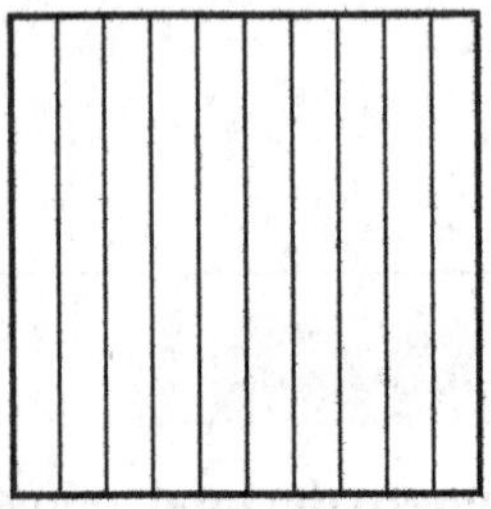

.... = ...

7 Usa lo que sabes acerca de las fracciones equivalentes para explicar por qué 0.8 y 0.80 son equivalentes.

Desarrolla Escribir decimales como fracciones equivalentes

Lee el siguiente problema y trata de resolverlo.

Eli colecciona tarjetas de animales. Dice que 0.05 de sus tarjetas son de animales en peligro de extinción. ¿Qué fracción de sus tarjetas son de animales en peligro de extinción?

PRUÉBALO

Herramientas matemáticas

- bloques de base diez
- cuadrículas de centésimos
- tablas de valor posicional decimal de centésimas
- rectas numéricas

CONVERSA CON UN COMPAÑERO

Pregúntale: ¿Por qué elegiste esa estrategia?

Dile: Un modelo que usé fue . . . Me ayudó a . . .

Explora diferentes maneras de entender cómo escribir un decimal como una fracción equivalente.

Eli colecciona tarjetas de animales. Dice que 0.05 de sus tarjetas son de animales en peligro de extinción. ¿Qué fracción de sus tarjetas son de animales en peligro de extinción?

HAZ UN MODELO

Puedes usar un modelo para ayudarte a escribir un decimal como una fracción equivalente.

El modelo muestra 0.05.

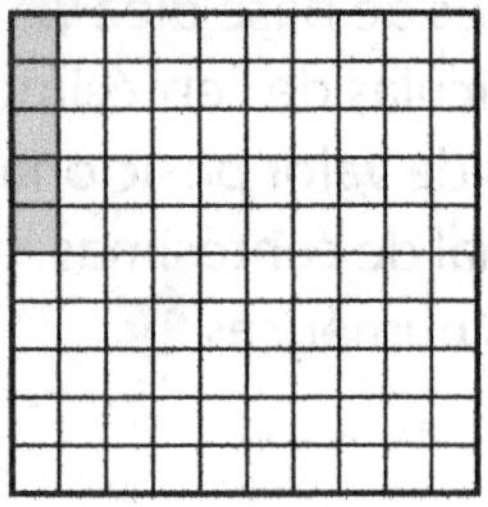

HAZ UN MODELO

También puedes usar una tabla de valor posicional para ayudarte a escribir un decimal como una fracción equivalente.

La tabla de valor posicional muestra el valor de 0.05.

Unidades	.	Décimas	Centésimas
0	.	0	5

CONÉCTALO

Ahora vas a usar el problema de la página anterior para ayudarte a entender cómo escribir un decimal como una fracción equivalente.

1 ¿Cómo te ayuda el modelo a escribir una fracción equivalente a 0.05?

2 ¿Cómo te ayuda la tabla de valor posicional a escribir una fracción equivalente a 0.05?

3 Usa palabras para describir la fracción de tarjetas de Eli que son de animales en peligro de extinción.

4 ¿Qué fracción de las tarjetas de Eli son de animales en peligro de extinción? ....

5 Explica cómo se escribe un decimal en centésimas como una fracción.

6 ## REFLEXIONA

Repasa **Pruébalo**, las estrategias de tus compañeros, y los **Haz un modelo**. ¿Qué modelos o estrategias prefieres para escribir un decimal en centésimas como una fracción equivalente? Explica.

....

....

....

....

....

APLÍCALO

Usa lo que acabas de aprender para resolver estos problemas.

7 Escribe 0.9 en palabras y como fracción. Muestra tu trabajo.

Solución ....

8 Escribe 0.89 en palabras y como fracción. Muestra tu trabajo.

Solución ....

9 Selecciona todas las fracciones que sean equivalentes a 0.2.

Ⓐ $\frac{2}{100}$

Ⓑ $\frac{20}{100}$

Ⓒ $\frac{2}{10}$

Ⓓ $\frac{20}{10}$

Ⓔ $\frac{100}{2}$

Ⓕ $\frac{10}{2}$

Practica escribir decimales como fracciones equivalentes

Estudia el Ejemplo, que muestra cómo escribir un decimal como una fracción equivalente. Luego resuelve los problemas 1 a 8.

EJEMPLO

Alanna tiene una selección de libros en su librero. Las revistas de historietas son el 0.09 de sus libros. ¿Qué fracción de los libros son revistas de historietas?

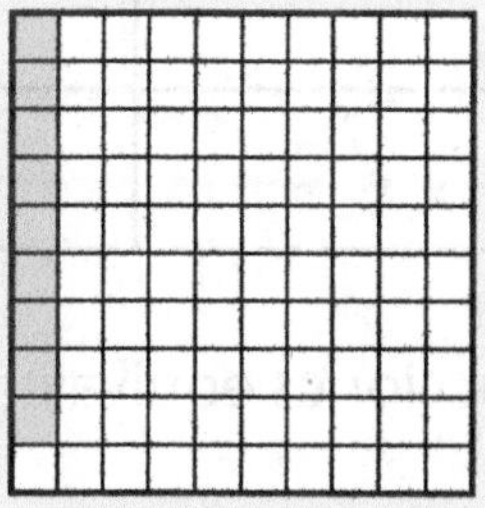

Decimal: 0.09

Palabras: nueve centésimas

Fracción: $\frac{9}{100}$

Unidades	•	Décimas	Centésimas
0	•	0	9

$\frac{9}{100}$ de sus libros son revistas de historietas.

1. Sombrea el siguiente modelo para mostrar 0.34.

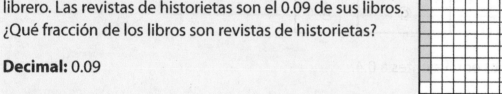

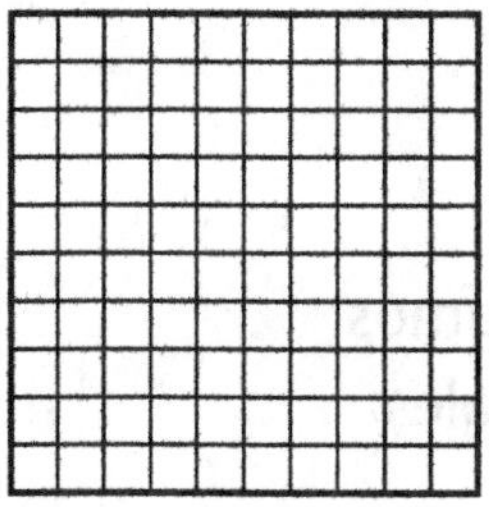

2. Muestra 0.34 en la tabla de valor posicional.

Unidades	•	Décimas	Centésimas
	•		

3. Escribe 0.34 en palabras. ....

4. Escribe 0.34 como una fracción. ....

5 Di si cada enunciado es *Verdadero* o *Falso*.

	Verdadero	**Falso**
$0.3 = \frac{3}{100}$	Ⓐ	Ⓑ
$0.03 = \frac{3}{100}$	Ⓒ	Ⓓ
$0.3 = \frac{30}{100}$	Ⓔ	Ⓕ
$0.3 = \frac{3}{10}$	Ⓖ	Ⓗ

6 Escribe dos fracciones equivalentes a 0.4.

7 ¿Qué palabras o fracciones nombran el mismo número que 0.62?

Ⓐ sesenta y dos centésimas

Ⓑ seis y dos centésimas

Ⓒ seis décimas y dos centésimas

Ⓓ $\frac{62}{10}$

Ⓔ $\frac{62}{100}$

8 La siguiente recta numérica muestra 1 entero dividido en décimas y décimos. Escribe números en los recuadros para rotular las fracciones y los decimales que faltan. Explica cómo sabes qué números escribir.

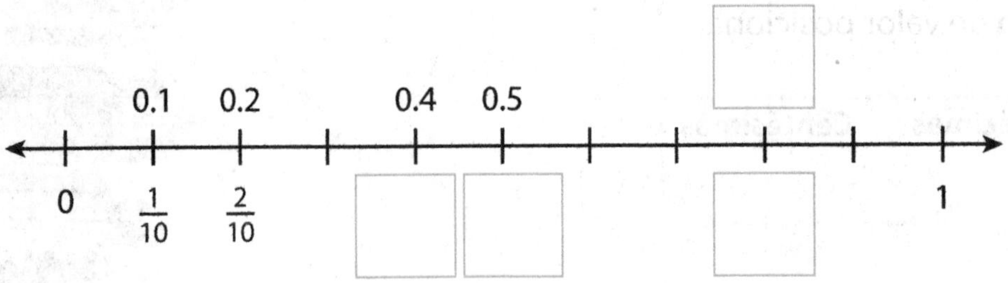

Refina Relacionar decimales y fracciones

Completa el Ejemplo siguiente. Luego resuelve los problemas 1 a 8.

EJEMPLO

La longitud de una cinta es de 0.33 metros. ¿Cómo ubicas 0.33 en una recta numérica?

Mira cómo podrías mostrar tu trabajo usando una recta numérica.

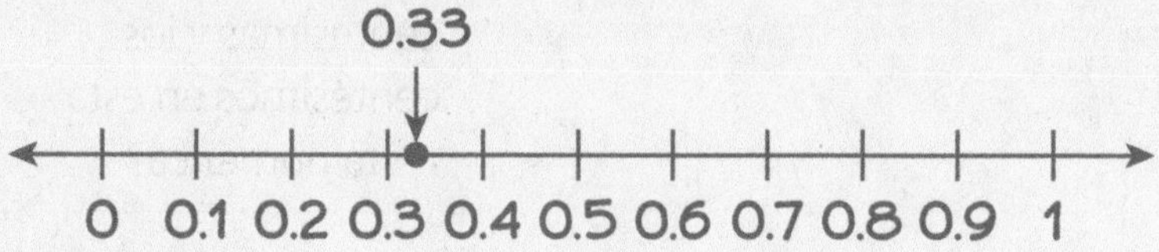

$0.33 = \frac{33}{100}$

Solución ....

....

El estudiante usó una recta numérica con marcas en las décimas y colocó 0.33 entre 0.3 y 0.4.

EN PAREJA

¿Cuántas centésimas hay entre cada marca de décima en la recta numérica?

APLÍCALO

1 ¿Cómo se escribe 0.7 como una fracción? Muestra tu trabajo.

¿Cómo hacer un modelo te podría ayudar?

Solución ....

EN PAREJA

¿Cómo sabes si el decimal representa décimas o centésimas?

2 La siguiente recta numérica muestra 1 entero dividido en décimas y décimos. Escribe números en los recuadros para rotular las fracciones y los decimales que faltan. Explica cómo sabes qué números escribir.

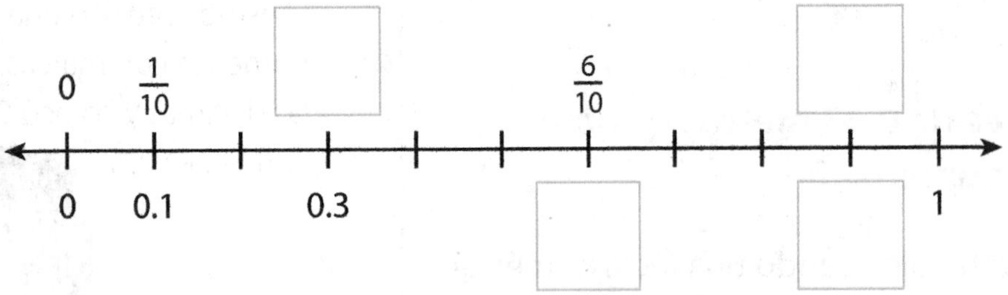

¿Podría ayudarte decir cada número en voz alta?

EN PAREJA

¿Cómo podrías mostrar las centésimas y los centésimos en esta recta numérica?

3 ¿Qué decimal nombra la misma cantidad que $\frac{50}{100}$?

Ⓐ 0.50

Ⓑ 0.05

Ⓒ 50.0

Ⓓ 50.10

Abby eligió Ⓑ como la respuesta correcta. ¿Cómo obtuvo ella esa respuesta?

¿Qué dice el denominador de la fracción?

EN PAREJA

¿Cuál es un decimal en décimas equivalente a $\frac{50}{100}$?

4 ¿Cómo se escribe 0.75 como una fracción?

Ⓐ $\frac{.75}{100}$

Ⓑ $\frac{0}{75}$

Ⓒ $\frac{75}{100}$

Ⓓ $\frac{75}{10}$

5 ¿Qué fracciones y decimales son equivalentes?

Ⓐ $\frac{4}{10}$ y 0.04

Ⓑ $\frac{6}{100}$ y 0.60

Ⓒ $\frac{3}{10}$ y 0.3

Ⓓ $\frac{9}{100}$ y 0.09

Ⓔ $\frac{7}{10}$ y 7.10

6 El modelo *A* está sombreado para representar un valor que es menor que 1 entero.

Di si cada fracción o decimal representa de manera correcta la parte sombreada del modelo *A*.

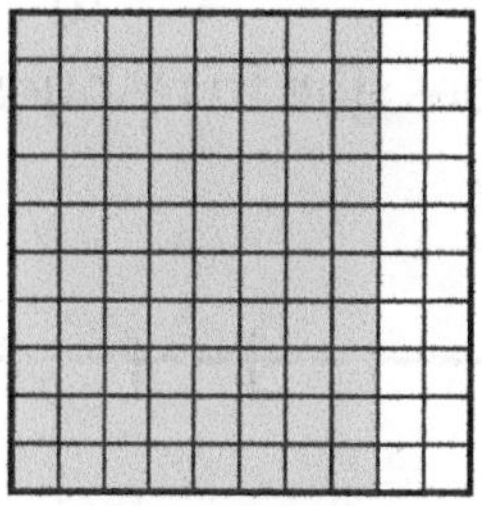

Modelo *A*

	Sí	No
$\frac{8}{10}$	Ⓐ	Ⓑ
$\frac{80}{100}$	Ⓒ	Ⓓ
0.08	Ⓔ	Ⓕ

7 Un examen tiene 100 preguntas. Cora tiene 85 preguntas correctas. ¿Qué decimal muestra la parte del examen que tiene correcta? ¿Qué decimal muestra la parte del examen que tiene incorrecta? Representa los decimales abajo. Muestra tu trabajo.

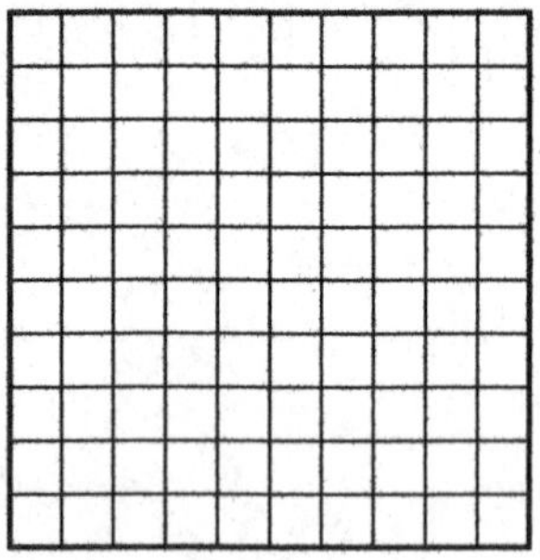

Solución ....

8 **DIARIO DE MATEMÁTICAS**

Muestra cómo marcar $\frac{4}{10}$, 0.8, $\frac{2}{10}$ y 0.4 en la siguiente recta numérica. Explica cómo sabes que tu respuesta es correcta.

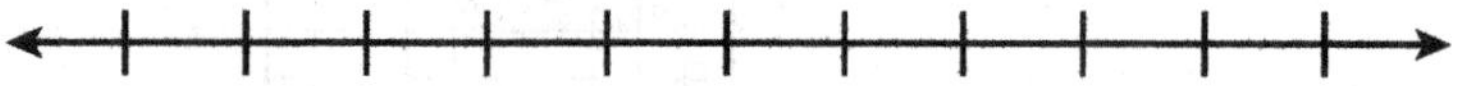

☑ **COMPRUEBA TU PROGRESO** Vuelve al comienzo de la Unidad 4 y mira qué destrezas puedes marcar.

Compara decimales

LECCIÓN 27

Estimada familia:

Esta semana su niño está aprendiendo a comparar decimales.

Un modelo puede ayudar a su niño a comparar decimales cuando un decimal tiene décimas y el otro tiene centésimas.

Los modelos muestran 0.65 y 0.7

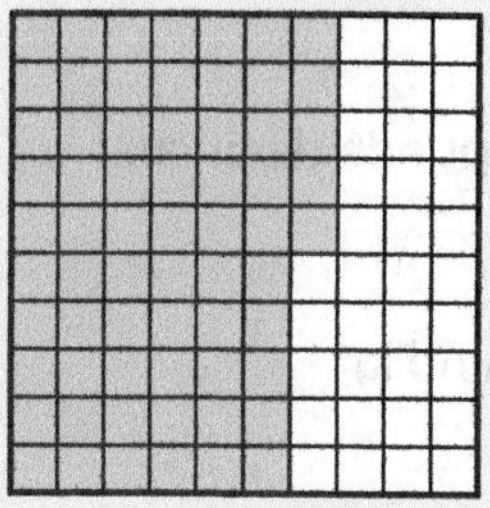

0.65

sesenta y cinco centésimas

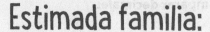

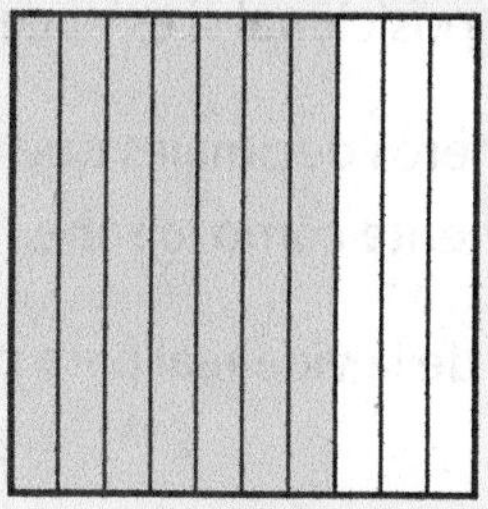

0.7

siete décimas

Para 0.7 el área coloreada es mayor que para 0.65; por lo tanto, 0.7 es mayor que 0.65.

Su niño también puede usar una tabla de valor posicional para comparar decimales con décimas y centésimas.

7 décimas es igual a 70 centésimas. $\frac{7}{10} = \frac{70}{100}$

Unidades	.	Décimas	Centésimas
0	.	6	5
0	.	7	0

La tabla de valor posicional muestra que setenta centésimas, o siete décimas, es mayor que sesenta y cinco centésimas. Compare los dígitos del lugar de las décimas: $7 > 6$.

$0.70 > 0.65$ y $0.7 > 0.65$

Invite a su niño a compartir lo que sabe sobre comparar decimales haciendo juntos la siguiente actividad.

ACTIVIDAD COMPARAR DECIMALES

Haga la siguiente actividad con su niño para ayudarlo a comparar decimales.

Materiales folletos de supermercados, farmacias o ferreterías (opcional)

- Busque objetos en la casa o mire los folletos de las tiendas para hallar al menos seis números decimales. Haga una lista de los números a medida que los encuentra; no incluya las unidades.

  Ejemplo: Tiene una caja de galletas de 6.75 onzas. Escriba el decimal 6.75 en su lista.

- Túrnense. Uno escribe dos números decimales para que el otro los compare. Haga y use tablas de valor posicional si es necesario.

- ¡Desafío! De todos los números decimales que ha comparado, ¿puede decir cuál es el mayor de todos? Comente cómo lo sabe.

Busque otras oportunidades de la vida real para practicar con su niño la comparación de decimales.

Explora Comparar decimales

Ya sabes cómo comparar números enteros y fracciones. En esta lección compararás decimales. Usa lo que sabes para tratar de resolver el siguiente problema.

Kele y Kaci compran cada una botellas de agua de igual tamaño. Cada una bebe un poco de su agua. A Kele ahora le quedan 0.5 en su botella. A Kaci le quedan 0.4 en su botella. ¿A quién le quedó más agua?

Objetivo de aprendizaje

- Comparar dos decimales hasta las centésimas al razonar sobre su tamaño. Reconocer que las comparaciones son válidas solamente cuando ambos decimales se refieren al mismo entero. Expresar los resultados de las comparaciones con los símbolos >, = o <, justificar las conclusiones, por ejemplo, utilizando un modelo visual.

EPM 1, 2, 3, 4, 5, 6, 7, 8

PRUÉBALO

Herramientas matemáticas

- bloques de base diez
- cuadrículas de décimas
- tablas de valor posicional decimal de centésimas
- rectas numéricas
- tarjetas en blanco

CONVERSA CON UN COMPAÑERO

Pregúntale: ¿Estás de acuerdo conmigo? ¿Por qué sí o por qué no?

Dile: No estoy de acuerdo con esta parte porque . . .

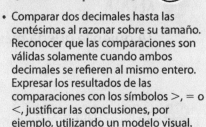

CONÉCTALO

1 REPASA

¿A quién le queda más agua, a Kele o a Kaci? Explica cómo lo sabes.

2 SIGUE ADELANTE

Comparas los decimales 0.5 y 0.4 para decidir a quién le quedó más agua.

a. Supón que tienes dos botellas más de agua del mismo tamaño. Una botella contiene 0.8 de agua y la otra contiene 0.9 de agua.

Compara los decimales 0.8 y 0.9 para decidir qué botella tiene más agua. Escribe ambos decimales en la tabla de valor posicional.

Unidades	.	Décimas

b. Compara las posiciones de izquierda a derecha como lo harías con los números enteros. Escribe $>$, $<$ o $=$ para comparar.

9 ◯ 8; por lo tanto, 0.9 ◯ 0.8.

c. ¿Cuál tiene más agua: la botella que contiene 0.8 de agua o la botella que contiene 0.9 de agua?

3 REFLEXIONA

Supón que las botellas de agua tienen diferentes tamaños. ¿Podrías comparar la botella que contiene 0.8 de agua con la botella que contiene 0.9 de agua de la misma manera que en el problema 2? Explica.

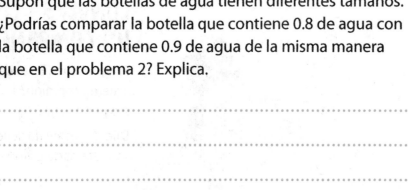

Prepárate para comparar decimales

1 Piensa en lo que sabes acerca de comparar decimales. Llena cada recuadro. Usa palabras, números y dibujos. Muestra tantas ideas como puedas.

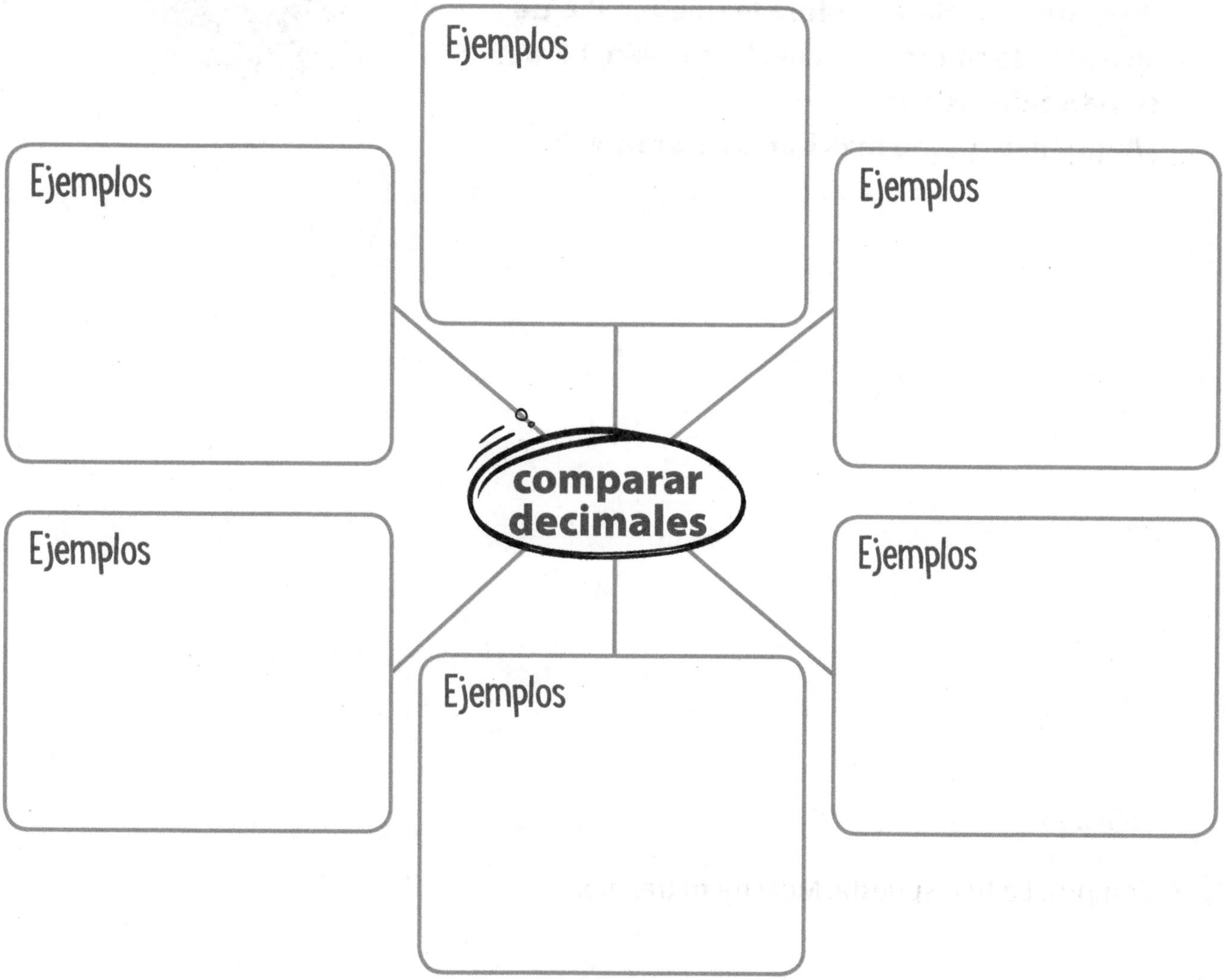

2 Compara los decimales 0.4 y 0.5. Escribe ambos decimales en la tabla de valor posicional. Luego escribe >, < o = para comparar.

Unidades	.	Décimas

4 ◯ 5; por lo tanto, 0.4 ◯ 0.5.

3 Resuelve el problema. Muestra tu trabajo.

Rafael y Zina compran cada uno una barra de granola de igual tamaño. Cada uno come un poco de su barra de granola. A Rafael ahora le quedan 0.6 de su barra de granola. A Zina le quedan 0.7 de su barra de granola. ¿A quién le quedó más barra de granola?

Solución ....

4 Comprueba tu respuesta. Muestra tu trabajo.

Desarrolla Comparar decimales en centésimas

Lee el siguiente problema y trata de resolverlo.

Dora vive a 0.35 de una milla de la escuela. Katrina vive a 0.53 de una milla de la escuela. ¿Quién vive a una mayor distancia de la escuela?

PRUÉBALO

Herramientas matemáticas

- bloques de base diez
- cuadrículas de centésimas
- tablas de valor posicional decimal de centésimas
- rectas numéricas
- tarjetas en blanco

CONVERSA CON UN COMPAÑERO

Pregúntale: ¿Cómo empezaste a resolver el problema?

Dile: Comencé por . . .

Explora diferentes maneras de entender cómo comparar dos decimales cuando ambos están en centésimas.

Dora vive a 0.35 de una milla de la escuela. Katrina vive a 0.53 de una milla de la escuela. ¿Quién vive a una mayor distancia de la escuela?

HAZ UN MODELO

Puedes usar un modelo para ayudarte a comparar números decimales en centésimas.

Cada cuadrado grande es un entero. Las áreas sombreadas muestran 0.35 y 0.53.

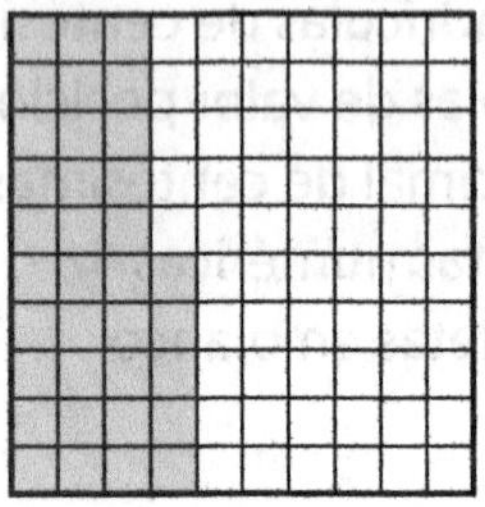
0.35

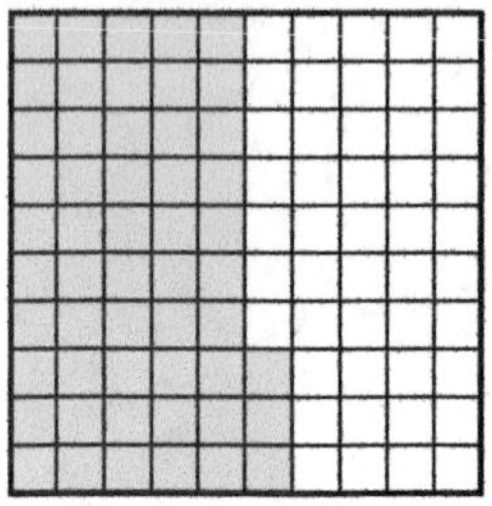
0.53

0.35 son treinta y cinco centésimas.

0.53 son cincuenta y tres centésimas.

HAZ UN MODELO

También puedes usar una tabla de valor posicional para ayudarte a comparar números decimales en centésimas.

La tabla de valor posicional muestra 0.35 y 0.53.

Unidades	.	Décimas	Centésimas
0	.	3	5
0	.	5	3

Compara las unidades: Los dígitos son los mismos.

Compara las décimas: **5** > **3**.

Como los dígitos de las décimas son diferentes, no es necesario comparar los dígitos de las centésimas.

CONÉCTALO

Ahora vas a usar el problema de la página anterior para ayudarte a entender cómo comparar dos decimales cuando ambos están en centésimas.

1 Mira los modelos de la página anterior.

Escribe una fracción equivalente a 0.35: .... ; a 0.53: ....

2 ¿Qué fracción es mayor? Explica cómo lo sabes.

3 Escribe >, < o = en el círculo para hacer que el enunciado sea verdadero.

0.35 ◯ 0.53.

¿Quién vive a una mayor distancia de la escuela? ....

¿Apoyan tu respuesta el modelo y la tabla de valor posicional? Explica.

4 Explica cómo puedes usar fracciones para comparar dos decimales cuando ambos están en centésimas.

5 ## REFLEXIONA

Repasa **Pruébalo**, las estrategias de tus compañeros, y los **Haz un modelo**. ¿Qué modelos o estrategias prefieres para comparar dos números decimales cuando ambos están en centésimas? Explica.

....

....

....

....

APLÍCALO

Usa lo que acabas de aprender para resolver estos problemas.

6. Compara 4.21 y 4.12 usando $>$, $<$ o $=$. Explica cómo obtuviste tu respuesta. Muestra tu trabajo.

Solución ....

....

....

7. Kord escribe un decimal mayor que 0.39 pero menor que 0.44. ¿Qué número podría haber escrito Kord? Muestra tu trabajo.

Solución ....

8. ¿Cuál es menor: 0.97 o 0.79? Muestra tu trabajo.

Solución ....

Practica comparar decimales en centésimas

Estudia el Ejemplo, que muestra cómo comparar decimales para resolver un problema verbal cuando ambos decimales están en centésimas. Luego resuelve los problemas 1 a 5.

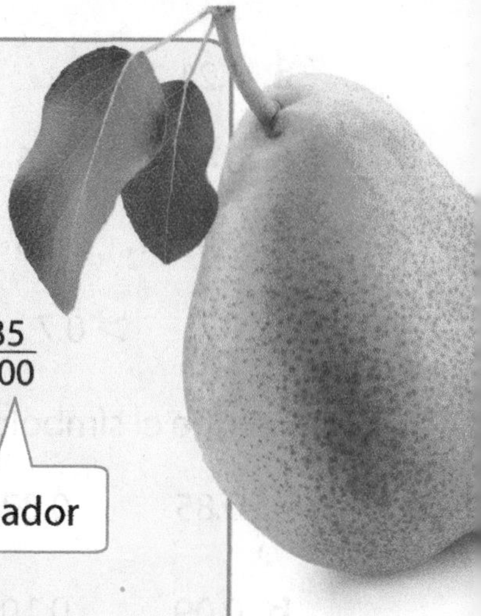

EJEMPLO

Jacob compra una manzana y una pera. La manzana pesa 0.33 de una libra. La pera pesa 0.35 de una libra. ¿Qué fruta pesa menos?

Escribe fracciones equivalentes. $0.33 = \frac{33}{100}$ $0.35 = \frac{35}{100}$

Los denominadores son los mismos.

Compara los numeradores: $33 < 35$.

mismo denominador

Por lo tanto, $0.33 < 0.35$.

La manzana pesa menos que la pera.

1. Sombrea y rotula los modelos para mostrar 0.33 y 0.35. Luego explica cómo los modelos muestran qué decimal es menor.

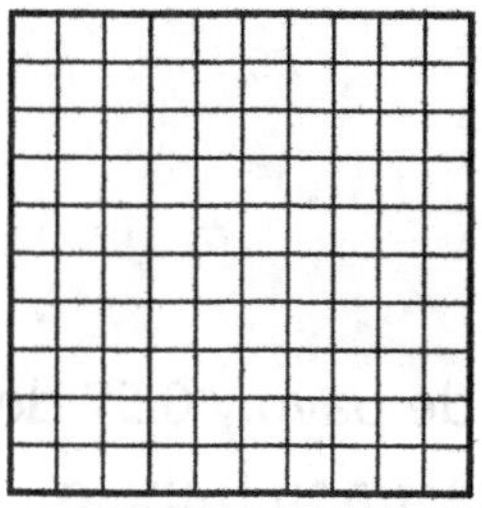

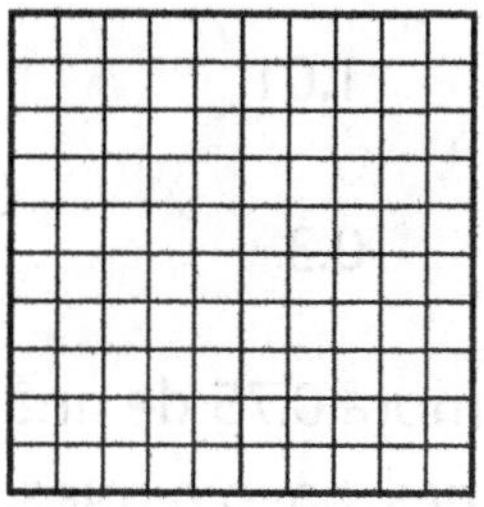

....

2. Completa la tabla de valor posicional para mostrar 0.33 y 0.35. Luego explica cómo la tabla muestra qué decimal es menor.

Unidades	.	Décimas	Centésimas
	.		
	.		

3 Usa los dígitos de los siguientes recuadros para escribir un decimal que haga a cada enunciado verdadero. Puedes usar un mismo dígito más de una vez.

0	1	2	3	4	5

a. 0.21 > 0.2 ☐

b. 0.46 < 0.☐6

c. 0.99 < ☐.00

d. 0.7☐ > 0.7☐

4 Escribe el símbolo (>, <, =) que hace que cada enunciado sea verdadero.

a. 0.85 ◯ 0.82

b. 0.09 ◯ 0.10

c. 0.45 ◯ 0.54

d. 1.10 ◯ 1.01

e. 0.30 ◯ 0.3

5 Ryder compra 0.75 de una libra de pavo y 0.57 de una libra de queso. ¿Qué compra más: pavo o queso? Muestra tu trabajo.

Solución ....

Desarrolla Comparar decimales en décimas y centésimas

Lee el siguiente problema y trata de resolverlo.

Matt mide dos insectos. El abejorro mide 0.75 de una pulgada de largo. El avispón mide 0.8 de una pulgada de largo. ¿Qué insecto es más largo?

PRUÉBALO

Herramientas matemáticas

- bloques de base diez
- cuadrículas de centésimas
- cuadrículas de décimas
- tablas de valor posicional decimal de centésimas
- rectas numéricas

CONVERSA CON UN COMPAÑERO

Pregúntale: ¿Puedes explicarme eso otra vez?

Dile: Un modelo que usé fue . . . Me ayudó a . . .

Explora diferentes maneras de entender cómo comparar decimales en décimas y centésimas.

Matt mide dos insectos. El abejorro mide 0.75 de una pulgada de largo. El avispón mide 0.8 de una pulgada de largo. ¿Qué insecto es más largo?

HAZ UN MODELO

Puedes usar un modelo para ayudarte a comparar decimales en décimas y centésimas.

Cada cuadrado grande es un entero. Los modelos muestran 0.75 y 0.8.

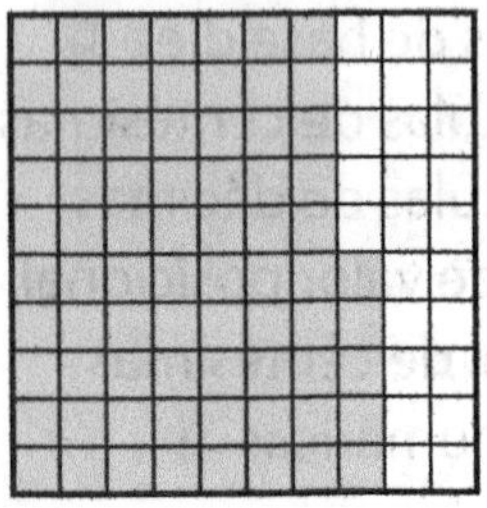

0.75

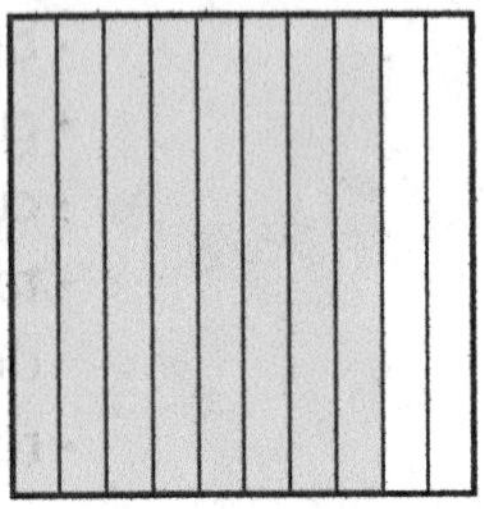

0.8

HAZ UN MODELO

También puedes usar una tabla de valor posicional para comparar decimales en décimas y centésimas.

Nota que 0.8 tiene un 0 en la posición de las centésimas en la tabla. Recuerda que 8 décimas son equivalentes a 80 centésimas.

Unidades	.	Décimas	Centésimas
0	.	7	5
0	.	8	0

Compara las unidades: Los dígitos son los mismos.

Compara las décimas: **8** $>$ **7**.

Como los dígitos de las décimas son diferentes, no es necesario comparar las centésimas.

CONÉCTALO

Ahora vas a usar el problema de la página anterior para ayudarte a entender cómo comparar decimales en décimas y centésimas.

1. Escribe fracciones equivalentes a 0.75 y 0.8.

2. ¿Cómo puedes comparar fracciones con denominadores de 100 y 10?

3. ¿Qué fracción con un denominador de 100 es equivalente a $\frac{8}{10}$? ....

4. Compara las fracciones. Luego compara 0.75 y 0.8 usando $>$, $<$ o $=$.

   ¿Qué insecto es más largo? ....

5. Explica cómo puedes comparar decimales cuando uno está en décimas y el otro en centésimas.

6 REFLEXIONA

Repasa **Pruébalo**, las estrategias de tus compañeros, y los **Haz un modelo**. ¿Qué modelos o estrategias prefieres para comparar dos decimales cuando uno está en décimas y otro está en centésimas? Explica.

....

....

....

....

APLÍCALO

Usa lo que acabas de aprender para resolver estos problemas.

7 ¿Cuál es mayor: 0.9 o 0.92? Muestra cómo puedes usar fracciones para resolver el problema. Muestra tu trabajo.

Solución ....

8 La ubicación de los puntos *B* y *C* en la recta numérica representa números decimales. Explica por qué el valor del punto *C* es mayor que el valor del punto *B*.

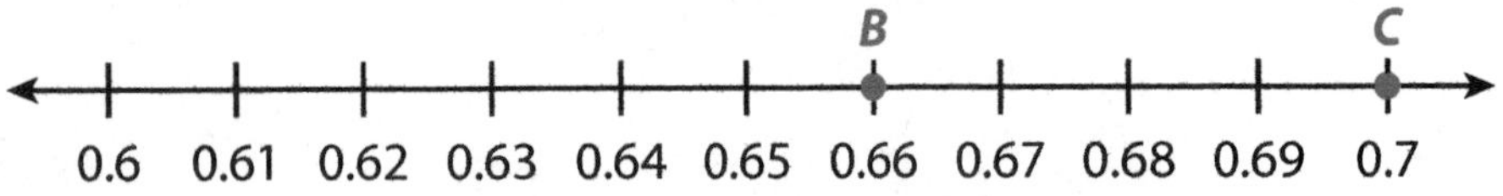

Solución ....

....

....

9 Compara 0.37 y 0.4 usando $>$, $<$ o $=$. Explica cómo obtuviste tu respuesta. Muestra tu trabajo.

Solución ....

....

....

Practica comparar decimales en décimas y centésimas

Estudia el Ejemplo, que muestra cómo comparar decimales en décimas y centésimas. Luego resuelve los problemas 1 a 6.

EJEMPLO

Colin vive a 0.6 de una milla de la escuela y a 0.65 de una milla del parque. ¿Qué lugar es más cercano a su casa?

Escribe cada decimal como una fracción equivalente. $0.6 = \frac{6}{10}$ $0.65 = \frac{65}{100}$

Escribe la fracción de décimos como una fracción de centésimos. $\frac{6}{10} = \frac{60}{100}$

$\frac{60}{100} < \frac{65}{100}$

Compara las fracciones de centésimos.

$0.6 < 0.65$

La escuela es más cercana a su casa.

Lucas compra 0.6 de una libra de pescado y 0.85 de una libra de camarones para cocinar un estofado.

1. Sombrea los siguientes modelos para comparar 0.6 y 0.85.

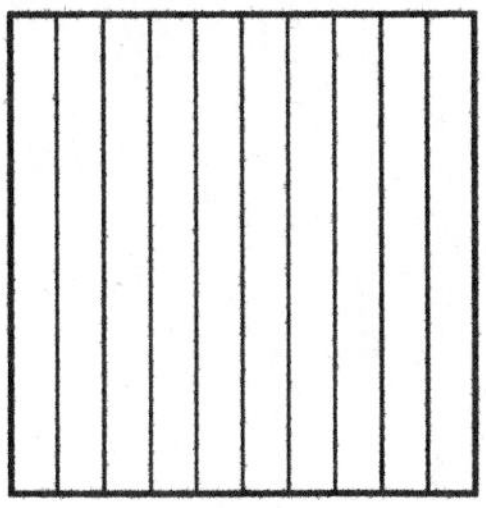

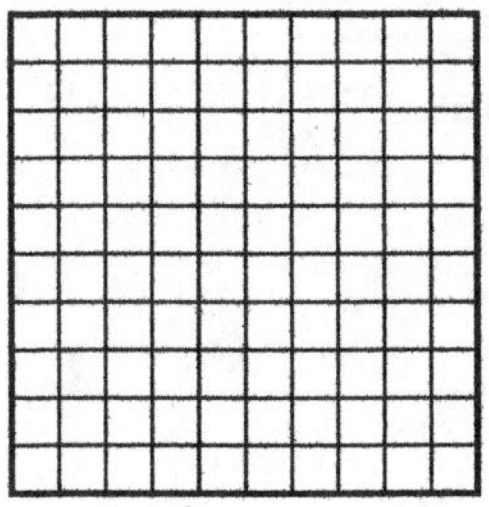

2. Escribe un símbolo para comparar los decimales. 0.6 ◯ 0.85

3. ¿Qué compra más Lucas: pescado o camarón? Usa fracciones equivalentes para explicar tu respuesta.

4 Compara 0.2 y 0.25 usando $>$, $<$ o $=$. Usa fracciones equivalentes para explicar tu respuesta.

Solución ....

....

5 Compara 0.09 y 0.1 usando $>$, $<$ o $=$. Usa la tabla de valor posicional para explicar tu respuesta.

Unidades	.	Décimas	Centésimas
	.		
	.		

Solución ....

....

....

6 Escribe los decimales 1.00, 0.20 y 0.03 en la siguiente tabla de valor posicional. ¿Qué número es mayor? ¿Qué número es menor? Usa fracciones equivalentes para explicar.

Unidades	.	Décimas	Centésimas
	.		
	.		
	.		

Solución ....

....

....

Refina Comparar decimales

Completa el Ejemplo siguiente. Luego resuelve los problemas 1 a 9.

EJEMPLO

Muestra los números 0.59 y 0.8 en su ubicación correcta en la recta numérica. Luego escribe >, < o = para comparar los números.

Mira cómo podrías mostrar tu trabajo usando una recta numérica.

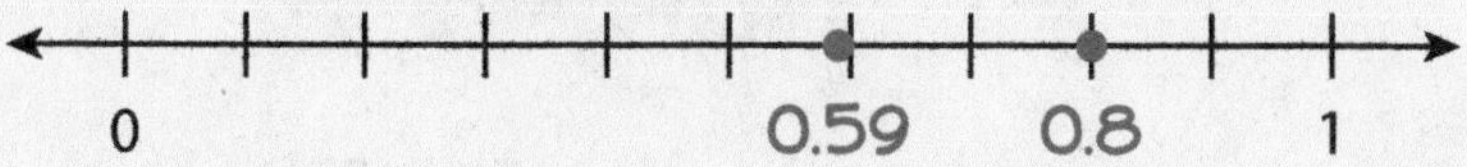

0.59 es menor que 0.8, y 0.8 es mayor que 0.59.

Solución ....

El estudiante colocó 0.59 en la recta numérica entre las marcas de las décimas para 0.5 y 0.6 pero más cerca de 0.6.

EN PAREJA

¿Qué te dice sobre su valor la posición de un número en la recta numérica?

APLÍCALO

1. Compara 0.3 y 0.8 usando >, < o =. Haz un modelo o una recta numérica para apoyar tu solución. Muestra tu trabajo.

¿Qué modelos puedes usar para apoyar tu solución?

Solución ....

EN PAREJA

Compara los modelos que tu compañero y tú usaron.

2 Mika corre una carrera de 50 yardas en 7.39 segundos. Felix corre la carrera en 7.6 segundos. ¿Quién corre más rápido? Muestra tu trabajo.

¿El número más grande significa más rápido o más lento?

EN PAREJA

¿Cómo decidieron tu compañero y tú qué método usar para resolver el problema?

Solución ....

3 ¿Qué enunciado y razonamiento acerca de los decimales 0.45 y 0.5 es verdadero?

Ⓐ $0.45 < 0.5$ porque las centésimas son mayores que las décimas.

Ⓑ $0.45 < 0.5$ porque $\frac{45}{100} < \frac{50}{100}$.

Ⓒ $0.45 > 0.5$ porque $45 > 5$.

Ⓓ $0.45 > 0.5$ porque las centésimas son mayores que las décimas.

Sarah eligió Ⓒ como la respuesta correcta. ¿Cómo obtuvo ella esa respuesta?

Asegúrate de que el razonamiento también tenga sentido, no solo la comparación.

EN PAREJA

Explica cómo elegiste tu respuesta.

4 ¿Qué cambio haría que el siguiente enunciado sea verdadero?

$0.5 < 0.43$

Ⓐ Colocar un 3 en la posición de las centésimas para cambiar 0.5 a 0.53.

Ⓑ Cambiar el dígito de las centésimas en 0.43 a 0.

Ⓒ Colocar un 0 en la posición de las décimas para cambiar 0.5 a 0.05.

Ⓓ Colocar un 0 en la posición de las centésimas para cambiar 0.5 a 0.50.

5 ¿Qué decimal es menor que 3.75?

Ⓐ 3.9

Ⓑ 3.94

Ⓒ 3.80

Ⓓ 3.7

6 Di si cada enunciado es *Verdadero* o *Falso*.

	Verdadero	**Falso**
$0.5 < 0.6$ porque $\frac{5}{10}$ es menor que $\frac{6}{10}$.	Ⓐ	Ⓑ
$0.25 > 0.3$ porque 25 es mayor que 3.	Ⓒ	Ⓓ
$0.89 > 0.8$ porque $\frac{89}{100}$ es mayor que $\frac{80}{100}$.	Ⓔ	Ⓕ
$0.06 = 0.6$ porque 6 es igual a 6.	Ⓖ	Ⓗ
$0.4 < 0.14$ porque 4 es menor que 14.	Ⓘ	Ⓙ

7 ¿Qué decimales son mayores que 0.07 pero menores que 0.3?

Ⓐ 0.02

Ⓑ 0.34

Ⓒ 0.27

Ⓓ 0.73

Ⓔ 0.1

8 Jana escribe dos números que están entre 0.4 y 0.45 en el pizarrón. ¿Qué números podría haber escrito Jana?

Solución ....

9 DIARIO DE MATEMÁTICAS

Troy dice que 0.9 $>$ 0.90 porque las décimas son mayores que las centésimas. Keith dice que 0.9 $<$ 0.90 porque 90 es mayor que 9. ¿Quién tiene razón, Troy o Keith? ¿Cómo compararías 0.9 y 0.90? Explica.

☑ **COMPRUEBA TU PROGRESO** Vuelve al comienzo de la Unidad 4 y mira qué destrezas puedes marcar.

Problemas sobre tiempo y dinero

LECCIÓN 28

Estimada familia:

Esta semana su niño está aprendiendo a resolver problemas de varios pasos sobre tiempo y dinero.

Su niño está aprendiendo diferentes maneras de resolver problemas de varios pasos que requieren convertir unidades más grandes a unidades más pequeñas de tiempo y dinero. Este es un problema de tiempo que su niño podría ver.

Silvia tiene 2 horas para terminar sus tareas del hogar. Tarda 10 minutos en guardar la ropa limpia. Tarda 45 minutos en limpiar su clóset. Le toma 35 minutos limpiar el baño. ¿Cuánto tiempo le queda a Silvia para bañar a su perro?

Como el problema tiene información tanto en minutos como en horas, el primer paso es convertir las horas a minutos. Hay 60 minutos en 1 hora, así que multiplique 60 por 2 para convertir 2 horas a minutos: $2 \times 60 = 120$.

Luego, una manera de resolver el problema es mostrar la información en un diagrama de barras.

120			
10	45	35	p

Resuelva el problema usando el diagrama de barras para escribir una ecuación, como $p = 120 - 10 - 45 - 35$, donde p es el tiempo, en minutos, que le queda para bañar al perro. Pida a su niño que compare la ecuación y el diagrama de barras para ver en qué se parecen. Luego resuelva la ecuación para hallar $p = 30$. Quedan 30 minutos para bañar al perro.

Invite a su niño a compartir lo que sabe sobre convertir unidades para resolver problemas de varios pasos sobre tiempo y dinero haciendo juntos la siguiente actividad.

ACTIVIDAD RESOLVER PROBLEMAS SOBRE TIEMPO Y DINERO

Haga la siguiente actividad con su niño para resolver problemas de varios pasos sobre tiempo y dinero.

Invente problemas de varios pasos sobre tiempo y dinero que puedan suceder en la vida diaria. Estos son algunos ejemplos que podría usar:

1. Pedro compró 4 rollos de cinta adhesiva y 2 paquetes de marcadores. La cinta adhesiva cuesta $0.75 por rollo y los marcadores cuestan $1.25 por paquete. Pedro dio al empleado un billete de $10. ¿Cuánto recibió Pedro de cambio?
2. Marta quería pasar 1 hora trabajando en el jardín. Pasó 30 minutos plantando flores, 10 minutos regándolas y 15 minutos podando las rosas. ¿Pasó Marta más o menos tiempo del que quería trabajando en el jardín?
3. Nico tiene $10 en monedas de 25¢ para gastar en juegos en la feria. Cada juego cuesta 75¢. ¿Cuántos juegos puede jugar? ¿Cuánto dinero le quedará?

Busque otras oportunidades de la vida real para resolver con su niño resolver problemas de varios pasos sobre tiempo y dinero.

***Respuestas:* 1.** $4.50; **2.** Pasó menos tiempo. Hay 60 minutos en 1 hora y ella pasó 55 minutos; **3.** Puede jugar 13 juegos y le quedarán 25¢.

Explora Problemas sobre tiempo y dinero

Ya has aprendido cómo resolver problemas de varios pasos. Ahora resolverás problemas de varios pasos sobre tiempo y dinero. Usa lo que sabes para tratar de resolver el siguiente problema.

Shing hace tareas domésticas durante 1 hora 15 minutos el miércoles y durante 25 minutos el jueves. Dedica un total de 115 minutos a hacer tareas domésticas el miércoles, el jueves y el viernes. ¿Cuántos minutos dedica a hacer tareas domésticas el viernes?

Objetivo de aprendizaje

- Usar las cuatro operaciones para resolver problemas verbales sobre distancias, intervalos de tiempo, volúmenes líquidos, masas de objetos y dinero, incluidos problemas con fracciones simples o decimales, y problemas que requieren expresar medidas dadas en una unidad más grande en términos de una unidad más pequeña. Representar las cantidades de medición usando diagramas como diagramas de rectas numéricas que tienen una escala de medición.

EPM 1, 2, 3, 4, 5, 6, 7

PRUÉBALO

Herramientas matemáticas

- relojes
- hoja de referencia de matemáticas
- rectas numéricas
- tarjetas en blanco

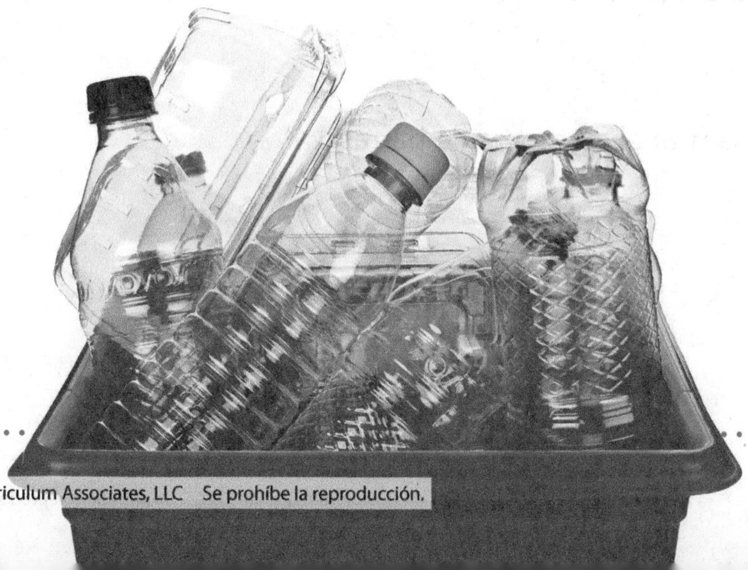

CONVERSA CON UN COMPAÑERO

Pregúntale: ¿Cómo empezaste a resolver el problema?

Dile: Comencé por . . .

CONÉCTALO

1 REPASA

Explica cómo hallar cuántos minutos dedica Shing a hacer tareas domésticas el viernes.

2 SIGUE ADELANTE

Puedes usar un modelo visual, como un diagrama de barras, para resolver problemas de varios pasos.
También puedes escribir y resolver una ecuación. Supón que quieres resolver el siguiente problema.

Lucy tiene **2 horas para hacer mandados**. Pasa **15 minutos en la oficina de correos, 45 minutos en la tienda de comestibles** y **40 minutos cortándose el cabello**. ¿Cuánto tiempo le queda a Lucy para **lavar su carro**?

El diagrama de barras de la derecha muestra la información del problema. Recuerda que **2 horas** es lo mismo que **120 minutos**.

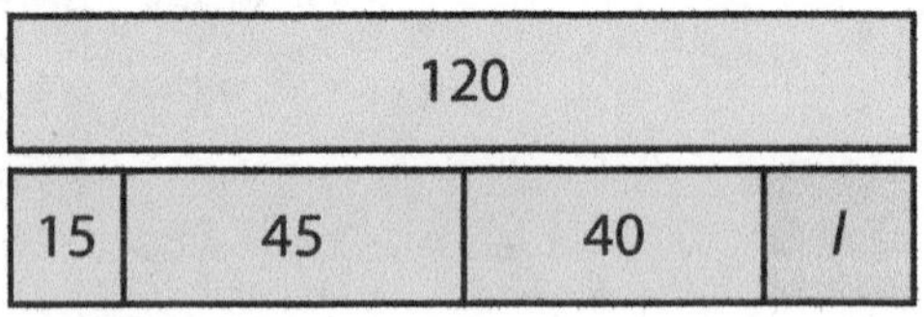

a. Usa el diagrama de barras para escribir una expresión para representar el tiempo que Lucy dedica a hacer mandados hasta ahora. ....

b. Escribe y resuelve una ecuación para hallar la cantidad de tiempo que le queda a Lucy para lavar su carro.

c. ¿Cuánto tiempo le queda a Lucy para lavar su carro? ....

3 REFLEXIONA

¿Cómo te ayuda a resolver el problema usar el diagrama de barras?

....

....

....

....

Prepárate para problemas sobre tiempo y dinero

1 Piensa en lo que sabes acerca de representar y resolver problemas. Llena cada recuadro. Usa palabras, números y dibujos. Muestra tantas ideas como puedas.

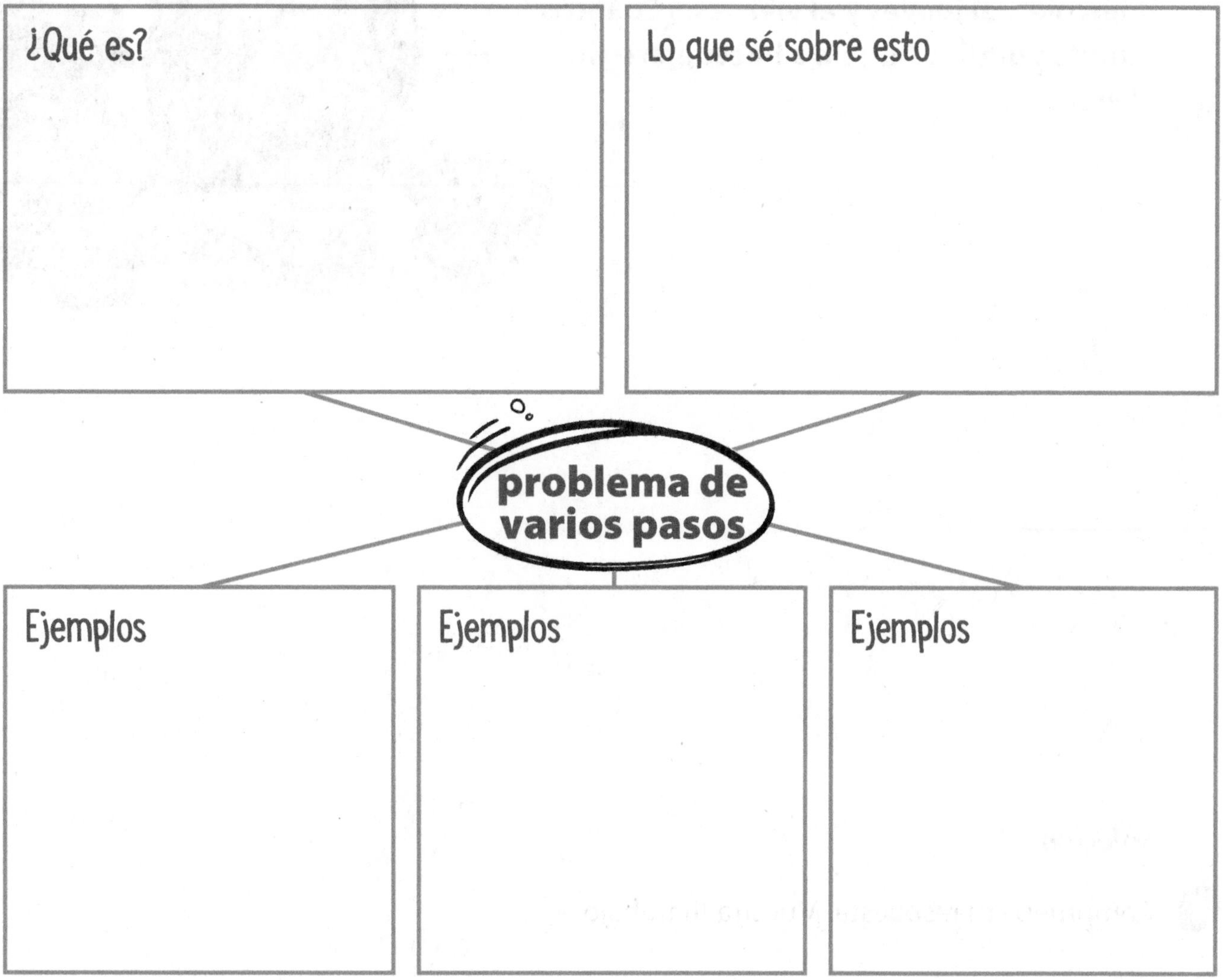

2 Haz un diagrama de barras y escribe una ecuación para el siguiente problema de varios pasos.

Sam compra una mesa y 2 sillas. La mesa cuesta $300 y cada silla cuesta $50. Sam tiene $500. ¿Cuánto dinero le queda a Sam después de comprar la mesa y las 2 sillas?

3 Resuelve el problema. Muestra tu trabajo.

Angela hace ejercicios durante 1 hora 45 minutos el miércoles y durante 35 minutos el jueves. Dedica un total de 165 minutos a hacer ejercicio el miércoles, el jueves y el viernes. ¿Cuántos minutos dedica Angela a hacer ejercicio el viernes?

Solución ....

4 Comprueba tu respuesta. Muestra tu trabajo.

Desarrolla Resolver problemas sobre tiempo

Lee el siguiente problema y trata de resolverlo.

Sadie dedica $1\frac{1}{2}$ horas a hacer la tarea. Juega afuera durante 20 minutos y practica piano durante un cuarto de hora.

¿Cuántos minutos más dedica Sadie a hacer la tarea que a practicar piano y jugar afuera?

PRUÉBALO

Herramientas matemáticas

- relojes
- hoja de referencia de matemáticas
- rectas numéricas
- tarjetas en blanco

CONVERSA CON UN COMPAÑERO

Pregúntale: ¿Por qué elegiste esa estrategia?

Dile: Al principio, pensé que . . .

Explora diferentes maneras de entender cómo resolver problemas sobre la hora.

Sadie dedica $1\frac{1}{2}$ horas a hacer la tarea. Juega afuera durante 20 minutos y practica piano durante un cuarto de hora.

¿Cuántos minutos más dedica Sadie a hacer la tarea que a practicar piano y jugar afuera?

HAZ UN MODELO

Puedes usar un diagrama de barras para resolver problemas de comparación sobre tiempo.

Dibuja una barra para mostrar la cantidad de tiempo que Sadie dedica a **hacer la tarea**. Dibuja dos barras, una junto a la otra, para mostrar la cantidad de tiempo que dedica a **jugar afuera** y **practicar piano**. Dibuja una barra desde el extremo de esas dos barras hasta el final de la barra de tarea para representar **cuánto más tiempo** pasa **haciendo la tarea**. Muestra todos los tiempos en minutos.

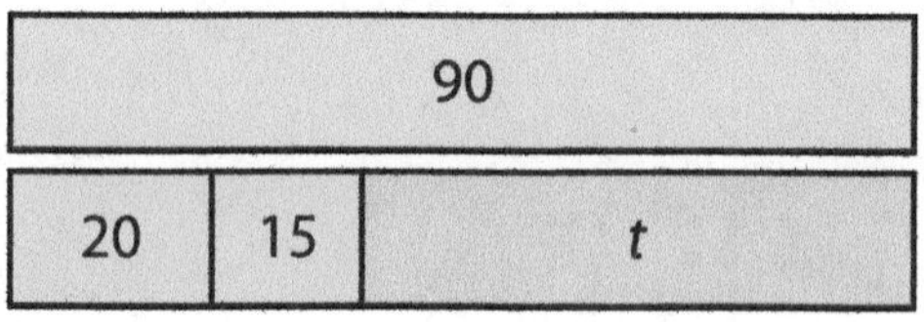

HAZ UN MODELO

Puedes usar un diagrama de barras para escribir una ecuación para resolver el problema.

minutos de la tarea = minutos de (juego + práctica) + cuántos más minutos de la tarea

Se conoce el número de minutos que Sadie dedica a hacer tareas, jugar afuera y practicar piano. No se conoce cuánto tiempo más dedica a hacer la tarea, *t*.

$90 = (20 + 15) + t$

CONÉCTALO

Ahora vas a usar el problema de la página anterior para ayudarte a entender cómo resolver problemas sobre la hora convirtiendo unidades de tiempo y usando ecuaciones. Usa la Hoja de referencia de matemática cuando sea necesario.

1. Mira el diagrama de barras del primer **Haz un modelo**. ¿Por qué crees que la cantidad de tiempo que Sadie dedica a hacer la tarea y practicar piano cambió a un número de minutos?

2. ¿Cuánto tiempo dedica Sadie a hacer la tarea? ....

3. ¿Cuánto tiempo dedica Sadie a jugar afuera y practicar piano?

4. Escribe y resuelve otra ecuación para representar el problema. Usa el tiempo que Sadie dedica a hacer la tarea y el tiempo total que dedica a practicar piano y jugar afuera que hallaste en los problemas 2 y 3.

5. Repasa la ecuación que está en la parte de abajo de la página anterior. ¿En qué se parece o en qué se diferencia esa ecuación a la ecuación que escribiste en el problema 4?

6. ## REFLEXIONA

Repasa **Pruébalo**, las estrategias de tus compañeros, y los **Haz un modelo**. ¿Qué modelos o estrategias prefieres para resolver problemas de varios pasos sobre tiempo? Explica.

....

....

....

APLÍCALO

Usa lo que acabas de aprender para resolver estos problemas.

7 El entrenador Douglas tiene una práctica de futbol de 4:00 p. m. a 5:15 p. m. El equipo dedica 10 minutos a estirar y $\frac{1}{2}$ de hora a pasar la pelota. El equipo dedica el resto del tiempo a hacer ejercicios de destreza. ¿Cuántos minutos dedica el equipo a hacer ejercicios de destreza? Usa la recta numérica para ayudarte a resolver el problema. Muestra tu trabajo.

(1 hora = 60 minutos)

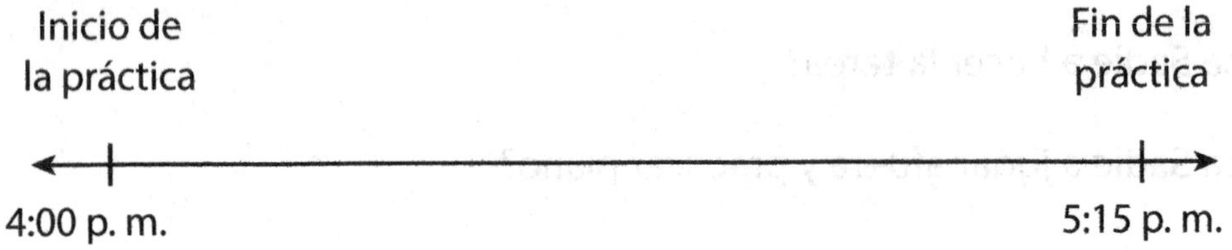

Solución ....

8 Trevor tiene 1 hora 15 minutos para practicar para la obra de teatro de la escuela. Esto es 3 veces más tiempo de lo que le toma terminar su tarea. ¿Cuánto tiempo le toma a Trevor terminar su tarea? Muestra tu trabajo. (1 hora = 60 minutos)

Solución ....

9 Kwame dedica $\frac{3}{4}$ de hora a montar en bicicleta en total. Dedica $\frac{1}{4}$ de hora para ir en bicicleta al lago, 10 minutos para rodear el lago en bicicleta y el resto del tiempo para volver a su casa en bicicleta. ¿Cuántos minutos le toma volver a su casa en bicicleta? Muestra tu trabajo. (1 hora = 60 minutos)

Solución ....

Practica resolver problemas sobre tiempo

Estudia el Ejemplo, que muestra cómo resolver un problema de varios pasos sobre tiempo. Luego resuelve los problemas 1 a 6.

EJEMPLO

Amy tiene 1 hora para hacer actividades. Habla por teléfono durante 5 minutos. Monta en bicicleta durante 15 minutos. Juega un juego con su hermano durante 25 minutos. ¿Cuánto tiempo le queda a Amy para hacer un dibujo?

Amy tiene 60 minutos para hacer actividades. 1 hora = 60 minutos

Suma los minutos de las actividades que se conocen. $5 + 15 + 25 = 45$ minutos

Escribe una ecuación para hallar cuánto tiempo le queda a Amy para hacer un dibujo. $45 + d = 60$ o $d = 60 - 45$; $d = 15$ $d = 15$

A Amy le quedan 15 minutos para hacer un dibujo.

1. Completa los rótulos en el diagrama de barras para representar el Ejemplo.

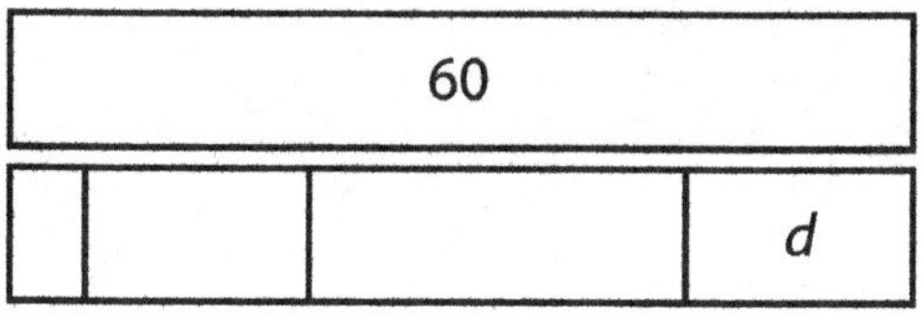

2. Mira el diagrama de barras en el problema 1. ¿Qué representa *d*?

3. Milo visita un parque de diversiones durante 3 horas. Disfruta de las atracciones durante 50 minutos, juega juegos de feria durante 40 minutos y come durante 30 minutos. El resto del tiempo espera en filas. ¿Cuánto tiempo espera Milo en filas? Escribe y resuelve una ecuación para hallar la respuesta.

3 horas = ... minutos

Actividades que se conocen = ... + ... + ... = ... minutos

Ecuación: ....

Milo pasa .... minutos esperando en filas.

4 Suki mira una película y come un refrigerio después. La película comienza a las 7:15 p. m. y dura $1\frac{1}{2}$ horas. Suki termina su refrigerio a las 9:10 p. m. ¿Cuánto tiempo dedica Suki a comer un refrigerio? Usa la recta numérica para ayudarte a resolver el problema.

Muestra tu trabajo.

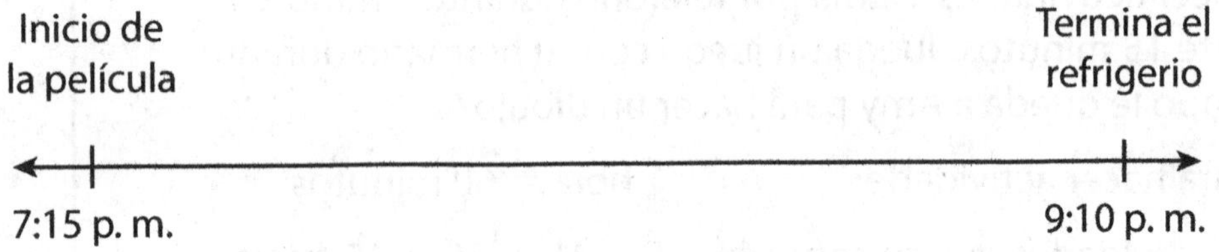

Solución ....

5 Uno de los tiempos más rápidos para una carrera de 1,500 metros es de 3 minutos y 34 segundos. ¿Cuántos segundos es ese tiempo? Muestra tu trabajo. (1 minuto = 60 segundos)

Solución ....

6 Bennett pasa 4 horas en la escuela hoy. Asiste a tres clases de 70 minutos. Hay un recreo de 5 minutos entre las clases. Luego almuerza antes de volver a casa. ¿Cuánto tiempo dedica Bennett a almorzar? Muestra tu trabajo.

Solución ....

Desarrolla Resolver problemas sobre dinero

Lee el siguiente problema y trata de resolverlo.

Prim compra 3 pastelitos en la venta de pasteles de la escuela. Cada pastelito cuesta $0.75. También compra una galleta por $0.50. Prim da al Sr. Hall un billete de $5.00. ¿Cuánto cambio recibe?

PRUÉBALO

Herramientas matemáticas
- dinero de juguete
- rectas numéricas
- notas adhesivas

CONVERSA CON UN COMPAÑERO

Pregúntale: ¿Estás de acuerdo conmigo? ¿Por qué sí o por qué no?

Dile: No estoy de acuerdo con esta parte porque . . .

Explora diferentes maneras de entender cómo resolver problemas sobre dinero.

Prim compra 3 pastelitos en la venta de pasteles de la escuela. Cada pastelito cuesta $0.75. También compra una galleta por $0.50. Prim da al Sr. Hall un billete de $5.00. ¿Cuánto cambio recibe?

HAZ UN DIBUJO

Puedes usar billetes y monedas para ayudarte a resolver problemas sobre dinero.

Muestra la cantidad que gasta Prim usando monedas de 25¢.
1 moneda de 25¢ = $0.25

Muestra la cantidad que Prim da al Sr. Hall usando billetes y monedas de 25¢.
Hay 4 monedas de 25¢ en 1 dólar. Prim gasta **11 monedas de 25¢**.

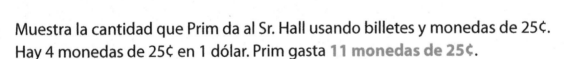

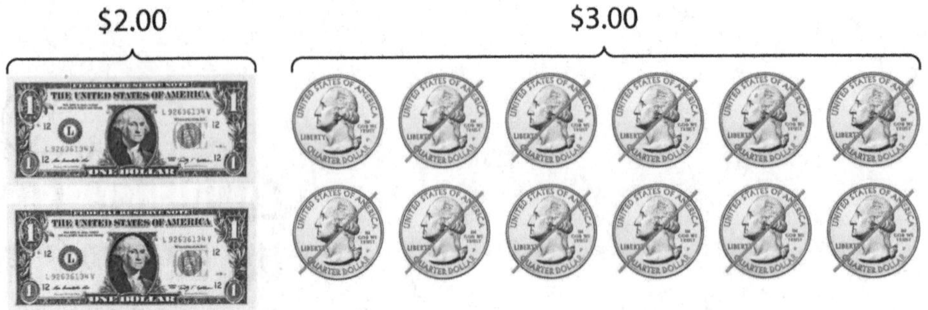

La cantidad que no está tachada es el cambio que recibe Prim.

CONÉCTALO

Ahora vas a usar el problema de la página anterior para ayudarte a entender cómo resolver problemas sobre dinero usando conversiones de dinero y ecuaciones.

1. El dinero que usa Prim para pagar está en dólares. Los precios están en centavos.

   ¿Cuál es la unidad de dinero más grande? ....

2. Explica cómo se convierte $5.00 a centavos.

   ¿Cuántos centavos hay en $5.00? ....

3. Cada pastelito cuesta $0.75, o 75 centavos. La galleta cuesta $0.50, o 50 centavos. Completa los espacios en blanco para hallar cuántos centavos gasta Prim en 3 pastelitos y 1 galleta.

   3 × .... centavos + ... centavos = ... centavos

4. Muestra cómo hallar cuántos centavos recibe Prim de cambio. ....

5. Ya hallaste el cambio de Prim en centavos. Explica cómo hallar esta cantidad en dólares y centavos.

6. ## REFLEXIONA

   Repasa **Pruébalo**, las estrategias de tus compañeros y **Haz un dibujo**. ¿Qué modelos o estrategias prefieres para resolver problemas de varios pasos sobre dinero? Explica.

   ....

   ....

   ....

   ....

   ....

APLÍCALO

Usa lo que acabas de aprender para resolver estos problemas.

7 Aaron compra $1\frac{1}{2}$ libras de queso y cuatro botellas de agua. Una libra de queso cuesta $10.00. Cada botella de agua cuesta medio dólar. Aaron da al cajero un billete de $20.00. ¿Cuánto cambio recibe? Muestra tu trabajo.

Solución ....

8 Keisha tiene $3,600. Usa $1,900 para pagar la renta. Usa la mitad del dinero que le queda para pagar facturas. Luego deposita el resto del dinero en su cuenta de ahorros. ¿Cuánto dinero deposita Keisha en su cuenta de ahorros? Muestra tu trabajo.

Solución ....

9 Knox tiene tres billetes de $10.00. Gasta $7.50 en un libro y $9.25 en una pizza. ¿Cuánto dinero le queda a Knox?

Ⓐ $12.25

Ⓑ $13.25

Ⓒ $16.75

Ⓓ $23.25

Practica resolver problemas sobre dinero

Estudia el Ejemplo, que muestra cómo resolver un problema de varios pasos sobre dinero. Luego resuelve los problemas 1 a 7.

EJEMPLO

Rita compra leche por $0.50, un sándwich por $2.50 y una ensalada de frutas por $1.25. Paga su almuerzo con un billete de $5.00. ¿Cuánto cambio recibe Rita?

Rita gasta: 50 + 250 + 125 = 425 centavos

500 centavos − 425 centavos = 75 centavos

Rita recibe 75 centavos, o $0.75, de cambio.

1. El siguiente dibujo muestra que $5.00 es lo mismo que $3.00 en billetes más 8 monedas de 25¢. Tacha los billetes y las monedas para mostrar la cantidad que gasta Rita en su almuerzo en el Ejemplo de arriba.

2. ¿Cómo puedes hallar el cambio que recibe Rita mirando el dibujo de arriba?

3. Josh compra 4 boletos para el cine y 2 bolsas grandes de palomitas de maíz. Cada boleto cuesta $8. Cada bolsa de palomitas de maíz cuesta $5. ¿Cuánto dinero gasta Josh?

Boletos: .... Palomitas de maíz: ....

Boletos y palomitas de maíz: ....

Josh gasta ....

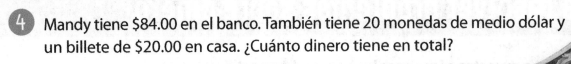

4 Mandy tiene $84.00 en el banco. También tiene 20 monedas de medio dólar y un billete de $20.00 en casa. ¿Cuánto dinero tiene en total?

Ⓐ $104.00

Ⓑ $114.00

Ⓒ $119.00

Ⓓ $124.00

5 Una libra de manzanas cuesta $1.30. Sawyer compra $2\frac{1}{2}$ libras de manzanas. ¿Cuánto gasta Sawyer en manzanas? Muestra tu trabajo.

Solución ....

6 Brie gana $3,000 por mes. Gasta $1,400 en la renta y facturas, $700 en comestibles, $200 en el pago de su carro y $100 en gasolina cada mes. Ahorra el resto del dinero. ¿Cuánto dinero ahorra Brie? Muestra tu trabajo.

Solución ....

7 Las bananas comunes cuestan $0.20 cada una en el supermercado. Las bananas orgánicas cuestan $0.30 cada una. Supón que tienes $3.00. ¿Cuántos más bananas comunes que bananas orgánicas puedes comprar? Muestra tu trabajo.

Solución ....

Refina Problemas sobre tiempo y dinero

Completa el Ejemplo siguiente. Luego resuelve los problemas 1 a 9 usando la Hoja de referencias de matemáticas cuando sea necesario.

EJEMPLO

Vivian tiene $6.00. Compra 4 bolígrafos por $0.75 cada uno y un cuaderno por $2.25. ¿Cuánto dinero le queda?

Mira cómo podrías mostrar tu trabajo usando una recta numérica.

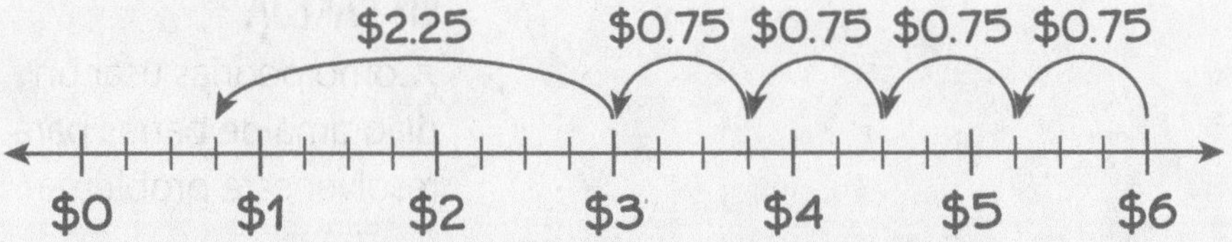

Solución ....

Vivian puede usar una recta numérica dividida en dólares y monedas de 25¢ como herramienta para restar el costo de los bolígrafos y el cuaderno de $6.00.

EN PAREJA

¿De qué otra manera se puede resolver este problema?

APLÍCALO

1 El precio de los duraznos es de $1.80 por cada libra. Frank compró $3\frac{1}{2}$ libras de duraznos. ¿Cuánto pagó Frank por los duraznos? Muestra tu trabajo.

¿Cómo puedes hallar el precio de media libra de duraznos?

Solución ....

EN PAREJA

¿Cómo resolviste el problema? ¿Por qué elegiste ese método?

2 Steve barre el piso de la cocina luego de lavar los platos. Luego saca la basura. Lava los platos durante 18 minutos. Esto es 3 veces más tiempo de lo que le toma barrer el piso. Le toma 3 minutos sacar la basura. ¿Cuánto tiempo le toma a Steve completar sus tareas domésticas? Muestra tu trabajo.

¿Cómo puedes usar el tiempo que le toma lavar los platos para hallar el tiempo que le toma barrer el piso?

EN PAREJA
¿Cómo podrías usar un diagrama de barras para resolver este problema?

Solución ....

3 Victoria tiene dos billetes de $20.00 en su monedero. Gasta $12.25 en un regalo y $5.25 en una tarjeta. ¿Cuánto dinero le queda a Victoria?

Ⓐ $2.50

Ⓑ $17.50

Ⓒ $22.50

Ⓓ $27.75

¿Cuánto dinero tiene Victoria en su monedero antes de comprar el regalo y la tarjeta?

Amir eligió Ⓐ como la respuesta correcta. ¿Cómo obtuvo él esa respuesta?

EN PAREJA
¿Cómo podrías estimar para ver si la respuesta de Amir es razonable?

4 Bena compra una botella de agua por $1.20 y un paquete de goma de mascar por $1.80. ¿Cuánto dinero da Bena al cajero si recibe $7.00 de cambio?

Ⓐ $4.00

Ⓑ $9.00

Ⓒ $10.00

Ⓓ $20.00

5 Lena hace tareas para los vecinos para ganar dinero durante el verano. La siguiente tabla muestra cuánto dinero gana Lena por cada tarea.

Tarea	**Cortar el césped**	**Pasear perros**	**Lavar carros**
Dinero ganado por cada tarea	$8.50	$4.00	$7.50

Lena hace todas las tareas que se muestran arriba para 3 vecinos. Escribe dos expresiones diferentes que se puedan usar para hallar la cantidad total de dinero que gana Lena.

6 Una película en la televisión dura 1 hora 45 minutos con anuncios publicitarios. Hay 6 anuncios de 4 minutos cada uno. ¿Qué opciones muestran cuánto dura la película sin anuncios publicitarios?

Ⓐ 81 minutos

Ⓑ 95 minutos

Ⓒ 105 minutos

Ⓓ 1 hora 21 minutos

Ⓔ 1 hora 35 minutos

7 Kyana quiere pintar cada pared de su habitación de un color diferente. Necesita dos cuartos de pintura para cada pared. Cada cuarto cuesta $11. También necesita comprar dos brochas por $3 cada una. Paga con un billete de $100. ¿Cuánto cambio recibe Kyana? Muestra tu trabajo.

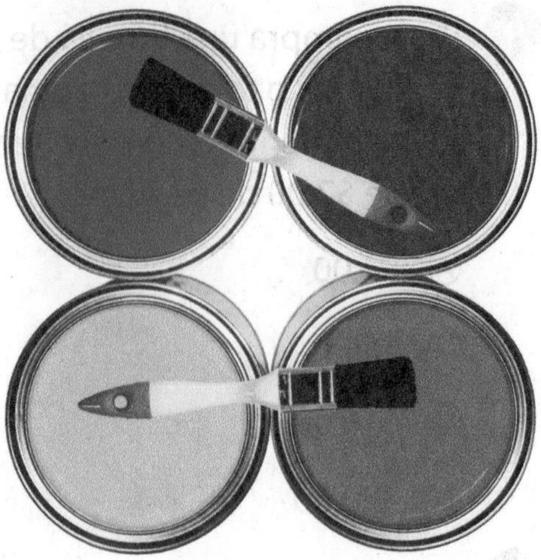

Solución ....

8 Johnny puede caminar 5 kilómetros en 60 minutos. Eso es 3 veces más tiempo de lo que le toma a Donovan correr la misma distancia. ¿Cuántos minutos más le toma a Johnny caminar 5 kilómetros que a Donovan correr la misma distancia? Muestra tu trabajo.

Solución ....

9 DIARIO DE MATEMÁTICAS

Michael tiene tres billetes de $5.00. Compra una gaseosa por $1.75 y una pelota de básquetbol por $12.50. ¿Cuánto dinero le queda a Michael? Explica cómo hallar la respuesta.

☑ COMPRUEBA TU PROGRESO Vuelve al comienzo de la Unidad 4 y mira qué destrezas puedes marcar.

Problemas sobre longitud, volumen líquido, masa y peso

LECCIÓN 29

Estimada familia:

Esta semana su niño está aprendiendo a resolver problemas sobre longitud, volumen líquido, masa y peso.

Su niño está aprendiendo diferentes maneras de resolver problemas de varios pasos que requieren convertir unidades más grandes a unidades más pequeñas para medir la longitud, el volumen líquido, la masa y el peso. Este es un problema de volumen líquido que su niño podría ver.

Robert prepara refresco de frutas para una fiesta. Él combina 1 litro de limonada, una botella de 2 litros de agua carbonatada y 750 mililitros de jugo de fruta. ¿Cuántos mililitros de refresco de frutas preparó Robert para la fiesta?

Una manera de resolver el problema es usar una tabla para pensar en las medidas y las unidades dadas en el problema. Como el problema está en litros y mililitros, el primer paso es convertir los litros a mililitros. Luego se combinan los mililitros para hallar el total. Se pueden organizar las medidas en una tabla como la siguiente.

Volumen dado	Volumen en mililitros
1 litro	1,000 mililitros
2 litros	2,000 mililitros
750 mililitros	750 mililitros

Hay 1,000 mililitros en 1 litro. Se multiplica 1,000 por 2 para convertir 2 litros a mililitros: $2 \times 1{,}000 = 2{,}000$. Se suman todas las medidas en mililitros para hallar el total: $1{,}000 + 2{,}000 + 750 = 3{,}750$ mililitros.

Invite a su niño a compartir lo que sabe sobre convertir unidades para resolver problemas de varios pasos sobre longitud, volumen líquido, masa y peso haciendo la siguiente actividad.

ACTIVIDAD RESOLVER PROBLEMAS SOBRE LONGITUD, VOLUMEN LÍQUIDO, MASA Y PESO

Haga la siguiente actividad con su niño para resolver problemas de varios pasos sobre longitud, volumen líquido, masa y peso.

Invente problemas de varios pasos sobre longitud, volumen líquido, masa y peso que podrían ocurrir en la vida cotidiana. Estos son algunos ejemplos que podría usar:

1. Josh quiere instalar una nueva lavadora. La lavadora mide 27 pulgadas de ancho. Josh midió el ancho de su puerta. La puerta mide 2 pies 8 pulgadas de ancho. ¿Pasará la nueva lavadora por la puerta? Recuerden que hay 12 pulgadas en 1 pie.

2. Morgan quiere averiguar cuánta pintura tiene. Tiene dos latas con 1 galón de pintura cada una, una lata con 1 cuarto de pintura y una lata con $\frac{1}{2}$ de galón de pintura. ¿Cuántos cuartos de pintura tiene en total? Recuerden que hay 4 cuartos en 1 galón.

3. Aki tiene 3 libras de queso. Usa 4 onzas de queso en cada porción de pasta. ¿A cuántas porciones de pasta puede poner queso Aki usando el queso que tiene? Recuerden que hay 16 onzas en 1 libra.

Busque otras oportunidades de la vida real para practicar con su niño cómo convertir unidades para resolver problemas de varios pasos sobre longitud, volumen líquido, masa y peso.

***Respuestas:* 1.** Sí, porque 2 pies 8 pulgadas es lo mismo que 32 pulgadas, y 27 pulgadas es menos que 32 pulgadas; **2.** 11 cuartos de pintura: $4 + 4 + 1 + 2 = 11$; **3.** 12 porciones, porque 3 libras es $3 \times 16 = 48$ onzas, y $48 \div 4 = 12$.

Explora Problemas sobre longitud, volumen líquido, masa y peso

Ya has aprendido cómo resolver problemas de varios pasos. Ahora resolverás problemas de varios pasos sobre longitud, volumen líquido, masa y peso. Usa lo que sabes para tratar de resolver el siguiente problema.

Julia compra un carrete con 12 yardas de alambre. Los estudiantes de su clase de joyería usan 4 yardas 2 pies de alambre para un proyecto y 7 pies de alambre para otro proyecto. ¿Cuántos pies de alambre le quedan a Julia?

Objetivo de aprendizaje

- Usar las cuatro operaciones para resolver problemas verbales sobre distancias, intervalos de tiempo, volúmenes líquidos, masas de objetos y dinero, incluidos problemas con fracciones simples o decimales, y problemas que requieren expresar medidas dadas en una unidad más grande en términos de una unidad más pequeña. Representar las cantidades de medición usando diagramas como diagramas de rectas numéricas que tienen una escala de medición.

EPM 1, 2, 3, 4, 5, 6, 7, 8

PRUÉBALO

Herramientas matemáticas

- fichas
- reglas
- hoja de referencia de matemáticas
- rectas numéricas

CONVERSA CON UN COMPAÑERO

Pregúntale: ¿Por qué elegiste esa estrategia?

Dile: No comprendo cómo . . .

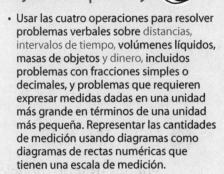

CONÉCTALO

1 REPASA

Explica cómo hallar cuántos pies de alambre le quedan a Julia.

2 SIGUE ADELANTE

Puedes usar un modelo visual o una ecuación para resolver un problema de varios pasos en el que hay que convertir unidades de longitud. Supón que tienes el siguiente problema.

Martin tiene **8 yardas de hilo**. Usa **2 yardas 1 pie para un proyecto** y **4 pies para otro proyecto**. ¿Cuántos **pies de hilo le quedan a Martin**?

a. El diagrama de barras muestra la información del problema. Convierte yardas a pies y completa el diagrama de barras. 8 yardas es lo mismo que .... **pies** y **2 yardas 1 pie** es lo mismo que .... **pies.**

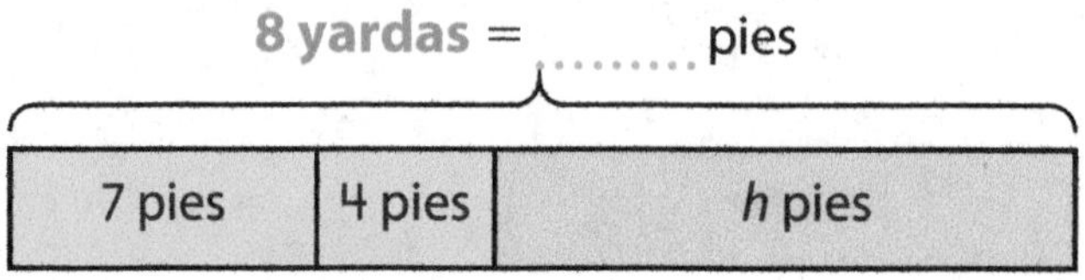

b. Usa el diagrama de barras para escribir una expresión que represente el número de pies de hilo que usa Martin para ambos proyectos. ....

c. Escribe y resuelve una ecuación para hallar el número de pies de hilo que le quedan a Martin.

d. ¿Cuántos pies de hilo le quedan a Martin? ....

3 REFLEXIONA

¿Cómo muestra el diagrama de barras qué operación u operaciones usar para resolver el problema?

....

....

Nombre: ____________________

Prepárate para problemas sobre longitud, volumen líquido, masa y peso

1 Piensa en lo que sabes acerca de las medidas. Llena cada recuadro. Usa palabras, números y dibujos. Muestra tantas ideas como puedas.

Ejemplos

Ejemplos

Ejemplos

unidades de longitud

Ejemplos

Ejemplos

Ejemplos

2 Escribe dos unidades diferentes que podrías usar para medir los siguientes objetos.

tu dedo: ....

tu pupitre: ....

la longitud de tu salón de clase: ....

3 Maya tiene 7 yardas de cinta. Usó 4 yardas para hacer lazos y 1 yarda 2 pies para una guirnalda. ¿Cuántos pies de cinta le quedaron a Maya?

Solución ....

4 Comprueba tu respuesta. Muestra tu trabajo.

Desarrolla Resolver problemas sobre longitud

Lee el siguiente problema y trata de resolverlo.

Cindy compró un sándwich de fiesta que mide 5 pies de largo. Su hermano cortó un trozo del sándwich que mide $\frac{3}{4}$ de pie de largo. Cindy cortó el resto del sándwich en trozos de 3 pulgadas para compartir con los invitados. ¿Cuántos trozos de 3 pulgadas cortó?

PRUÉBALO

Herramientas matemáticas

- fichas
- reglas
- hoja de referencia de matemáticas
- rectas numéricas

CONVERSA CON UN COMPAÑERO

Pregúntale: ¿Puedes explicarme eso otra vez?

Dile: La estrategia que usé para hallar la respuesta fue . . .

Explora diferentes maneras de entender cómo resolver problemas sobre longitud.

Cindy compró un sándwich de fiesta que mide 5 pies de largo. Su hermano cortó un trozo del sándwich que mide $\frac{3}{4}$ de pie de largo. Cindy cortó el resto del sándwich en trozos de 3 pulgadas para compartir con los invitados. ¿Cuántos trozos de 3 pulgadas cortó?

HAZ UN MODELO

Puedes usar un modelo como ayuda para resolver problemas sobre longitud.

La barra de arriba del modelo muestra la longitud del sándwich completo. La barra de abajo muestra la cantidad de sándwich que se cortó, $\frac{3}{4}$ **de un pie**, y la parte del sándwich que se **cortará en trozos de 3 pulgadas**.

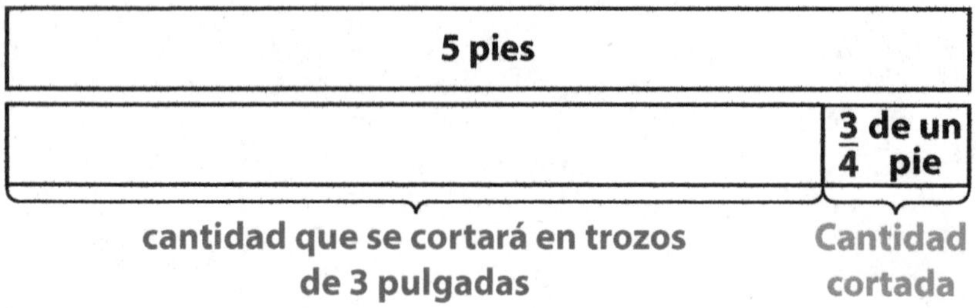

HAZ UN MODELO

Puedes usar una recta numérica para resolver problemas sobre longitud.

La recta numérica muestra la longitud del sándwich, 5 pies.
Cada pie se dividió en cuatro secciones de 3 pulgadas.

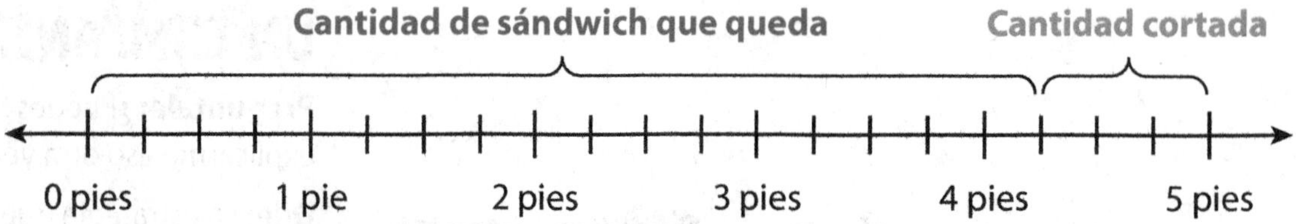

CONÉCTALO

Ahora vas a usar el problema de la página anterior como ayuda para entender cómo resolver problemas sobre longitud.

1. ¿En qué se parecen el diagrama de barras y la recta numérica? ¿En qué se diferencian?

2. ¿Qué parte de un pie representa cada marca en el modelo de recta numérica?

   ....

   ¿Cuántas pulgadas representa cada marca? ....

3. Usa la recta numérica para hallar la longitud del sándwich que queda, en pies.

   ....

4. ¿Cuántos trozos de 3 pulgadas hay en el resto del sándwich? Explica.

5. Explica cómo te ayuda una recta numérica a ver tanto las pulgadas como las partes fraccionarias de un pie al mismo tiempo.

6. ## REFLEXIONA

   Repasa **Pruébalo**, las estrategias de tus compañeros y los **Haz un modelo**. ¿Qué modelos o estrategias prefieres para resolver problemas de varios pasos sobre longitud? Explica.

   ....

   ....

   ....

   ....

APLÍCALO

Usa lo que acabas de aprender para resolver estos problemas.

7 Lulu tiene 10 pies de cinta. Usó $1\frac{1}{3}$ pies de cinta para un proyecto. Usó el resto para hacer lazos. Usó 8 pulgadas de cinta para cada lazo. ¿Cuántos lazos hizo Lulu? Muestra tu trabajo.

Solución ....

8 Raquel y Bernie recorrieron en carro un total de 1,836 kilómetros en 4 días. Recorrieron 630 kilómetros el primer día. Recorrieron el mismo número de kilómetros de la distancia que queda cada uno de los 3 días siguientes. ¿Cuántos kilómetros recorrieron en cada uno de estos 3 días? Muestra tu trabajo.

Solución ....

9 Tom y Paul se inscribieron en la competencia de salto largo en el Día de campo. Tom saltó una distancia de 2 yardas 9 pulgadas. Paul saltó una distancia de 4 yardas. ¿Cuántas pulgadas más lejos saltó Paul que Tom?

Solución ....

Practica resolver problemas sobre longitud

Estudia el Ejemplo, que muestra cómo resolver un problema de varios pasos sobre longitud. Luego resuelve los problemas 1 a 5.

EJEMPLO

Wendy tiene una valla que mide 10 pies de largo. Unas enredaderas cubren una sección de la valla que mide $\frac{1}{2}$ de un pie de largo. Wendy y 2 amigas pintan cada una una longitud igual del resto de la valla. ¿Qué longitud, en pulgadas, tiene la sección de la valla que cada amiga pinta? (1 pie = 12 pulgadas)

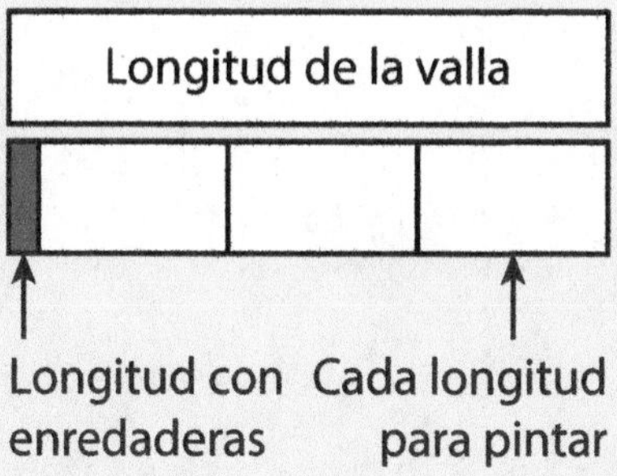

Longitud de la valla:	10 pies = 120 pulgadas
Longitud que cubren las enredaderas:	$\frac{1}{2}$ de un pie = 6 pulgadas
Longitud pintada:	120 – 6 = 114 pulgadas
Longitud de cada sección:	114 ÷ 3 = 38 pulgadas

La sección de valla que pinta cada amiga mide 38 pulgadas de largo.

1 Nestor necesita 750 centímetros de cuerda. La cuerda se vende en la ferretería en longitudes de $4\frac{1}{2}$ metros y 9 metros. ¿Qué longitud de cuerda debe comprar Nestor? (1 metro = 100 centímetros)

$4\frac{1}{2}$ metros = __________ centímetros 9 metros = __________ centímetros

a. ¿Qué longitud es mayor que 750 centímetros? __________ centímetros

b. Nestor debe comprar cuerda con una longitud de __________ metros.

2 ¿Qué longitud es mayor: $\frac{1}{2}$ de un metro o 240 centímetros? Explica.

3 Jorge avanza con una pelota de futbol americano $5\frac{2}{3}$ yardas en una jugada. Retrocede con la pelota 1 pie en la siguiente jugada. ¿A qué distancia está la pelota, en pies, del lugar desde donde Jorge comenzó a avanzar con la pelota? Muestra tu trabajo. (1 yarda = 3 pies)

Solución ....

4 Marion mide $3\frac{1}{2}$ pies de alto. Es 4 pulgadas más alta que su hermano Elijah. Ella es $1\frac{1}{4}$ pies más baja que su hermana Lorie. ¿Cuánto miden Elijah y Lorie, en pulgadas? Muestra tu trabajo. (1 pie = 12 pulgadas)

Elijah: .... Lorie: ....

5 Tracy necesita 31.5 metros de madera para la baranda de un porche. Tiene tres trozos de madera que miden 8 metros de largo cada uno y un trozo que mide 7 metros de largo. ¿Tiene Tracy suficiente madera para la baranda del porche? Muestra tu trabajo.

Solución ....

Desarrolla Resolver problemas sobre volumen líquido

Marco, Javier y Jim van a una fiesta. Marco lleva $1\frac{1}{2}$ litros de limonada, Javier lleva una botella de 2 litros de limonada y Jim lleva 450 mililitros de limonada. ¿Cuántos mililitros de limonada llevan los niños a la fiesta en total? (1 litro = 1,000 mililitros)

PRUÉBALO

Herramientas matemáticas

- hoja de referencia de matemáticas
- rectas numéricas
- papel cuadriculado

CONVERSA CON UN COMPAÑERO

Pregúntale: ¿Cómo empezaste a resolver el problema?

Dile: Comencé por . . .

Explora diferentes maneras de entender cómo resolver problemas sobre volumen líquido.

Marco, Javier y Jim van a una fiesta. Marco lleva $1\frac{1}{2}$ litros de limonada, Javier lleva una botella de 2 litros de limonada y Jim lleva 450 mililitros de limonada. ¿Cuántos mililitros de limonada llevan los niños a la fiesta en total? (1 litro = 1,000 mililitros)

HAZ UN DIBUJO

Puedes usar un dibujo como ayuda para resolver problemas sobre volumen líquido.

Piensa en las unidades para cada cantidad de limonada.

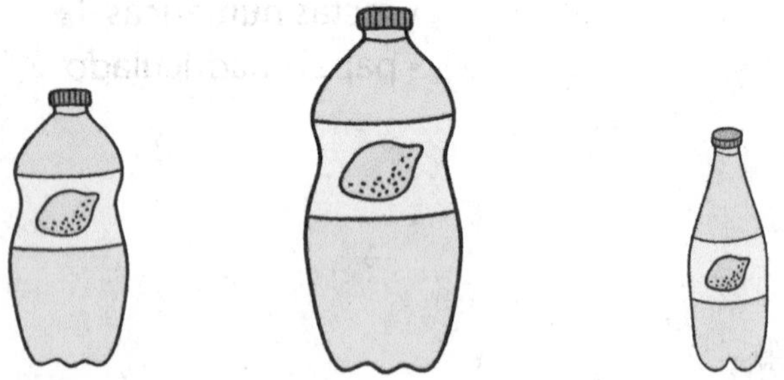

$1\frac{1}{2}$ litros 2 litros 450 mililitros

HAZ UN MODELO

Puedes usar una tabla como ayuda para resolver problemas sobre volumen líquido.

Haz una tabla para mostrar el volumen de los tres recipientes en las unidades dadas en una columna y el volumen en mililitros en la otra columna.

1 litro = 1,000 mililitros y $\frac{1}{2}$ de un litro =500 mililitros

Volumen dado	Volumen en mililitros
$1\frac{1}{2}$ litros	1,500 mililitros
2 litros	2,000 mililitros
450 mililitros	450 mililitros

CONÉCTALO

Ahora vas a usar el problema de la página anterior como ayuda para entender cómo resolver problemas sobre volumen líquido.

1 Usa las cantidades de limonada dadas en el problema para escribir una ecuación que muestre la cantidad total de limonada, *t*, que llevan los niños a la fiesta.

2 ¿Qué unidades se incluyen en la ecuación? ....

3 Mira la tabla en **Haz un modelo**. Explica cómo convertir $1\frac{1}{2}$ litros a mililitros.

¿Cuántos mililitros hay en 2 litros? ....

4 ¿Cuál es la cantidad total de limonada que llevan los tres niños a la fiesta? Explica.

5 Explica cómo resolver un problema sobre volumen líquido cuando las medidas se dan en diferentes unidades.

6 **REFLEXIONA**

Repasa **Pruébalo**, las estrategias de tus compañeros, **Haz un dibujo** y **Haz un modelo**. ¿Qué modelos o estrategias prefieres para resolver problemas de varios pasos sobre volumen líquido? Explica.

....

....

....

APLÍCALO

Usa lo que acabas de aprender para resolver estos problemas.

7 Joanne está preparando refresco de frutas. Usa $\frac{1}{2}$ de un galón de jugo de naranja, 3 cuartos de limonada y $1\frac{1}{4}$ galones de jugo de manzana. ¿Cuántos cuartos de refresco de frutas tiene Joanne en total? ¿Cuántas porciones de 1 taza hay en total? Muestra tu trabajo. (1 galón = 4 cuartos y 1 cuarto = 4 tazas)

Solución ....

8 Matt tiene $4\frac{3}{4}$ tazas de leche. Bebió 10 onzas líquidas de la leche. ¿Cuántas onzas líquidas le quedaron a Matt? Muestra tu trabajo. (1 taza = 8 onzas líquidas)

Solución ....

9 Carlos preparó 3 litros de horchata. Su hermana bebió 300 mililitros. Su hermano bebió 550 mililitros. ¿Cuántos mililitros de horchata le quedaron a Carlos? Muestra tu trabajo. (1 litro = 1,000 mililitros)

Solución ....

Practica resolver problemas sobre volumen líquido

Estudia el Ejemplo, que muestra cómo resolver un problema de varios pasos sobre volumen líquido. Luego resuelve los problemas 1 a 5.

EJEMPLO

Naomi tenía un recipiente con agua. Usó 4 litros para regar su jardín de vegetales. Usó $3\frac{1}{2}$ litros para regar las flores. Usó los 500 mililitros que quedaban en el recipiente para llenar una fuente para pájaros. ¿Cuántos mililitros de agua tenía Naomi en el recipiente? (1 litro = 1,000 mililitros)

Escribe una ecuación para hallar la cantidad total de agua.	$a = 4\text{ L} + 3\frac{1}{2}\text{L} + 500\text{ mL}$
Convierte litros a mililitros.	$4 \times 1{,}000\text{ mL} = 4{,}000\text{ mL}$ $3 \times 1{,}000\text{ mL} = 3{,}000\text{ mL}$ y $\frac{1}{2}$ de 1,000 mL es 500 mL
Escribe la ecuación usando mililitros y resuelve el problema.	$a = 4{,}000\text{ mL} + 3{,}500\text{ mL} + 500\text{ mL}$ $a = 8{,}000\text{ mL}$

Naomi tenía 8,000 mililitros de agua en el recipiente.

Benny tiene dos peceras pequeñas con un pez en cada una. Una pecera tiene $3\frac{1}{2}$ cuartos de agua. La otra tiene 12 tazas de agua. Benny combina el agua en una pecera grande con ambos peces en la pecera grande.

1. ¿Cuántas tazas de agua hay en la pecera grande? (1 cuarto = 4 tazas)

   $3\frac{1}{2}$ cuartos: 3×4 tazas = ______ tazas y $\frac{1}{2}$ de 4 tazas es ______ tazas

   $3\frac{1}{2}$ cuartos = ______ tazas; ______ tazas + ______ tazas = ______ tazas

   Hay __________ de agua en la pecera grande.

2. Se necesitan al menos 5 tazas de agua por cada pez en una pecera. ¿Cuántos peces más podría colocar Benny en la pecera grande? Explica.

   Solución ....

   ....

   ....

3 La maestra Tam tiene tres recipientes para usar en un experimento. El primer recipiente tiene 600 mililitros de agua, el segundo tiene 2 litros y el tercero tiene 1.5 litros. ¿Cuántos mililitros de agua tiene la maestra Tam en total? Muestra tu trabajo. (1 litro = 1,000 mililitros)

Solución ....

4 Sharon y su prima hicieron batidos de fruta para una reunión familiar. Sharon llevó $2\frac{1}{2}$ galones de leche. Su prima llevó 2 cuartos de leche. Las niñas usaron 8 cuartos de leche para los batidos. ¿Cuánta leche quedó? (1 galón = 4 cuartos)

Ⓐ 4 cuartos
Ⓑ 6 cuartos
Ⓒ 4 galones
Ⓓ 6 galones

5 Rob tiene 6 cuartos de jugo de manzana para la feria de otoño. Vertió todo el jugo de manzana en vasos para colocarlos en mesas de picnic. Vertió 6 onzas líquidas del jugo en cada vaso. ¿Cuántos vasos de jugo de manzana colocó Rob en las mesas? Muestra tu trabajo. (1 cuarto = 4 tazas; 1 taza = 8 onzas líquidas)

Solución ....

Desarrolla Resolver problemas sobre masa y peso

Kyle tiene un frasco lleno con monedas de 25¢. El frasco vacío tiene una masa de 400 gramos. El mismo frasco lleno con monedas de 25¢ tiene una masa de 1.5 kilogramos. Si cada moneda tiene una masa de aproximadamente 5 gramos, ¿cuántas monedas hay, aproximadamente, en el frasco? (1 kilogramo = 1,000 gramos)

PRUÉBALO

Herramientas matemáticas
- hoja de referencia de matemáticas
- rectas numéricas

CONVERSA CON UN COMPAÑERO

Pregúntale: ¿Estás de acuerdo conmigo? ¿Por qué sí o por qué no?

Dile: Estoy de acuerdo contigo en que . . . porque . . .

Explora diferentes maneras de entender cómo resolver problemas sobre masa y peso.

Kyle tiene un frasco lleno con monedas de 25¢. El frasco vacío tiene una masa de 400 gramos. El mismo frasco lleno con monedas de 25¢ tiene una masa de 1.5 kilogramos. Si cada moneda tiene una masa de aproximadamente 5 gramos, ¿cuántas monedas hay, aproximadamente, en el frasco? (1 kilogramo = 1,000 gramos)

HAZ UN DIBUJO

Puedes usar un dibujo como ayuda para entender el problema.

Piensa en la relación que hay entre la masa de cada moneda de 25¢, la masa del frasco vacío y la masa del frasco lleno con monedas de 25¢.

5 gramos 400 gramos 1.5 kilogramos

HAZ UN MODELO

Puedes usar un diagrama de barras como ayuda para resolver problemas sobre masa y peso.

Usa n para representar el número de monedas de 25¢.

La masa de 1 moneda de 25¢ es de 5 gramos; por lo tanto, la expresión $5 \times n$ representa la masa de las monedas que hay en el frasco, en gramos.

masa total: 1.5 kilogramos

masa de las monedas $(5 \times n)$ gramos	masa del frasco vacío 400 gramos

CONÉCTALO

Ahora vas a usar el problema de la página anterior como ayuda para entender cómo resolver problemas sobre masa y peso.

1 La masa del frasco vacío es de .... gramos.

La masa total del frasco lleno con monedas de 25¢ es de .... kilogramos o .... gramos.

2 Escribe y resuelve una ecuación para hallar la masa de las monedas de 25¢ en gramos.

3 Escribe y resuelve una ecuación para hallar aproximadamente cuántas monedas de 25¢ hay en el frasco.

4 ¿Cómo usar un diagrama de barras para escribir una ecuación te ayuda a resolver un problema verbal sobre masa?

5 **REFLEXIONA**

Repasa **Pruébalo**, las estrategias de tus compañeros, **Haz un dibujo** y **Haz un modelo**. ¿Qué modelos o estrategias prefieres para resolver problemas de varios pasos sobre masa o peso? Explica.

....

....

....

....

....

APLÍCALO

Usa lo que acabas de aprender para resolver estos problemas.

6 Un panadero tiene una receta para panecillos que lleva 1 kilogramo de harina. El panadero tiene otra receta que lleva 700 gramos de harina. ¿Cuántos gramos de harina usa el panadero para hacer dos tandas de cada receta? Muestra tu trabajo. (1 kilogramo = 1,000 gramos)

Solución ....

....

7 Una lata de frutos secos pesa 1 libra, 1 onza. La lata vacía pesa 3 onzas. Supón que viertes la mitad de los frutos secos de la lata en un tazón. ¿Cuántas onzas de frutos secos hay en el tazón? Muestra tu trabajo. (1 libra = 16 onzas)

Solución ....

8 Tia cosechó 2 kilogramos de fresas. Su hermano cosechó 850 gramos de fresas. Su hermana cosechó $2\frac{1}{2}$ kilogramos de fresas. ¿Cuántos gramos de fresas cosecharon en total? Muestra tu trabajo. (1 kilogramo = 1,000 gramos)

Solución ....

Practica resolver problemas sobre masa y peso

Estudia el problema de ejemplo que muestra cómo resolver un problema de varios pasos sobre peso. Luego resuelve los problemas 1 a 5.

EJEMPLO

El entrenador de softbol tiene una caja llena de pelotas. El peso de la caja vacía es de 3 libras. Cuando está llena de pelotas, la caja pesa 12 libras. Cada pelota tiene un peso de 6 onzas. ¿Cuántas pelotas hay en la caja? (1 libra = 16 onzas)

Halla el peso de las pelotas en onzas.

$p = 12$ libras $- 3$ libras $= 9$ libras

$p = 9 \times 16$ onzas $= 144$ onzas

Halla el número de pelotas.

$p = 6 \times n$

$144 = 6 \times n$

$24 = n$

Hay 24 pelotas en la caja.

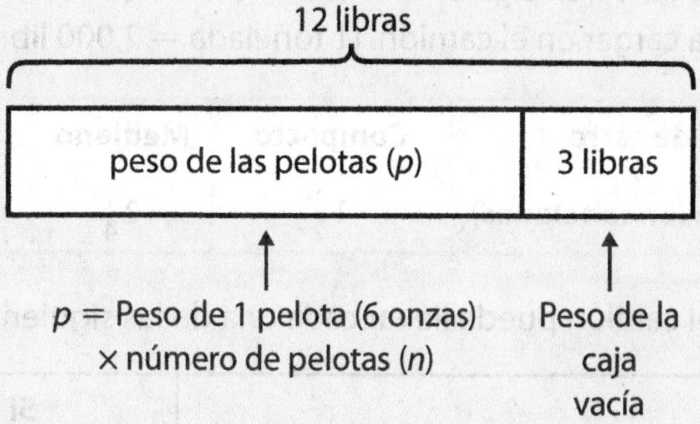

1. Mira el ejemplo de arriba. Explica por qué debes hallar el peso de las pelotas que hay en la caja en onzas.

2. El hermanito de Tyson pesó 7 libras, 3 onzas cuando nació. El bebé perdió 9 onzas después de unos días, y luego subió 1 libra, 6 onzas al final de la segunda semana. ¿Cuántas onzas pesó el bebé al final de la segunda semana? Muestra tu trabajo. (1 libra = 16 onzas)

Solución ....

3 Melinda preparó 5 libras de mezcla de nueces y frutas secas. Colocó 4 onzas en cada bolsa. Le quedaron 20 onzas de la mezcla. ¿Cuántas bolsas de mezcla de nueces y frutas secas preparó Melinda? Muestra tu trabajo. (1 libra = 16 onzas)

Solución ....

4 Un camión grande que transporta carros puede llevar una carga máxima de 15,720 libras. La siguiente tabla muestra el peso de cada tipo de carro que se podría cargar en el camión. (1 tonelada = 2,000 libras)

Tipo de carro	**Compacto**	**Mediano**	**Grande**
Peso (en toneladas)	$1\frac{1}{2}$	$2\frac{1}{4}$	3

Di si el camión puede llevar cada una de las siguientes cargas de carros.

	Sí	**No**
2 carros grandes, 1 carro compacto	Ⓐ	Ⓑ
2 carros compactos, 2 carros grandes	Ⓒ	Ⓓ
2 carros medianos, 2 carros compactos	Ⓔ	Ⓕ
4 carros medianos	Ⓖ	Ⓗ

5 Un clip tiene una masa de 1 gramo. Una caja de clips tiene 100 clips. ¿Qué ecuaciones se pueden usar para hallar el número de cajas de clips que tienen una masa de 1 kilogramo? Sea n el número de cajas. (1 kilogramo = 1,000 gramos)

Ⓐ $100 = 1{,}000 \div n$

Ⓑ $n = 1{,}000 \times 100$

Ⓒ $n = 1{,}000 \div 100$

Ⓓ $1{,}000 = n \times 100$

Ⓔ $n = 1{,}000 - 100$

Refina Problemas sobre longitud, volumen líquido, masa y peso

Completa el Ejemplo siguiente. Luego resuelve los problemas 1 a 9 usando la Hoja de referencias de matemáticas cuando sea necesario.

EJEMPLO

Vera tiene un trozo de cinta. Cortó un trozo de 40 centímetros para un proyecto. Luego cortó el trozo de cinta que queda en 7 trozos que miden 30 centímetros de largo cada uno. ¿Cuánto medía el trozo original de cinta?

Mira cómo podrías mostrar tu trabajo usando un diagrama de barras.

40	30	30	30	30	30	30	30
?							

$40 + (7 \times 30) = 40 + 210 = 250$

Solución ....

Vera puede multiplicar para hallar la longitud de los 7 trozos de igual tamaño y luego sumar la longitud del trozo cortado para hallar la longitud original.

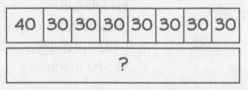

EN PAREJA

¿De qué otra manera se puede resolver este problema?

APLÍCALO

1 Mary tiene una tabla que mide 7 pies de largo. Cortó $\frac{1}{4}$ de un pie de la tabla para hacer un borde parejo. Luego Mary cortó el resto de la tabla en 3 trozos que tienen la misma longitud. ¿Qué longitud, en pies, tiene cada trozo? Muestra tu trabajo.

¿Qué hará Mary para obtener 3 trozos de igual longitud: sumar, restar, multiplicar o dividir?

Solución ....

EN PAREJA

¿Cómo resolviste el problema? ¿Por qué elegiste ese método?

2 En un santuario de fauna y flora hay dos elefantes. Uno tiene un peso de 11,028 libras y el otro tiene un peso de $5\frac{1}{2}$ toneladas. Una plataforma tiene capacidad para 22,000 libras. ¿Puede la plataforma soportar a ambos elefantes? Explica tu razonamiento. Muestra tu trabajo.

¿Cómo se medirá el peso combinado: en libras o en toneladas?

Solución ....

....

EN PAREJA

¿Resolvieron tu compañero y tú el problema de la misma manera?

3 Jessica está preparando refresco de frutas. Mezcla 132 onzas líquidas de jugo y 15 tazas de agua carbonatada. ¿Cuántos vasos de 6 onzas puede llenar con refresco de frutas?

¿Cómo se puede convertir 15 tazas a onzas líquidas?

Ⓐ 20 vasos

Ⓑ 22 vasos

Ⓒ 24 vasos con 3 onzas sobrantes

Ⓓ 42 vasos

Jason eligió Ⓒ como la respuesta correcta. ¿Cómo obtuvo él esa respuesta?

EN PAREJA

¿Tiene sentido la respuesta de Jason?

4 John mezcló pintura para un proyecto de arte. Combinó 4 cuartos de pintura blanca con $3\frac{1}{2}$ galones de pintura azul. Usó 2 cuartos de la pintura. ¿Cuánta pintura le quedó?

Ⓐ 4 cuartos

Ⓑ $9\frac{1}{2}$ cuartos

Ⓒ 16 cuartos

Ⓓ 20 cuartos

5 Cuatro amigos cosecharon calabazas pequeñas en una parcela de calabazas. La siguiente tabla muestra el peso de cada calabaza.

Amigo	Kelly	Neelam	Jackson	Raul
Peso de la calabaza	2 libras 9 onzas	30 onzas	$2\frac{1}{2}$ libras	38 onzas

Ordena los pesos de las calabazas, en onzas, de menor a mayor.

................., ..., ..., ...

6 Tara tiene un recipiente de agua de 5 litros. Vierte 3 litros de agua en una jarra. Vierte el resto del agua en 8 vasos, de manera que cada vaso tenga igual cantidad de agua. ¿Cuántos mililitros de agua vierte Tara en cada vaso?

Ⓐ 25 mililitros

Ⓑ 250 mililitros

Ⓒ 500 mililitros

Ⓓ 1,000 mililitros

7 Un estacionamiento mide 316 pies de largo. Unos trabajadores pintaron líneas para hacer una fila de espacios para estacionar. No pintaron líneas en una longitud de 28 pies en un extremo de la fila para dar espacio de giro a los carros. Los trabajadores pintaron líneas a lo largo del resto de la fila para crear espacios para estacionar de 9 pies de ancho. ¿Cuántos espacios para estacionar tiene el estacionamiento? Muestra tu trabajo.

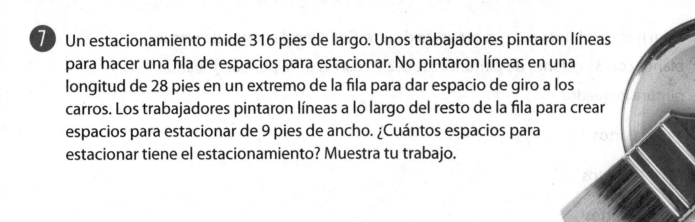

Solución ....

8 Tony está preparando ensalada de papa para un picnic de la escuela. Necesita un total de 3 kilogramos de papas. Tiene una bolsa de 1.5 kilogramos y una bolsa de 850 gramos. ¿Cuántos gramos más de papas necesita Tony? Muestra tu trabajo.

Solución ....

9 DIARIO DE MATEMÁTICAS

Frida tenía 14 yardas de hilo. Dio 5 pies del hilo a una amiga. Luego usó 8 yardas, 1 pie del hilo para terminar un proyecto. ¿Cuántos pies de hilo le quedan a Frida? Explica cómo hallar la respuesta.

☑ **COMPRUEBA TU PROGRESO** Vuelve al comienzo de la Unidad 4 y mira qué destrezas puedes marcar.

Reflexión

En esta unidad aprendiste a . . .

Destreza	Lección
Comparar fracciones con denominadores distintos, por ejemplo: $\frac{2}{5} > \frac{3}{10}$.	17, 18
Sumar y restar fracciones y números mixtos.	19, 20, 21, 25
Sumar y restar fracciones en diagramas de puntos.	22
Multiplicar una fracción por un número entero, por ejemplo: $3 \times \frac{1}{2} = \frac{3}{2}$.	23, 24
Convertir decimales a fracciones y fracciones a decimales, por ejemplo: $0.75 = \frac{3}{4}$.	26
Comparar decimales, por ejemplo: $0.65 < 0.7$.	27
Resolver problemas sobre tiempo y dinero.	28
Resolver problemas sobre longitud, volumen líquido y masa.	29

Piensa en lo que has aprendido.

Usa palabras, números y dibujos.

1 Lo más importante que aprendí de matemáticas fue .... porque . . .

2 Lo más difícil que aprendí a hacer es .... porque . . .

3 Una cosa en la que aún necesito más trabajo es . . .

Usa fracciones y decimales

Estudia un problema y su solución

EPM 1 Entender problemas y perseverar en resolverlos.

Lee el siguiente problema de fracciones y decimales. Luego estudia cómo Luna resolvió el problema.

Frascos de arena

Luna tomó estas notas después de crear un diseño con arena en un frasco de 2 tazas.

- Usé un frasco de vidrio de 2 tazas.
- Usé menos de 1 taza de arena amarilla.
- Llené menos de 0.4 del frasco con arena rosada.
- Llené más de 0.2 del frasco con arena morada.

Luna quiere escribir instrucciones precisas, que funcionen con frascos de cualquier tamaño, para crear el mismo tipo de diseño.

- Halla fracciones o decimales que indiquen exactamente qué parte del frasco se debe llenar con arena rosada, morada y amarilla.
- Escribe instrucciones usando esos números.

Lee la solución que aparece en la página siguiente. Luego mira la lista de chequeo de abajo. Marca las partes de la solución que corresponden a la lista.

☑ LISTA DE CHEQUEO PARA LA SOLUCIÓN DE PROBLEMAS

- ☐ Di lo que se sabe.
- ☐ Di lo que pide el problema.
- ☐ Muestra todo tu trabajo.
- ☐ Muestra que la solución tiene sentido.

a. Haz un círculo alrededor de lo que se sabe.

b. Subraya las cosas que hace falta averiguar.

c. Encierra en un cuadro lo que se hace para resolver el problema.

d. Pon una marca ✓ junto a la parte que muestra que la solución tiene sentido.

LA SOLUCIÓN DE LUNA

Hola, soy Luna. Así fue como resolví este problema.

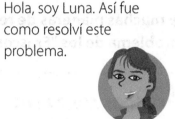

- **Ya sé** los decimales que indican qué parte del frasco se llena con arena morada y arena rosada. Necesito hallar qué parte del frasco que se debe llenar con arena amarilla.

- **El frasco entero contiene 2 tazas y la arena amarilla era menos de 1 taza.**
  1 taza es la mitad del frasco.
  Menos de 1 taza significa que menos de $\frac{1}{2}$ del frasco es amarillo.

Tenía que elegir o fracciones o decimales. Elegí fracciones porque me gustan más.

- **Puedo escribir toda la información usando fracciones.**
  rosado: menos de 0.4, así que menos de $\frac{4}{10}$ del frasco.
  morado: más de 0.2, así que más de $\frac{2}{10}$ del frasco.
  amarillo: menos de $\frac{1}{2}$, así que menos de $\frac{5}{10}$ del frasco.

- **Puedo hacer un diagrama con 10 partes iguales.**
  Luego puedo colorearlo para hallar 3 fracciones del tamaño apropiado y que sumen $\frac{10}{10}$.

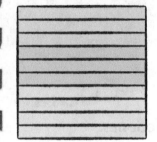

rosado: $\frac{3}{10} < \frac{4}{10}$

morado: $\frac{3}{10} > \frac{2}{10}$

amarillo: $\frac{4}{10} < \frac{5}{10}$

Dibujé un diagrama para mostrar todas las partes y para organizar mi pensamiento.

- **Puedo escribir una ecuación que muestre que la suma equivale a 1.**

$$\frac{3}{10} + \frac{3}{10} + \frac{4}{10} = \frac{10}{10}$$

$\frac{10}{10} = 1$, así que mis fracciones funcionan.

- **Así que estas serían las instrucciones para un frasco de cualquier tamaño.**
  Se llena cualquier frasco $\frac{3}{10}$ con arena rosada, $\frac{3}{10}$ con arena morada y $\frac{4}{10}$ con arena amarilla.

Prueba otro método

Hay muchas maneras de resolver problemas. Piensa en cómo podrías resolver el problema de los "Frascos de arena" de una manera distinta.

Frascos de arena

Luna tomó estas notas después de crear un diseño con arena en un frasco de 2 tazas.

- Usé un frasco de vidrio de 2 tazas.
- Usé menos de 1 taza de arena amarilla.
- Llené menos de 0.4 del frasco con arena rosada.
- Llené más de 0.2 del frasco con arena morada.

Luna quiere escribir instrucciones precisas, que funcionen con frascos de cualquier tamaño, para crear el mismo tipo de diseño.

- Halla fracciones o decimales que indiquen exactamente qué parte del frasco se debe llenar con arena rosada, morada y amarilla.
- Escribe instrucciones usando esos números.

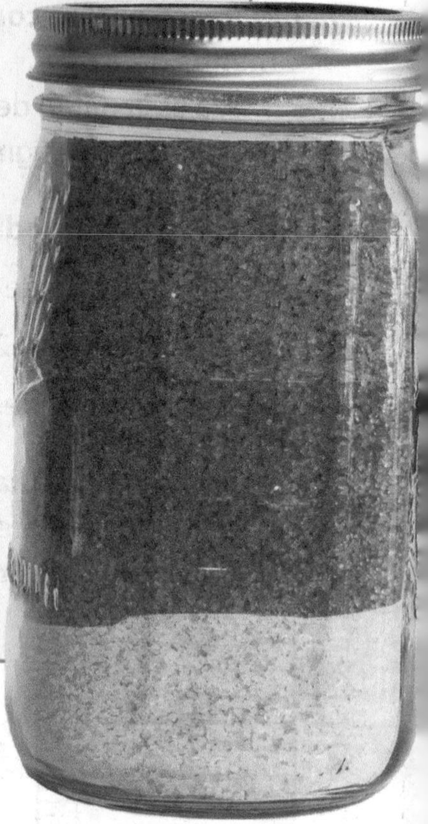

PLANEA

Contesta las siguientes preguntas para empezar a pensar en un plan.

A. La solución de Luna muestra cómo escribir todas las cantidades con fracciones. ¿Cómo se podrían escribir estas cantidades como decimales? Explica y muéstralo.

B. Hay más de una solución posible para este problema. Repasa el problema. ¿Cómo sabes que hay otra solución posible? Explica.

RESUELVE

Halla una solución distinta al problema de los "Frascos de arena". Muestra todo tu trabajo en una hoja de papel aparte.

Tal vez quieras usar las sugerencias de abajo para empezar.

SUGERENCIAS PARA RESOLVER PROBLEMAS

- **Modelos**

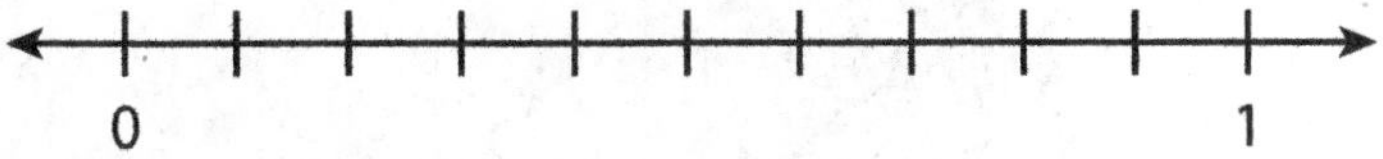

- **Banco de palabras**

fracción	mayor que	entero
decimal	menor que	equivalente

- **Oraciones modelo**
  - Puedo escribir las fracciones como ____________________
  - ____________________ es menor que ____________________

LISTA DE CHEQUEO PARA LA SOLUCIÓN DE PROBLEMAS

Asegúrate de . . .

- ☐ decir lo que se sabe.
- ☐ decir lo que pide el problema.
- ☐ mostrar todo tu trabajo.
- ☐ mostrar que la solución tiene sentido.

REFLEXIONA

Usa las prácticas matemáticas A medida que vayas resolviendo el problema, comenta las siguientes preguntas con un compañero.

- **Usa la estructura** ¿Cómo puedes usar la relación entre las fracciones y los decimales?
- **Usa el razonamiento repetitivo** ¿Recuerdas otros problemas que hayas resuelto antes que podrían ayudarte a resolver este problema? Explica.

Comenta modelos y estrategias

Lee el problema. Escribe una solución en una hoja de papel aparte. Recuerda que puede haber muchas maneras de resolver un problema.

Monederos

Luna quiere hacer unos monederos pequeños para vender, con cinta dorada por todo el perímetro. Ella piensa exhibir en una feria de artesanías una muestra de los dos estilos que tiene. Si al público le gustan, hará más.

Estas son las notas de Luna acerca de los dos estilos.

Estilo cuadrado:

- cada lado mide $2\frac{1}{2}$ pulgadas de largo

Estilo rectangular:

- los lados miden $3\frac{1}{4}$ pulgadas y $2\frac{1}{4}$ pulgadas de largo

Nota: Cortaré los trozos de cinta a la medida para cada lado, pero no voy a unir dos piezas cortas en ninguno de los lados.

Luna necesita comprar suficiente cinta dorada para hacer un monedero de muestra de cada estilo. Ella no quiere gastar más de lo necesario.

¿Cómo podría Luna usar esta lista de precios para decidir qué cantidad de cinta comprar?

Longitud (en pulgadas)	2	4	6	8	10	12	20
Costo	\$2	\$4	\$6	\$8	\$10	\$11	\$17

PLANEA Y RESUELVE

Halla una solución al problema de los monederos de Luna.

Escribe un plan detallado y apoya tu respuesta. Asegúrate de incluir:

- un diagrama.
- la longitud de cinta dorada que Luna debe comprar.
- una explicación de cómo usaste el costo para llegar a tu decisión.

Tal vez quieras usar las sugerencias de abajo para empezar.

SUGERENCIAS PARA RESOLVER PROBLEMAS

- **Preguntas**
  - ¿Cuáles son algunos pasos que podría tomar para resolver el problema?
  - ¿Qué paso debo seguir primero? ¿Por qué?
- **Banco de palabras**

longitud	rectángulo	entero
costo	cuadrado	perímetro

- **Oraciones modelo**
  - La longitud de cinta dorada que se necesita para cada diseño es ______
  - La longitud total de cinta dorada es ______
  - El perímetro del cuadrado es ______
  - Puedo sumar ______

☑ LISTA DE CHEQUEO PARA LA SOLUCIÓN DE PROBLEMAS

Asegúrate de . . .

- ☐ decir lo que se sabe.
- ☐ decir lo que pide el problema.
- ☐ mostrar todo tu trabajo.
- ☐ mostrar que la solución tiene sentido.

REFLEXIONA

Usa las prácticas matemáticas A medida que vayas resolviendo el problema, comenta las siguientes preguntas con un compañero.

- **Entiende los problemas** ¿Cómo decides qué hacer primero?
- **Construye un argumento** ¿Cómo podrías apoyar tu plan para mostrar que tiene sentido?

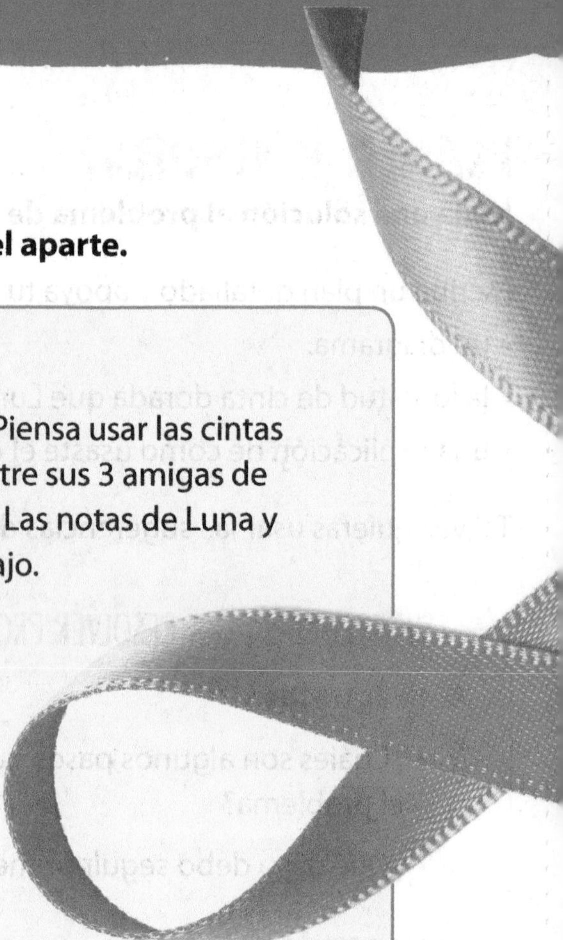

Persevera por tu cuenta

Lee el problema. Escribe una solución en una hoja de papel aparte.

Cintas para el cabello

Luna enseña a 3 amigas cómo hacer cintas para el cabello. Piensa usar las cintas que le sobraron de otro proyecto. Va a compartir la cinta entre sus 3 amigas de manera que todas reciban la misma longitud total de cinta. Las notas de Luna y las longitudes de los trozos de cinta que tiene aparecen abajo.

- Cortaré las cintas de manera que cada una de mis amigas reciba la misma longitud total.
- Cortaré los trozos de cinta de la mayor longitud posible.
- No importa cuántos trozos de cinta reciba cada amiga.
- No importa qué color de cinta reciba cada amiga.
- Hay $4\frac{3}{4}$ pies de cinta azul, $6\frac{1}{4}$ pies de cinta morada y 10 pies de cinta verde.

¿Cómo debe Luna cortar las cintas?

RESUELVE

Sugiere una manera en la que Luna podría cortar las cintas de manera que cada amiga reciba la misma longitud total.

Indica el número de trozos de cinta que cada amiga recibe, y la longitud de cada trozo. Explica cómo hallaste la respuesta y cómo llegaste a tu decisión.

REFLEXIONA

Usa las prácticas matemáticas Cuando termines, elige una de las siguientes preguntas y coméntala con un compañero.

- **Persevera** ¿Pensaste en distintos métodos de resolver el problema antes de decidirte por un plan? Explica.
- **Problemas de la vida real** ¿Pensaste en una situación de la vida real que se parezca a la de este problema? Descríbela.

Marcos para fotos

Luna está diseñando un marco para fotos hecho de paletas de madera. Este es su plan.

- Pintaré 6 paletas de madera. Cada paleta mide $\frac{3}{4}$ de una pulgada de ancho por $5\frac{3}{4}$ pulgadas de largo.
- Pegaré las paletas una junto a la otra sobre un pedazo de cartón.
- Pegaré sobre las paletas una foto de $2\frac{1}{4}$ pulgadas de ancho por $2\frac{1}{4}$ pulgadas de alto.
- Dejaré un espacio de al menos $2\frac{1}{4}$ pulgadas de ancho a la derecha de la foto. Ahí podré poner algunas decoraciones.
- Tiene que haber al menos $\frac{2}{4}$ de una pulgada de espacio encima y debajo de la foto.

¿Funcionará el plan de Luna?

RESUELVE

Ayuda a Luna a diseñar su marco.

- Copia el diagrama del marco de la derecha y llena todas las medidas.
- Muestra y explica por qué tus medidas funcionan.

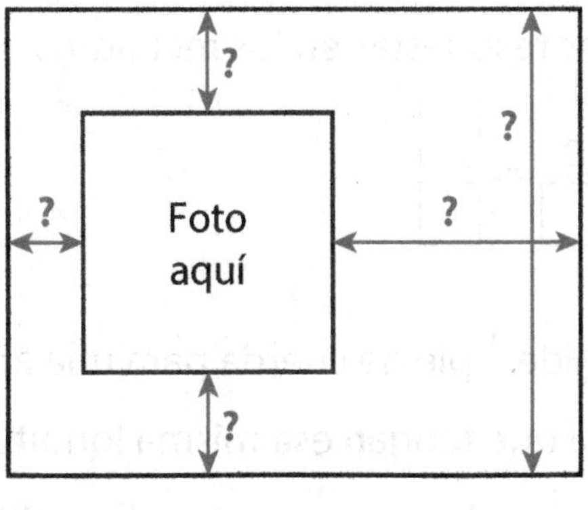

REFLEXIONA

Usa las prácticas matemáticas Cuando termines, elige una de las siguientes preguntas y coméntala con un compañero.

- **Usa un modelo** ¿Cómo te ayudó el diagrama del marco a resolver el problema?
- **Construye un argumento** ¿Cómo mostraste que tus medidas funcionan?

UNIDAD 4

Repaso de la unidad

1 En un jardín comunitario, Alex pintó $\frac{1}{12}$ de la valla y Bobby pintó $\frac{3}{12}$ de la valla. Charles pintó el resto de la valla. ¿Qué fracción de la valla pintó Charles?

Ⓐ $\frac{1}{12}$

Ⓑ $\frac{3}{12}$

Ⓒ $\frac{4}{12}$

Ⓓ $\frac{8}{12}$

2 ¿Qué ecuaciones son verdaderas? Elige todas las respuestas correctas.

Ⓐ $5\frac{4}{5} - 2\frac{3}{5} = 3\frac{1}{5}$

Ⓑ $2\frac{7}{8} + 2\frac{2}{8} = 4\frac{9}{16}$

Ⓒ $6\frac{6}{12} - 3\frac{5}{12} = 3\frac{11}{12}$

Ⓓ $9\frac{2}{10} + 2\frac{1}{10} = 11\frac{3}{10}$

Ⓔ $10\frac{5}{6} - 5\frac{3}{6} = 5\frac{1}{6}$

Ⓕ $2\frac{1}{3} + 1\frac{1}{3} = 3\frac{2}{3}$

3 Completa los números que faltan para hallar una fracción que sea equivalente a $\frac{3}{5}$.

Escribe las respuestas en los recuadros.

$$\frac{3}{5} = \frac{3 \times 2}{5 \times \square} = \frac{\square}{\square}$$

4 Zorana mide $\frac{1}{2}$ pie de cuerda para una actividad de ciencias. Necesita 7 trozos de cuerda que tengan esa misma longitud.

Escribe y resuelve una ecuación de multiplicación que Zorana pueda usar para hallar la longitud total de cuerda que necesita.

Solución Zorana necesita .... pies de cuerda.

5 Emilio cortó 12 trozos de cuerda para un proyecto de manualidades. Midió cada trozo y anotó la información en un diagrama de puntos.

Emilio unió los 4 trozos de cuerda que tienen la misma longitud. ¿Cuál es la longitud total, en pulgadas, de estos 4 trozos de cuerda? Muestra tu trabajo.

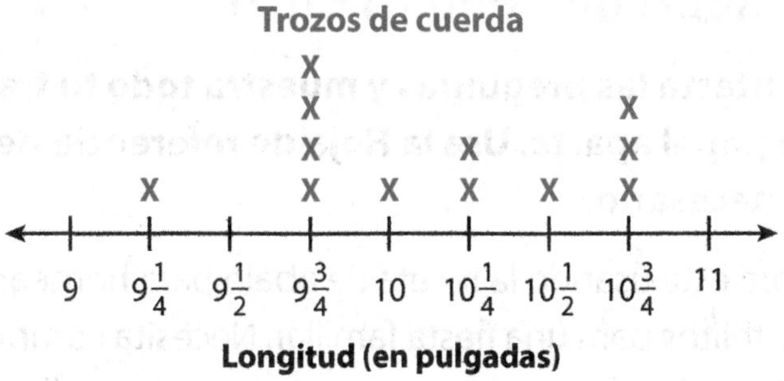

Solución ....

6 La siguiente recta numérica muestra un entero dividido en décimos.

Escribe números en los recuadros para rotular las fracciones y los decimales que faltan.

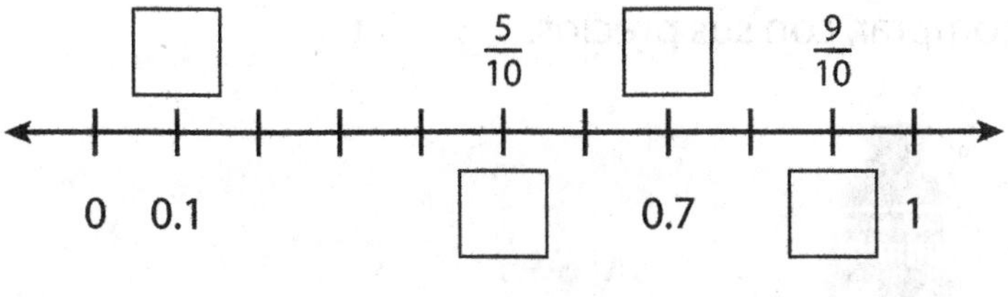

7 Laura remó en su bote 1.3 kilómetros. Daniel remó en su bote 1.25 kilómetros. Annabelle remó más lejos que Daniel pero no tan lejos como Laura. ¿Cuántos kilómetros podría haber remado Annabelle? Muestra tu trabajo.

.... kilómetros

Prueba de rendimiento

Contesta las preguntas y muestra todo tu trabajo en una hoja de papel aparte. Usa la Hoja de referencia de matemáticas si es necesario.

Ciara está usando la receta de abajo para hornear 6 docenas de pastelitos para una fiesta familiar. Necesita comprar harina, leche y vainilla. También necesita comprar cajas para llevar los pastelitos a la fiesta. En cada caja cabe solo una capa de pastelitos. Ciara puede gastar $25. ¿Tiene ella suficiente dinero para comprar todo lo que necesita para hacer los pastelitos y llevarlos a la fiesta? Explica cómo lo sabes.

Lista de chequeo

- ☐ ¿Organizaste la información?
- ☐ ¿Dibujaste un diagrama?
- ☐ ¿Usaste palabras y números en tu explicación?

RECETA

Pastelitos de vainilla
para 1 docena de pastelitos de 3 pulgadas

256 gramos de harina	4 huevos
1 cucharadita de polvo de hornear	5 mililitros de vainilla
5 cucharadas de mantequilla	$\frac{1}{2}$ taza de leche
200 gramos de azúcar	

Aquí están los productos que Ciara necesita comprar, con sus precios.

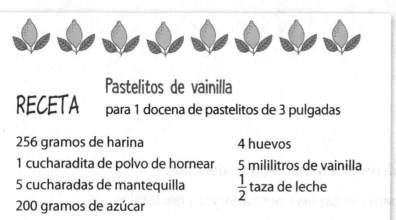

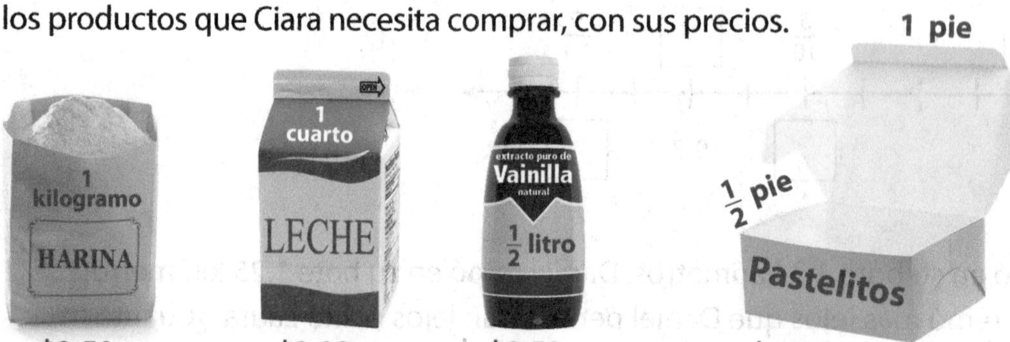

$2.50 $2.00 $8.50 $1.00

REFLEXIONA

Usa las prácticas matemáticas Cuando termines, escoge una de estas preguntas y contéstala.

- **Haz un modelo** ¿Qué ecuaciones usaste para resolver este problema?
- **Sé preciso** ¿Por qué es importante rotular todas las cantidades mientras solucionas este problema?

Vocabulario

Dibuja o escribe para dar un ejemplo de cada término.

centésimas las partes que se forman cuando un entero se divide en 100 partes iguales.

Mi ejemplo

decimal número que contiene un punto decimal que separa a un entero de los lugares posicionales fraccionarios (décimas, centésimas, milésimas y así sucesivamente).

Mi ejemplo

décimas las partes que se forman cuando un entero se divide en 10 partes iguales.

Mi ejemplo

denominador común número que es un múltiplo común de los denominadores de dos o más fracciones.

Mi ejemplo

fracción de referencia una fracción común con la que se pueden comparar otras fracciones. Por ejemplo, $\frac{1}{4}$, $\frac{1}{2}$, $\frac{2}{3}$ y $\frac{3}{4}$ a menudo se usan como fracciones de referencia.

Mi ejemplo

peso medida que dice lo pesado que es un objeto. Las onzas y las libras son unidades de peso.

Mi ejemplo

punto decimal punto que se usa en un decimal para separar el lugar de las unidades del lugar de las décimas.

Mi ejemplo

Mi palabra: ____________________

____

____

Mi ejemplo

Mi palabra: ____________________

____

____

Mi ejemplo

Mi palabra: ____________________

____

____

Mi ejemplo

Mi palabra: ____________________

____

____

Mi ejemplo

Mi palabra: ____________________

____

____

Mi ejemplo

UNIDAD

5

Geometría y medición

Figuras, clasificación y simetría

☑ COMPRUEBA TU PROGRESO

Antes de comenzar esta unidad, marca las destrezas que ya conoces. Al terminar cada lección, comprueba si puedes marcar otras.

Puedo . . .	Antes	Después
Identificar puntos, rectas, segmentos de recta, semirrectas y rectas perpendiculares y paralelas, por ejemplo: un signo de más tiene rectas perpendiculares.	☐	☐
Medir ángulos usando un transportador, por ejemplo: un ángulo de una señal de Alto mide 135°.	☐	☐
Sumar y restar ángulos para resolver problemas.	☐	☐
Clasificar figuras bidimensionales según sus lados y ángulos, por ejemplo: los cuadrados y los rectángulos tienen lados paralelos.	☐	☐
Dibujar e identificar ejes de simetría en figuras, por ejemplo: un cuadrado tiene 4 ejes de simetría.	☐	☐

Amplía tu vocabulario

REPASO

triángulo trapecio
cuadrilátero paralelogramo

Vocabulario matemático

Completa la tabla usando las palabras de repaso para nombrar la figura. Luego explica cómo lo que sabes acerca de la figura te ayudó a identificarla.

Figura	Nombre	Descripción

Vocabulario académico

Pon una marca junto a las palabras académicas que ya conoces. Luego usa las palabras para completar las oraciones.

☐ característica ☐ crítico ☐ suposición ☐ breve

1 Cuando un dato es .... para resolver un problema, es muy importante.

2 Si una explicación es ...., no es muy larga.

3 Cuando se hace una ...., se usa lo que se sabe para hacer la mejor predicción.

4 Una .... de los triángulos es que tienen tres lados.

Puntos, rectas, semirrectas y ángulos

LECCIÓN 30

Estimada familia:

Esta semana su niño está aprendiendo sobre puntos, rectas, semirrectas y ángulos.

Estas son algunas palabras de vocabulario que hablan sobre los conceptos de geometría que su niño está aprendiendo.

Un **punto** es una ubicación única en el espacio. A la derecha se muestra el punto A.

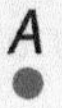

Un **segmento de recta** es una fila recta de puntos que comienza en un punto y termina en otro punto. El segmento de recta AB se escribe $\overline{AB}$.

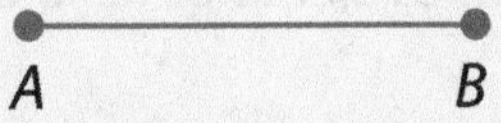

Una **recta** es una fila recta de puntos que continúa infinitamente en ambas direcciones. La recta AB se escribe $\overleftrightarrow{AB}$.

Una **semirrecta** es una fila recta de puntos que comienza en un punto y continúa infinitamente en una dirección. La semirrecta *AB* se escribe $\overrightarrow{AB}$.

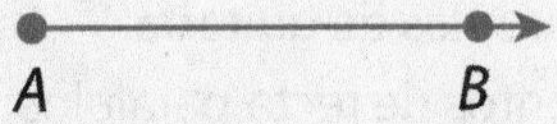

Un **ángulo** está formado por dos semirrectas, rectas o segmentos de recta que se encuentran en un punto en común llamado **vértice**. El ángulo que se muestra a la derecha puede nombrarse como $\angle A$, $\angle CAB$, o $\angle BAC$.

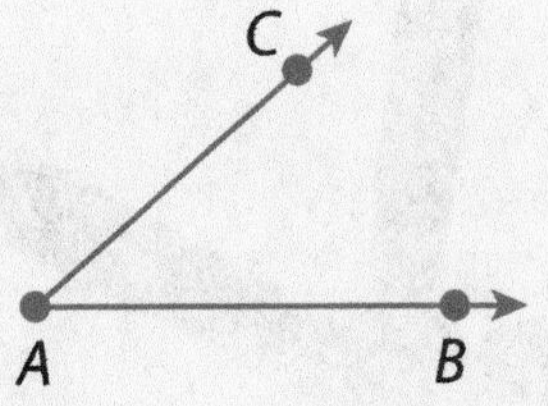

Las **rectas paralelas** están siempre separadas por la misma distancia y nunca se cruzan.

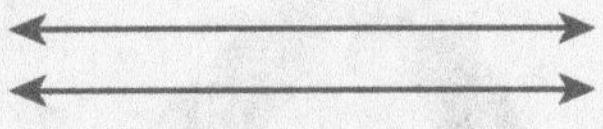

Las **rectas perpendiculares** se cruzan para formar un ángulo recto.

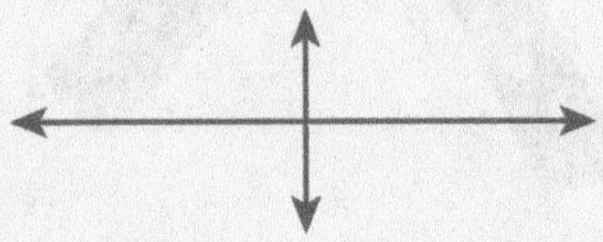

Invite a su niño a compartir lo que sabe sobre puntos, rectas, semirrectas y ángulos haciendo juntos la siguiente actividad.

ACTIVIDAD PUNTOS, RECTAS, SEMIRRECTAS Y ÁNGULOS

Haga la siguiente actividad con su niño para ayudarlo a identificar rectas, semirrectas y ángulos.

Juntos, hallen ejemplos de objetos de la vida real que tengan partes que parezcan rectas, semirrectas y ángulos.

- Den pistas al otro para describir los objetos sin nombrarlos. Usen algunas de las palabras de vocabulario de geometría que su niño está aprendiendo.
- Intenten adivinar cada objeto a partir de la descripción que la otra persona hace de él.
- Estos son algunos ejemplos de la vida real que podría usar:

Cuerdas de guitarra
(segmentos de recta paralelos)

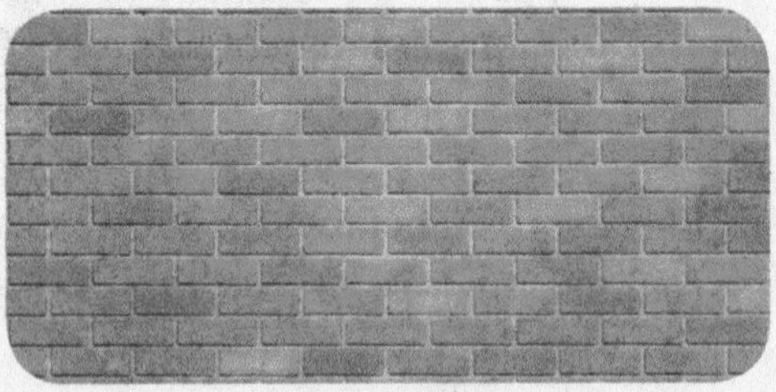

Pared de ladrillos
(segmentos de recta paralelos y perpendiculares)

Ventilador de techo (ángulos y segmentos de recta)

Valla (ángulos, segmentos de recta paralelos y perpendiculares)

Explora Puntos, rectas, semirrectas y ángulos

Antes aprendiste acerca de figuras como los cuadrados, los rectángulos y los triángulos. Ahora aprenderás más acerca de cómo se forman estas figuras. Usa lo que sabes para tratar de resolver el siguiente problema.

Traci intenta enseñar a su hermana menor cómo dibujar un rectángulo. Traci le dice: "Dibuja una figura que tenga cuatro lados rectos". La hermana de Traci dibuja la figura de la derecha.

El dibujo de la figura incluye 4 lados rectos, pero no es un rectángulo. ¿Cómo puede Traci darle instrucciones más claras?

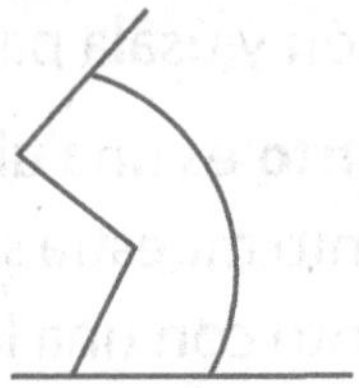

Objetivos de aprendizaje

- Dibujar puntos, rectas, segmentos de recta, semirrectas, ángulos (rectos, agudos, obtusos), y rectas perpendiculares y paralelas. Identificar estos elementos en figuras bidimensionales.
- Reconocer que los ángulos son elementos geométricos formados cuando dos semirrectas comparten un extremo común, y entender los conceptos de la medición de ángulos.

EPM 1, 2, 3, 4, 5, 6

PRUÉBALO

Herramientas matemáticas

- geoplanos
- alambrito de felpilla
- reglas
- papel cuadriculado

CONVERSA CON UN COMPAÑERO

Pregúntale: ¿Estás de acuerdo conmigo? ¿Por qué sí o por qué no?

Dile: Estoy de acuerdo contigo en que . . . porque . . .

CONÉCTALO

1 REPASA

Explica cómo Traci puede hacer que sus instrucciones sean más claras.

2 SIGUE ADELANTE

Algunas palabras en geometría se usan para describir figuras en detalle. Lee cada descripción y úsala para rotular el punto o los puntos en la figura de la derecha.

a. Un **punto** es una ubicación única en el espacio. Un punto muestra solamente un punto. Puedes nombrar un punto con una letra mayúscula, como el punto *A*.

b. Un **segmento de recta** es una fila de puntos que comienza en un punto y termina en otro punto. Puedes escribir "segmento de recta *AB*" como $\overline{AB}$.

c. Una **recta** es una fila recta de puntos que continúa infinitamente en ambas direcciones. Puedes escribir "recta *AB*" como $\overleftrightarrow{AB}$.

d. Una **semirrecta** es una fila recta de puntos que comienza en un punto y continúa infinitamente en una dirección. Puedes escribir "semirrecta *AB*" como $\overrightarrow{AB}$. Cuando nombras una semirrecta, siempre comienzas por el extremo.

e. Las semirrectas, las rectas o los segmentos de rectas que se cruzan en un punto común, o **vértice**, forman un **ángulo**. Puedes escribir "ángulo *A*" como $\angle A$ o $\angle CAB$ o $\angle BAC$. El vértice siempre es la letra del medio.

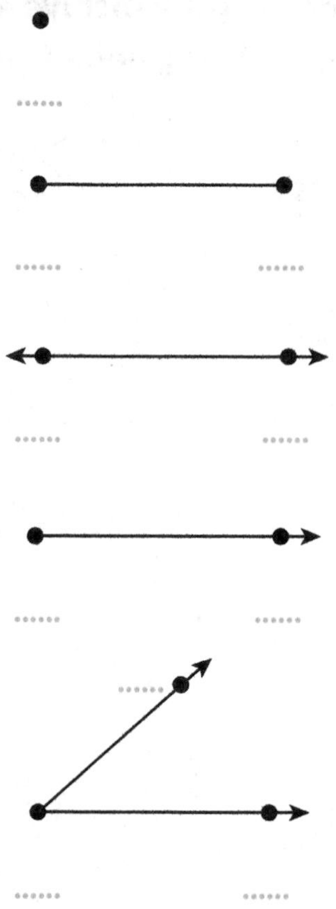

3 REFLEXIONA

¿Tiene un rectángulo rectas o segmentos de recta? Explica.

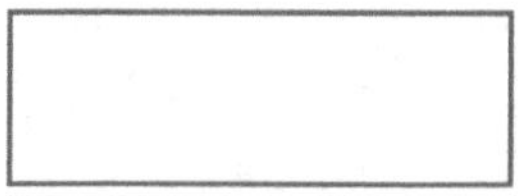

Prepárate para puntos, rectas, semirrectas y ángulos

1 Piensa en lo que sabes acerca de las figuras geométricas. Llena cada recuadro. Usa palabras, números y dibujos. Muestra tantas ideas como puedas.

Palabra	En mis propias palabras	Ejemplo
punto		
segmento de recta		
recta		
semirrecta		
ángulo		

2 Rotula cada elemento como *punto, segmento de recta, recta, semirrecta* o *ángulo*.

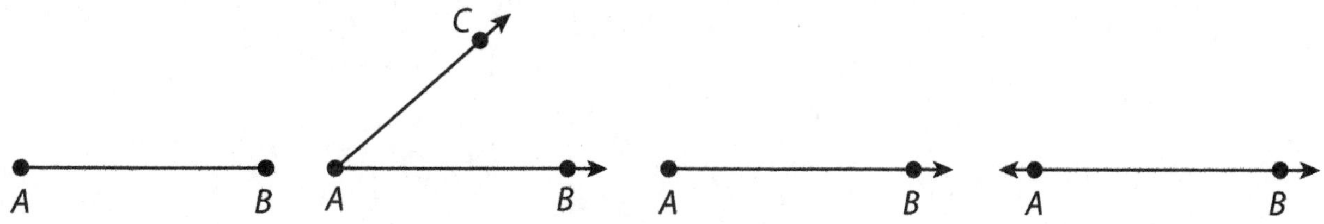

....

3 Resuelve el problema. Muestra tu trabajo.

Marshall intenta enseñar a su hermana menor a dibujar un cuadrado. Marshall le dice: "Dibuja una figura que tenga cuatro lados rectos". La hermana de Marshall dibuja la siguiente figura.

El dibujo de la figura incluye 4 lados rectos, pero no es un cuadrado. ¿Cómo puede Marshall darle instrucciones más claras?

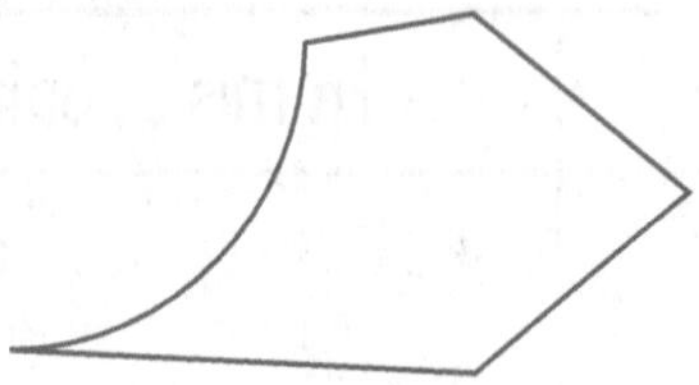

Solución ....

....

....

4 Comprueba tu respuesta. Muestra tu trabajo.

Desarrolla Puntos, rectas, segmentos de recta y semirrectas

Lee el siguiente problema y trata de resolverlo.

Kent dibuja una figura usando tres elementos geométricos diferentes. Describe los tres elementos geométricos que usa Kent en su figura.

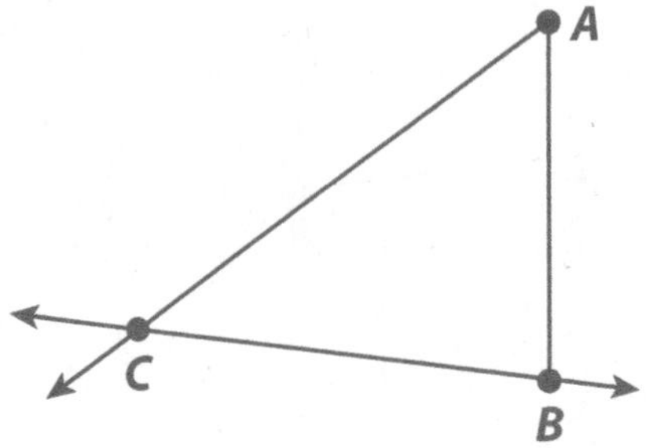

PRUÉBALO

Herramientas matemáticas
- alambrito de felpilla
- reglas
- papel de calcar

CONVERSA CON UN COMPAÑERO

Pregúntale: ¿Cómo empezaste a resolver el problema?

Dile: Comencé por . . .

Explora diferentes maneras de entender los puntos, las rectas, los segmentos de recta y las semirrectas.

Kent dibuja una figura usando tres elementos geométricos diferentes. Describe los tres elementos geométricos que usa Kent en su figura.

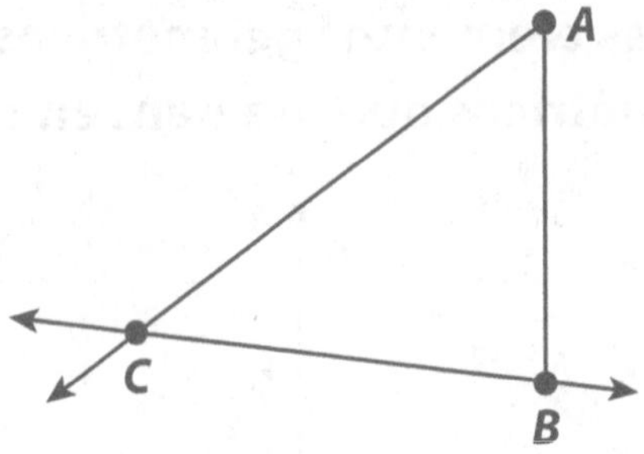

HAZ UN DIBUJO

Puedes hacer dibujos para ayudarte a describir los elementos que se usaron en la figura.

Cada elemento es recto. Dibuja los diferentes tipos de filas rectas de puntos que conozcas.

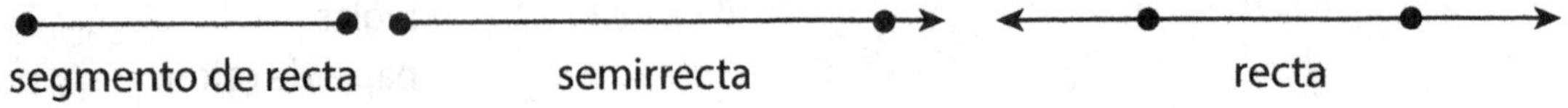

HAZ UN MODELO

También puedes usar palabras para ayudarte a describir los elementos que se usaron en la figura.

Rotula el segmento de recta, la semirrecta y la recta dibujados como elementos en la figura de Kent. Busca los extremos y las puntas de las flechas.

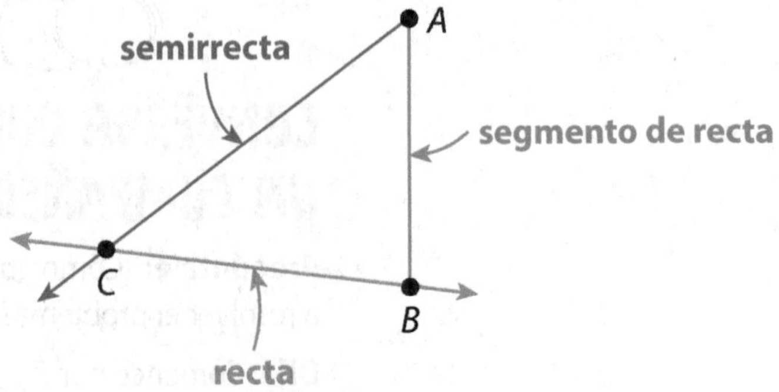

CONÉCTALO

Ahora vas a usar el problema de la página anterior para ayudarte a entender cómo identificar segmentos de recta, ángulos y semirrectas para ayudarte a resolver un problema parecido.

1. Nombra un ejemplo del mundo real sobre un segmento de recta.

2. Cuando dos segmentos de recta, rectas o semirrectas se cruzan en un punto, forman un ángulo. Nombra un ejemplo de ángulo del mundo real.

3. ¿Es el rayo de luz de una linterna más parecido a una recta o una semirrecta? Explica.

4. El dibujo de abajo representa una recta, tres segmentos de recta, cuatro semirrectas y un ángulo. Nombra cada una de esas figuras.

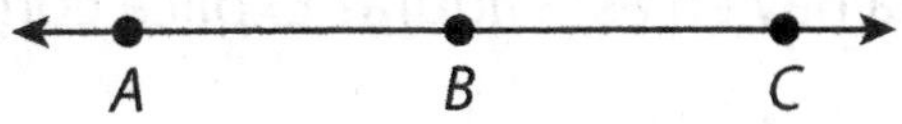

5. ## REFLEXIONA

Repasa **Pruébalo**, las estrategias de tus compañeros, **Haz un dibujo** y **Haz un modelo**. ¿Qué modelos o estrategias prefieres para entender y describir puntos, rectas, segmentos de recta, ángulos y semirrectas? Explica.

APLÍCALO

Usa lo que acabas de aprender para resolver estos problemas.

6 ¿Cuántas rectas hay en esta figura? ¿Cuántas semirrectas? Explica cómo lo sabes.

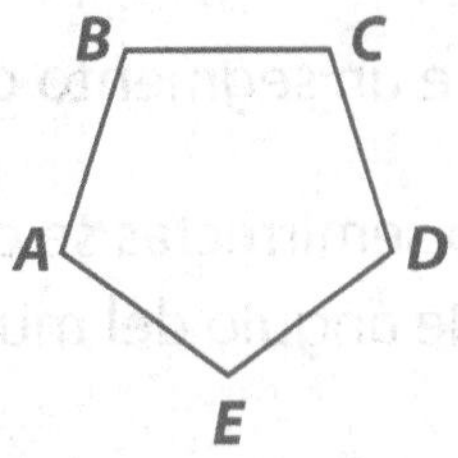

7 ¿Cuántos segmentos de recta hay en esta figura? Explica cómo lo sabes.

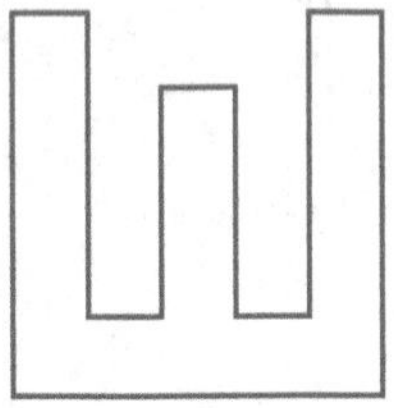

8 Dibuja y rotula un punto, una recta, un segmento de recta y una semirrecta.

Practica con puntos, rectas, segmentos de recta y semirrectas

Estudia el Ejemplo, que muestra un dibujo con puntos, rectas, segmentos de recta y semirrectas. Luego resuelve los problemas 1 a 9.

EJEMPLO

Amy hace un dibujo de la letra "A" en su cuaderno de matemáticas. Usa palabras de geometría para describir el dibujo.

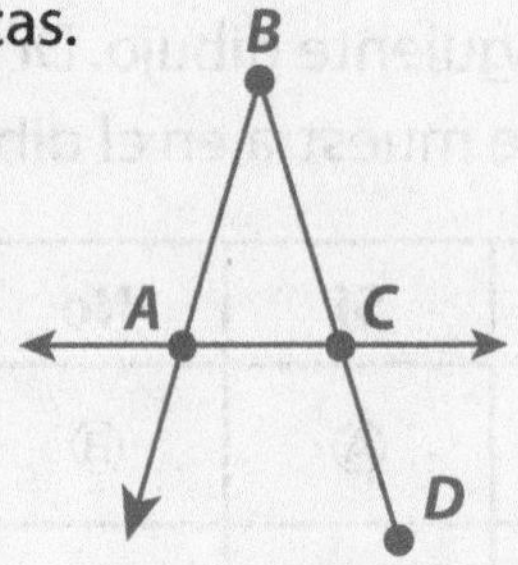

Hay 4 puntos en el dibujo:
punto *A*, punto *B*, punto *C* y punto *D*.

Hay un segmento de recta del punto *B* al punto *D*. $\overline{BD}$

Una recta pasa por los puntos *A* y *C*. $\overleftrightarrow{AC}$

Hay una semirrecta del punto *B* al punto *A*. $\overrightarrow{BA}$

Usa el siguiente dibujo para resolver los problemas 1 a 4.

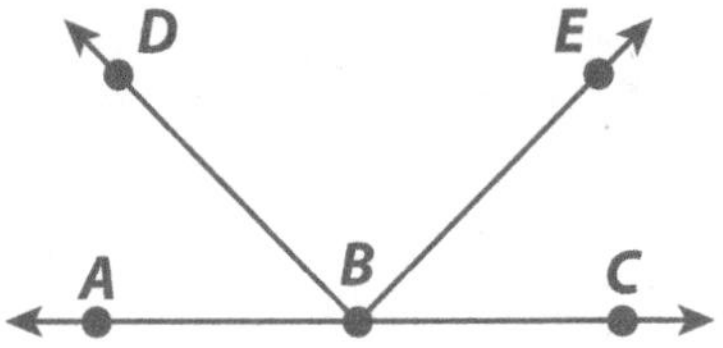

1 ¿Cuántas rectas hay en el dibujo? ....

2 ¿Cuántas semirrectas hay en el dibujo? ....

3 Escribe el nombre de la recta del dibujo.

4 Escribe los nombres de las semirrectas del dibujo.

5 Mira la figura de la derecha. ¿Cuántos segmentos de recta hay en la figura? ....

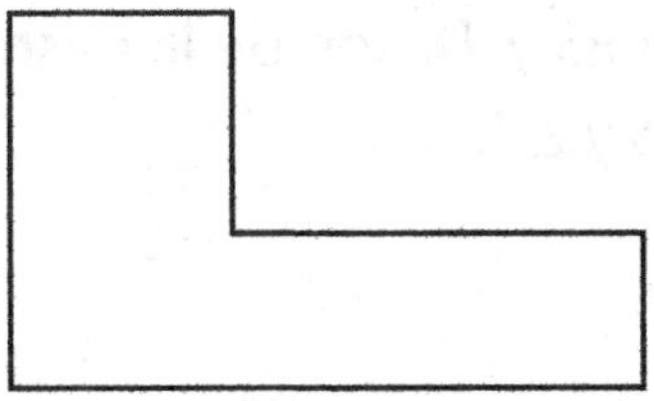

Vocabulario

punto una ubicación única en el espacio.

segmento de recta fila recta de puntos que comienza en un punto y termina en otro punto.

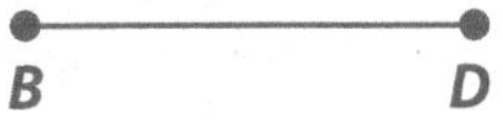

recta fila recta de puntos que continúa infinitamente en ambas direcciones.

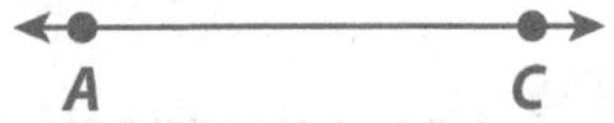

semirrecta fila recta de puntos que comienzan en un punto y continúa infinitamente en una dirección.

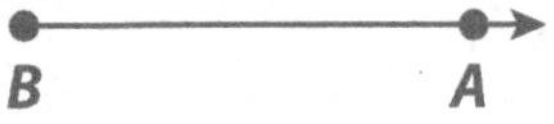

6 Rotula cada señal. Escribe *recta(s), segmento(s) de recta o semirrecta(s).*

7 Mira el siguiente dibujo. Di si cada recta, segmento de recta, semirrecta o ángulo se muestra en el dibujo.

	Sí	No
$\overleftrightarrow{XY}$	Ⓐ	Ⓑ
$\overleftrightarrow{XZ}$	Ⓒ	Ⓓ
$\overrightarrow{WX}$	Ⓔ	Ⓕ
$\overrightarrow{YX}$	Ⓖ	Ⓗ
$\overline{ZY}$	Ⓘ	Ⓙ
$\angle XYZ$	Ⓚ	Ⓛ

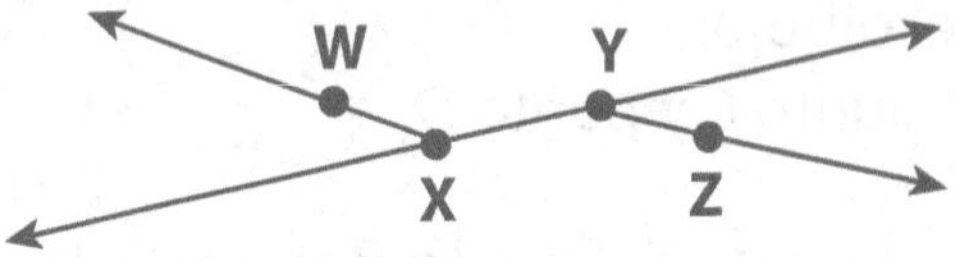

8 Usa palabras de geometría y símbolos para describir el rombo que se muestra.

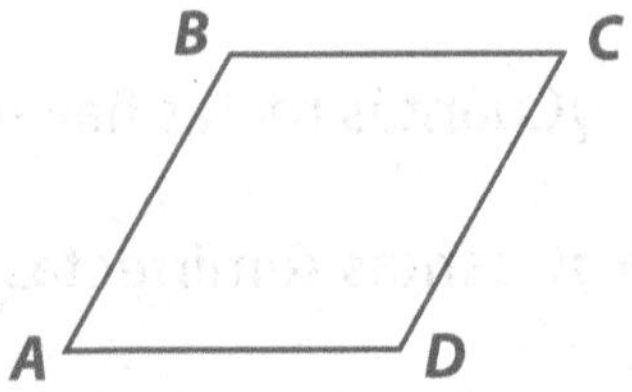

9 Lee la descripción de la siguiente figura. Luego dibuja la figura.

- Tiene 3 segmentos de recta, $\overline{RS}$, $\overline{ST}$, $\overline{TR}$.
- Los segmentos de recta $\overline{RS}$ y $\overline{TR}$ son de la misma longitud.
- Tiene 3 ángulos, $\angle R$, $\angle S$ y $\angle T$.

Desarrolla Identificar ángulos

Lee el siguiente problema y trata de resolverlo.

El ángulo que se muestra a la derecha es un ángulo recto. Los ángulos rectos son esquinas cuadradas.

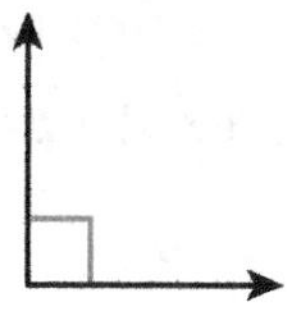

Mira la siguiente figura. Nombra las semirrectas que forman cada ángulo que se enumera.

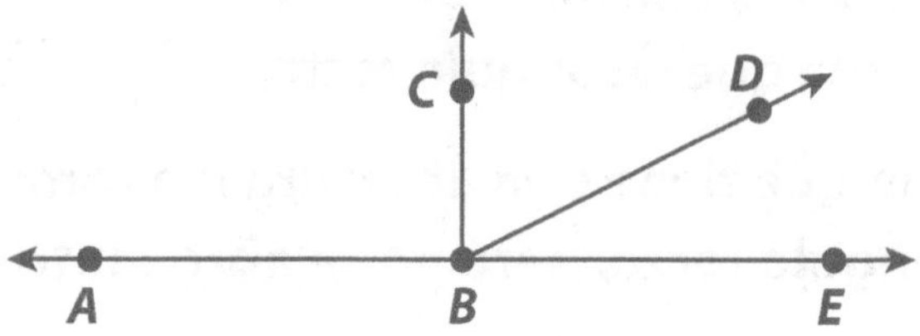

1. Un ángulo recto.

2. Un ángulo que tiene una abertura más pequeña que un ángulo recto.

3. Un ángulo que tiene una abertura más amplia que un ángulo recto, pero no se abre tanto como una línea recta.

PRUÉBALO

Herramientas matemáticas

- alambrito de felpilla
- reglas
- papel de calcar

CONVERSA CON UN COMPAÑERO

Pregúntale: ¿Puedes explicarme eso otra vez?

Dile: Yo ya sabía que . . . así que . . .

Explora diferentes maneras de entender cómo identificar ángulos.

El ángulo que se muestra a la derecha es un ángulo recto. Los ángulos rectos son esquinas cuadradas.

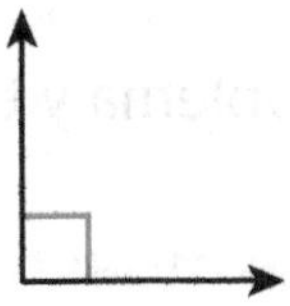

Mira la siguiente figura. Nombra las semirrectas que forman cada ángulo que se enumera.

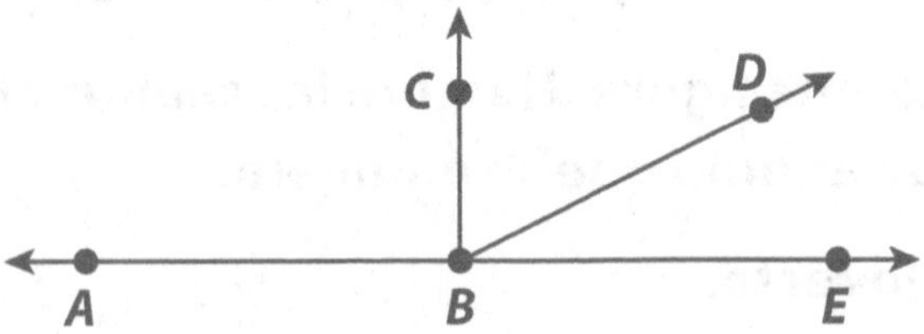

1. Un ángulo recto.

2. Un ángulo que tiene una abertura más pequeña que un ángulo recto.

3. Un ángulo que tiene una abertura más amplia que un ángulo recto, pero no se abre tanto como una línea recta.

HAZ UN DIBUJO

Puedes hacer un dibujo para ayudarte a identificar diferentes tipos de ángulos.

Usa el sombreado para hallar las semirrectas que forman cada ángulo.

Se sombrea un ángulo recto. Mira las semirrectas a lo largo de los bordes del área sombreada.

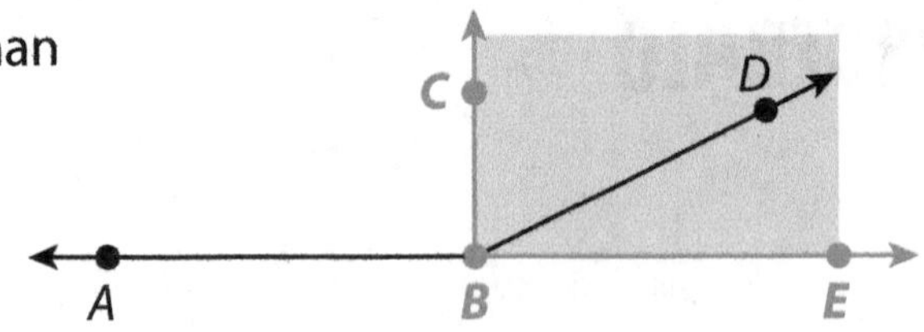

HAZ UN MODELO

También puedes usar un modelo para ayudarte a identificar diferentes tipos de ángulos.

Compara la abertura de un ángulo con la de un ángulo recto sujetando la esquina de una hoja de papel al lado del ángulo. El ángulo de abajo se abre tanto como un ángulo recto.

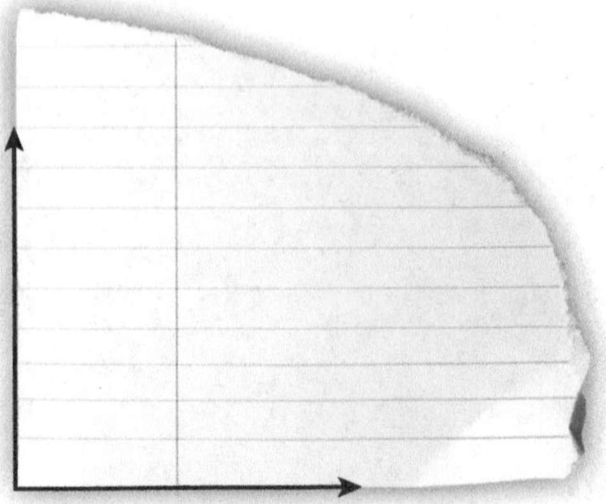

CONÉCTALO

Ahora vas a usar el problema de la página anterior para ayudarte a entender cómo identificar ángulos en figuras.

1 **Haz un modelo** muestra un ángulo recto. Traza un ángulo recto. Luego usa 3 puntos para nombrar un ángulo recto en la figura de la página anterior.

....

2 El ángulo que tiene una abertura más pequeña que la de un ángulo recto se llama **ángulo agudo**.

Nombra un ángulo agudo en la figura de la página anterior. ....
Traza un ángulo agudo.

3 El ángulo que tiene una abertura más amplia que la de un ángulo recto, pero no se abre tanto como una línea recta, se llama **ángulo obtuso**. Nombra un ángulo obtuso en la figura de la página anterior. .... Traza un ángulo obtuso.

4 Explica cómo se puede saber si un ángulo es agudo, recto u obtuso.

5 REFLEXIONA

Repasa **Pruébalo**, las estrategias de tus compañeros, **Haz un dibujo** y **Haz un modelo**. ¿Qué modelos o estrategias prefieres para identificar ángulos? Explica.

....

....

APLÍCALO

Usa lo que acabas de aprender para resolver estos problemas.

6 ¿Cuántos ángulos agudos hay en la siguiente figura? Explica cómo lo sabes.

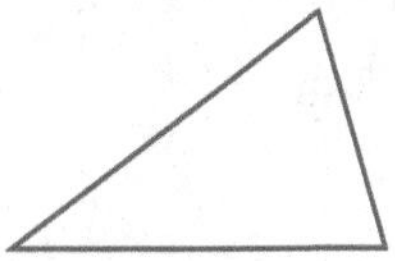

7 Mira la figura de abajo. ¿Cuántos ángulos obtusos hay en la figura? Explica cómo lo sabes.

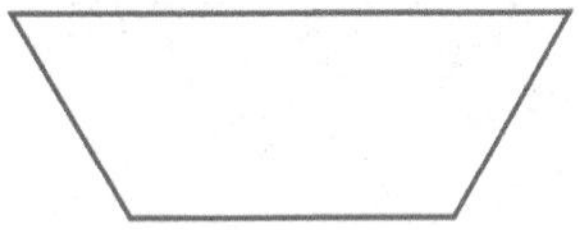

8 ¿Qué ángulo es obtuso?

Ⓐ 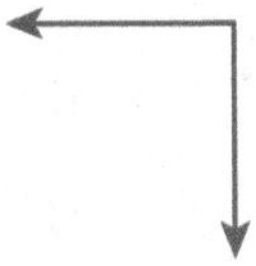

Ⓑ 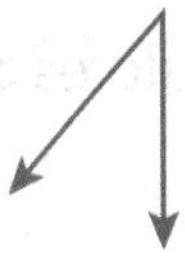

Ⓒ 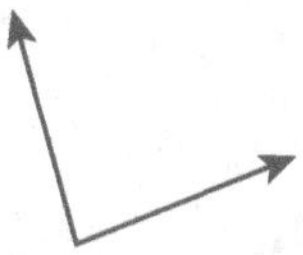

Ⓓ 

Nombre: ______________________________

Practica identificar ángulos

Estudia el Ejemplo, que muestra cómo identificar ángulos en una figura. Luego resuelve los problemas 1 a 10.

EJEMPLO

Nombra y describe los ángulos en la figura que se muestra.

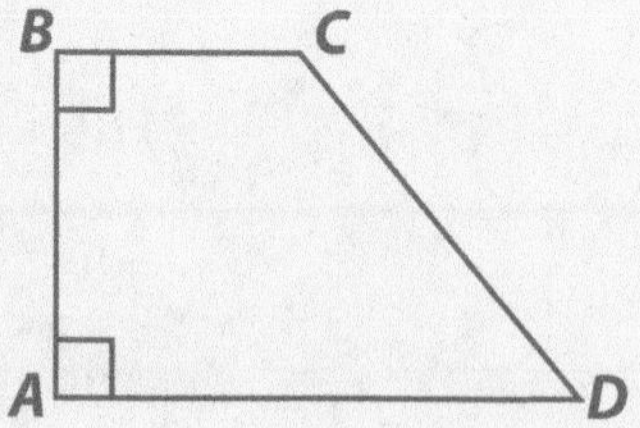

∠*A* es un ángulo recto. Tiene forma de esquina cuadrada.

∠*B* también es un ángulo recto.

∠*C* es un ángulo obtuso. Tiene una abertura más amplia que la de un ángulo recto.

∠*D* es un ángulo agudo. Tiene una abertura más pequeña que la de un ángulo recto.

La figura tiene 2 ángulos rectos, 1 ángulo agudo y 1 ángulo obtuso.

Usa la figura de la derecha para resolver los problemas 1 a 5.

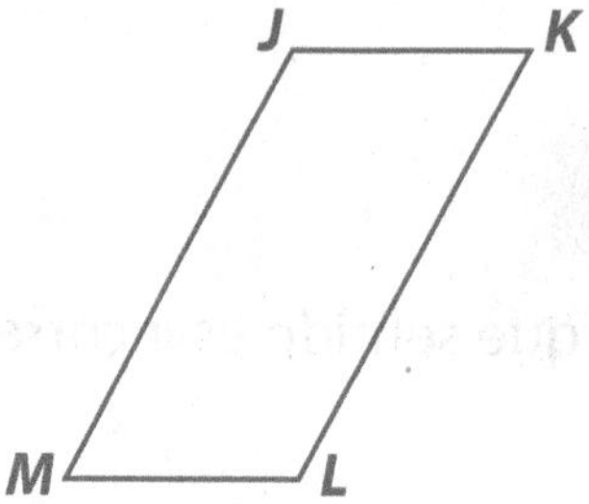

1. ¿Cuántos ángulos rectos hay en esta figura? ....

2. ¿Cuántos ángulos agudos hay en esta figura? ....

3. ¿Cuántos ángulos obtusos hay en esta figura? ....

4. Nombra los ángulos agudos de la figura.

5. Nombra los ángulos obtusos de la figura.

6. Mira la figura de la señal de la derecha. Describe el número y tipo de ángulos que tiene la señal.

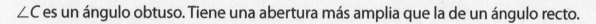

Jasmine dibuja el pentágono que se muestra a la derecha. Dice que todos los pentágonos tienen 5 lados de la misma longitud y 5 ángulos obtusos.

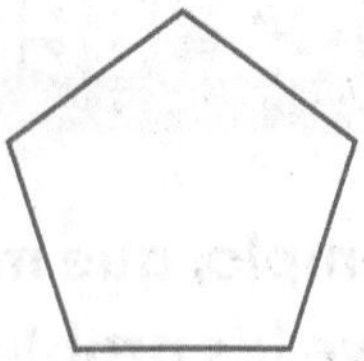

7 Dibuja un pentágono que sea diferente del que dibujó Jasmine. Describe los lados y los ángulos de tu pentágono.

8 ¿En qué sentido es correcto el razonamiento de Jasmine?

9 ¿En qué sentido es incorrecto el razonamiento de Jasmine?

10 ¿Qué enunciados describen correctamente la siguiente figura?

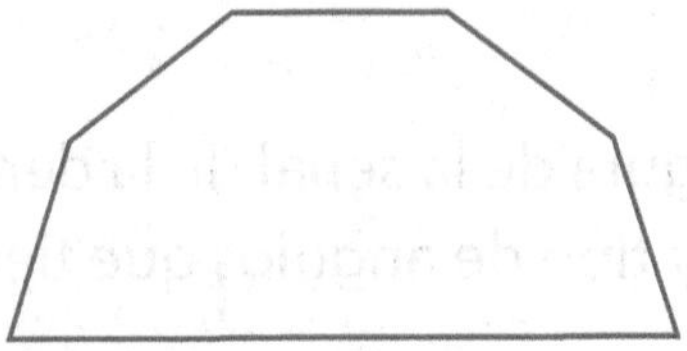

Ⓐ La figura tiene ángulos agudos.

Ⓑ La figura tiene ángulos rectos.

Ⓒ La figura tiene ángulos obtusos.

Ⓓ La figura tiene 6 ángulos.

Ⓔ La figura tiene más ángulos agudos que ángulos obtusos.

Desarrolla Rectas paralelas y perpendiculares

Lee el siguiente problema y trata de resolverlo.

Jordan mira el siguiente mapa de calles.

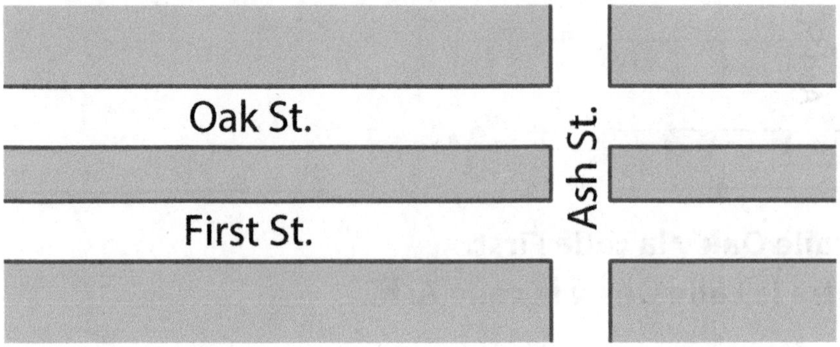

Describe la relación entre la calle Oak y la calle First. Luego describe la relación entre la calle Oak y la calle Ash.

PRUÉBALO

Herramientas matemáticas

- geoplano
- pajillas
- papel de calcar
- papel cuadriculado

CONVERSA CON UN COMPAÑERO

Pregúntale: ¿Por qué elegiste esa estrategia?

Dile: Al principio, pensé que . . .

Explora diferentes maneras de entender las rectas paralelas y perpendiculares y los segmentos de recta.

Jordan mira el siguiente mapa de calles.

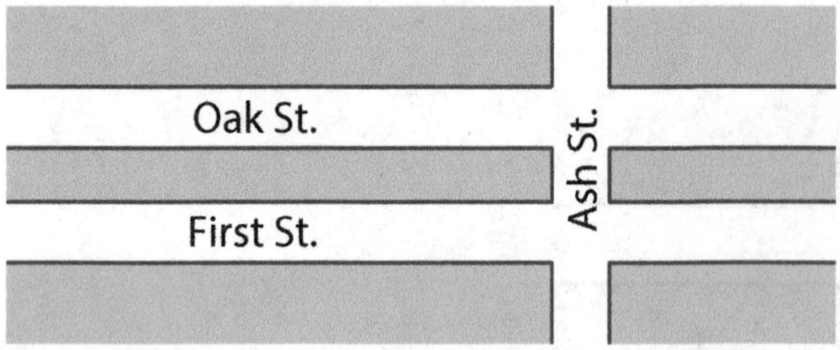

Describe la relación entre la calle Oak y la calle First.
Luego describe la relación entre la calle Oak y la calle Ash.

HAZ UN DIBUJO

Puedes usar un dibujo para ayudarte a entender el problema.

Haz un dibujo de la calle Oak y la calle First. Sombrea las calles.

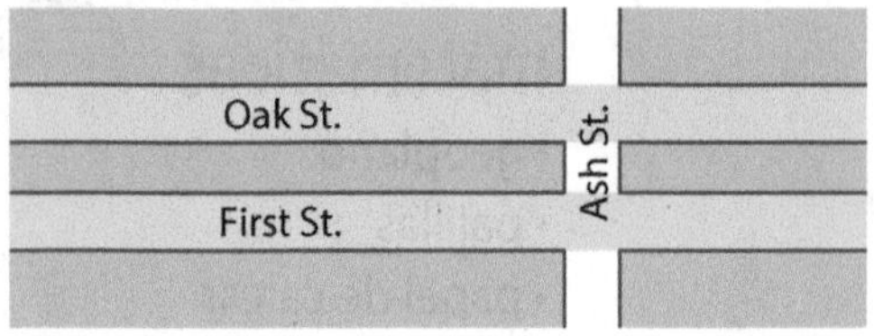

Nota que las calles no se cruzan.

HAZ UN MODELO

También puedes usar un modelo para ayudarte a entender el problema.

Mira la calle Oak y la calle Ash. Piensa en cada calle como una recta. Cuando dos rectas se cruzan, forman cuatro ángulos.

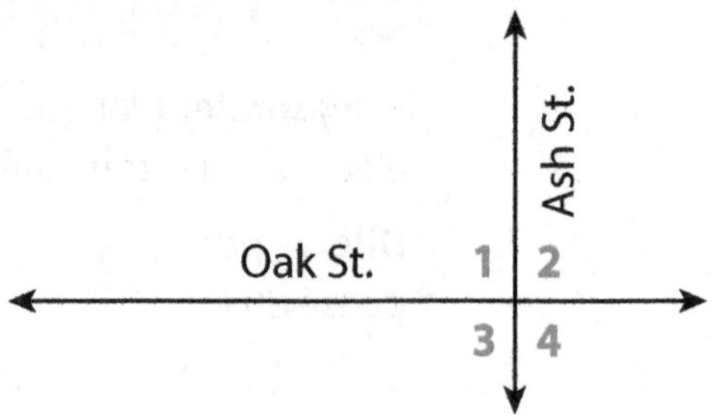

CONÉCTALO

Ahora vas a usar el problema de la página anterior para ayudarte a entender cómo identificar rectas paralelas y perpendiculares.

1. Las rectas que siempre se mantienen a la misma distancia y nunca se cruzan se llaman **rectas paralelas**. Nombra un ejemplo del mundo real sobre rectas paralelas.

2. Supón que cada calle sigue en línea recta. Si Jordan viaja por la calle Oak y no hace giros, ¿puede llegar a la calle First? Explica.

3. Describe los ángulos que forman la calle Oak y la calle Ash cuando se cruzan.

4. Las rectas que se cruzan y forman un ángulo recto se llaman **rectas perpendiculares**. Nombra un ejemplo del mundo real sobre rectas perpendiculares.

5. Explica por qué 3 rectas separadas pueden ser paralelas, pero no perpendiculares. Usa un dibujo para mostrar tu respuesta.

6. ## REFLEXIONA

Repasa **Pruébalo**, las estrategias de tus compañeros, **Haz un dibujo** y **Haz un modelo**. ¿Qué modelos o estrategias prefieres para identificar rectas paralelas y perpendiculares? Explica.

APLÍCALO

Usa lo que acabas de aprender para resolver estos problemas.

7 ¿Cuántos pares de lados paralelos tiene la siguiente figura? Explica cómo lo sabes.

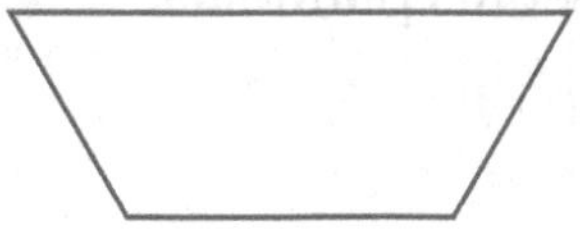

8 ¿Cuántos pares de lados paralelos tiene la siguiente figura? Explica cómo lo sabes.

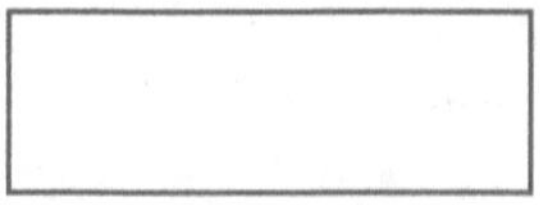

9 ¿Qué par de rectas son perpendiculares?

Ⓐ 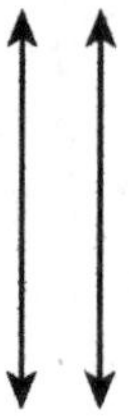

Ⓑ 

Ⓒ 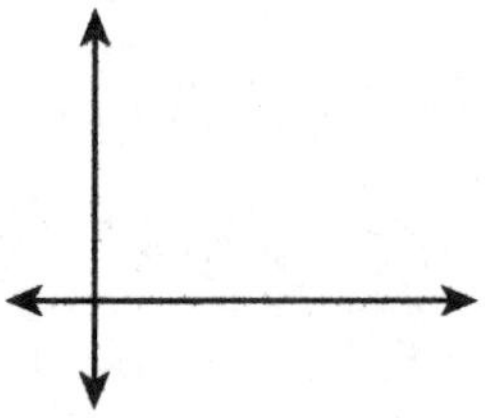

Ⓓ 

Nombre: ______________________

Practica con rectas paralelas y perpendiculares

Estudia el Ejemplo, que muestra cómo identificar rectas paralelas y perpendiculares y segmentos de recta. Luego resuelve los problemas 1 a 6.

EJEMPLO

Colby dibuja rectas paralelas y perpendiculares para colocar las bases y el montículo del lanzador en el dibujo de un campo de beisbol.

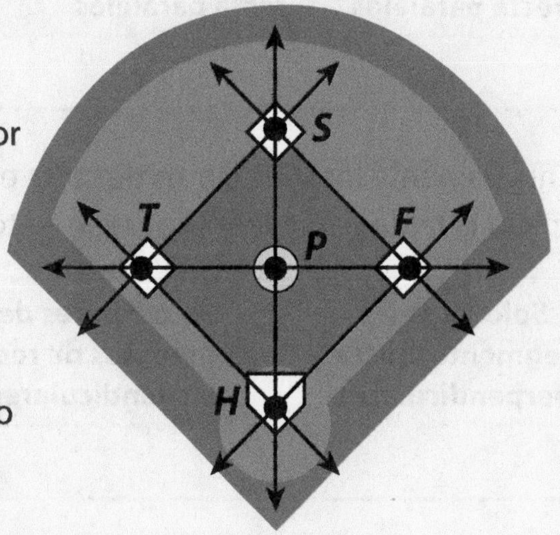

$\overleftrightarrow{SF}$ y $\overleftrightarrow{TH}$ son rectas paralelas.
$\overleftrightarrow{ST}$ y $\overleftrightarrow{FH}$ son rectas paralelas.

El montículo del lanzador es un lugar donde se cruzan las rectas perpendiculares. ¿En qué punto se cruzan las rectas perpendiculares en el montículo del lanzador?

Se cruzan en el punto *P*, donde $\overleftrightarrow{TF}$ se cruza con $\overleftrightarrow{SH}$.

Para los problemas 1 y 2, usa la figura de la derecha.

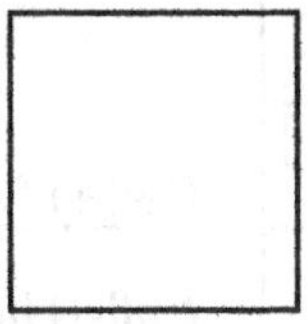

1. ¿Cuántos pares de lados paralelos tiene el cuadrado?

   ....

2. Pon X en el cuadrado donde se cruza cada par de segmentos de recta perpendiculares.

3. Mira el dibujo de la ventana de la derecha. Encierra en un círculo 3 segmentos de recta paralela en el dibujo.

4 Mira los segmentos de recta en las letras de las fichas de la derecha. Completa la tabla con cada letra para identificar segmentos de recta paralelos. El primero ya está hecho.

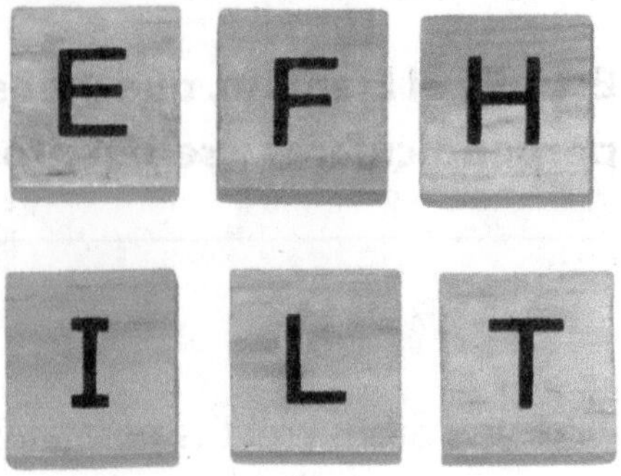

No hay segmentos de recta paralelos	Solo 1 par de segmentos se recta paralelos	Más de 1 par de segmentos de recta paralelos
L		

5 Mira nuevamente los segmentos de recta en las letras de las fichas. Completa la tabla para identificar segmentos de recta perpendiculares.

Solo 1 par de segmentos recta perpendiculares	Solo 2 pares de segmentos de recta perpendiculares	3 pares de segmentos de recta perpendiculares

6 Di si cada enunciado que describe las calles que se muestran en el siguiente mapa es *Verdadero* o *Falso*.

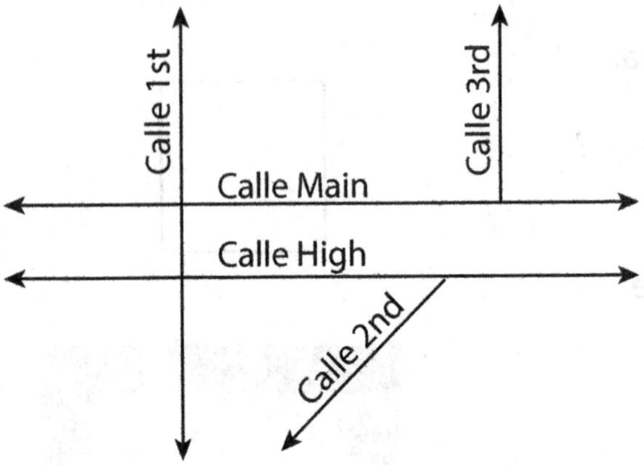

	Verdadero	Falso
Las calles 1st y 3rd son perpendiculares.	Ⓐ	Ⓑ
Las calles Main y High son paralelas.	Ⓒ	Ⓓ
La calle 2nd es perpendicular a la calle Main.	Ⓔ	Ⓕ
La calle 1st es perpendicular a la calle High.	Ⓖ	Ⓗ

Refina Puntos, rectas, semirrectas y ángulos

Completa el Ejemplo siguiente. Luego resuelve los problemas 1 a 9.

EJEMPLO

En la siguiente figura, enumera cada par de lados paralelos y encierra en un círculo la letra que marca cada ángulo obtuso.

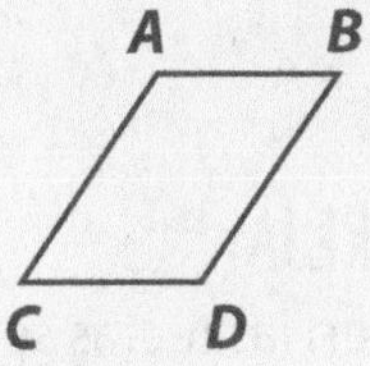

Mira cómo podrías mostrar tu trabajo.

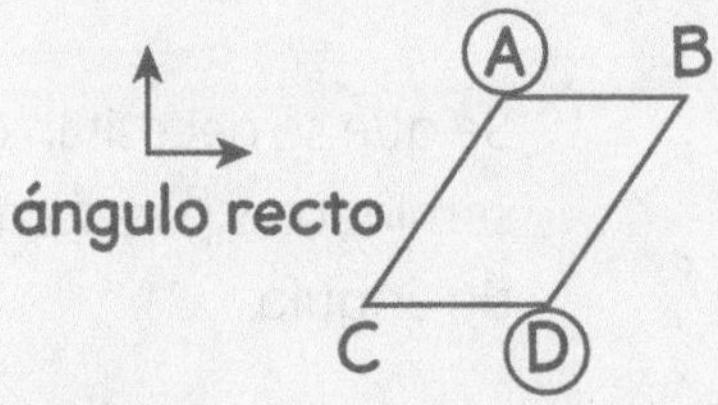

Solución ....

....

Incluso si los lados de la figura continúan infinitamente, los lados opuestos nunca se cruzarán.

EN PAREJA

¿Qué tipos de ángulos son $\angle B$ y $\angle C$? ¿Cómo lo sabes?

APLÍCALO

1. Pon una X donde cada par de segmentos de recta perpendicular se cruzan en la figura de abajo.

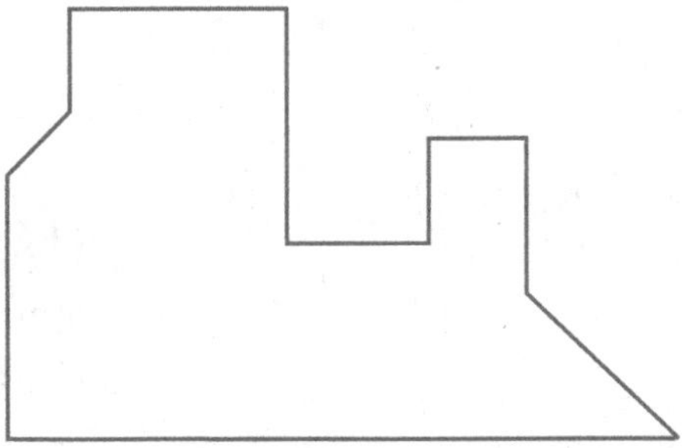

Los segmentos de recta perpendiculares se cruzan y forman ángulos rectos.

EN PAREJA

Describe los ángulos que NO están marcados con una X.

2 Se marca un cruce peatonal con un par de segmentos de recta paralelos que se extienden de un lado de la calle al otro. La distancia entre los dos segmentos de recta del punto *A* al punto *B* es de 6 pies. ¿Cuál es la distancia del punto *C* al punto *D*?

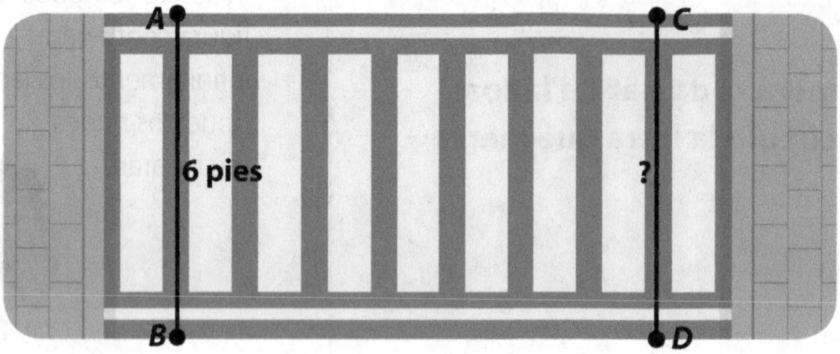

Solución ....

¿Qué datos sé acerca de las rectas paralelas?

EN PAREJA
¿Pueden las rectas ser paralelas si la distancia de *C* a *D* es de 3 pies?

3 Toshi recorta un cuarto de un círculo de papel. ¿Cuántos ángulos tiene esta figura?

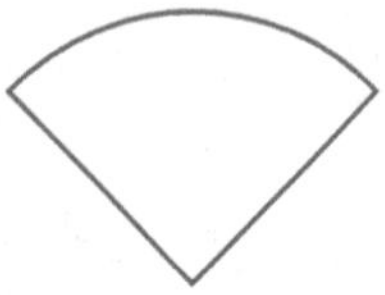

Ⓐ 0

Ⓑ 1

Ⓒ 2

Ⓓ 3

Sé que se necesitan dos semirrectas para formar un ángulo.

Esme eligió Ⓓ como la respuesta correcta. ¿Cómo obtuvo ella esa respuesta?

EN PAREJA
¿Tiene sentido la respuesta de Esme?

4 Piensa en un ejemplo del mundo real en donde una pared se encuentra con el piso y donde la misma pared se encuentra con el techo. ¿Qué término describe mejor qué parece donde se encuentran estas superficies?

Ⓐ segmentos de recta paralelos

Ⓑ segmentos de recta perpendiculares

Ⓒ ángulo recto

Ⓓ ángulo agudo

5 ¿Qué dibujo muestra 3 rectas?

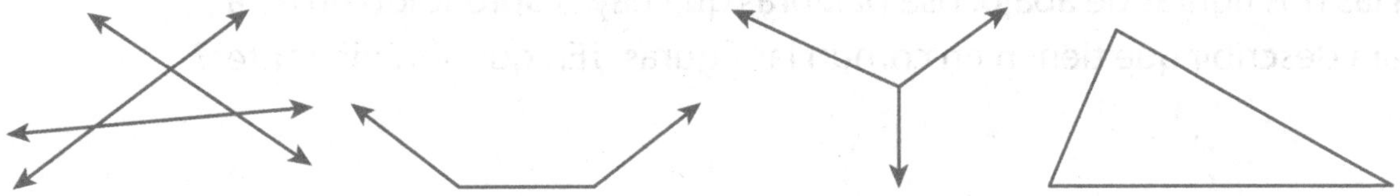

Ⓐ Ⓑ Ⓒ Ⓓ

6 Mira la figura de abajo. ¿Para qué términos se muestra un ejemplo en la figura?

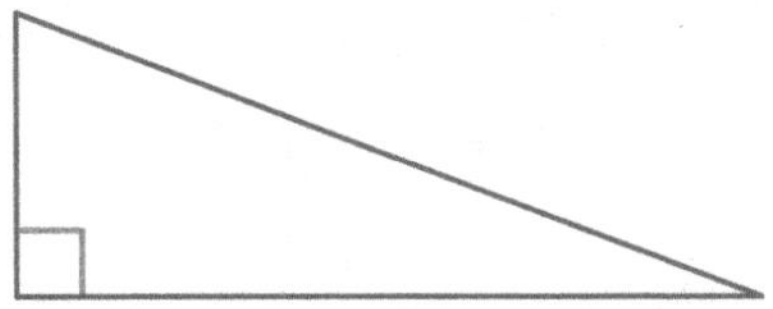

Ⓐ segmentos de recta paralelos

Ⓑ segmentos de recta perpendiculares

Ⓒ ángulo recto

Ⓓ ángulo agudo

Ⓔ ángulo obtuso

7 Di si cada enunciado es *Verdadero* o *Falso*.

	Verdadero	**Falso**
Una semirrecta continúa infinitamente en dos direcciones.	Ⓐ	Ⓑ
Un segmento de recta tiene exactamente dos extremos.	Ⓒ	Ⓓ
Un ángulo obtuso tiene una abertura más amplia que un ángulo recto.	Ⓔ	Ⓕ
Las rectas paralelas se cruzan y forman un ángulo agudo.	Ⓖ	Ⓗ

8 Liz dibuja las dos figuras de abajo. Usa palabras que hayas aprendido en esta lección para describir qué tienen en común las figuras. ¿En qué son diferentes?

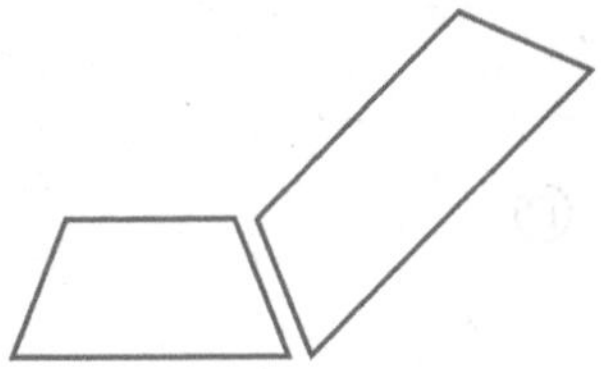

9 DIARIO DE MATEMÁTICAS

Un triángulo puede tener un par de lados perpendiculares. ¿Puede un triángulo tener un par de lados paralelos? Usa dibujos y palabras para explicar tu respuesta.

COMPRUEBA TU PROGRESO Vuelve al comienzo de la Unidad 5 y mira qué destrezas puedes marcar.

Ángulos

LECCIÓN 31

Estimada familia:

Esta semana su niño está aprendiendo a medir y trazar ángulos.

Su niño está aprendiendo a hallar la medida exacta de un ángulo.

Antes de medir un ángulo, es útil estimar primero su medida usando referencias, como un ángulo recto y un ángulo llano. Por ejemplo, para estimar la medida del ángulo azul que se muestra abajo, compárelo con un ángulo recto y con un ángulo llano.

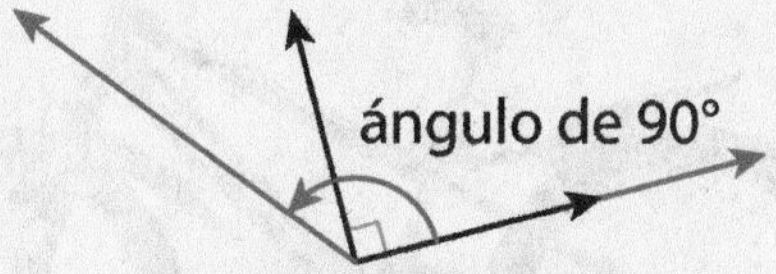

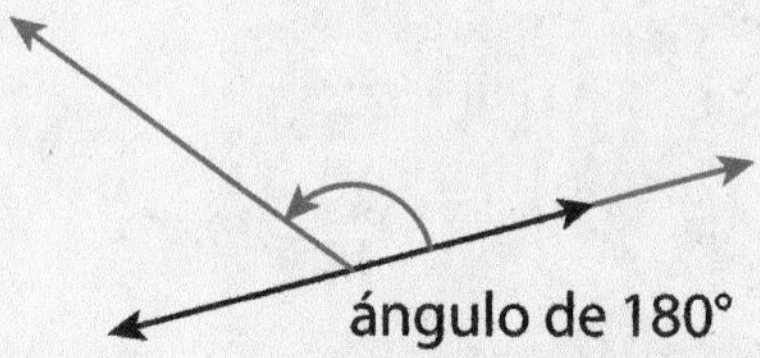

Un ángulo recto tiene una medida de 90 **grados**. Un ángulo llano tiene una medida de 180 grados. La medida del ángulo azul está entre 90 y 180 grados.

Para hallar la medida exacta del ángulo, su niño está aprendiendo a usar un instrumento llamado **transportador**.

- Alinee el punto central del transportador con el vértice del ángulo.
- Luego alinee una semirrecta con la marca de 0°.
- Lea en el transportador la marca por donde pasa la otra semirrecta.

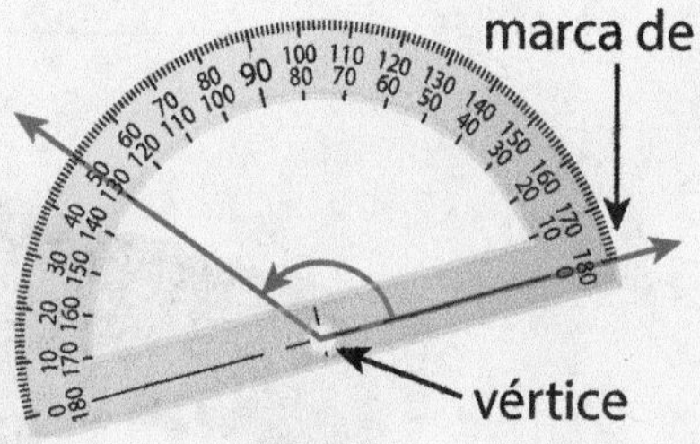

El ángulo mide 130°. (La semirrecta también pasa por la marca de 50°, pero como el ángulo es mayor que un ángulo de 90°, la medida no es 50°).

Invite a su niño a compartir lo que sabe sobre medir y trazar ángulos haciendo juntos la siguiente actividad.

ACTIVIDAD MEDIR ÁNGULOS

Haga la siguiente actividad con su niño para ayudarlo a estimar la medida de ángulos.

- Identifique ángulos en la casa o afuera, en el jardín o el vecindario. También puede buscar en revistas o periódicos fotos que muestren ángulos.

  Estos son algunos ejemplos de ángulos que puede encontrar (o hacer):

Ángulos formados por las manecillas de un reloj.

Ángulos formados por el cuadro de una bicicleta.

Ángulos formados por dedos o al doblar un codo.

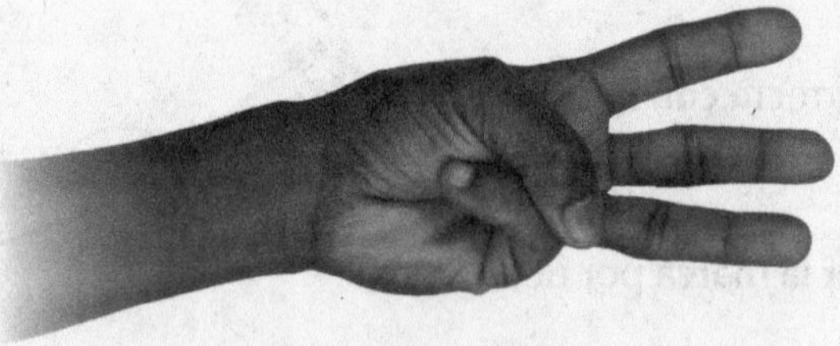

- Estime la medida de cada ángulo usando como referencia ángulos rectos (como la esquina de una hoja de papel) y ángulos llanos (como el borde de una hoja de papel).

Busque otras oportunidades de la vida real para practicar con su niño la estimación de medidas de ángulos.

Explora Ángulos

Antes aprendiste a identificar ángulos. Ahora aprenderás más acerca de los ángulos y las medidas de los ángulos. Usa lo que sabes para tratar de resolver el siguiente problema.

Objetivos de aprendizaje

- Un ángulo que pasa por *n* ángulos de un grado tiene una medida angular de *n* grados.
- Medir ángulos en números enteros de grados utilizando un transportador. Trazar ángulos con medidas dadas.

EPM 1, 2, 3, 4, 5, 6, 7

Lily y Dora giran cada una el horario de una esfera de reloj. Forman ángulos diferentes girando el horario. ¿Quién forma el ángulo más grande? Explica cómo lo sabes.

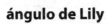

ángulo de Lily **ángulo de Dora**

PRUÉBALO

Herramientas matemáticas

- relojes
- esfera de reloj
- tarjetas en blanco
- notas adhesivas

CONVERSA CON UN COMPAÑERO

Pregúntale: ¿Cómo empezaste a resolver el problema?

Dile: Comencé por . . .

CONÉCTALO

1 REPASA

Explica cómo sabes quién forma el ángulo más grande, Lily o Dora.

2 SIGUE ADELANTE

Puedes medir ángulos para compararlos. Un **grado** es una unidad de medida para ángulos. Muestra los grados con el símbolo °. El ángulo que se forma con un giro completo de una semirrecta en un círculo mide 360 grados, o 360°.

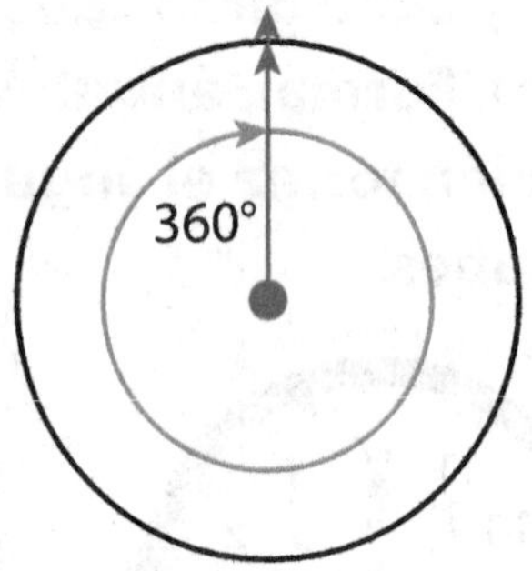

a. Mira el siguiente diagrama. A un ángulo que recorre $\frac{1}{360}$ de un círculo se le llama ángulo de 1°. ¿Cuántos ángulos de 1° hay en un círculo? ....

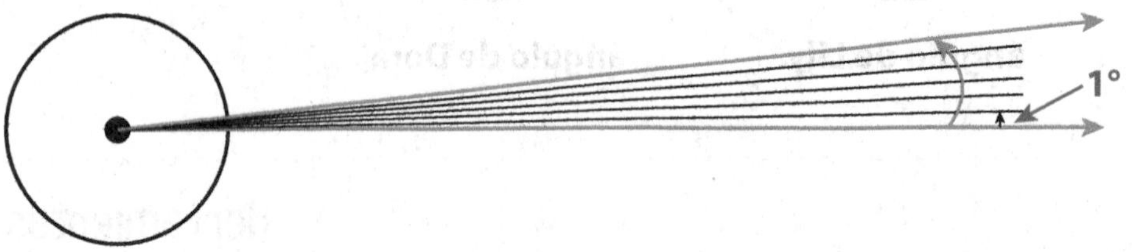

b. El ángulo rojo del diagrama recorre una parte del círculo. Cuenta para hallar la medida del ángulo rojo. Escribe la medida del ángulo rojo. ....

c. Se hace girar una semirrecta para formar un ángulo recto en el círculo de la derecha. ¿Cuál es la medida, en grados, del ángulo recto? Explica.

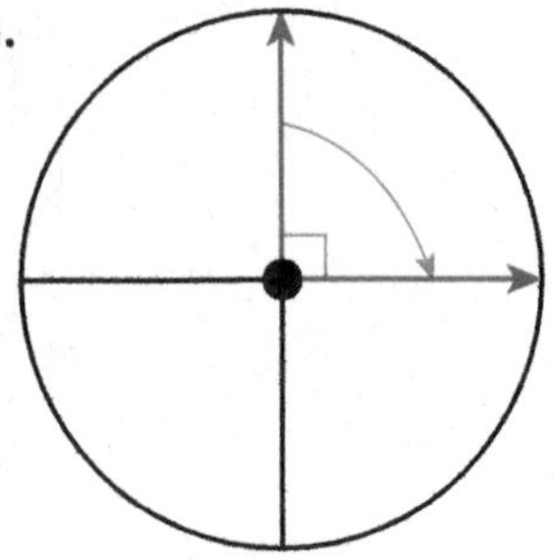

3 REFLEXIONA

¿Cómo te ayuda la manera en la que la semirrecta recorre el círculo a pensar en la medida del ángulo?

....

....

Nombre: ______________________________

Prepárate para los ángulos

1 Piensa en lo que sabes acerca de los ángulos. Llena cada recuadro. Usa palabras, números y dibujos. Muestra tantas ideas como puedas.

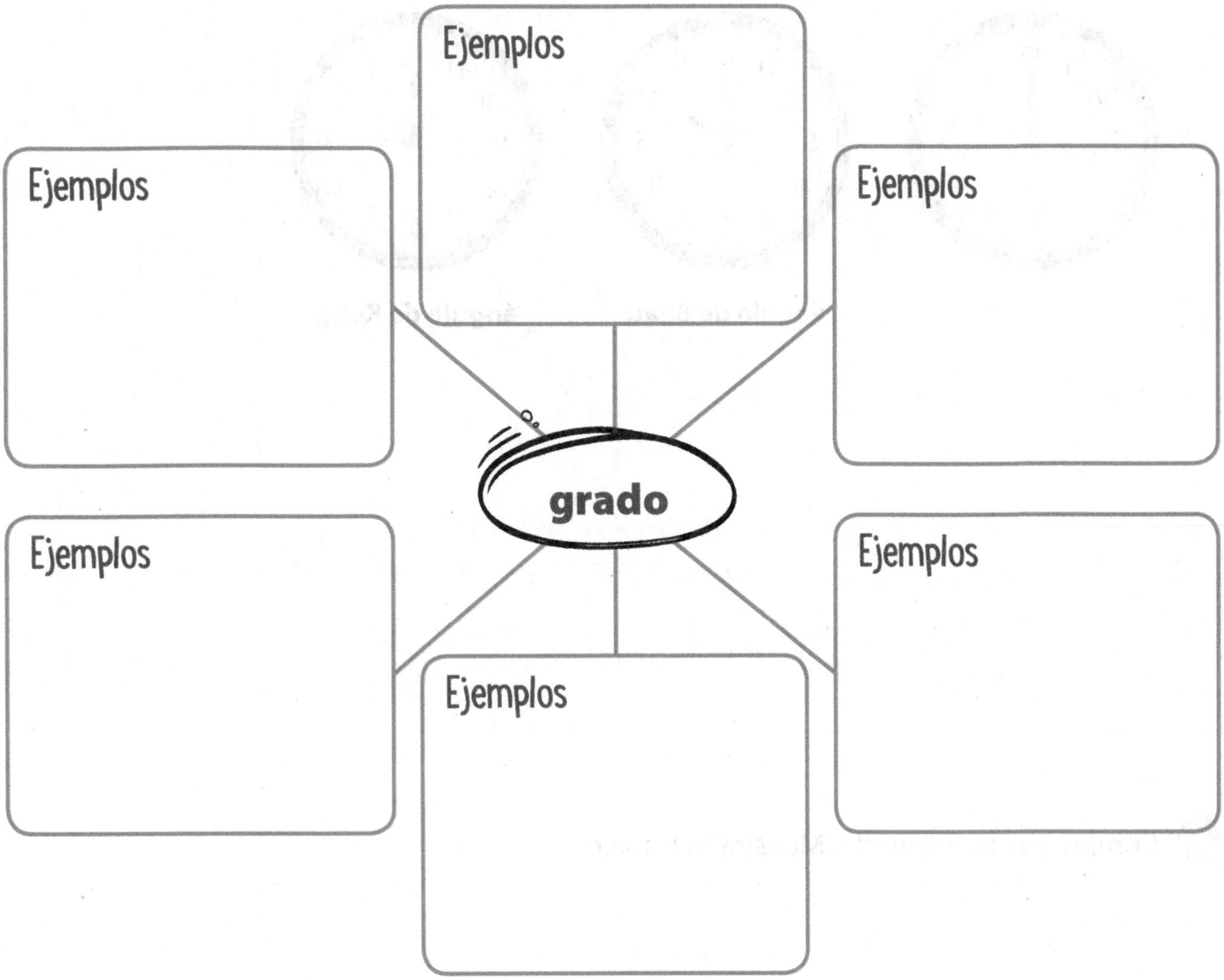

2 El siguiente ángulo rojo recorre parte del círculo. Cuenta para hallar la medida del ángulo rojo. Escribe la medida del ángulo en grados. ....

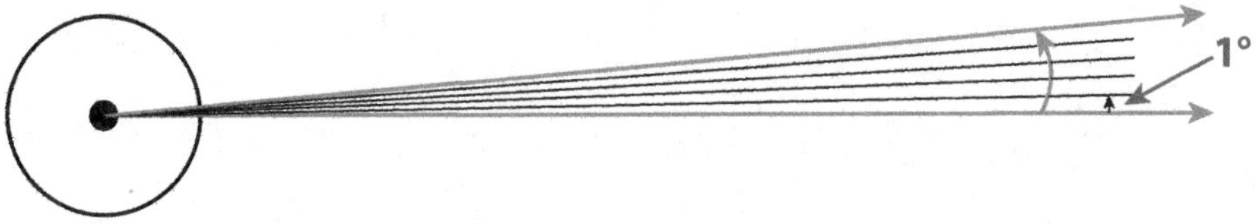

3 Resuelve el problema. Muestra tu trabajo.

Beau y Kong giran cada uno el horario de una esfera de reloj. Forman ángulos diferentes girando el horario. ¿Quién forma el ángulo más grande? Explica cómo lo sabes.

ángulo de Beau

ángulo de Kong

Solución ....

4 Comprueba tu respuesta. Muestra tu trabajo.

Desarrolla Usar un transportador

Lee el siguiente problema y trata de resolverlo.

Un transportador es una herramienta que se usa para medir ángulos. El siguiente transportador muestra que la medida de un ángulo recto es de 90°. Kara traza el otro ángulo que se muestra. ¿Cuál es la medida del ángulo de Kara? ¿Cómo puedes averiguarlo?

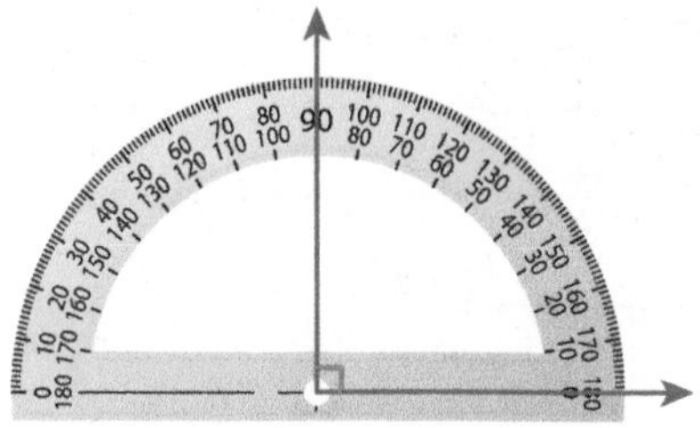

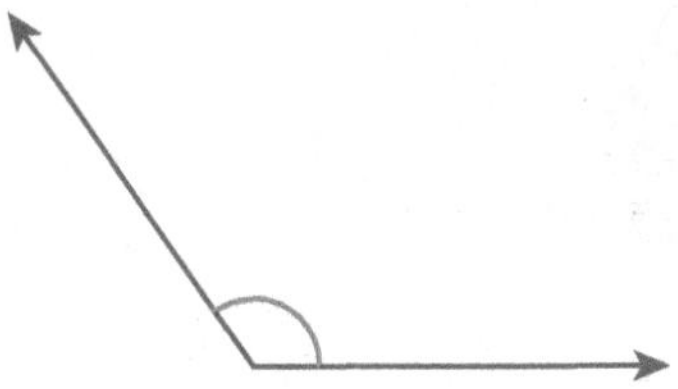

PRUÉBALO

Herramientas matemáticas
- transportadores
- reglas
- tarjetas en blanco
- notas adhesivas

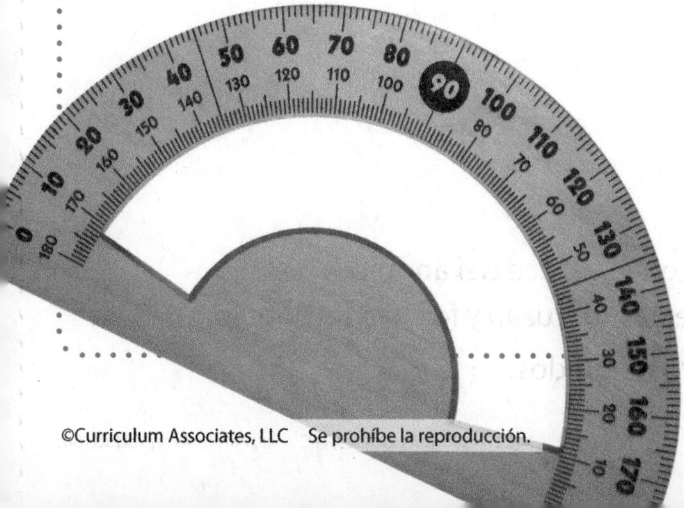

CONVERSA CON UN COMPAÑERO

Pregúntale: ¿Puedes explicarme eso otra vez?

Dile: Yo ya sabía que . . . así que . . .

Explora diferentes maneras de entender cómo usar puntos de referencia y un transportador para medir un ángulo.

Un transportador es una herramienta que se usa para medir ángulos. El siguiente transportador muestra que la medida de un ángulo recto es 90°. Kara traza el otro ángulo que se muestra. ¿Cuál es la medida del ángulo de Kara? ¿Cómo puedes averiguarlo?

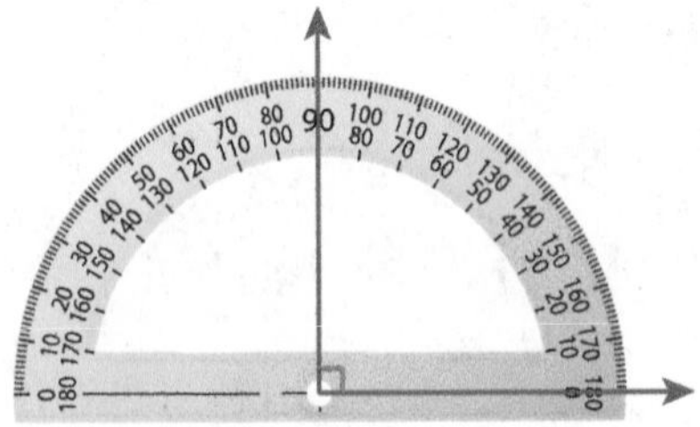

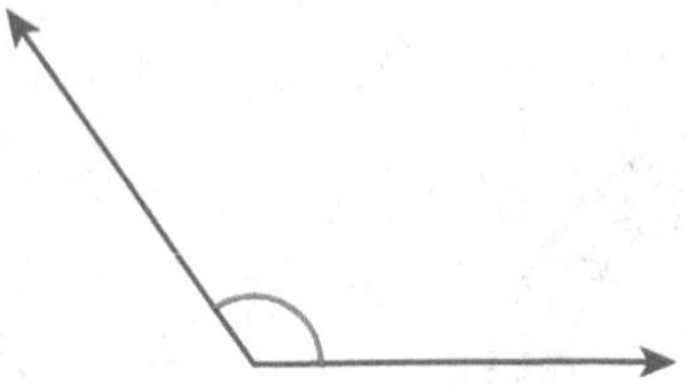

HAZ UN DIBUJO

Puedes usar puntos de referencia para estimar la medida.

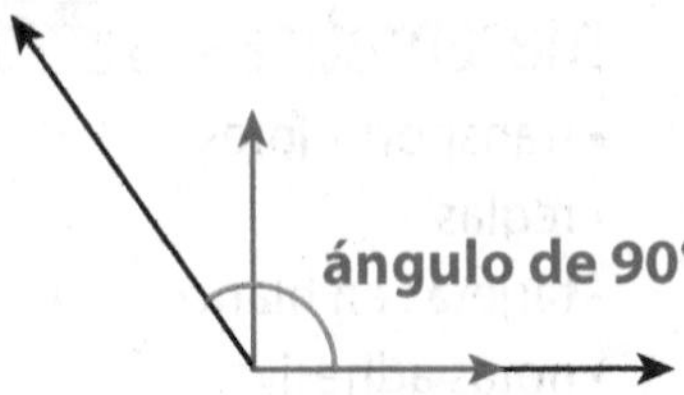

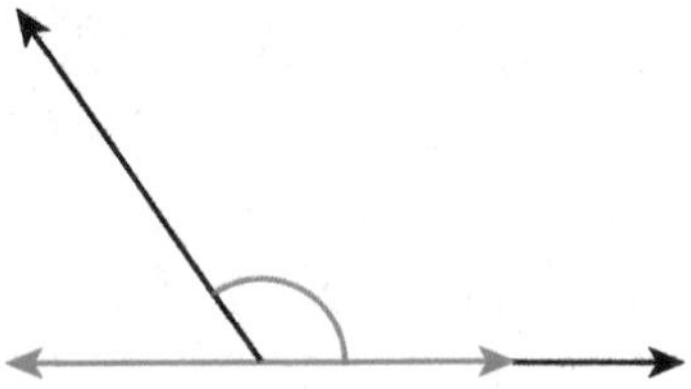

El ángulo de Kara parece estar entre 90° y 180°. Es obtuso.

HAZ UN MODELO

Puedes usar un transportador para medir el ángulo.

- Primero alinea alguna de las marcas que muestran 0° en el transportador con una semirrecta del ángulo.

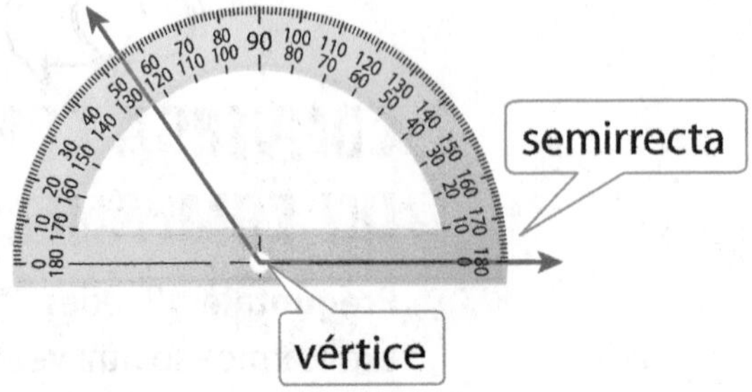

- Luego alinea el punto del centro del transportador con el vértice del ángulo. Recuerda que el vértice es el punto donde dos semirrectas se cruzan y forman un ángulo.
- Después mira la otra semirrecta para saber el número de grados.

CONÉCTALO

Ahora vas a usar el problema de la página anterior para ayudarte a entender cómo usar un transportador para medir un ángulo.

1. Estima la medida del ángulo de Kara.

2. ¿Por qué debes alinear el punto del centro del transportador con el vértice del ángulo?

3. Supón que alineas una semirrecta con alguna de las marcas que muestran 10° o 170° en lugar de alguna de las marcas que muestran 0° o 180°. ¿Cómo cambiaría esto a qué marca apunta la otra semirrecta?

4. Alinea alguna de las marcas que muestran 0° o 180° con una semirrecta. ¿A qué marca apunta la otra semirrecta?

5. ¿Cuántos grados tiene la medida del ángulo? Explica cómo lo sabes.

6. **REFLEXIONA**

Repasa **Pruébalo**, las estrategias de tus compañeros, **Haz un dibujo** y **Haz un modelo**. ¿Qué modelos o estrategias prefieres para medir un ángulo? Explica.

APLÍCALO

Usa lo que acabas de aprender para resolver estos problemas.

7 ¿Cuál es la medida, en grados, del ángulo que se muestra? ....

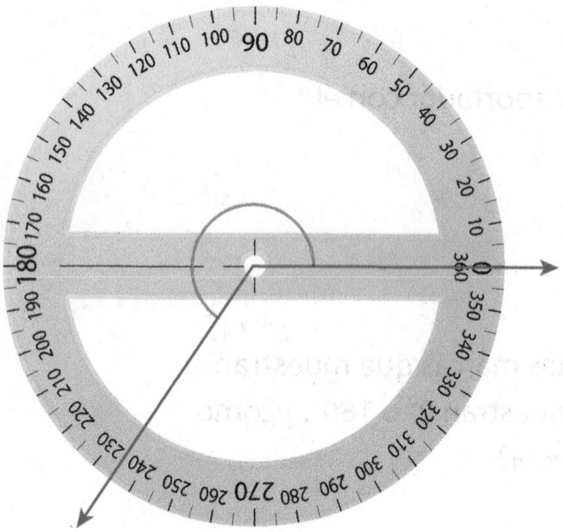

8 ¿Cuál es la medida del ángulo que se muestra? ....

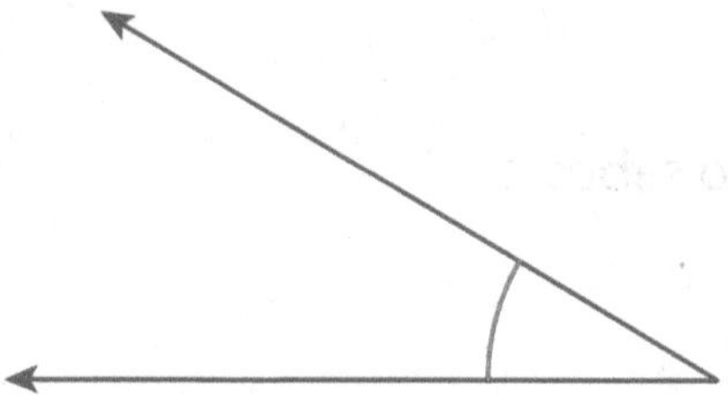

9 ¿Cuál es la medida del ángulo que se muestra? ....

Practica usar un transportador

Estudia el Ejemplo, que muestra cómo usar un transportador para medir un ángulo. Luego resuelve los problemas 1 a 5.

EJEMPLO

Omar traza el ángulo de la derecha. ¿Cuál es la medida del ángulo?

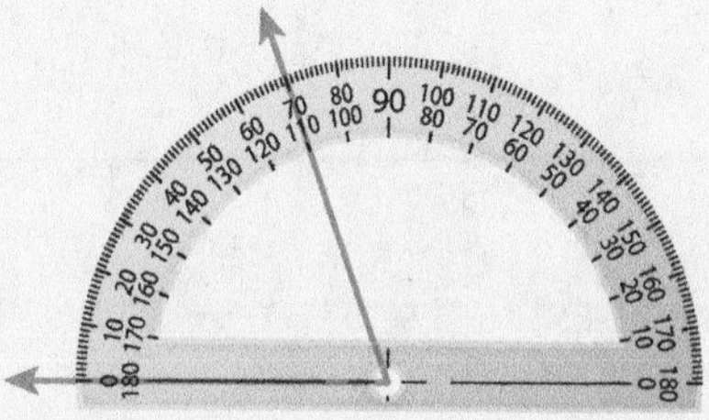

Alinea la marca de 0° o de 180° del transportador con una semirrecta del ángulo.

Alinea el punto del centro del transportador con el vértice del ángulo.

Mira la otra semirrecta. Lee el número de grados en el transportador. Lee el número que es menor que 90, ya que el ángulo es menor que 90°.

El ángulo mide 70°.

1 Lee el número de grados en el transportador para hallar la medida del ángulo.

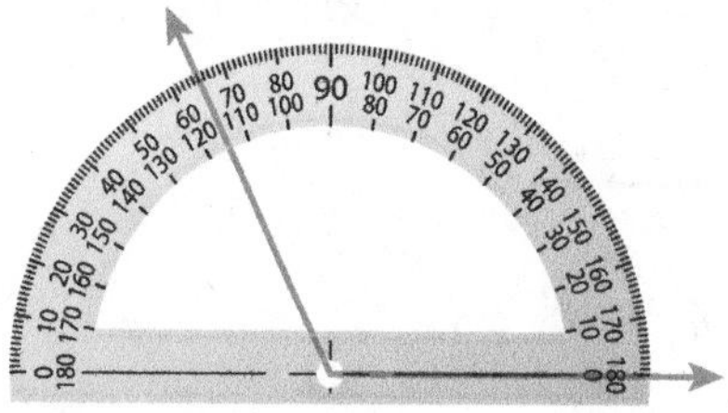

El ángulo mide .... grados.

2 Usa un transportador para medir el siguiente ángulo.

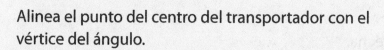

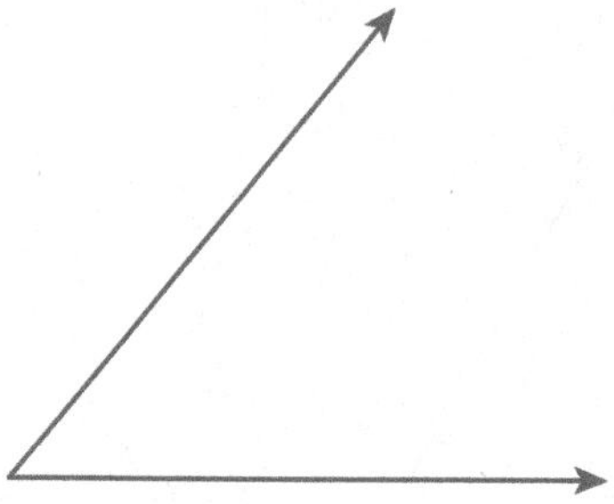

El ángulo mide .... grados.

Vocabulario

grado (°) unidad de medida para ángulos.

transportador herramienta que se usa para medir ángulos.

vértice punto donde dos semirrectas, rectas o segmentos de recta se cruzan y forman un ángulo.

En los problemas 3 a 5, usa un transportador para medir los ángulos. Escribe cada medida.

3 Mide el ángulo de la derecha.

El ángulo mide .... grados.

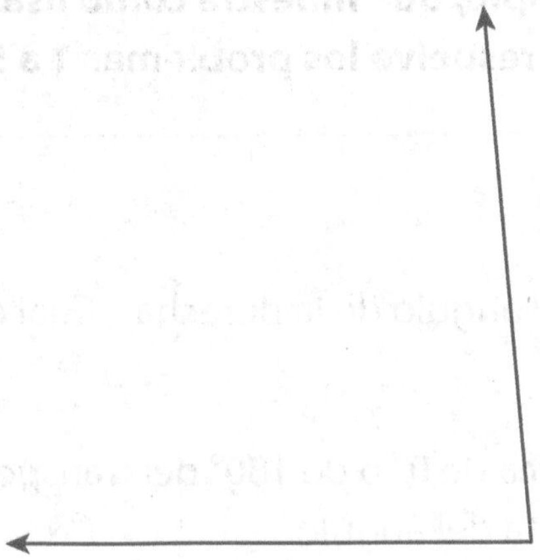

4 Mide un ángulo del polígono de la derecha.

El ángulo mide .... grados.

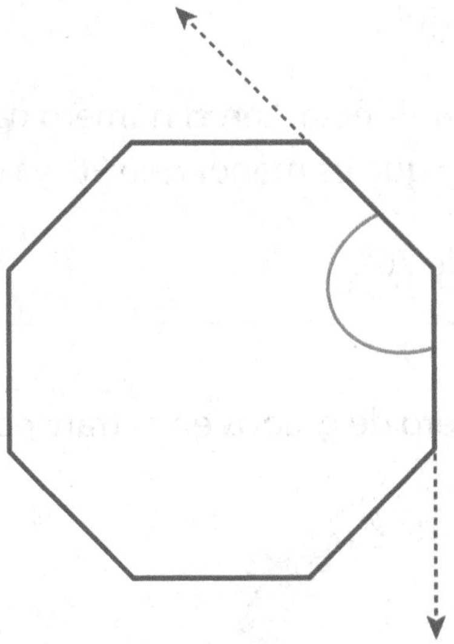

5 Mide los ángulos del triángulo de la derecha.

El ángulo *A* mide .... grados.

El ángulo *B* mide .... grados.

El ángulo *C* mide .... grados.

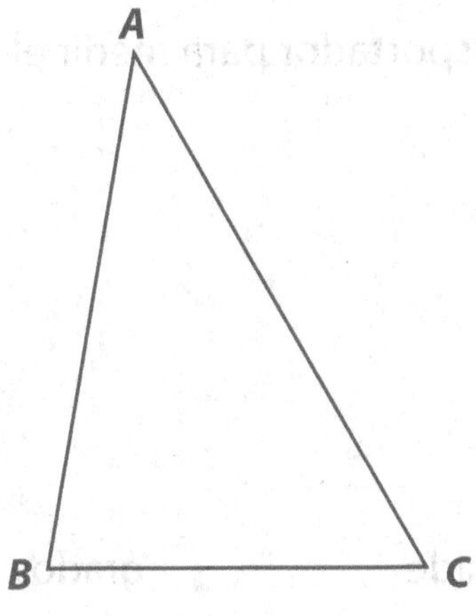

Desarrolla Trazar ángulos

Lee el siguiente problema y trata de resolverlo.

Traza un ángulo de 30°. Piensa en usar dos lápices para formar un ángulo.

PRUÉBALO

Herramientas matemáticas

- transportadores
- reglas
- tarjetas en blanco
- notas adhesivas

CONVERSA CON UN COMPAÑERO

Pregúntale: ¿Estás de acuerdo conmigo? ¿Por qué sí o por qué no?

Dile: Estoy de acuerdo contigo en que . . . porque . . .

Explora diferentes maneras de entender cómo trazar ángulos.

Traza un ángulo de 30°. Piensa en usar dos lápices para formar un ángulo.

HAZ UN DIBUJO

Sabes que un ángulo se forma con dos semirrectas que tienen un extremo en común que se llama vértice.

Puedes usar dos lápices para formar un ángulo.

HAZ UN MODELO

Puedes usar un ángulo de referencia para tener una idea de cómo se vería tu dibujo.

Piensa en un ángulo recto. Un ángulo recto mide 90°.

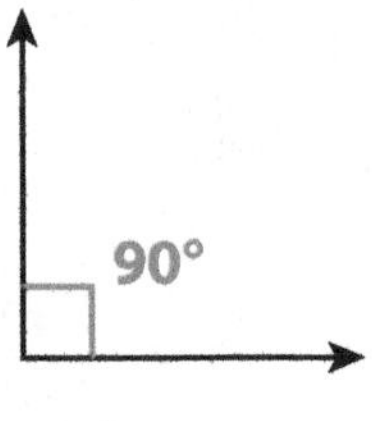

Sabes que $30 \times 3 = 90$. Imagina semirrectas que dividen el ángulo de 90° en 3 ángulos de igual medida.

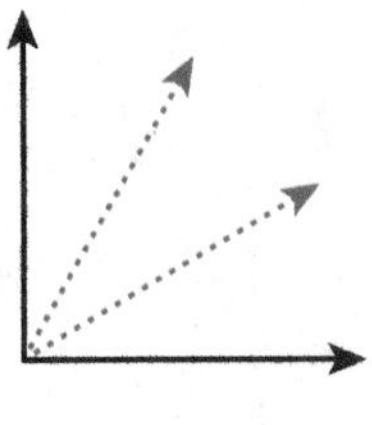

Un ángulo de 30° tiene aproximadamente la misma abertura que el ángulo que se muestra a la derecha.

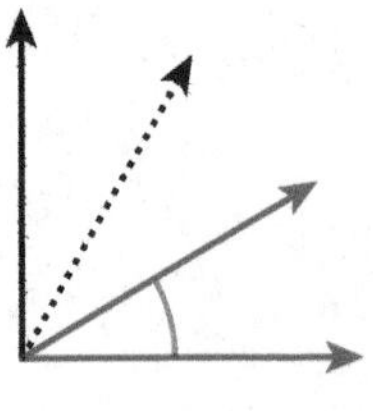

CONÉCTALO

Ahora vas a usar el problema de la página anterior para ayudarte a entender cómo trazar ángulos.

1. Dibuja una semirrecta en una hoja de papel. Luego coloca el punto del centro del transportador en el extremo de tu semirrecta. ¿Qué parte del ángulo es ese punto? ....

2. Con el punto del centro del transportador en el extremo de tu semirrecta, marca un punto en tu semirrecta en 0°.

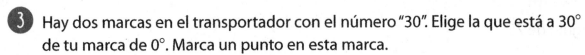

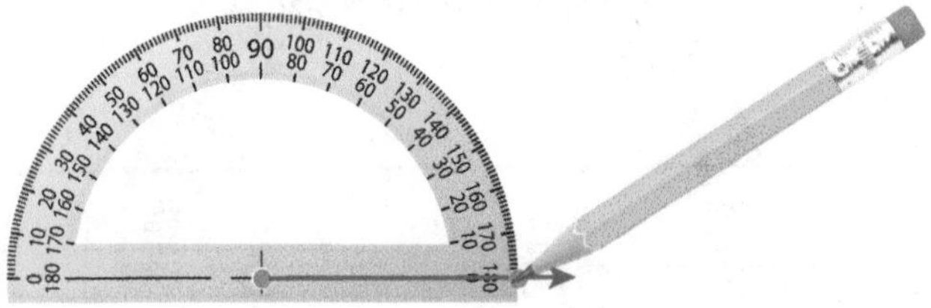

3. Hay dos marcas en el transportador con el número "30". Elige la que está a 30° de tu marca de 0°. Marca un punto en esta marca.

4. Usa la regla no graduada del transportador para dibujar una semirrecta desde el vértice hasta el punto que marcaste en 30°.

5. Supón que elegiste la otra marca "30" y marcaste el punto en esa marca. ¿Cuál sería la medida de tu ángulo? ....

6. Piensa en un ángulo recto. Compáralo con el ángulo que trazaste. ¿Qué tan amplia es la abertura de tu ángulo en comparación con la de un ángulo recto?

....

7. ## REFLEXIONA

Repasa **Pruébalo**, las estrategias de tus compañeros, **Haz un dibujo** y **Haz un modelo**. ¿Qué modelos o estrategias prefieres para trazar ángulos? Explica.

....

....

....

....

....

APLÍCALO

Usa lo que acabas de aprender para resolver estos problemas.

8 El ángulo *D* mide 80°. Se muestra una semirrecta del ángulo *D*. Dibuja otra semirrecta para formar el ángulo *D*.

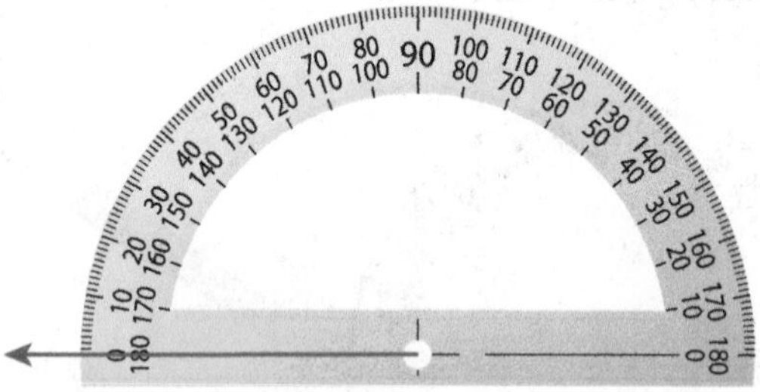

9 Traza un ángulo de 75°.

10 Traza un ángulo de 100°.

Practica trazar ángulos

Estudia el Ejemplo, que muestra cómo trazar un ángulo. Luego resuelve los problemas 1 a 6.

EJEMPLO

Stephanie quiere trazar un ángulo de 60°. Ella dibuja una semirrecta y coloca su extremo en el punto del centro del transportador. Luego alinea el transportador de tal manera que pasa a través de la marca de 0° en el transportador. ¿Cómo dibuja la otra semirrecta para formar un ángulo de 60°?

Halla 60° en el transportador.

Elige la marca que está a 60° de la primera semirrecta. Marca un punto en esta marca de 60°.

Dibuja una semirrecta desde el vértice hasta este punto.

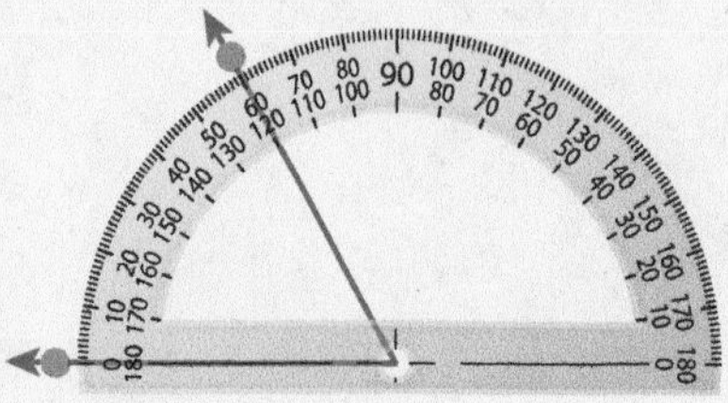

1. Dibuja una semirrecta para mostrar un ángulo de 70°.

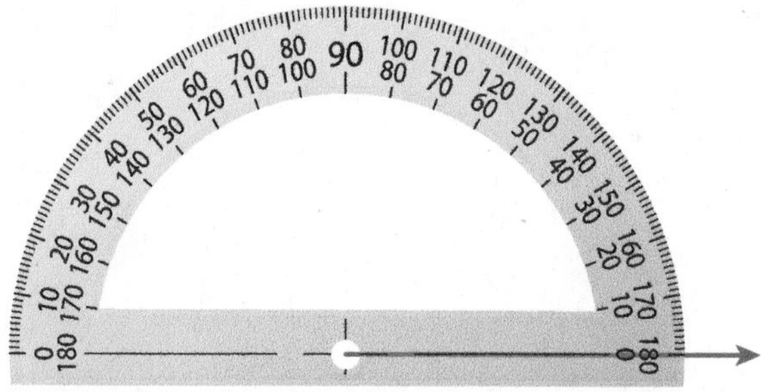

2. Dibuja una semirrecta para mostrar un ángulo de 110°.

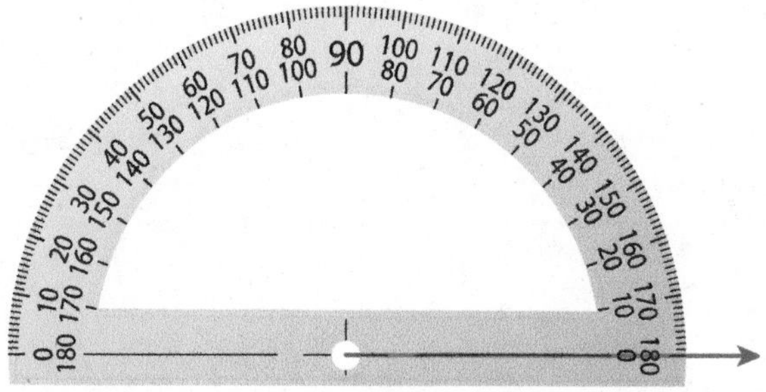

3 Traza un ángulo de 160°.

4 Traza un ángulo de 20°.

5 Traza un ángulo de 45°.

6 Traza un ángulo de 135°.

Refina Ángulos

Completa el Ejemplo siguiente. Luego resuelve los problemas 1 a 8.

EJEMPLO

¿Cuál es la medida del ángulo de abajo?

Mira cómo podrías usar un transportador para medir el ángulo.

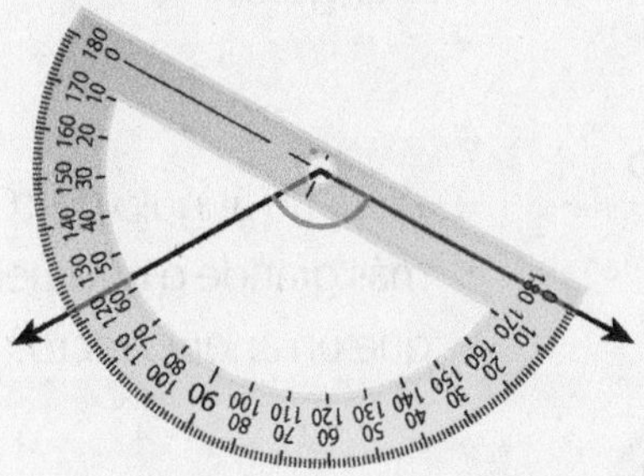

Solución ....

El punto del centro se alinea con el vértice del ángulo, y la marca de 0° se alinea con una semirrecta del ángulo. La otra semirrecta señala la medida del ángulo.

EN PAREJA
¿Importa qué semirrecta decides alinear con la marca de 0°?

APLÍCALO

1 ¿Cuál es la medida del ángulo de abajo?

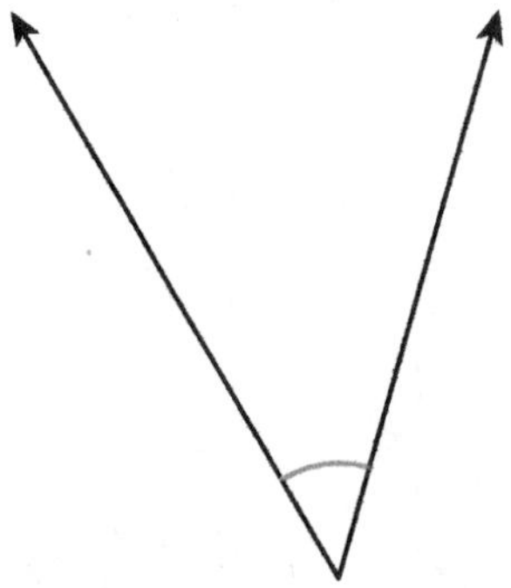

Solución ....

El ángulo parece que tiene una abertura menor que un ángulo recto. La medida será menor que 90°.

EN PAREJA
¿Cómo decidieron tu compañero y tú dónde está el vértice?

2 Traza un ángulo de 145°.

Tendré que dibujar dos semirrectas para formar un ángulo.

EN PAREJA

Si hubieses marcado un punto en la otra marca de 0°, ¿cómo cambiaría tu ángulo?

3 ¿Qué conjunto de puntos puede usarse para trazar un ángulo de 105°?

¿Será un ángulo de 105° más grande o más pequeño que un ángulo recto?

Ⓐ 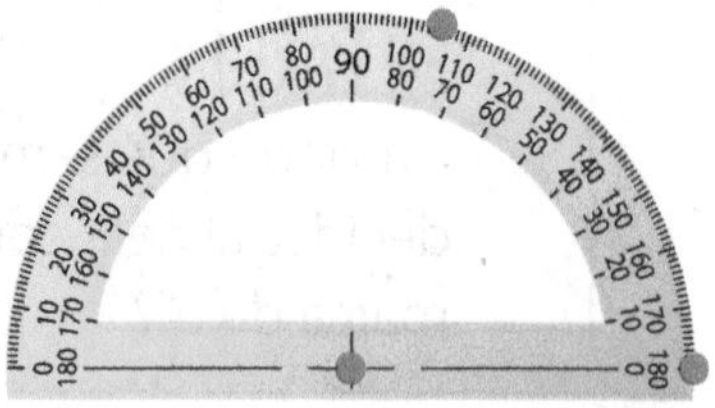

Ⓑ 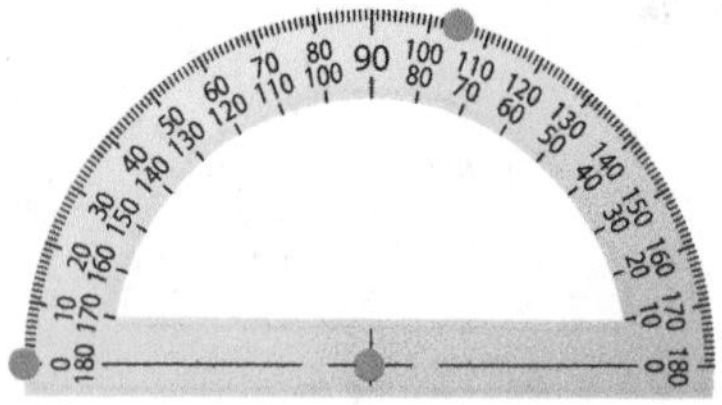

Ⓒ 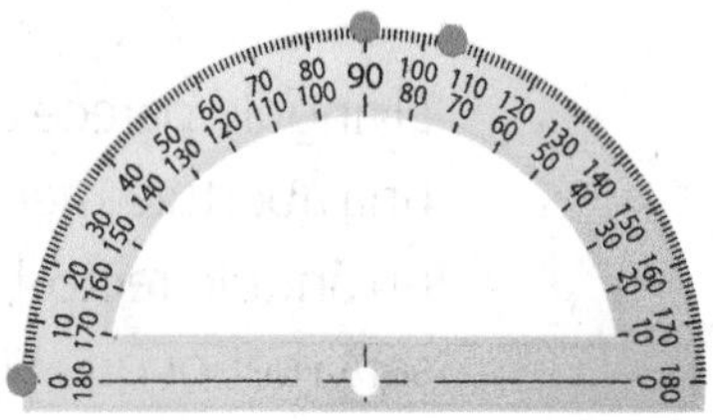

Ⓓ 

Mia eligió Ⓒ como la respuesta correcta. ¿Cómo obtuvo ella esa respuesta?

EN PAREJA

¿Tiene sentido la respuesta de Mia?

4 ¿Qué punto podría ser el vértice de un ángulo de 80° que puedas medir sin mover el transportador?

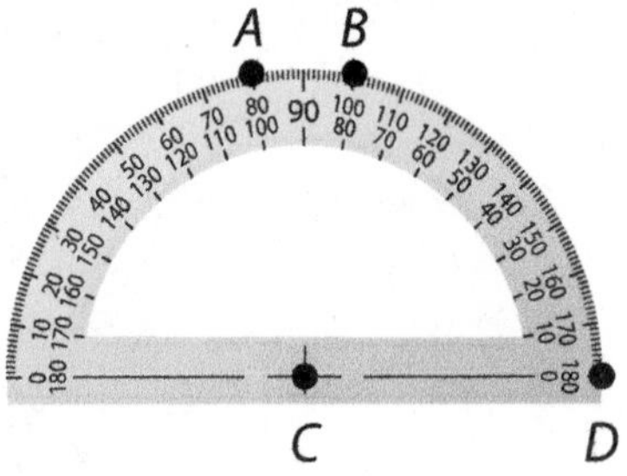

Ⓐ punto *A*

Ⓑ punto *B*

Ⓒ punto *C*

Ⓓ punto *D*

5 ¿Qué diagramas muestran un ángulo de 25°?

Ⓐ 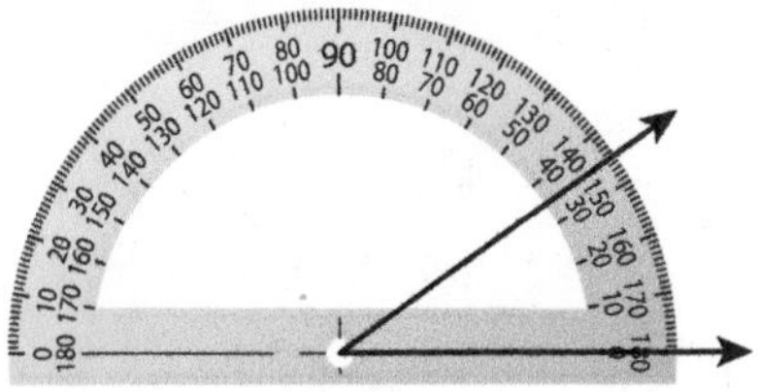

Ⓑ 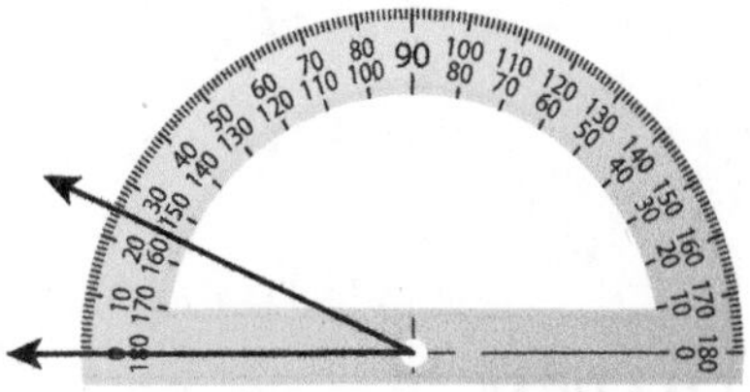

Ⓒ 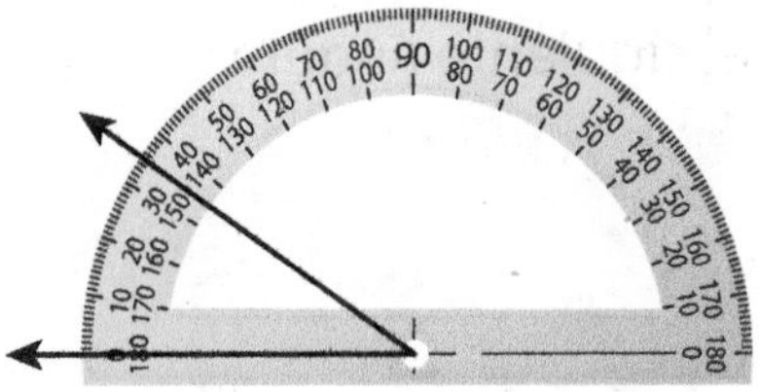

Ⓓ 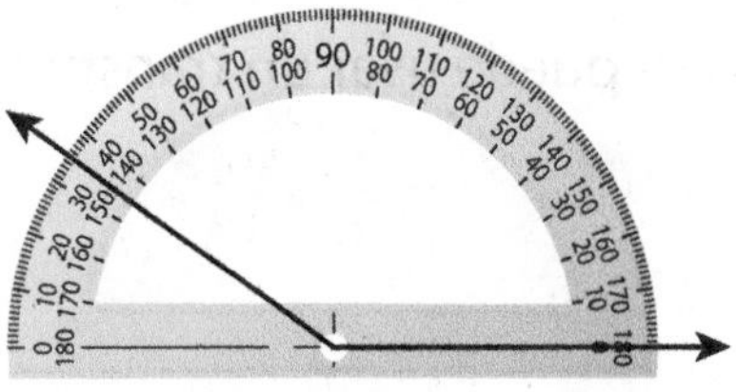

Ⓔ 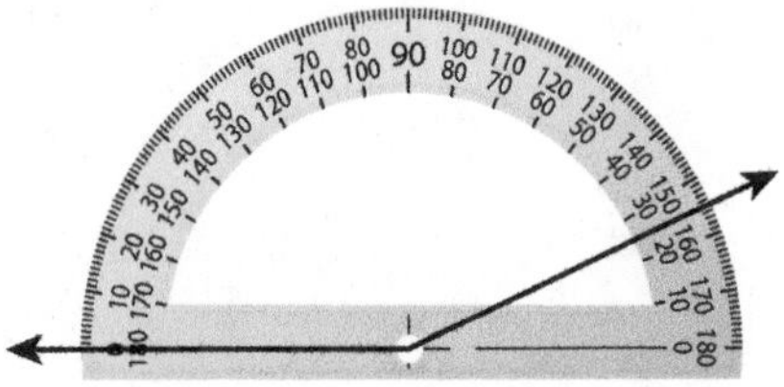

Ⓕ 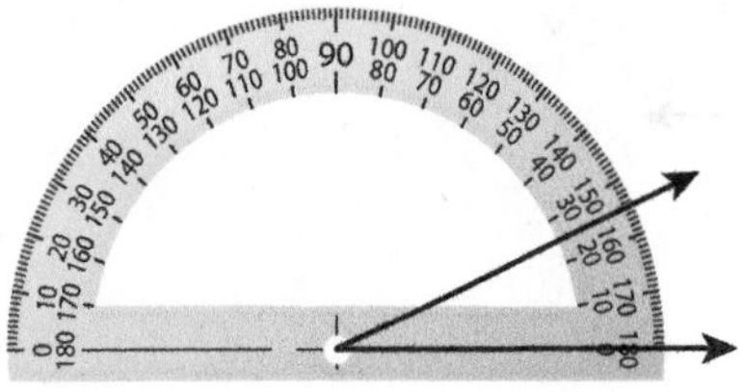

6 ¿Cuál es la medida del ángulo de abajo?

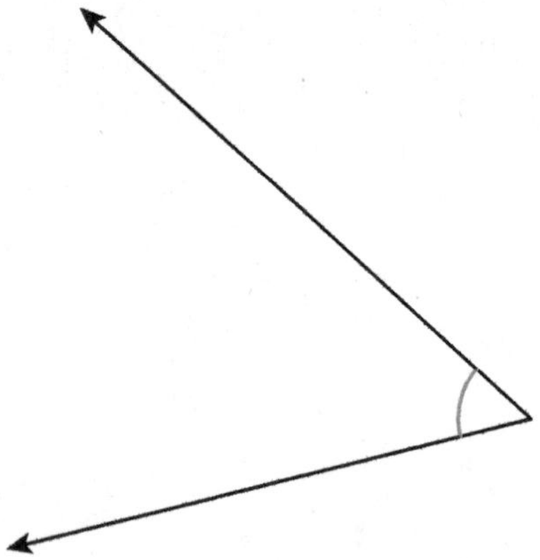

Solución ....

7 Traza un ángulo de 40°.

8 DIARIO DE MATEMÁTICAS

Explica cómo se puede usar un transportador para medir el siguiente ángulo.

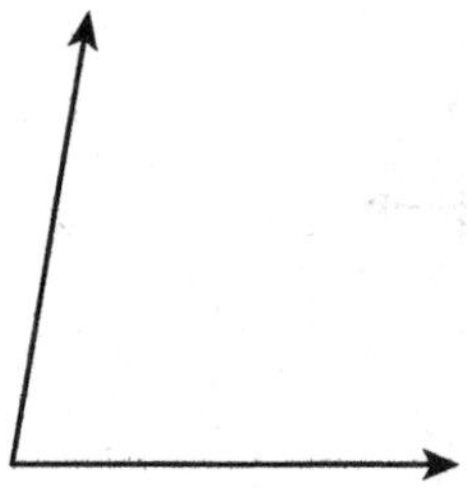

COMPRUEBA TU PROGRESO Vuelve al comienzo de la Unidad 5 y mira qué destrezas puedes marcar.

Suma y resta con ángulos

LECCIÓN 32

Estimada familia:

Esta semana su niño está aprendiendo a sumar y restar con ángulos.

Las dos figuras que se muestran a la derecha están colocadas una junto a otra. Se dan dos medidas de ángulos: 108° y 55°.

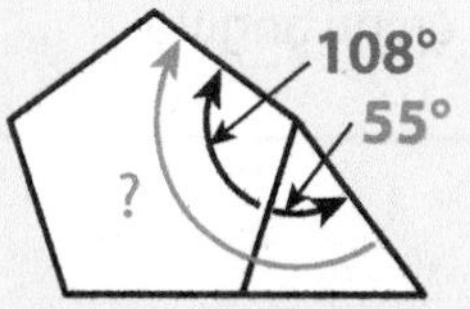

Como no hay espacios vacíos ni superposiciones entre las figuras, puede sumar las dos medidas de ángulos para hallar la medida del ángulo mayor formado por los dos ángulos de las figuras.

108° + 55° = 163°

El ángulo mayor combinado mide 163°.

Su niño también está aprendiendo a usar la resta para hallar medidas de ángulos. En el ejemplo de arriba, si se diera la medida del ángulo mayor y la medida de uno de los otros ángulos no estuviera marcada, su niño podría restar para hallar la medida del ángulo no marcado.

Por ejemplo, **163° − 108° = 55°**.

Invite a su niño a compartir lo que sabe sobre sumar y restar ángulos haciendo juntos la siguiente actividad.

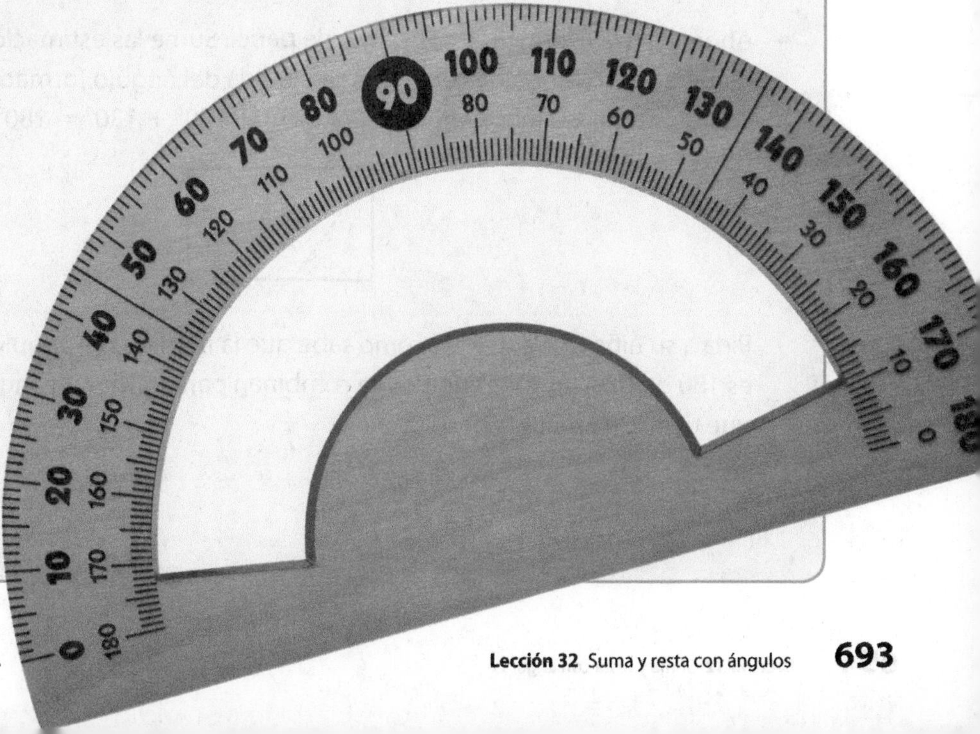

ACTIVIDAD SUMAR CON ÁNGULOS

Haga la siguiente actividad con su niño para ayudarlo a practicar la suma de medidas de ángulos.

Materiales hoja de papel, tijeras

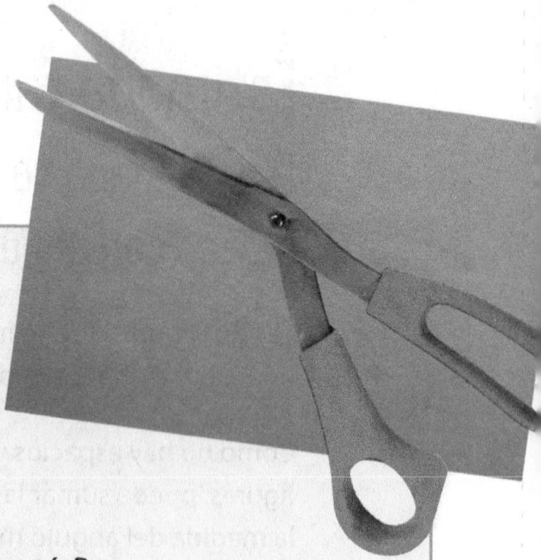

- Recorte un trozo de una hoja de papel rectangular. Haga el corte en un ángulo.

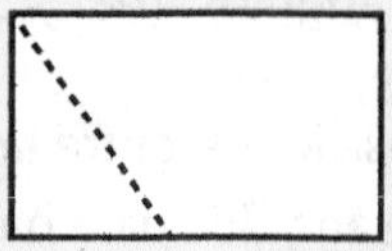

- Estime la medida del ángulo de la parte de abajo del trozo que recortó. Por ejemplo, estime que el ángulo mide aproximadamente 50 grados.

- Luego estime la medida del ángulo de la esquina de abajo donde cortó la hoja de papel. Por ejemplo, estime que el ángulo mide aproximadamente 130 grados.

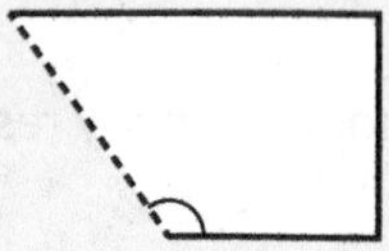

- Ahora vuelva a juntar los dos trozos de papel. Sume las estimaciones de las medidas de los ángulos para hallar la medida del ángulo formado por la combinación de ambos ángulos. Por ejemplo, 50° + 130° = 180°.

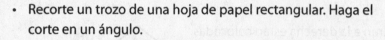

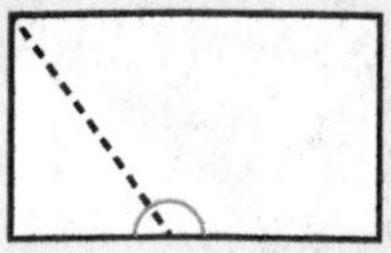

- Pida a su niño que explique cómo sabe que la medida del ángulo combinado es 180 grados. (Ambos ángulos se combinan para formar un ángulo llano, que tiene una medida de 180°.)

Explora Sumar y restar con ángulos

Antes aprendiste cómo usar un transportador para medir y trazar ángulos. Ahora aprenderás a sumar y restar medidas de ángulos. Usa lo que sabes para tratar de resolver el siguiente problema.

Objetivo de aprendizaje

- Reconocer que la medida angular es aditiva. Cuando un ángulo se descompone en partes que no se superponen, la medida del ángulo entero es la suma de las medidas angulares de las partes. Resolver problemas de suma y resta para hallar ángulos desconocidos en un diagrama en problemas matemáticos y del mundo real, por ejemplo, al usar una ecuación con un símbolo para la medida desconocida de un ángulo.

EPM 1, 2, 3, 4, 5, 6, 7

Flora corta una hoja de papel rectangular en dos trozos a lo largo de la línea punteada.

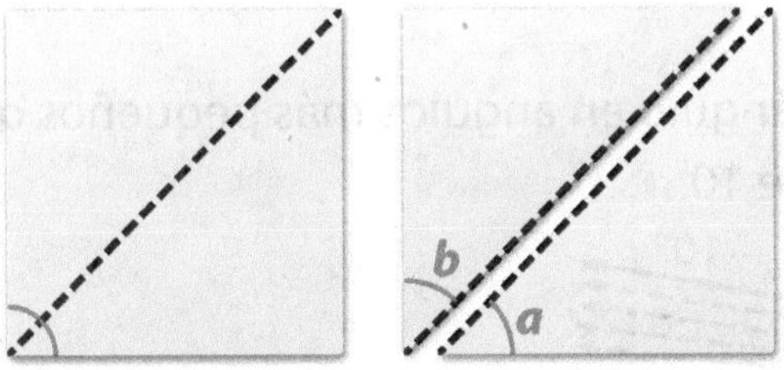

¿Cuál es la suma de las medidas del ángulo *a* y del ángulo *b*?

PRUÉBALO

Herramientas matemáticas

- transportadores
- reglas
- tarjetas en blanco
- notas adhesivas

CONVERSA CON UN COMPAÑERO

Pregúntale: ¿Cómo empezaste a resolver el problema?

Dile: Al principio, pensé que . . .

CONÉCTALO

1 REPASA

Explica cómo hallar la suma de las medidas del ángulo *a* y del ángulo *b*.

2 SIGUE ADELANTE

Puedes descomponer, o separar, cualquier ángulo en ángulos más pequeños que no se superpongan. Mira el siguiente ángulo de 10°.

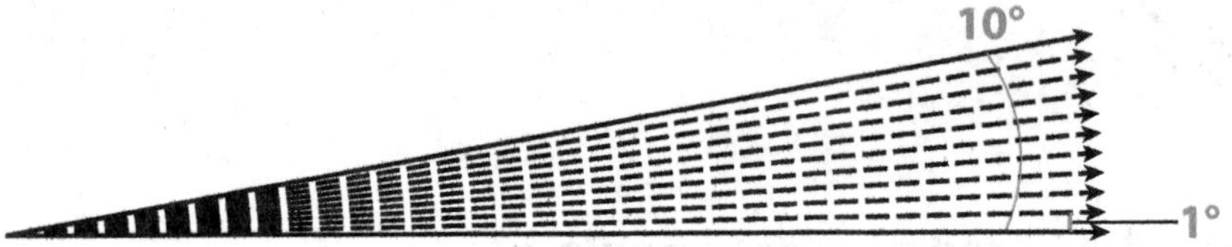

a. ¿Cuántos ángulos de 1° forman el ángulo de 10°? ....

b. Mira una manera de descomponer un ángulo de 10°. Puedes escribir una ecuación para mostrar que la medida del ángulo de 10° es la suma de las medidas de los dos ángulos más pequeños. Completa los espacios en blanco en la ecuación.

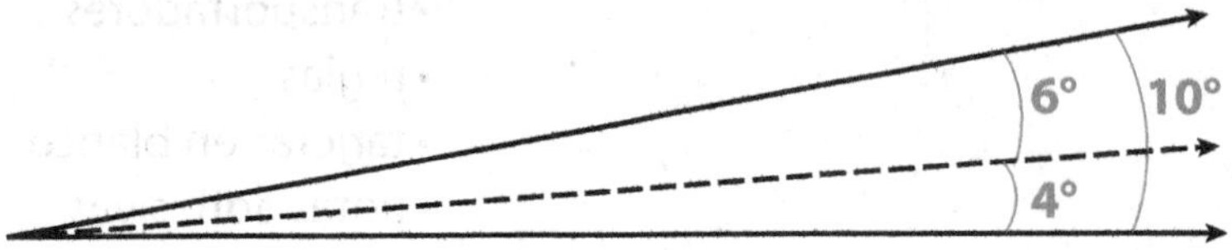

..................° = ...° + ...°

c. Abajo se muestra otra manera de descomponer un ángulo de 10°. Escribe una ecuación para representar las medidas angulares que se combinan para formar el ángulo de 10°.

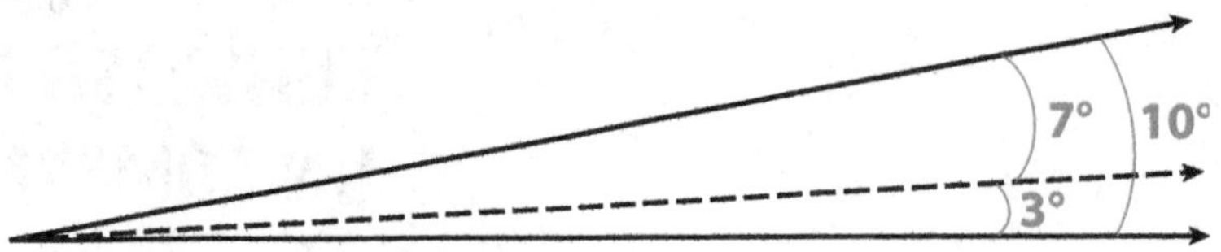

....

3 REFLEXIONA

¿Cuáles son otras dos maneras de descomponer un ángulo de 10°? Escribe dos ecuaciones.

....

Prepárate para sumar y restar con ángulos

1 Piensa en lo que sabes acerca de los ángulos. Llena cada recuadro. Usa palabras, números y dibujos. Muestra tantas ideas como puedas.

descomponer

En mis propias palabras	Mis dibujos
Ejemplos	Contraejemplos

2 Mira una manera de descomponer un ángulo de 30°. Puedes escribir una ecuación para representar la suma de las medidas de los ángulos que se combinan para formar el ángulo de 30°. Completa los espacios en blanco en la ecuación.

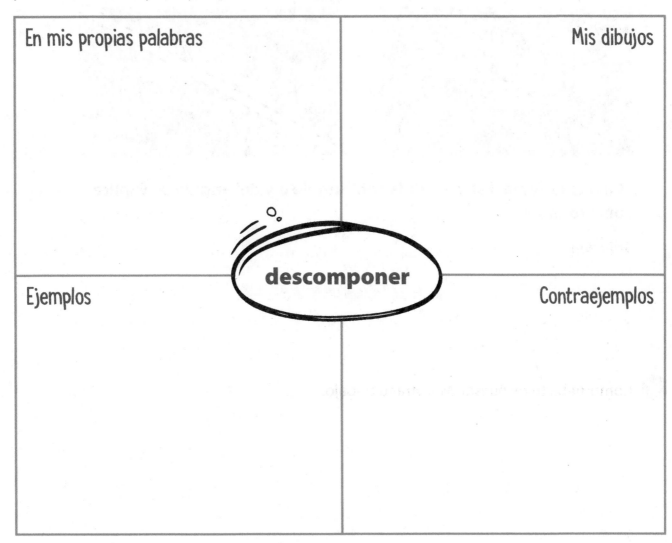

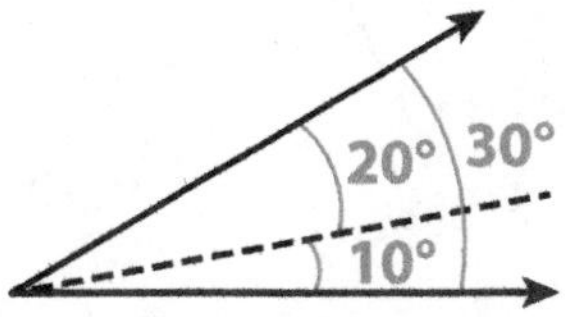

_______° = _______° + _______°

3 Resuelve el problema. Muestra tu trabajo.

Shadi corta una tira de cartulina rectangular en dos trozos a lo largo de la línea punteada.

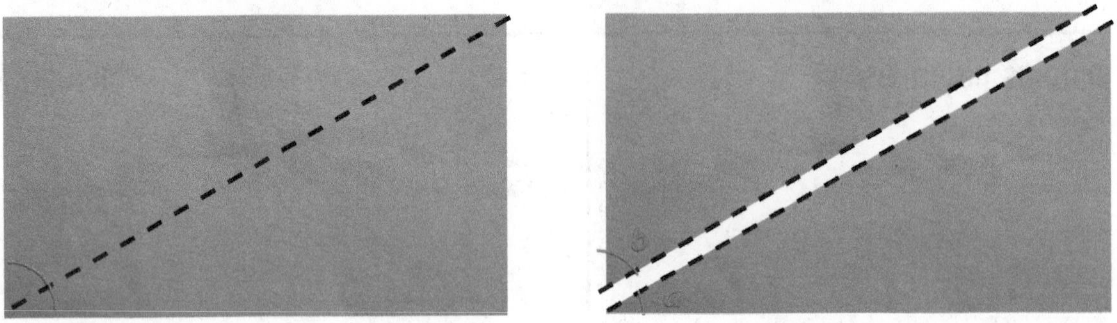

¿Cuál es la suma de las medidas del ángulo *a* y del ángulo *b*? Explica cómo lo sabes.

Solución ....

....

....

....

4 Comprueba tu respuesta. Muestra tu trabajo.

Desarrolla Combinar ángulos

Lee el siguiente problema y trata de resolverlo.

Waylon y Andres juegan un juego de rompecabezas. El objetivo es completar una bandeja con tres piezas de rompecabezas triangulares del mismo tamaño. No tiene que haber espacios ni superposiciones entre las piezas. ¿Cuál es la medida del ángulo de la parte de abajo de la bandeja?

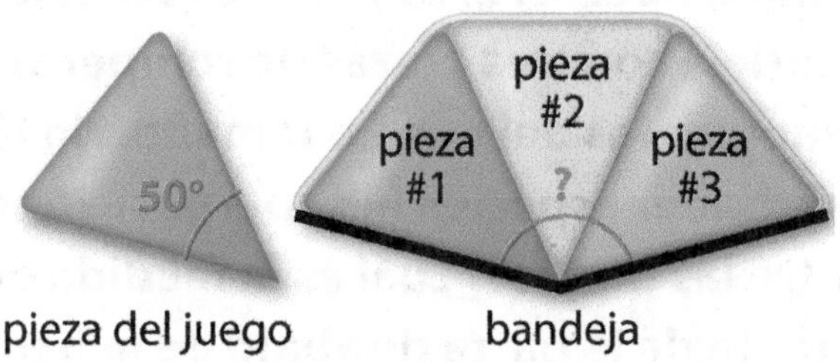

PRUÉBALO

Herramientas matemáticas
- transportadores
- reglas
- palillos de dientes
- plastilina
- tarjetas en blanco

CONVERSA CON UN COMPAÑERO

Pregúntale: ¿Estás de acuerdo conmigo? ¿Por qué sí o por qué no?

Dile: No estoy de acuerdo con esta parte porque . . .

Explora diferentes maneras de entender cómo combinar ángulos más pequeños para formar un ángulo más grande.

Waylon y Andres juegan un juego de rompecabezas. El objetivo es completar una bandeja con tres piezas de rompecabezas triangulares del mismo tamaño. No tiene que haber espacios ni superposiciones entre las piezas. ¿Cuál es la medida del ángulo de la parte de abajo de la bandeja?

HAZ UN DIBUJO

Puedes usar un dibujo para ayudarte a entender el problema.

Imagina colocar las tres piezas juntas en la bandeja. Los vértices de los ángulos de 50° se vuelven el vértice común de un ángulo más grande.
Este es el ángulo de la parte de abajo de la bandeja.

Los tres ángulos de 50° componen, o se combinan para formar, el ángulo más grande.

HAZ UN MODELO

También puedes usar un transportador para ayudarte a entender el problema.

Mira un transportador. Comienza en 0°. Cuenta tres saltos de 50° cada uno.

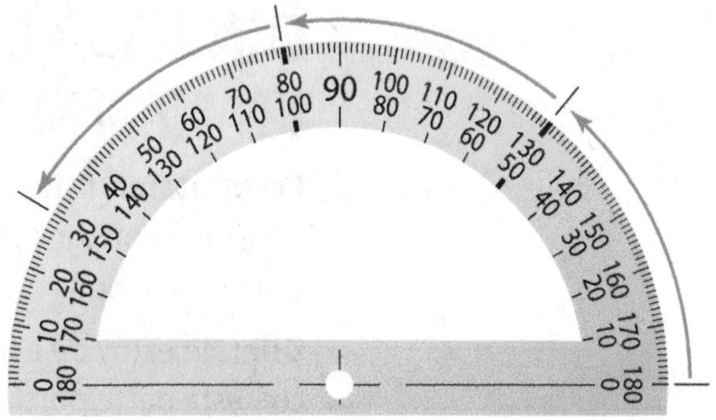

CONÉCTALO

Ahora vas a usar el problema de la página anterior para ayudarte a entender cómo los ángulos se combinan para formar un ángulo más grande.

1. ¿Cuántos ángulos de 50° componen el ángulo de la parte de abajo de la bandeja? ....

2. ¿Qué expresa mejor colocar dos o más ángulos juntos para formar un ángulo más grande: la suma o la resta? ....

3. Completa los espacios en blanco para escribir una ecuación para combinar los ángulos de 50° para componer el ángulo de la parte de abajo de la bandeja.

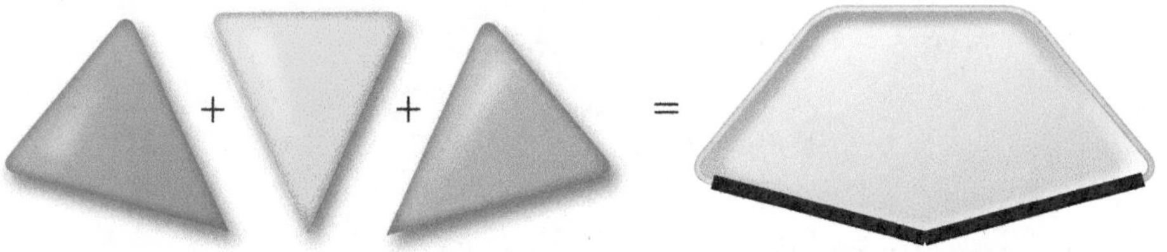

ángulo + ángulo + ángulo = ángulo de abajo de la bandeja

.........° + ...° + ...° = ?

El ángulo de la parte de abajo de la bandeja mide .... grados.

4. ¿Podrías componer un ángulo que mide 150° con tres ángulos con medidas desiguales? Si es así, da un ejemplo.

5. ## REFLEXIONA

Repasa **Pruébalo**, las estrategias de tus compañeros, **Haz un dibujo** y **Haz un modelo**. ¿Qué modelos o estrategias prefieres para combinar ángulos? Explica.

....

....

....

....

APLÍCALO

Usa lo que acabas de aprender para resolver estos problemas.

6 El ángulo entre cada rayo en una rueda de la bicicleta de Sophia mide 15°. Sophia coloca reflectores en dos rayos como se muestra. ¿Cuál es la medida del ángulo entre los dos rayos que tienen los reflectores? Muestra tu trabajo.

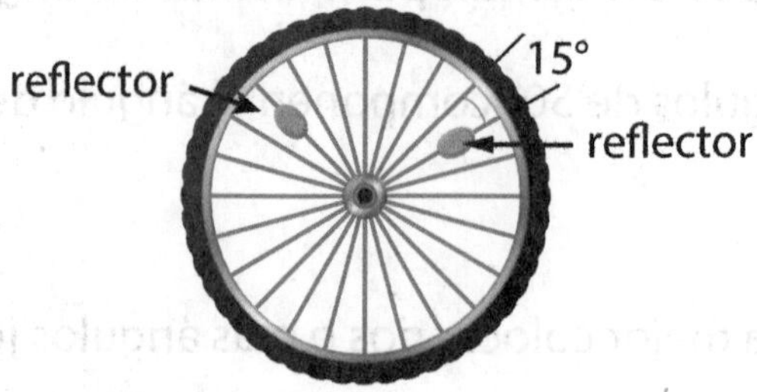

Solución ....

7 Gina coloca dos baldosas como se muestra a la derecha. ¿Cuál es la medida del ángulo azul? Muestra tu trabajo.

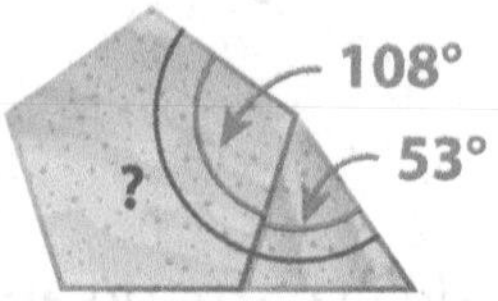

Solución ....

8 ¿Cuál es la suma de las medidas de todos los ángulos que están rotulados en la figura que se muestra?

Ⓐ 135°

Ⓑ 210°

Ⓒ 245°

Ⓓ 255°

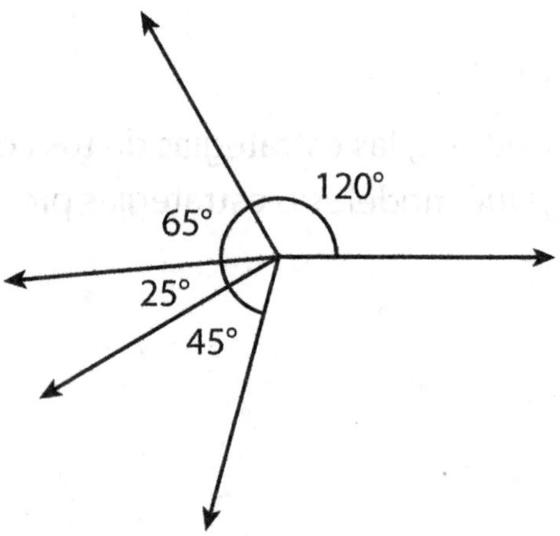

Practica combinar ángulos

Estudia el Ejemplo, que muestra cómo combinar ángulos más pequeños para formar un ángulo más grande. Luego resuelve los problemas 1 a 5.

EJEMPLO

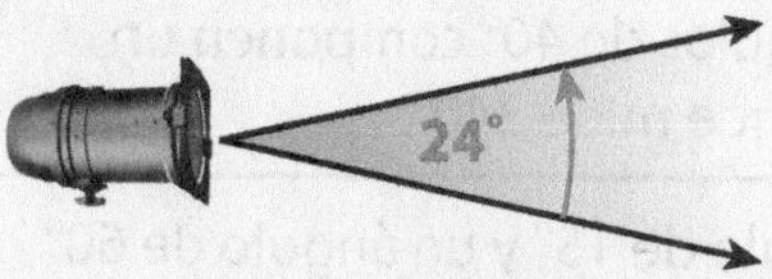

Un reflector en un teatro proyecta un haz de luz que tiene una medida de ángulo de 24°.

Se colocan cuatro reflectores de manera que tengan un extremo común. ¿Cuál es la medida del ángulo más grande formado por las luces de los cuatro reflectores?

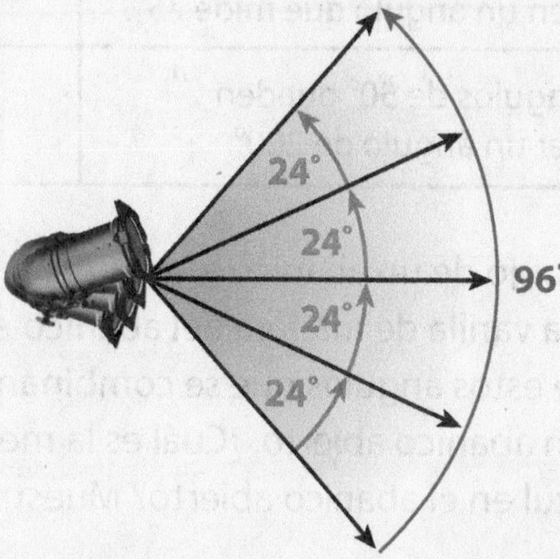

Cuatro ángulos de 24° componen el ángulo más grande. Usa la suma para combinar los ángulos.

$24° + 24° + 24° + 24° = 96°$

La medida del ángulo más grande es de 96°.

1. Mira el Ejemplo de arriba. Supón que se colocan tres reflectores para tener un extremo común. ¿Cuál es la medida del ángulo más grande formado por las luces de los tres reflectores? Escribe una ecuación de suma para hallar la medida de este ángulo.

Solución ....

2. Otra manera de componer un ángulo de 96° es combinar dos ángulos: un ángulo de 90° y un ángulo de 6°. Escribe una ecuación de suma para mostrar por qué esto es verdadero.

Solución ....

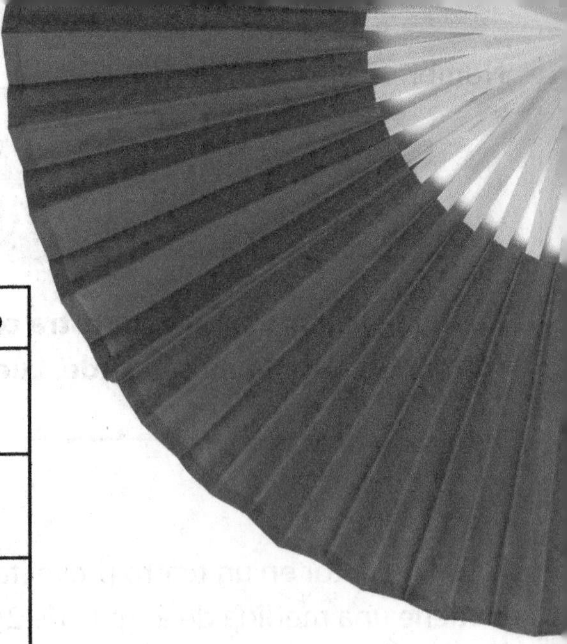

3 Di si cada enunciado es *Verdadero* o *Falso*.

	Verdadero	Falso
Un ángulo de 20° y un ángulo de 70° pueden componer un ángulo de 90°.	Ⓐ	Ⓑ
Tres ángulos de 40° componen un ángulo que mide 340°.	Ⓒ	Ⓓ
Un ángulo de 15° y un ángulo de 60° componen un ángulo que mide 75°.	Ⓔ	Ⓕ
Cuatro ángulos de 50° pueden componer un ángulo de 200°.	Ⓖ	Ⓗ

4 Mira el dibujo de un abanico a la derecha. El ángulo entre cada varilla de madera del abanico es de 12°. Hay 11 de estos ángulos que se combinan y forman un abanico abierto. ¿Cuál es la medida del ángulo azul en el abanico abierto? Muestra tu trabajo.

Solución ....

5 Sam levanta la parte delantera de su patineta en un ángulo de 15° en el suelo mientras se prepara para saltar. Levanta su patineta otros 27° cuando salta. ¿Cuál es la medida del ángulo que Sam levanta su patineta desde el suelo? Muestra tu trabajo.

Solución ....

Desarrolla Hallar medidas de ángulo desconocidas

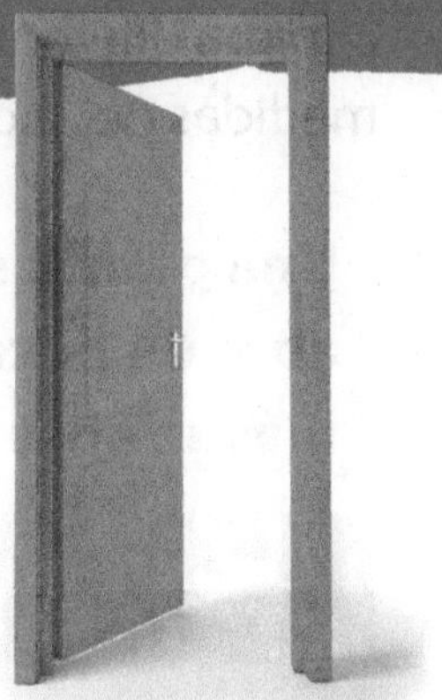

Lee el siguiente problema y trata de resolverlo.

Una puerta se abre 85° y luego se traba. Randy empuja la puerta y se abre un poco más. La puerta se abre 100° en total. ¿Cuántos grados más se abre la puerta luego de que Randy la empuja?

PRUÉBALO

Herramientas matemáticas

- transportadores
- reglas
- pajillas
- alambritos de felpilla
- tarjetas en blanco

CONVERSA CON UN COMPAÑERO

Pregúntale: ¿Por qué elegiste esa estrategia?

Dile: Yo ya sabía que . . . así que . . .

Explora diferentes maneras de entender cómo usar la suma y la resta para hallar medidas de ángulo desconocidas.

Una puerta se abre 85° y luego se traba. Randy empuja la puerta y se abre un poco más. La puerta se abre 100° en total. ¿Cuántos grados más se abre la puerta luego de que Randy la empuja?

HAZ UN DIBUJO

Puedes usar un dibujo para ayudarte a entender el problema.

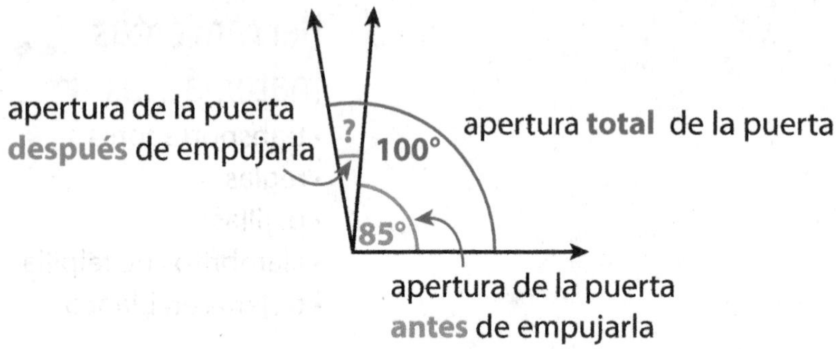

El ángulo de **100°** está compuesto por dos ángulos más pequeños. Un ángulo mide **85°** y la medida del otro ángulo es **desconocida**.

HAZ UN MODELO

Puedes usar un transportador para ayudarte a entender el problema.

Mira un transportador. Comienza en 0°. Cuenta hacia delante 85°. ¿Cuántos grados más debes contar hacia delante para llegar a 100°?

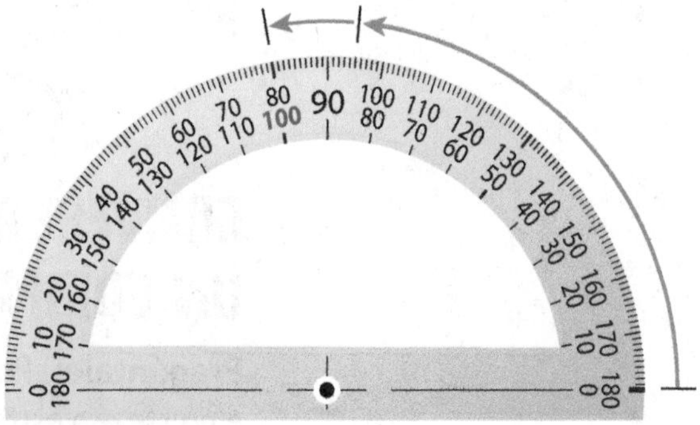

CONÉCTALO

Ahora vas a usar el problema de la página anterior para ayudarte a entender cómo escribir y resolver ecuaciones de suma y resta para hallar medidas de ángulo desconocidas.

1. Escribe un enunciado que describa cómo se relaciona la medida del ángulo desconocida con los ángulos de 85° y de 100°.

2. ¿Qué expresa mejor esta relación: la suma o la resta? ....

3. Escribe una ecuación que represente cómo se relaciona la medida del ángulo desconocida con los ángulos de 85° y de 100°.

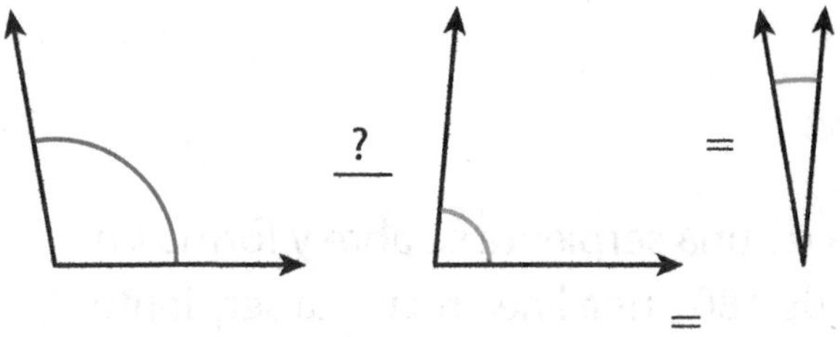

....

4. ¿Cómo cambiaría la medida del ángulo desconocida si la puerta se abriera un total de 120°?

5. Imagina un ángulo que está compuesto por tres ángulos más pequeños. Supón que conoces la medida del ángulo compuesto y las medidas de dos de los ángulos más pequeños. Explica cómo podrías hallar la medida del tercer ángulo pequeño.

6. ## REFLEXIONA

Repasa **Pruébalo**, las estrategias de tus compañeros, **Haz un dibujo** y **Haz un modelo**. ¿Qué modelos o estrategias prefieres para escribir y resolver ecuaciones de suma y resta para hallar una medida de ángulo desconocida? Explica.

....

....

....

APLÍCALO

Usa lo que acabas de aprender para resolver estos problemas.

7 Un juego incluye un cronómetro de 8 segundos, como se muestra a la derecha. La aguja del cronómetro gira 135° a medida que cuenta hacia atrás desde 8 segundos hasta 5 segundos. ¿Cuántos grados más debe girar la aguja para completar el círculo de 360°? Muestra tu trabajo.

Solución ....

8 La boca de una serpiente se abre y forma un ángulo de 180°, una línea recta. La serpiente luego cierra la boca y forma un ángulo de 60°. ¿Cuál es la diferencia entre las medidas de los ángulos formados por la boca de la serpiente abierta y por la boca parcialmente cerrada? Muestra tu trabajo.

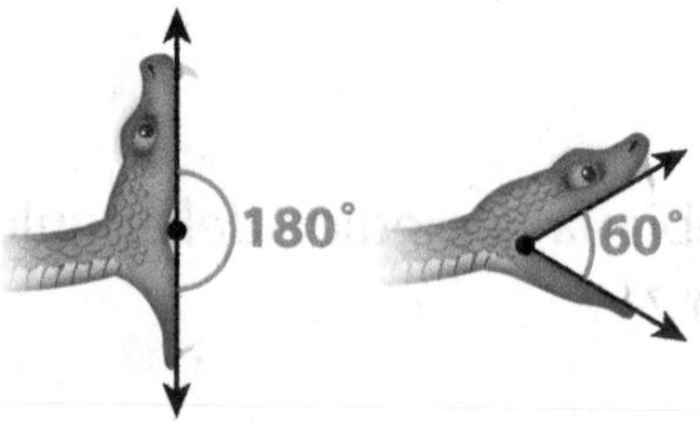

Solución ....

9 A la derecha se muestra un diagrama. La línea de abajo es una línea recta. Escribe y resuelve una ecuación que se pueda usar para hallar la medida del ángulo *M*. Muestra tu trabajo.

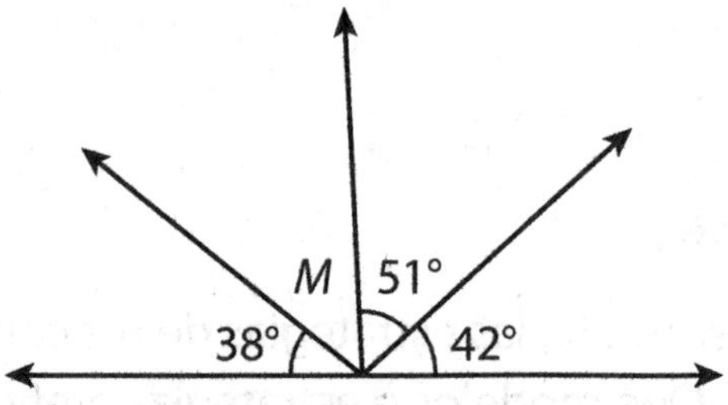

La medida del ángulo *M* es de ....

Practica hallar medidas de ángulo desconocidas

Estudia el Ejemplo, que muestra cómo usar la resta para hallar una medida de ángulo desconocida. Luego resuelve los problemas 1 a 6.

EJEMPLO

Emma gira el dial de un candado de combinación 117°. ¿Cuántos grados más debe girar el dial para hacer un giro completo?

Escribe y resuelve una ecuación para hallar la medida del ángulo desconocido.

$360° - 117° = x$

$243° = x$

Emma debe girar el dial otros 243°.

Un giro completo son 360°.

1 Uma quiere mecer a su hermano en un columpio. El columpio cuelga recto hacia abajo. Tira del columpio hacia atrás 35° y lo suelta. El columpio se mueve hacia delante 65°. ¿Cuántos grados hacia delante desde la posición original recta hacia abajo se movió el columpio? Muestra tu trabajo.

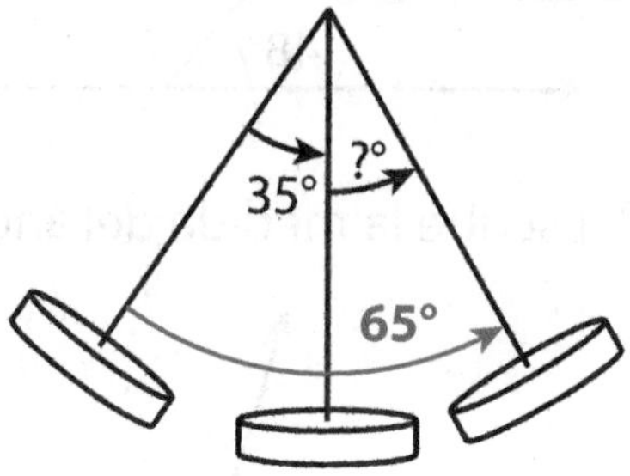

Solución ....

2 Un rociador en un jardín gira 180°. El rociador ha girado 96° hasta ahora. ¿Cuántos grados más girará el rociador para llegar a 180°?

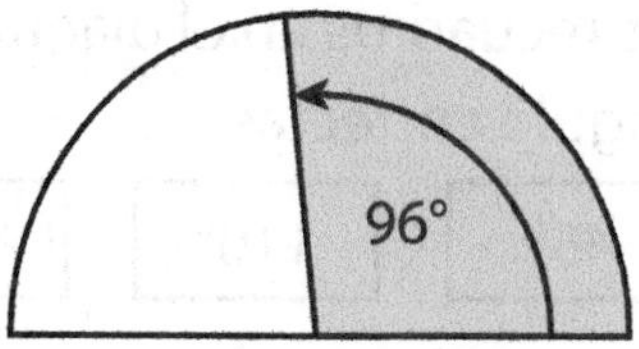

Solución ....

3 Un rociador gira 180° cada 5 segundos. Gira 36° cada segundo. Completa la tabla de abajo.

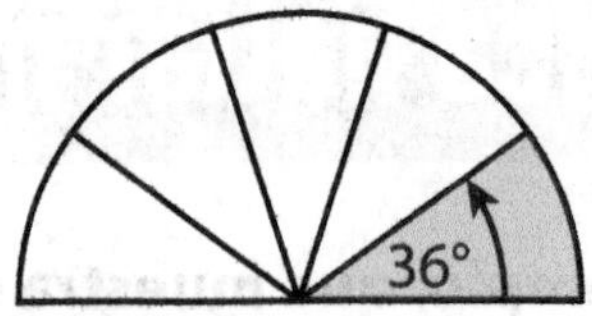

Tiempo (en segundos)	Grados
1	
2	
3	
4	
5	

4 Escribe la medida del ángulo desconocida en el siguiente recuadro.

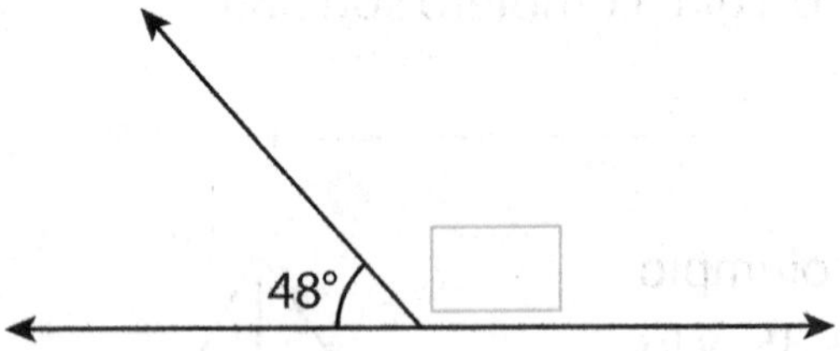

5 Escribe la medida del ángulo desconocida en el siguiente recuadro.

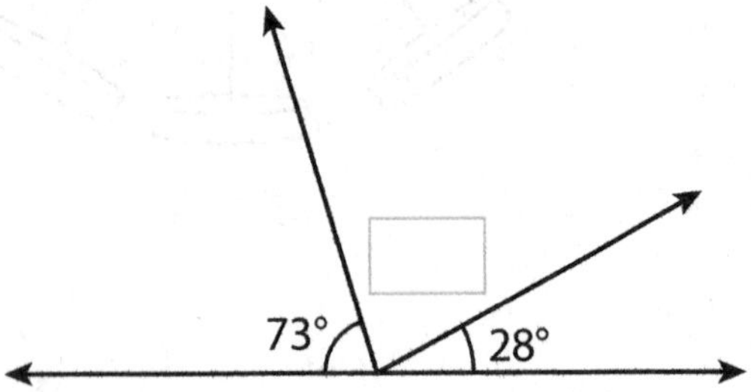

6 Usa las siguientes medidas de ángulo para completar los recuadros en el diagrama con las medidas de ángulo correctas.

45°	110°	115°	135°

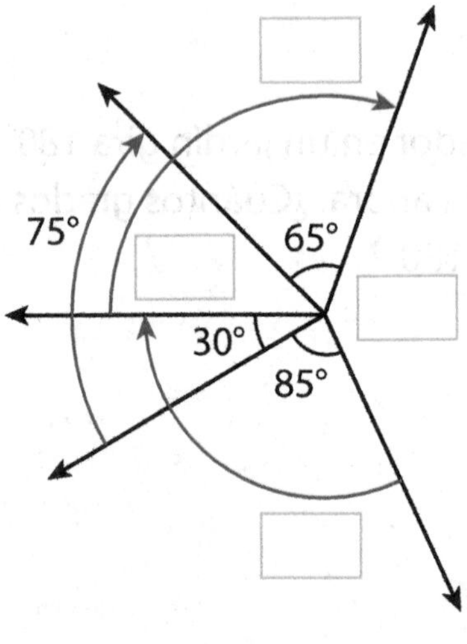

Refina Sumar y restar con ángulos

Completa el Ejemplo siguiente. Luego resuelve los problemas 1 a 8.

EJEMPLO

Halah gira la tapa de un frasco 60°. Luego la gira 225° más. ¿Cuántos grados más debe Halah girar la tapa para hacer un giro completo?

Mira cómo podrías mostrar tu trabajo usando un dibujo y una ecuación.

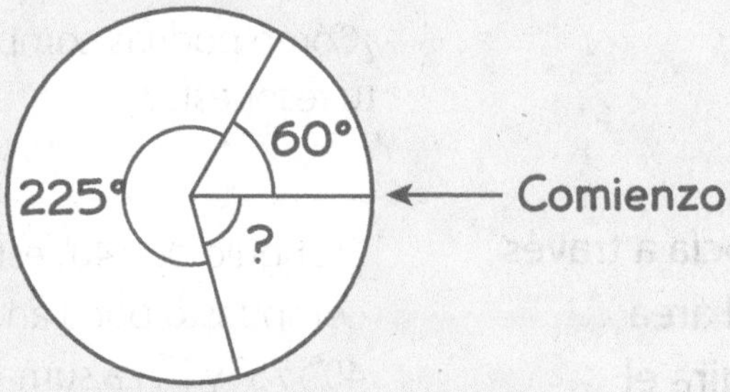

$60° + 225° + ? = 360°$

$285° + ? = 360°$

Solución ....

Un giro completo es igual a 360°. Por lo tanto, la suma de 60, 225 y la medida del ángulo desconocida es igual a 360.

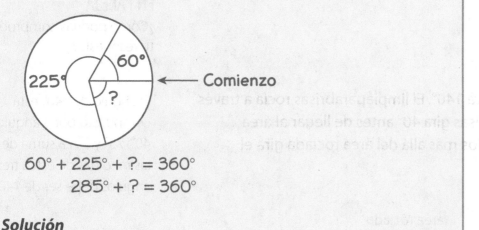

EN PAREJA

¿Qué operación usaste para resolver la ecuación?

APLÍCALO

1. Cuando las manecillas de un reloj están en el 12 y el 4, forman un ángulo de 120°. ¿Qué ángulo se forma si las manecillas están en el 4 y el 6? Muestra tu trabajo.

Solución ....

Sé que las manecillas forman un ángulo de 180° cuando están en el 12 y el 6.

EN PAREJA

Una vez que conoces el ángulo de 4 a 6, ¿cómo podrías hallar el ángulo de 4 a 5?

2 La puerta del frente de Tyra tiene una ventana semicircular. ¿Cuál es la medida del ángulo de la pieza central de vidrio? Muestra tu trabajo.

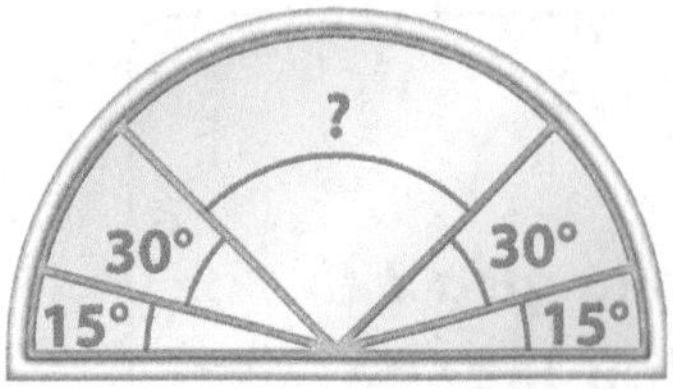

Un círculo tiene 360 grados; por lo tanto, un semicírculo tiene 180 grados.

EN PAREJA
¿Cómo podrías comprobar tu respuesta?

Solución ....

3 Un limpiaparabrisas gira 140°. El limpiaparabrisas rocía a través de 75°. El limpiaparabrisas gira 40° antes de llegar al área rociada. ¿Cuántos grados más allá del área rociada gira el limpiaparabrisas?

El ángulo de 140° está compuesto por 3 ángulos: 40°, 75° y ?°. La suma de las medidas de estos tres ángulos debe ser de 140.

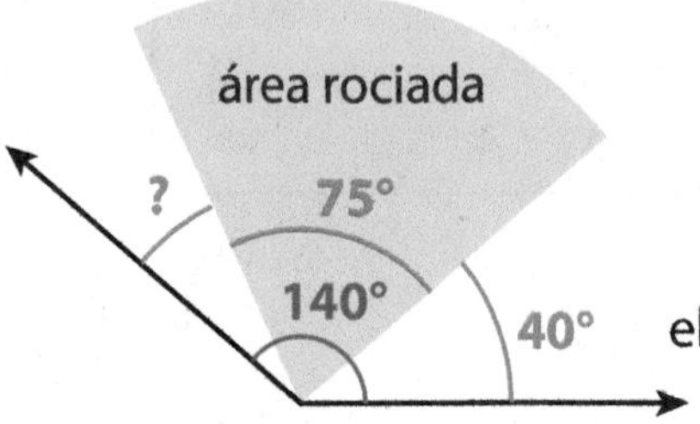

Ⓐ 25°

Ⓑ 35°

Ⓒ 115°

Ⓓ 255°

Ellen eligió Ⓓ como la respuesta correcta. ¿Cómo obtuvo ella esa respuesta?

EN PAREJA
¿Tiene sentido la respuesta de Ellen?

4 Keith usa un abrelatas. Cada vez que gira la manivela del abrelatas, el abrelatas se mueve 36° alrededor de la tapa de la lata. ¿Qué describe mejor cuánto se abre la lata luego de 5 giros?

Ⓐ un décimo abierto

Ⓑ un quinto abierto

Ⓒ la mitad abierta

Ⓓ completamente abierta

5 Un columpio de llanta cuelga recto hacia abajo. Un niño se sube, se columpia hacia delante 50° y se columpia hacia atrás 95°. ¿Cuántos grados hacia delante debe ir el columpio para regresar a su posición inicial?

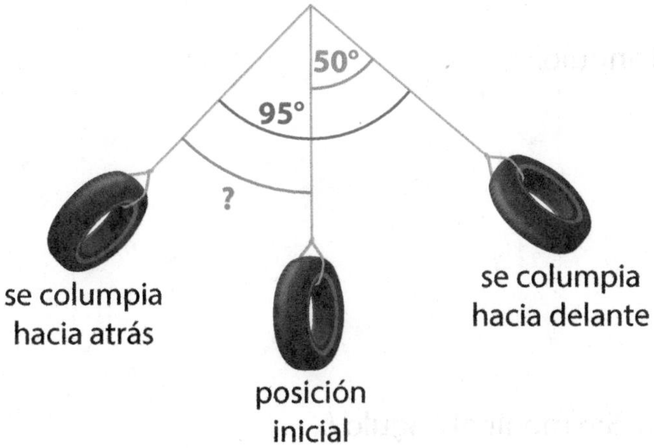

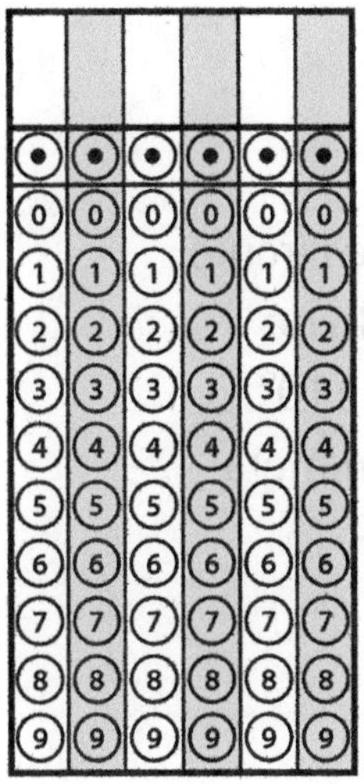

6 Di si hay un ángulo de cada medida dada que se muestra en el siguiente diagrama.

	Sí	No
225°	Ⓐ	Ⓑ
265°	Ⓒ	Ⓓ
70°	Ⓔ	Ⓕ
320°	Ⓖ	Ⓗ
90°	Ⓘ	Ⓙ

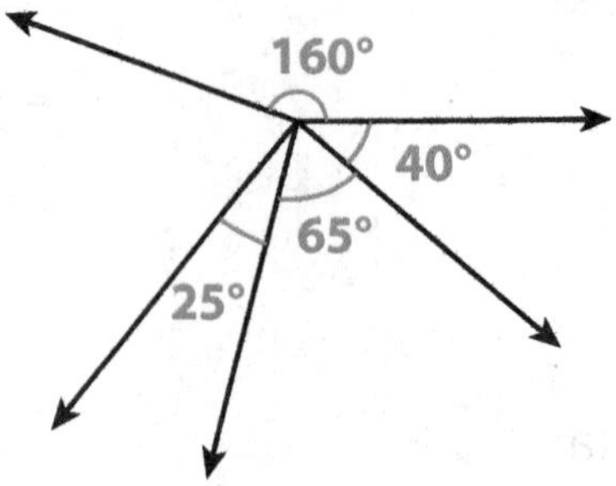

7 En la siguiente figura se da la medida de un ángulo.

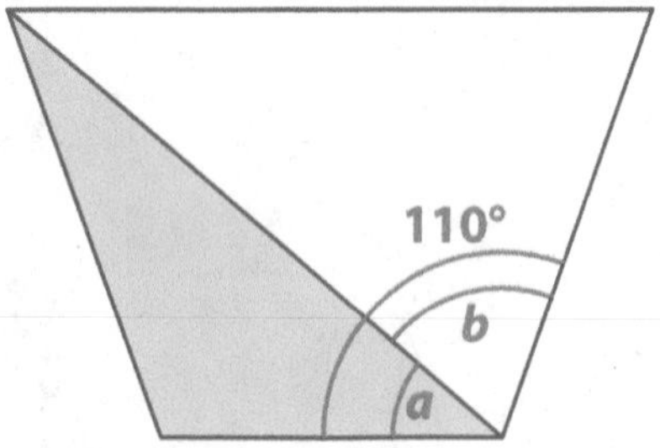

Usa un transportador para medir el ángulo *a*. Sin medir el ángulo *b*,

halla la medida del ángulo *b*. ....

8 **DIARIO DE MATEMÁTICAS**

Jake quiere hacer la parte de arriba de una mesa de madera con forma de círculo. Tiene tres trozos de madera con forma de pastel. Un trozo tiene un ángulo de 105°, el segundo tiene un ángulo de 135° y el tercero tiene un ángulo de 110°. ¿Puede Jake usar tres trozos de madera para hacer la parte de arriba de manera que no haya espacios ni superposiciones entre los trozos? Explica.

☑ **COMPRUEBA TU PROGRESO** Vuelve al comienzo de la Unidad 5 y mira qué destrezas puedes marcar.

Clasifica figuras bidimensionales

LECCIÓN 33

Estimada familia:

Esta semana su niño está aprendiendo a clasificar figuras bidimensionales.

Las figuras se pueden clasificar en grupos según el tipo de lados y el tipo de ángulos que tienen. Algunas figuras que su niño está clasificando son triángulos; cuadriláteros como cuadrados, rombos, **trapecios** y paralelogramos; y **hexágonos**.

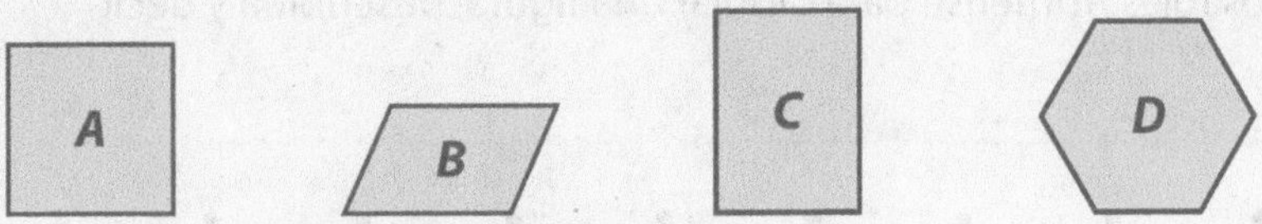

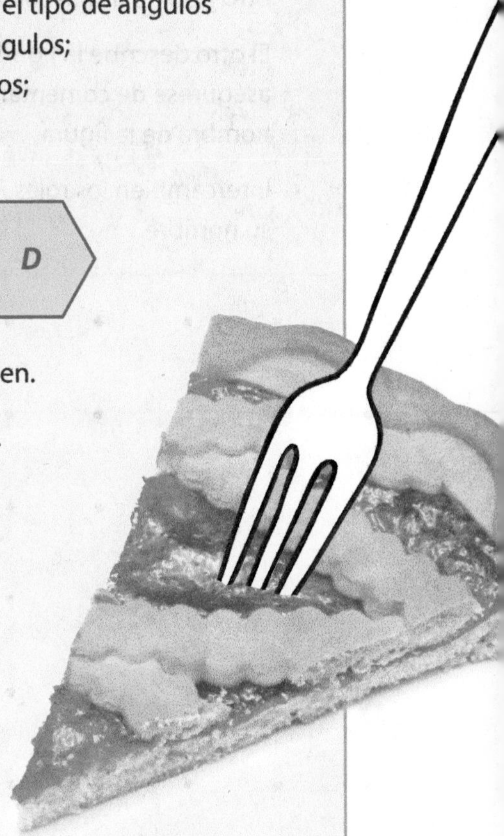

Una manera de clasificar figuras es según el tipo de lados que tienen.

- Las figuras *A* y *C* tienen lados paralelos y lados perpendiculares.
- Las figuras *B* y *D* tienen solamente lados paralelos.

Otra manera de clasificar figuras es según el tipo de ángulos que tienen.

- Las figuras *A* y *C* tienen los ángulos rectos.
- La figura *B* tiene algunos ángulos agudos y algunos ángulos obtusos.
- La figura *D* tiene todos los ángulos obtusos.

Los triángulos se pueden clasificar según sus ángulos y lados.

- El triángulo *E* es un **triángulo escaleno.** Ninguno de sus lados tiene la misma longitud.
- El triángulo *F* es un **triángulo rectángulo.** Tiene un ángulo recto.

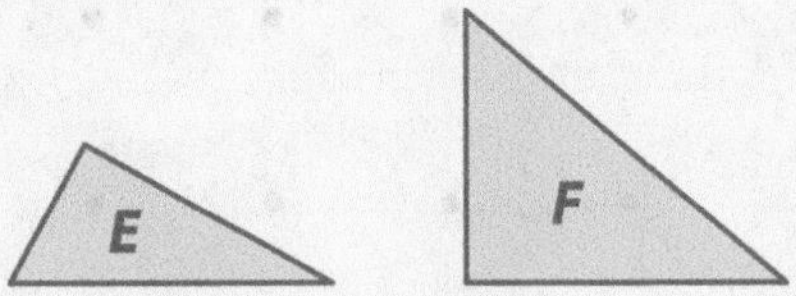

Invite a su niño a compartir lo que sabe sobre clasificar figuras bidimensionales haciendo juntos la siguiente actividad.

ACTIVIDAD CLASIFICAR FIGURAS BIDIMENSIONALES

Haga la siguiente actividad con su niño para clasificar figuras bidimensionales.

- Use la cuadrícula de puntos de abajo o haga una cuadrícula de puntos en otra hoja de papel.
- Uno de los dos dibuja una figura. La figura puede ser un triángulo, un cuadrilátero u otro tipo de figura con lados rectos.
- El otro describe la figura. Si la figura tiene lados paralelos o perpendiculares, asegúrese de comentarlo. ¡Describa también los ángulos de la figura! Luego diga el nombre de la figura.
- Intercambien los roles. Túrnense para dibujar una figura, describirla y decir su nombre.

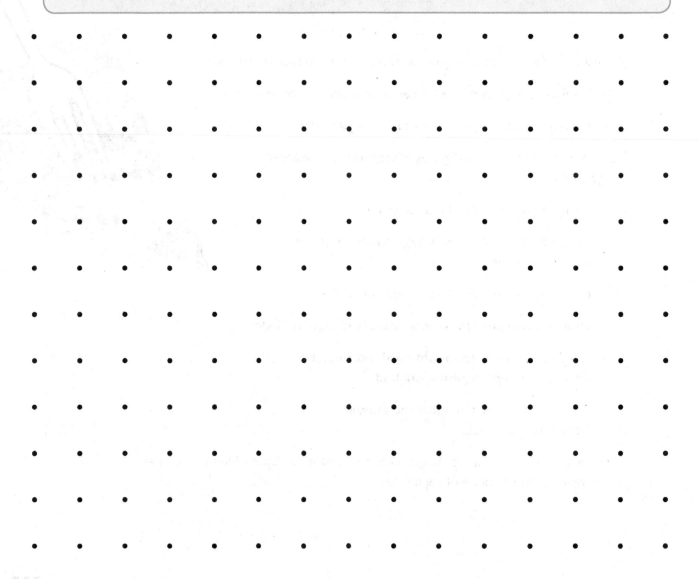

Explora Clasificar figuras bidimensionales

Objetivo de aprendizaje

- Clasificar figuras bidimensionales basándose en la presencia o ausencia de rectas paralelas o perpendiculares, o en la presencia o ausencia de ángulos de un tamaño especificado. Reconocer que los triángulos rectángulos forman una categoría en sí, e identificar triángulos rectángulos.

EPM 1, 2, 3, 4, 5, 6, 7, 8

Ya has aprendido acerca de las rectas paralelas y perpendiculares. Usa lo que sabes para tratar de resolver el siguiente problema.

Mira las figuras de abajo. Coloca una marca en cada figura que tenga al menos un par de lados paralelos. Coloca una estrella en cada figura que tenga al menos un par de lados perpendiculares. Explica cómo podrías comprobar tus elecciones.

PRUÉBALO

Herramientas matemáticas

- bloques de patrones
- reglas
- tarjetas en blanco
- transportadores

CONVERSA CON UN COMPAÑERO

Pregúntale: ¿Puedes explicarme eso otra vez?

Dile: Yo ya sabía que . . . así que . . .

CONÉCTALO

1 REPASA

¿Qué figuras tienen al menos un par de lados paralelos y al menos un par de lados perpendiculares? Explica.

2 SIGUE ADELANTE

Las figuras que tienen lados rectos, como los triángulos y los cuadriláteros, son tipos de **polígonos**. Hay diferentes maneras de clasificar estas figuras, por ejemplo, según el número de lados que tiene la figura y según las relaciones que existen entre los lados. También puedes clasificar figuras según los tipos de ángulos que tienen.

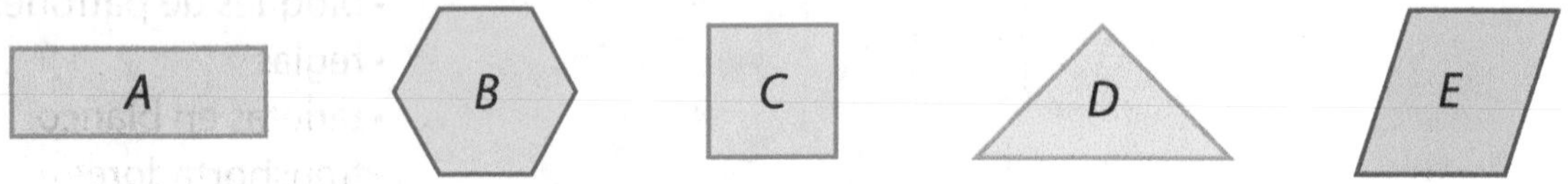

a. ¿Qué figuras tienen al menos un ángulo recto? ....

b. ¿Qué figuras tienen al menos un ángulo agudo? ....

c. ¿Qué figuras tienen al menos un ángulo obtuso? ....

3 REFLEXIONA

Describe los lados y los ángulos de la figura C.

....

....

....

....

....

Prepárate para clasificar figuras bidimensionales

1 Piensa en lo que sabes acerca de los polígonos. Llena cada recuadro. Usa palabras, números y dibujos. Muestra tantas ideas como puedas.

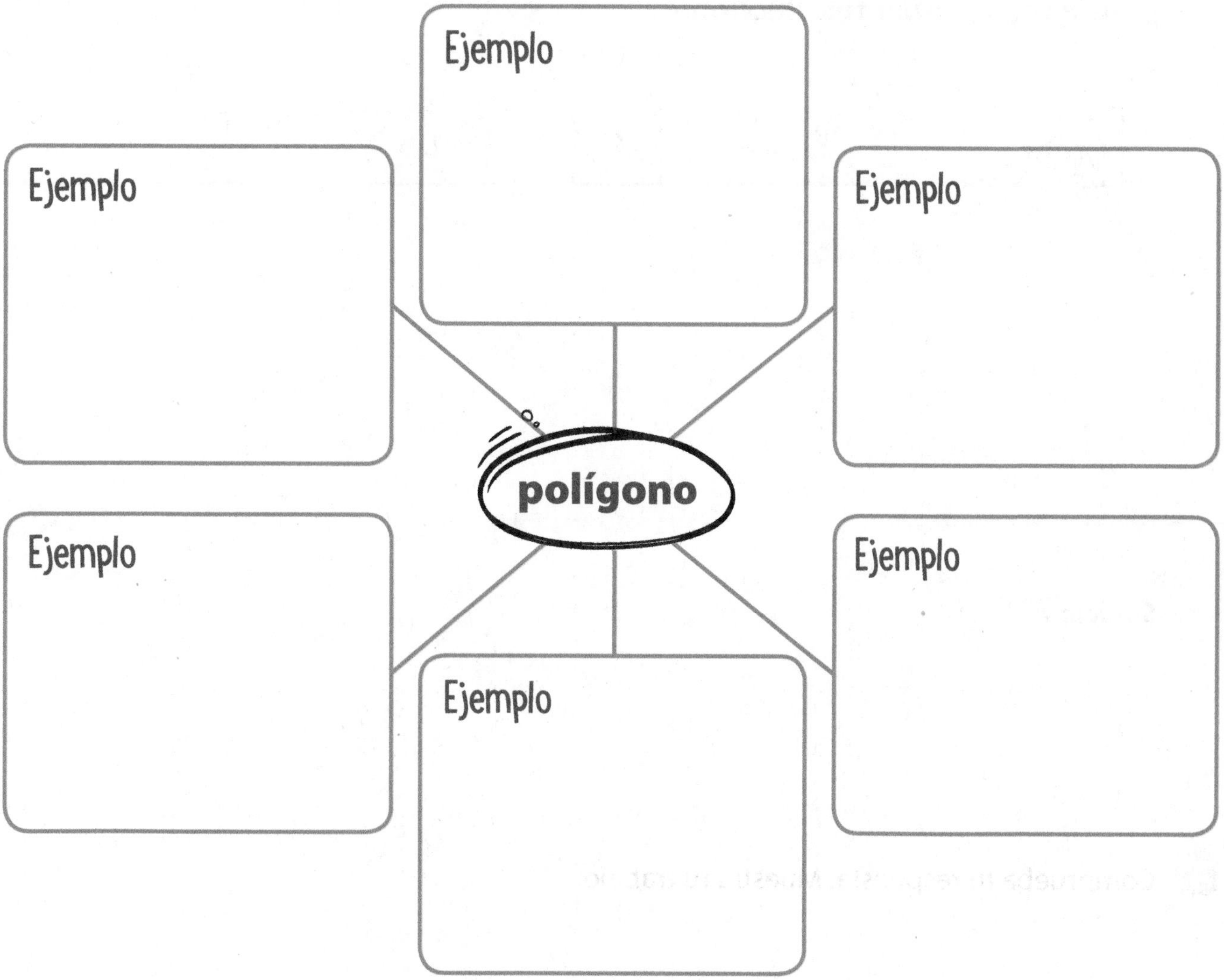

2 ¿Qué figuras son polígonos?

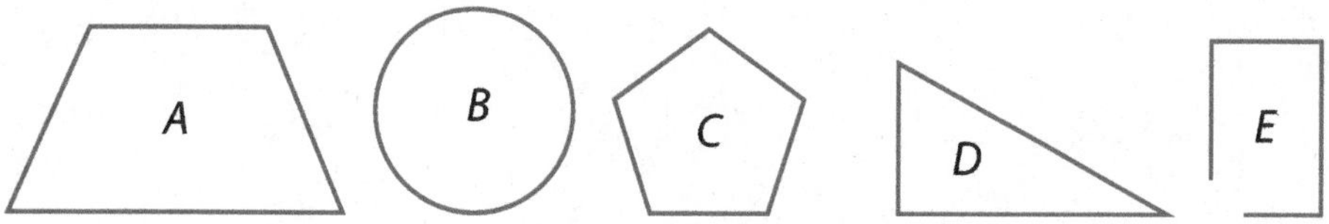

....

3 Resuelve el problema. Muestra tu trabajo.

Mira las figuras de abajo. Coloca una marca en todas las figuras que tengan al menos un ángulo recto. Coloca una estrella en todas las figuras que tengan al menos un par de lados paralelos. Explica cómo podrías comprobar tus elecciones.

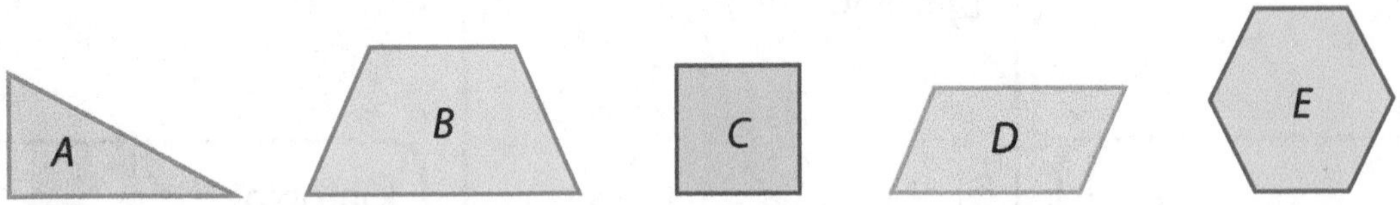

Solución ....

....

....

....

4 Comprueba tu respuesta. Muestra tu trabajo.

Desarrolla Clasificar figuras según sus lados

Lee el siguiente problema y trata de resolverlo.

Evan juega un juego de mesa. El tablero está dividido en tres secciones.

lados paralelos	lados perpendiculares	lados paralelos y perpendiculares

Estas son las tarjetas de Evan. ¿A qué secciones del tablero pertenecen las tarjetas?

hexágono

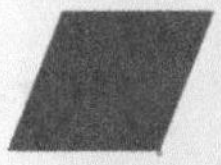
rombo

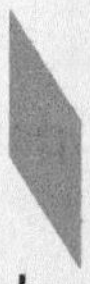
paralelogramo

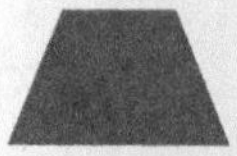
trapecio

PRUÉBALO

Herramientas matemáticas

- bloques de patrones
- reglas
- tarjetas en blanco
- transportadores

CONVERSA CON UN COMPAÑERO

Pregúntale: ¿Cómo empezaste a resolver el problema?

Dile: Comencé por . . .

Explora diferentes maneras de entender cómo clasificar figuras en grupos según los lados paralelos y perpendiculares que tengan.

Evan juega un juego de mesa. El tablero está dividido en tres secciones.

lados paralelos	lados perpendiculares	lados paralelos y perpendiculares

Estas son las tarjetas de Evan. ¿A qué secciones del tablero pertenecen las tarjetas?

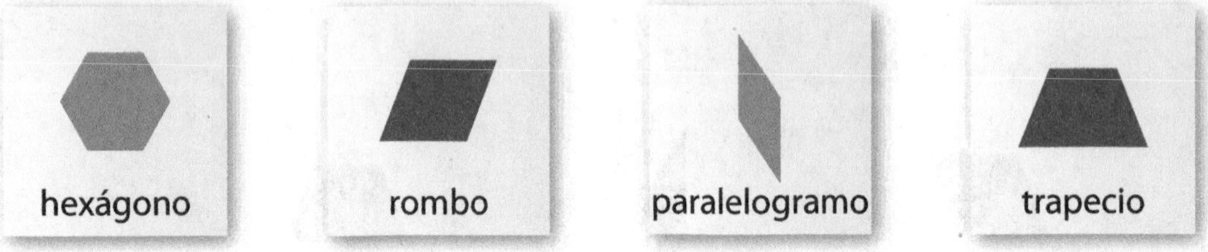

HAZ UN DIBUJO

Puedes usar dibujos para ayudarte a clasificar figuras.

Dibuja un par de rectas paralelas y un par de rectas perpendiculares.

rectas paralelas

rectas perpendiculares

Dibuja rectas a lo largo de los lados opuestos de cada figura. Compara estas rectas con las rectas paralelas que dibujaste.

Dibuja rectas a lo largo de los lados de cada figura que formen ángulos. Compara estas rectas con las rectas perpendiculares que dibujaste.

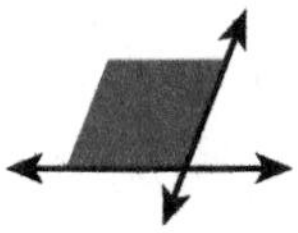

HAZ UN MODELO

Puedes usar una tabla para ayudarte a clasificar figuras.

Haz una tabla. Coloca la figura de cada tarjeta donde corresponda en la tabla.

Lados paralelos	Tanto lados paralelos como perpendiculares	Lados perpendiculares

Las tarjetas de Evan pertenecen a la columna "Lados paralelos" de la tabla.

CONÉCTALO

Ahora vas a resolver un problema similar al de la página anterior para ayudarte a entender cómo clasificar figuras en grupos según sus lados paralelos y perpendiculares. Evan recibe dos tarjetas más. ¿A qué secciones del juego corresponden las tarjetas con estas figuras?

cuadrado

1. Evan recibe una tarjeta con un cuadrado. ¿A qué sección del juego pertenece?

cuadrilátero

2. Evan recibe una tarjeta con un cuadrilátero. ¿Pertenece el cuadrilátero a alguna de las tres categorías del tablero? Si no es así, nombra una categoría que pueda usarse para describir esta figura.

3. Explica cómo clasificar figuras según sus lados paralelos y perpendiculares.

4. ## REFLEXIONA

Repasa **Pruébalo**, las estrategias de tus compañeros, **Haz un dibujo** y **Haz un modelo**. ¿Qué modelos o estrategias prefieres para clasificar figuras en grupos según sus lados paralelos y perpendiculares? Explica.

APLÍCALO

Usa lo que acabas de aprender para resolver estos problemas.

5 Describe el grupo al que pertenecen las siguientes figuras según los tipos de lados que tienen.

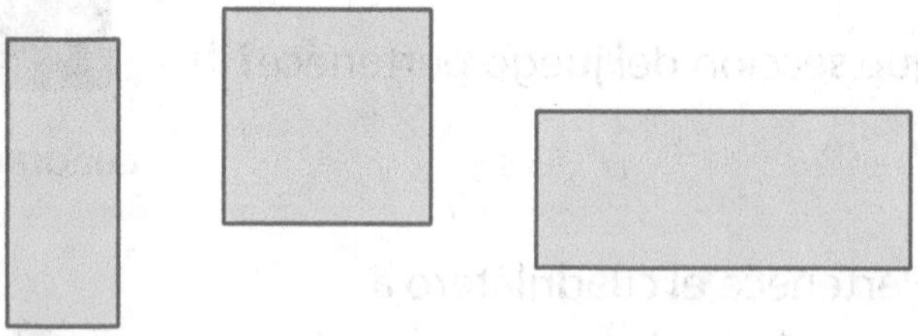

Solución ....

6 Encierra en un círculo la figura que pertenece al grupo: "sin lados paralelos".

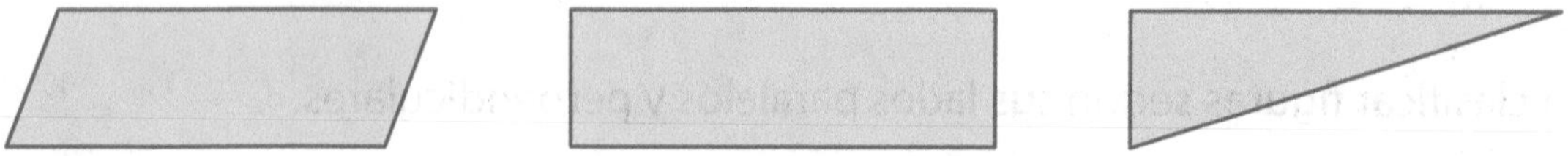

7 Selecciona todas las figuras que siempre tienen pares de lados perpendiculares.

Ⓐ hexágono

Ⓑ paralelogramo

Ⓒ rectángulo

Ⓓ rombo

Ⓔ cuadrado

Ⓕ trapecio

Practica clasificar figuras según sus lados

Estudia el Ejemplo, que muestra cómo clasificar figuras en grupos según los lados paralelos y perpendiculares que tengan. Luego resuelve los problemas 1 a 4.

EJEMPLO

Clasifica las siguientes figuras según los lados paralelos y perpendiculares que tengan. Coloca las figuras en la tabla de abajo.

rombo **triángulo** **cuadrado** **hexágono** **rectángulo**

Lados paralelos	Tanto lados paralelos como perpendiculares	Lados perpendiculares
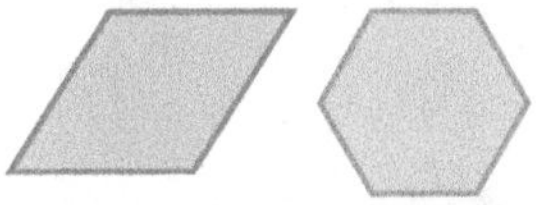	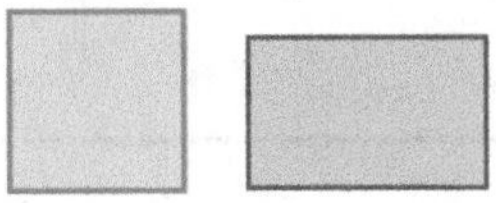	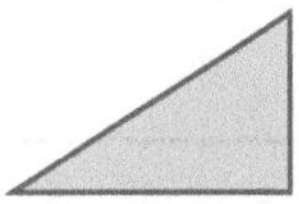

1 Mira cómo las figuras del Ejemplo de arriba se clasifican en grupos. Luego mira la figura de la derecha. ¿A qué grupo pertenece la figura?

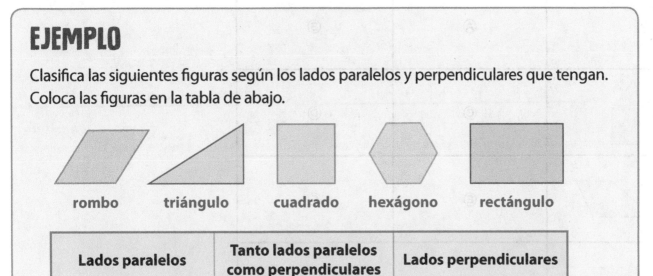

Solución ....

2 Supón que hay otro grupo para las figuras: "ningún lado paralelo ni perpendicular". Encierra en un círculo las figuras que pertenecen a este grupo.

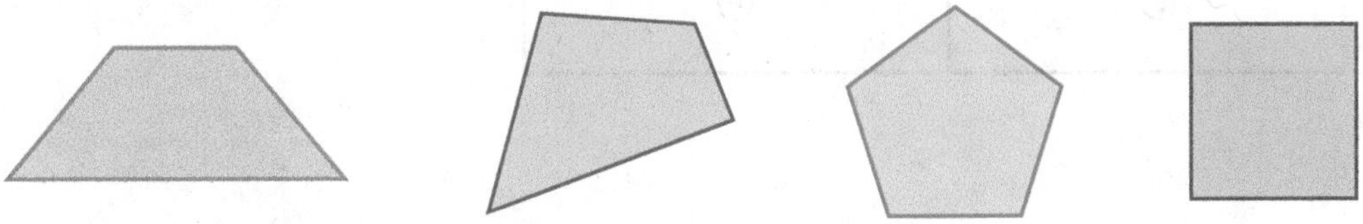

3 Selecciona los tipos de lados que tiene cada figura.

	Lados paralelos	Lados perpendiculares
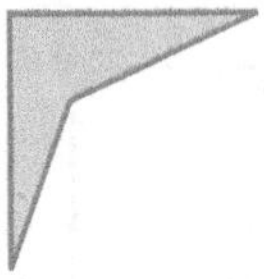	Ⓐ	Ⓑ
	Ⓒ	Ⓓ
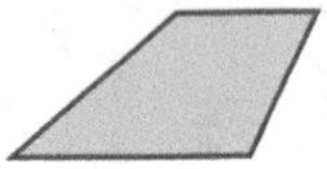	Ⓔ	Ⓕ
	Ⓖ	Ⓗ

4 Selecciona todas las propiedades que siempre tiene cada figura.

	Lados paralelos	Lados perpendiculares
rectángulo	Ⓐ	Ⓑ
rombo	Ⓒ	Ⓓ
cuadrado	Ⓔ	Ⓕ

Desarrolla Clasificar figuras según sus ángulos

Lee el siguiente problema y trata de resolverlo.

Un juego de computadora de un salón de clase muestra un conjunto de categorías y un conjunto de figuras. El jugador coloca cada figura en la categoría correcta. Traza una línea desde cada figura hasta la categoría a la que pertenece.

solo agudos | solo rectos | agudos y rectos | agudos y obtusos

PRUÉBALO

Herramientas matemáticas
- transportadores
- reglas
- tarjetas en blanco

CONVERSA CON UN COMPAÑERO

Pregúntale: ¿Estás de acuerdo conmigo? ¿Por qué sí o por qué no?

Dile: Estoy de acuerdo contigo en que . . . porque . . .

Explora diferentes maneras de entender cómo clasificar figuras en categorías según sus ángulos.

Un juego de computadora de un salón de clase muestra un conjunto de categorías y un conjunto de figuras. El jugador coloca cada figura en la categoría correcta. Traza una línea desde cada figura hasta la categoría a la que pertenece.

solo agudos | solo rectos | agudos y rectos | agudos y obtusos

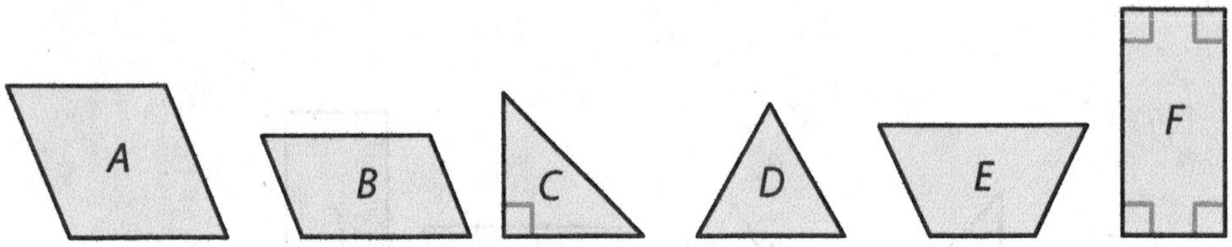

HAZ UN DIBUJO

Puedes usar un modelo para ayudarte a clasificar figuras según sus ángulos.

Usa la esquina de una hoja de papel como modelo de ángulo recto. Compara cada ángulo con la esquina del papel.

Por ejemplo, coloca la esquina del papel sobre el trapecio.

Este ángulo tiene una abertura más grande que un ángulo recto. El ángulo es **obtuso**.

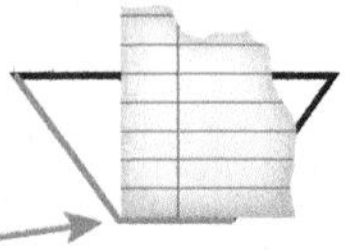

Luego puedes comparar la esquina del papel con cada uno de los otros 3 ángulos del trapecio.

HAZ UN MODELO

Puedes rotular un dibujo para ayudarte a clasificar figuras según sus ángulos.

Mira cada figura. Marca cada ángulo *a* para agudo, *r* para recto u *o* por obtuso.

Por ejemplo, marca el trapecio así:

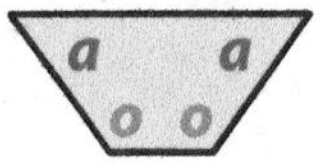

El trapecio tiene 2 ángulos agudos y 2 ángulos obtusos. Pertenece al grupo "agudo y obtuso".

Recuerda mirar todos los ángulos de la figura antes de colocarla en un grupo.

CONÉCTALO

Ahora vas a usar el problema de la página anterior para ayudarte a entender cómo clasificar figuras en categorías según sus ángulos.

1. Mira los paralelogramos *A* y *B*. Comprueba que hayas dibujado las líneas al grupo o a los grupos correctos. ¿Pertenecen los dos paralelogramos al mismo grupo? Explica.

2. Mira los dos triángulos. Comprueba que hayas trazado las líneas para unir los triángulos con su grupo o grupos. Describe los ángulos de cada triángulo.

3. Mira el trapecio y el rectángulo. ¿Cuál tiene solo ángulos rectos? ....
Mira **Haz un dibujo**. ¿A qué grupo pertenece el trapecio?
.... Comprueba que hayas trazado las líneas al grupo o a los grupos correctos.

4. Explica cómo clasificar figuras según si tienen ángulos agudos, rectos u obtusos.

5. ## REFLEXIONA

Repasa **Pruébalo**, las estrategias de tus compañeros, **Haz un dibujo** y **Haz un modelo**. ¿Qué modelos o estrategias prefieres para clasificar figuras según sus ángulos? Explica.

....

....

....

....

APLÍCALO

Usa lo que acabas de aprender para resolver estos problemas.

6 ¿A cuál de estos grupos pertenece el rombo: "solo ángulos agudos", "solo ángulos obtusos", "solo ángulos rectos", "ángulos agudos y obtusos" o " ángulos rectos y obtusos"? Explica.

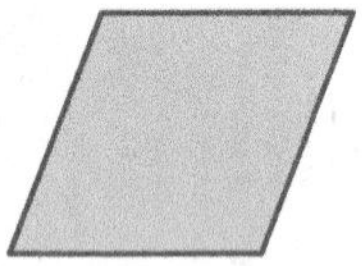

7 Encierra en un círculo la figura que tiene un ángulo agudo, un ángulo recto y un ángulo obtuso.

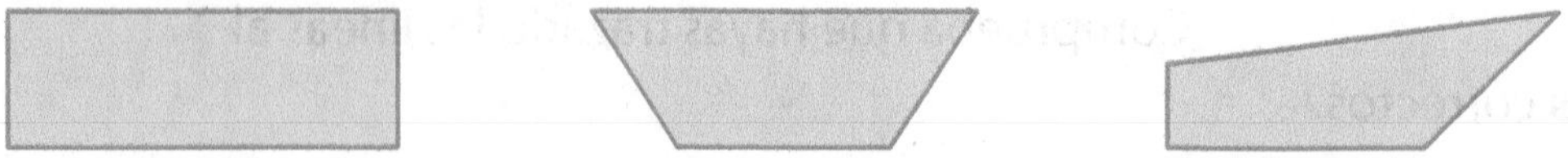

8 Las siguientes figuras se han clasificado en dos grupos según sus ángulos. Explica cómo se podrían haber clasificado las figuras.

Grupo 1 **Grupo 2**

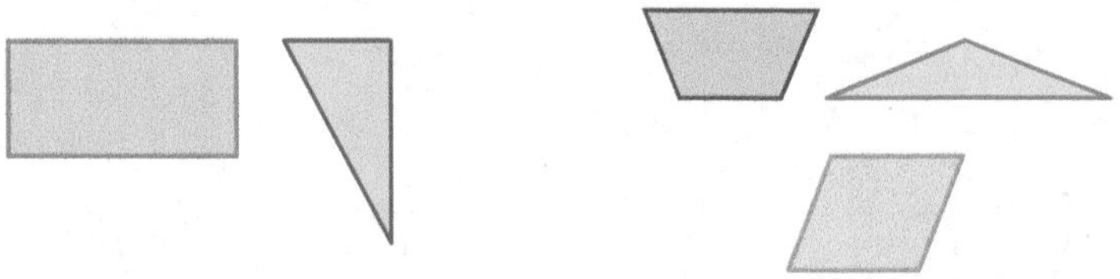

Practica clasificar figuras según sus ángulos

Estudia el Ejemplo, que muestra cómo clasificar figuras en grupos según sus ángulos. Luego resuelve los problemas 1 a 5.

EJEMPLO

Rotula cada ángulo de las siguientes figuras con *a* para agudo, *r* para recto y *o* para obtuso. Luego traza una línea desde cada figura hasta el grupo al que pertenece.

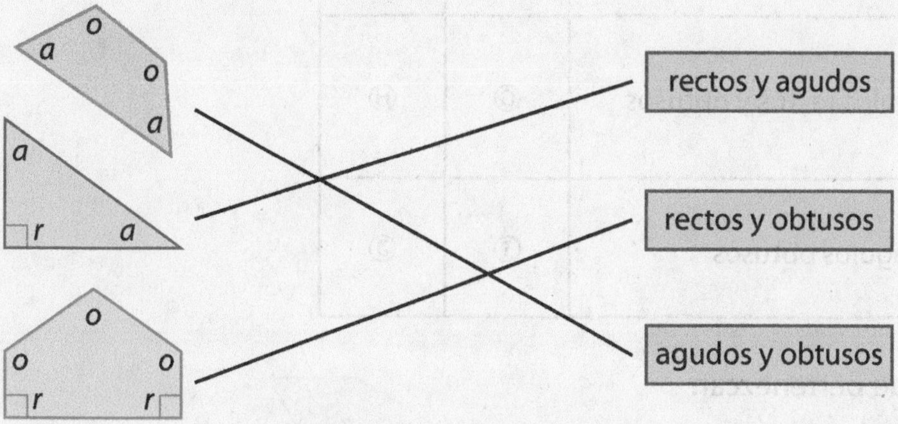

1 Escribe el número de ángulos agudos, rectos y obtusos de cada pentágono que se muestra en la tabla de abajo.

	Agudo	Recto	Obtuso
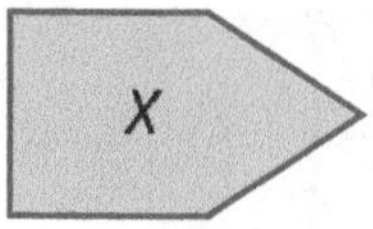 X			
 Y			

2 Explica en qué se diferencian estos pentágonos según sus ángulos.

Solución ....

....

3 Di si cada figura pertenece al grupo que se describe.

	Sí	**No**
 todos ángulos rectos	Ⓐ	Ⓑ
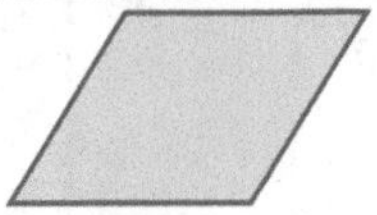 ángulos rectos y agudos	Ⓒ	Ⓓ
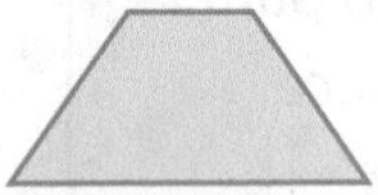 ángulos obtusos y agudos	Ⓔ	Ⓕ
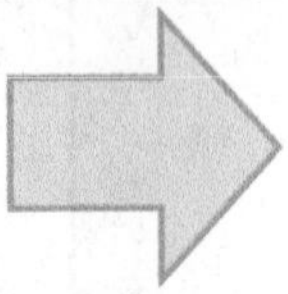 solo ángulos rectos y obtusos	Ⓖ	Ⓗ
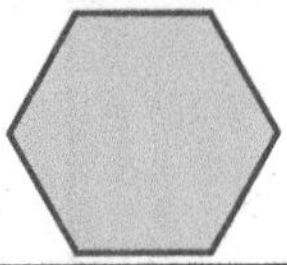 todos ángulos obtusos	Ⓘ	Ⓙ

4 Describe un grupo al que pertenezcan las dos figuras de la derecha, según los tipos de ángulos que tienen.

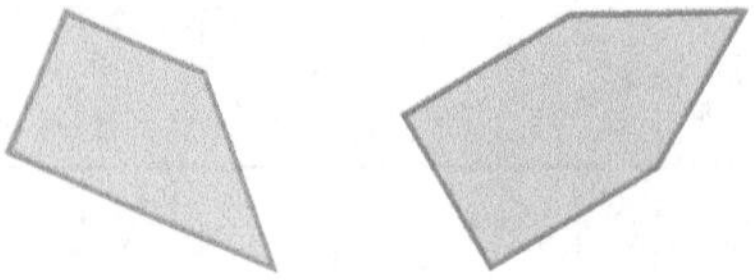

Solución ....

5 Mira las figuras del problema 4. ¿A qué parte de la tabla corresponden? Dibuja cada figura en la columna a la que pertenezca. Explica tu respuesta.

Ángulos agudos y obtusos	**Ángulos agudos y rectos**	**Ángulos obtusos y rectos**	**Ángulos agudos, rectos y obtusos**

Desarrolla Clasificar triángulos

Lee el siguiente problema y trata de resolverlo.

Una página web vende 7 tipos de banderas triangulares según sus lados y sus ángulos.

Bandera	Lados iguales	Ángulos
1	3	3 agudos
2	2	2 agudos, 1 recto
3	2	2 agudos, 1 obtuso
4	2	3 agudos

Bandera	Lados iguales	Ángulos
5	0	2 agudos, 1 recto
6	0	2 agudos, 1 obtuso
7	0	3 agudos

¿De qué número de bandera es un modelo el triángulo de la derecha?

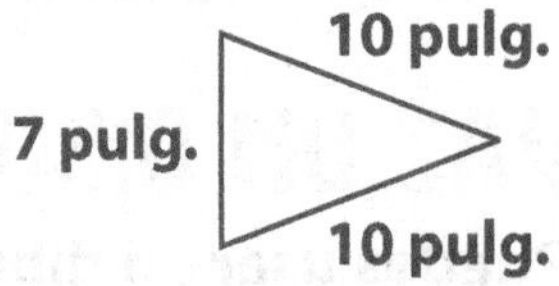

PRUÉBALO

Herramientas matemáticas
- transportadores
- reglas
- tarjetas en blanco

CONVERSA CON UN COMPAÑERO

Pregúntale: ¿Por qué elegiste esa estrategia?

Dile: No comprendo cómo . . .

Explora diferentes maneras de entender cómo clasificar triángulos en grupos según sus tipos de ángulos y la longitud de sus lados.

Una página web vende 7 tipos de banderas triangulares según sus lados y sus ángulos.

Bandera	Lados iguales	Ángulos
1	3	3 agudos
2	2	2 agudos, 1 recto
3	2	2 agudos, 1 obtuso
4	2	3 agudos

Bandera	Lados iguales	Ángulos
5	0	2 agudos, 1 recto
6	0	2 agudos, 1 obtuso
7	0	3 agudos

¿De qué número de bandera es un modelo el triángulo de la derecha?

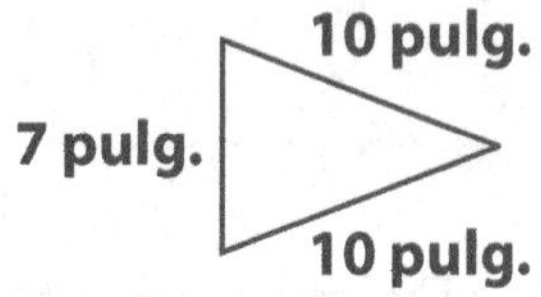

HAZ UN DIBUJO

Puedes usar un dibujo para ayudarte a describir los lados y los ángulos de los triángulos.

Compara los ángulos del triángulo con un ángulo recto. El triángulo tiene 3 ángulos agudos.

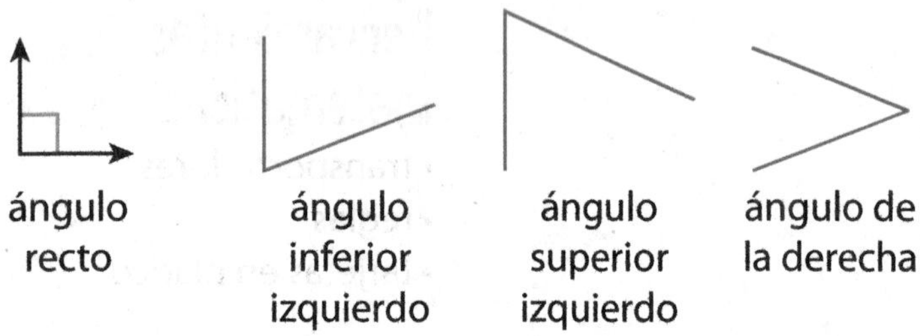

El triángulo tiene 2 lados de la misma longitud (10 pulg.). La bandera 4 tiene **2 lados de la misma longitud** y **3 ángulos agudos**. El triángulo es un modelo de la bandera 4.

Las tablas de abajo muestran nombres de triángulos según su número de lados de la misma longitud y sus tipos de ángulos.

Nombre	Descripción de los lados
equilátero	3 lados iguales
isósceles	**2 lados iguales**
escaleno	0 lados iguales

Nombre	Descripción de los ángulos
acutángulo	**3 ángulos agudos**
rectángulo	1 ángulo recto
obtusángulo	1 ángulo obtuso

El triángulo tiene 2 lados iguales; por lo tanto, es un **triángulo isósceles**. Como tiene 3 ángulos agudos, es un **triángulo acutángulo**.

CONÉCTALO

Ahora vas a usar el problema de la página anterior para ayudarte a entender cómo clasificar triángulos en grupos según sus tipos de ángulos y la longitud de sus lados y cómo nombrar triángulos.

1. Repasa el modelo para la bandera triangular. Completa los espacios en blanco para nombrar este triángulo según sus ángulos y lados: triángulo ....

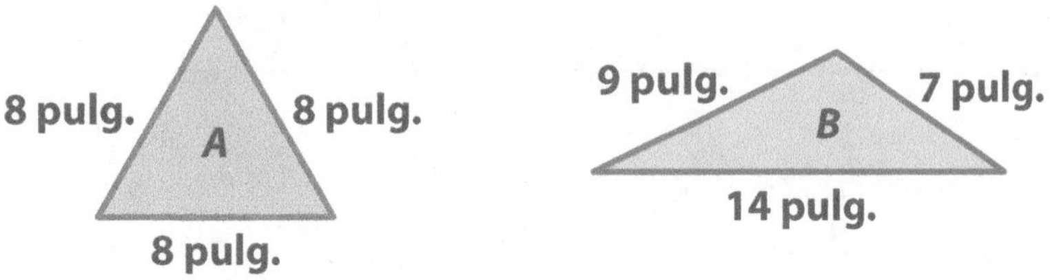

2. Mira el triángulo *A* de arriba. ¿Cuántos lados tienen la misma longitud? ....

   ¿Qué tipos de ángulos tiene? ....

   ¿Cuáles son dos nombres para este triángulo? ....

3. ¿Cuáles son dos nombres para el triángulo *B*? ....

   ¿Puede el triángulo *B* llamarse también triángulo acutángulo? ¿Por qué sí o por qué no?

4. Explica cómo hacer una descripción completa de un triángulo.

5. ## REFLEXIONA

   Repasa **Pruébalo**, las estrategias de tus compañeros y **Haz un dibujo**. ¿Qué modelos o estrategias prefieres para clasificar triángulos en grupos según sus tipos de ángulos y la longitud de sus lados y para nombrar triángulos? Explica.

   ....

   ....

   ....

APLÍCALO

Usa lo que acabas de aprender para resolver estos problemas.

6 Haz una descripción completa del siguiente triángulo. Muestra tu trabajo.

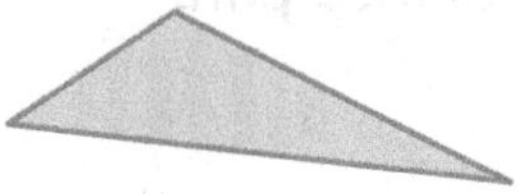

Solución ....

7 ¿Qué tienen en común los triángulos de abajo? ¿En qué son diferentes?

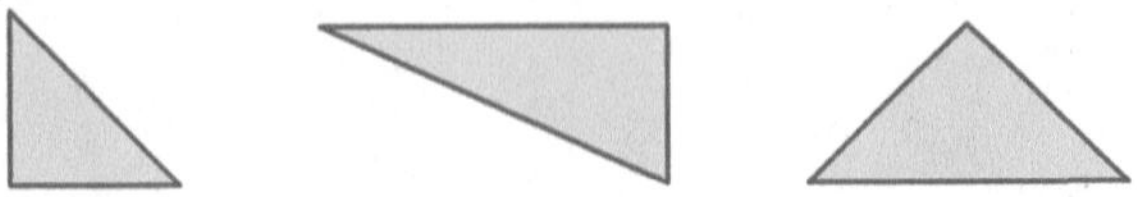

Solución ....

....

....

8 ¿Qué figura es un triángulo acutángulo isósceles?

Ⓐ 

Ⓑ 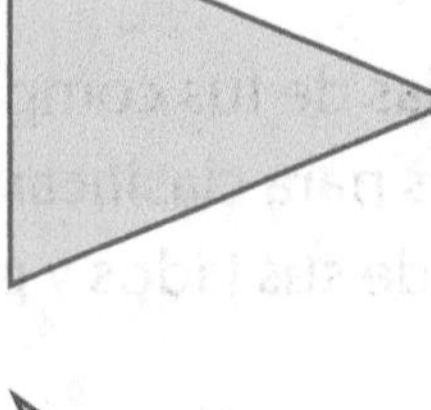

Ⓒ 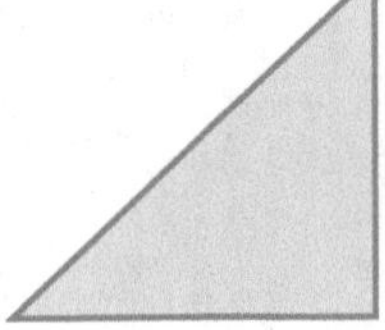

Ⓓ 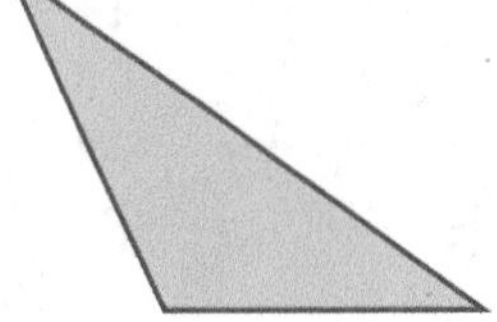

Nombre: ____

Practica clasificar triángulos

Estudia el Ejemplo, que muestra cómo clasificar triángulos en grupos según sus tipos de ángulos y la longitud de sus lados. Luego resuelve los problemas 1 a 4.

EJEMPLO

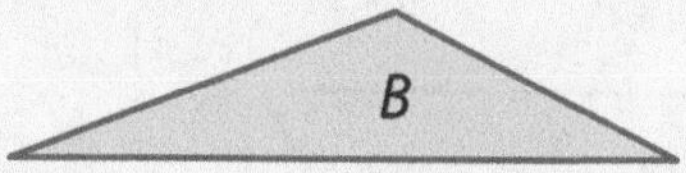

¿En qué se parecen los dos triángulos que se muestran a la derecha? ¿En qué son diferentes?

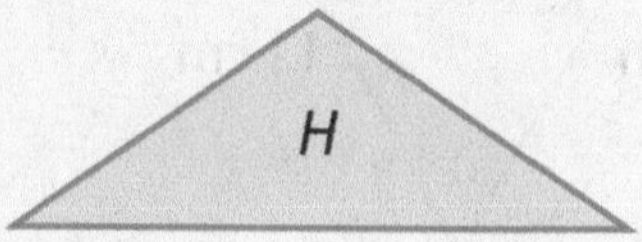

Puedes clasificar triángulos en grupos según los tipos de ángulos que tienen: acutángulo, rectángulo u obtusángulo.

También puedes clasificar triángulos según la longitud de sus lados.

equilátero: 3 lados iguales
isósceles: 2 lados iguales
escaleno: 0 lados iguales

Los triángulos *B* y *H* son iguales porque ambos son triángulos obtusángulos. Cada uno tiene 1 ángulo obtuso.

Los triángulos *B* y *H* son diferentes porque el triángulo *B* es un triángulo escaleno y el triángulo *H* es un triángulo isósceles.

1 Mira la tabla. Nombra cada triángulo según los tipos de ángulos que tiene y la longitud de sus lados.

Nombre	Descripción de los ángulos
acutángulo	3 ángulos agudos
rectángulo	1 ángulo recto
obtusángulo	1 ángulo obtuso

Nombre	Descripción de los lados
equilátero	3 lados iguales
isósceles	2 lados iguales
escaleno	0 lados iguales

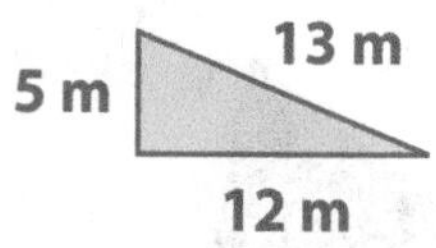

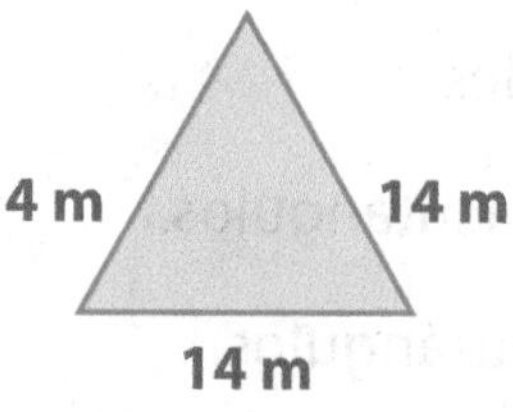

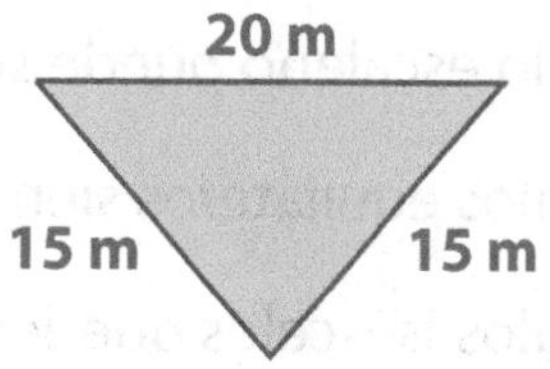

....

2 Mira el nombre de cada triángulo. Luego usa los números de los recuadros para escribir la longitud que falta de un lado de cada triángulo.

9 cm	10 cm	11 cm

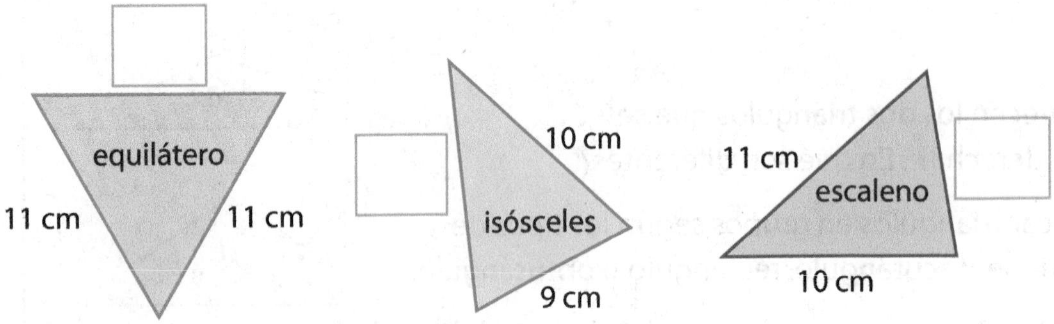

3 Escribe los rótulos dentro de cada triángulo formado por las rectas en el siguiente dibujo:
a para acutángulo, *r* para rectángulo, *o* para obtusángulo, *e* para equilátero, *i* para isósceles, *es* para escaleno.

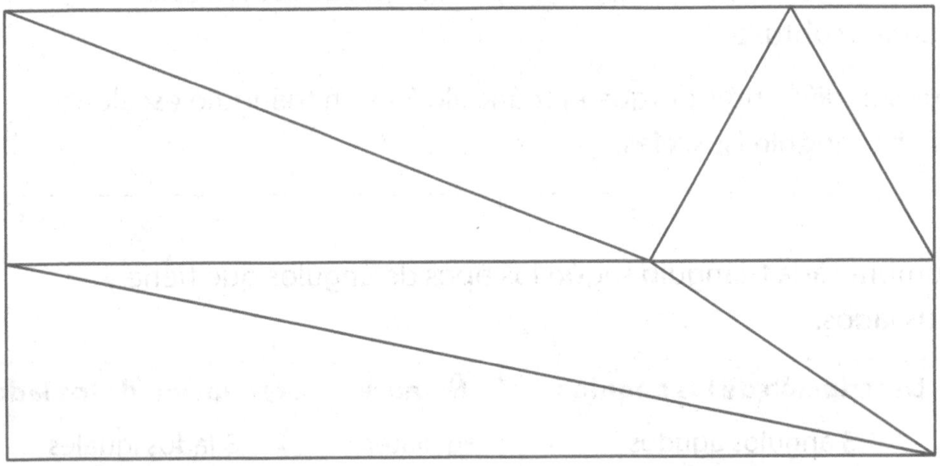

4 ¿Qué enunciados son verdaderos?

Ⓐ Un triángulo obtusángulo no tiene ángulos agudos.

Ⓑ Un triángulo escaleno puede ser isósceles.

Ⓒ Los triángulos equiláteros siempre son acutángulos.

Ⓓ Los triángulos isósceles pueden ser obtusángulos.

Ⓔ Los triángulos rectángulos son escalenos o isósceles.

Refina Clasificar figuras bidimensionales

Completa el Ejemplo siguiente. Luego resuelve los problemas 1 a 7.

EJEMPLO

¿Tiene alguna de las siguientes figuras al menos un par de lados paralelos y al menos un ángulo recto? Si es así, nombra las figuras. Si no es así, explica.

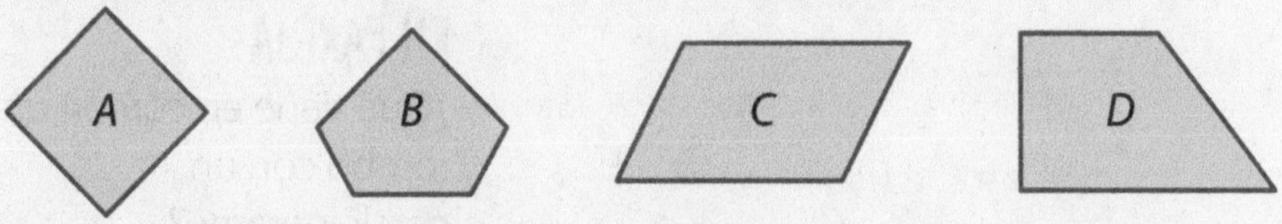

Mira cómo podrías mostrar tu trabajo usando una tabla.

Figura	Lados paralelos	Ángulo recto
A	X	X
B		X
C	X	
D	X	X

Solución ....

El estudiante nombró cada figura en una tabla y usó una X para mostrar que una figura tenía lados paralelos o un ángulo recto.

EN PAREJA

¿Cómo podrías comprobar que los lados son paralelos?

APLÍCALO

1 Nate y Alicia juegan a Dibuja mi figura. Nate dice: *Mi figura tiene 2 pares de lados paralelos, 2 ángulos agudos y 2 ángulos obtusos*. Alicia dibuja el siguiente rectángulo. Explica por qué la respuesta de Alicia es incorrecta.

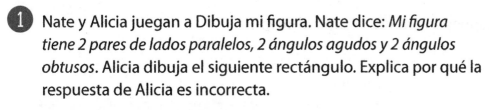

Solución ....

....

Puedes comprobar los ángulos para saber si son agudos, rectos u obtusos.

EN PAREJA

¿Puede haber una figura de 4 lados con 4 ángulos rectos y solo 1 par de lados paralelos?

2 Di en qué se parecen y en qué son diferentes los lados y los ángulos de las siguientes figuras.

cuadrado rombo

Todos los ángulos del cuadrado son iguales, pero el rombo parece que tiene dos tipos diferentes de ángulos.

Solución ....

....

....

EN PAREJA

¿Qué tiene en común un rombo con un paralelogramo?

3 ¿Cuál es el mejor nombre para el triángulo que se muestra?

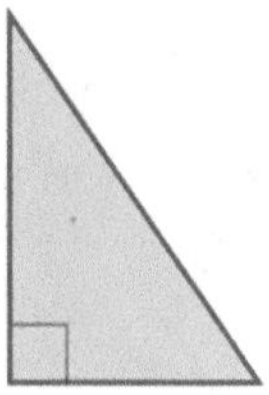

Ⓐ triángulo acutángulo isósceles

Ⓑ triángulo acutángulo escaleno

Ⓒ triángulo rectángulo isósceles

Ⓓ triángulo rectángulo escaleno

¿Cuántos ángulos rectos debe tener un triángulo para llamarlo "triángulo rectángulo"?

Ricky eligió Ⓑ como la respuesta correcta. ¿Cómo obtuvo él esa respuesta?

EN PAREJA

¿Podría tener un triángulo 2 ángulos rectos?

4 ¿Cuál es el mejor nombre para el siguiente grupo de figuras?

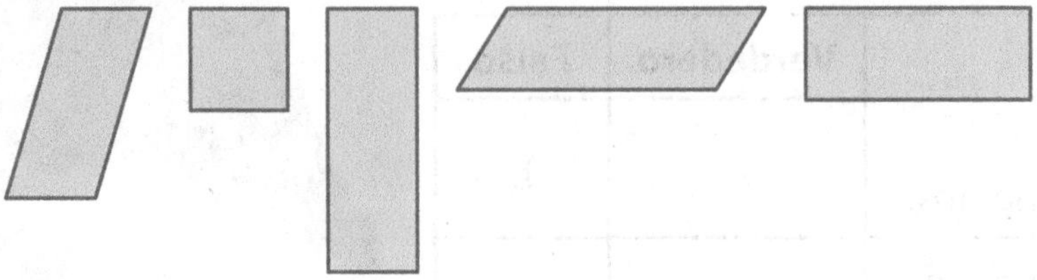

Ⓐ figuras con ángulos agudos

Ⓑ figuras con ángulos rectos

Ⓒ figuras con lados paralelos

Ⓓ figuras con lados perpendiculares

5 Clasifica las cuatro figuras de abajo. Usa las características que se muestran en la tabla. Dibuja cada figura en la columna a la que pertenezca. Algunas figuras quizás pertenezcan a más de una columna.

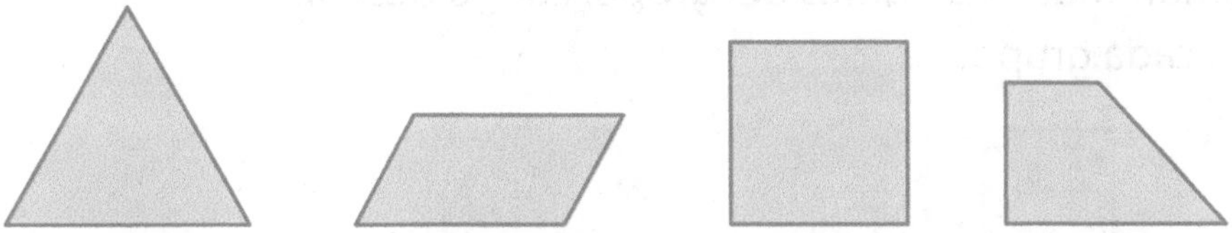

triángulo equilátero — paralelogramo — cuadrado — trapecio recto

Figuras con al menos un ángulo agudo	Figuras con al menos un par de lados perpendiculares	Figuras con al menos un par de lados paralelos

6 Di si cada enunciado es *Verdadero* o *Falso*.

	Verdadero	**Falso**
Los triángulos rectángulos escalenos pueden tener 3 tipos diferentes de ángulos.	Ⓐ	Ⓑ
Los triángulos rectángulos isósceles tienen 2 ángulos rectos.	Ⓒ	Ⓓ
Los triángulos equiláteros también son triángulos acutángulos.	Ⓔ	Ⓕ
Los triángulos pueden tener 2 lados perpendiculares.	Ⓖ	Ⓗ

7 DIARIO DE MATEMÁTICAS

Divide las siguientes figuras en dos grupos. Coloca a cada grupo un título que indique lo que tienen en común todas las figuras del grupo. Luego describe otra figura que pertenezca a cada grupo.

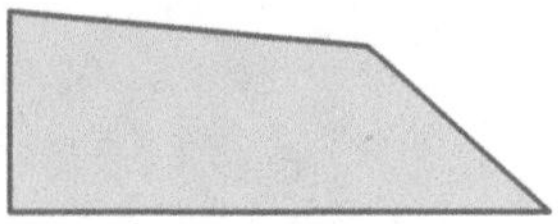

cuadrilátero

cuadrado

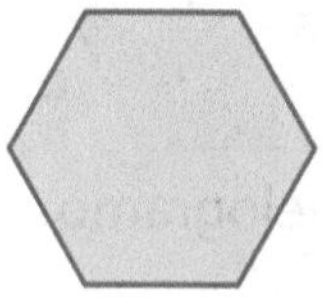

hexágono

paralelogramo

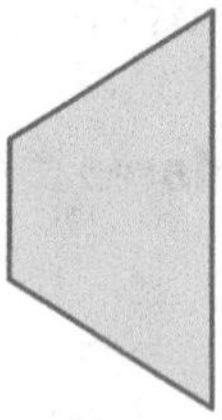

trapecio

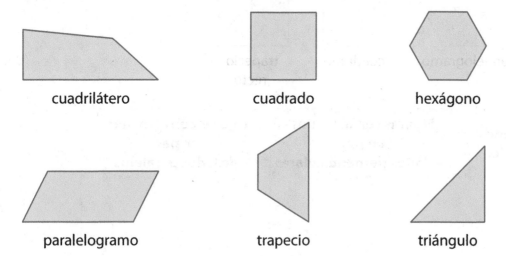

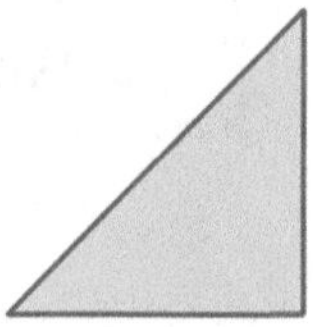

triángulo

COMPRUEBA TU PROGRESO Vuelve al comienzo de la Unidad 5 y mira qué destrezas puedes marcar.

Simetría

LECCIÓN 34

Estimada familia:

Esta semana su niño está aprendiendo sobre la simetría.

Puede hallar figuras simétricas en la vida real, tanto en la naturaleza como en objetos hechos por el hombre.

Un **eje de simetría** es una línea que divide una figura en dos imágenes reflejadas.

Su niño está aprendiendo a identificar ejes de simetría en figuras.

La línea horizontal divide el óvalo en dos partes reflejadas. Es un eje de simetría.

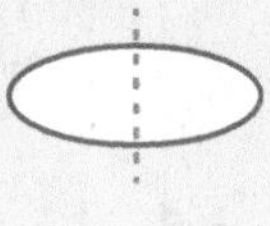

La línea vertical divide el óvalo en dos partes reflejadas. También es un eje de simetría.

Su niño también está aprendiendo a dibujar ejes de simetría. Una manera de hacerlo es imaginarse que dobla una figura de diferentes maneras.

Para dibujar ejes de simetría en esta figura que tiene forma de signo de más, imagine cada manera en que podría doblarla para formar partes reflejadas.

Invite a su niño a compartir lo que sabe sobre simetría haciendo juntos la siguiente actividad.

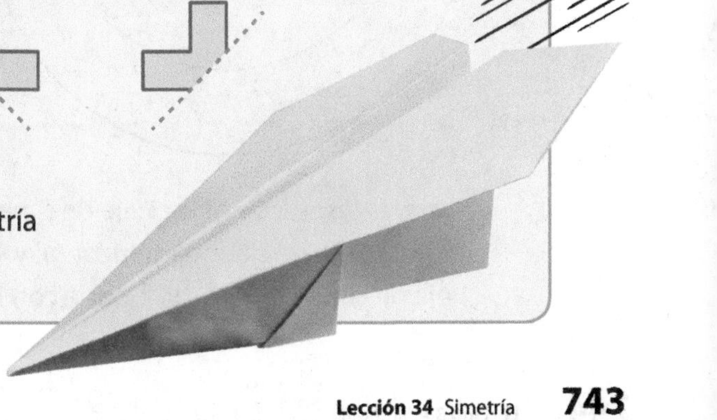

ACTIVIDAD SIMETRÍA

Haga la siguiente actividad con su niño para explorar la simetría.

- Miren juntos las figuras que se muestran abajo. Comenten qué figuras creen que tienen al menos un eje de simetría.
- Describan el uno al otro dónde podrían dibujar el eje o los ejes de simetría.
- Pida a su niño que dibuje los ejes de simetría en las figuras.
- Recorte cuidadosamente cada figura y dóblela por el eje o los ejes de simetría que su niño dibujó.
- Comenten si cada eje divide la figura en dos partes reflejadas.

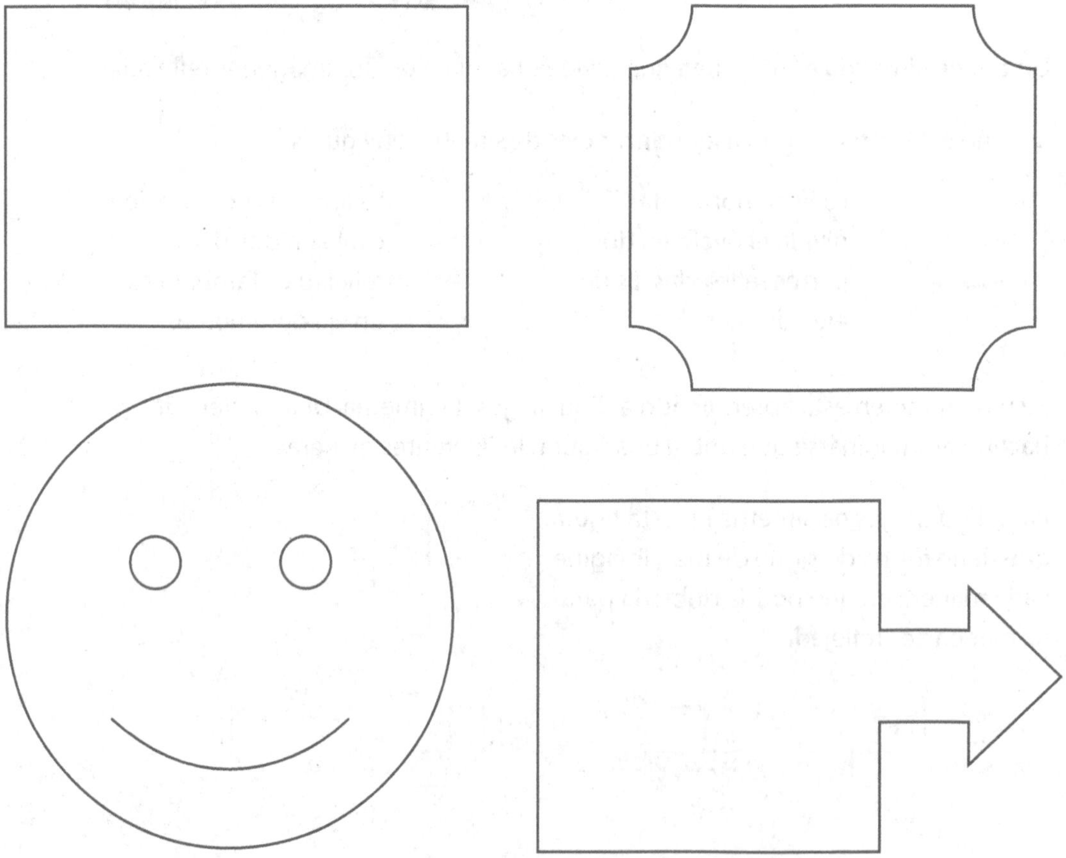

Respuestas: rectángulo: 1 eje de simetría horizontal y 1 vertical; cuadrado con bordes curvos: 1 eje de simetría horizontal y 1 vertical, 2 ejes de simetría diagonales; carita feliz: 1 eje de simetría vertical; bloque con flecha: 1 eje de simetría horizontal

Explora Simetría

Objetivo de aprendizaje

- Reconocer que en una figura bidimensional, el eje de simetría es una recta que corta la figura de tal manera que la figura se puede doblar a lo largo de la recta en partes exactamente iguales. Identificar figuras con simetría axial y dibujar ejes de simetría.

EPM 1, 2, 3, 4, 5, 6, 7

Ya has aprendido acerca de las figuras y las rectas. Ahora aprenderás acerca de una recta con un propósito particular que se llama *eje de simetría*. Usa lo que sabes para tratar de resolver el siguiente problema.

Cada una de las siguientes figuras tiene una línea discontinua que la atraviesa. Supón que doblas cada figura a lo largo de la línea discontinua. Si las dos partes encajan exactamente una sobre la otra cuando la figura está doblada, dibuja una estrella en la figura. Explica tus respuestas.

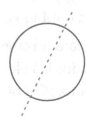

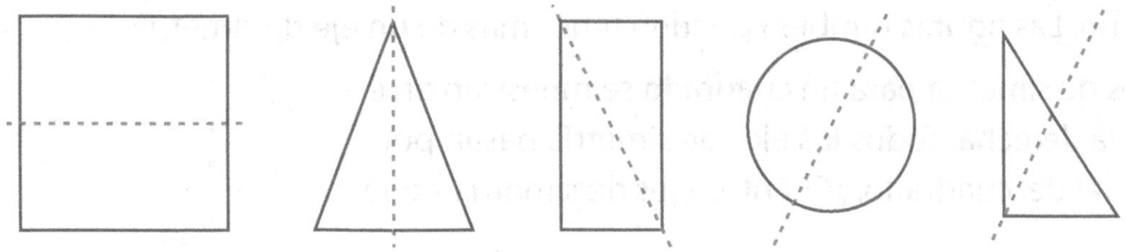

PRUÉBALO

Herramientas matemáticas

- geoplanos
- bloques de patrones
- reglas
- papel cuadriculado
- papel de calcar

CONVERSA CON UN COMPAÑERO

Pregúntale: ¿Estás de acuerdo conmigo? ¿Por qué sí o por qué no?

Dile: Estoy de acuerdo contigo en que . . . porque . . .

CONÉCTALO

1 REPASA

Describe cómo son las partes que encajan exactamente una sobre la otra y cómo son las partes que no encajan exactamente una sobre la otra.

2 SIGUE ADELANTE

Cuando puedes doblar una figura a lo largo de una recta y las partes se alinean una con otra, la línea se llama **eje de simetría**. Algunas figuras tienen un eje de simetría y otras no. Las figuras también pueden tener más de un eje de simetría.

a. Todos los ejes de simetría para un cuadrado se muestran en el cuadrado de la derecha. Todos los ejes de simetría pasan por el punto central del cuadrado. ¿Cuántos ejes de simetría tiene el cuadrado? ....

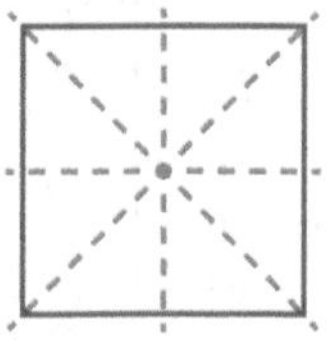

b. ¿Puedes trazar una recta en el triángulo escaleno de manera que las partes encajen exactamente una sobre la otra cuando se lo dobla? ¿Cuántos ejes de simetría tiene el triángulo? ....

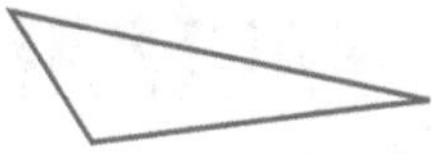

c. ¿Puedes dibujar al menos un eje de simetría en cada cuadrilátero de la derecha? Explica.

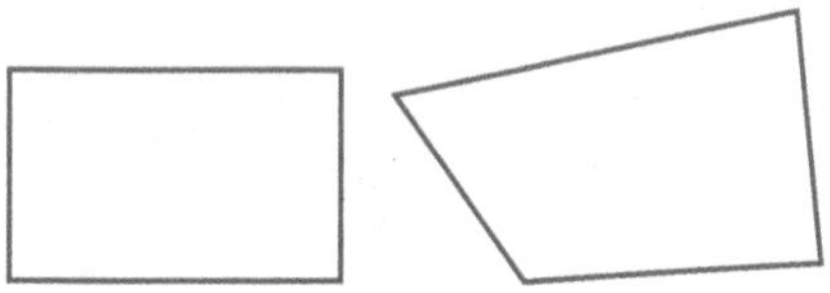

Figura *A* **Figura *B***

3 REFLEXIONA

Explica cómo saber si una recta que divide una figura en dos partes es un eje de simetría.

....

....

Prepárate para la simetría

1 Piensa en lo que sabes acerca de la simetría. Llena cada recuadro. Usa palabras, números y dibujos. Muestra tantas ideas como puedas.

eje de simetría

En mis propias palabras	Mis dibujos
Ejemplos	Contraejemplos

2 ¿Puedes dibujar al menos un eje de simetría en cada uno de los siguientes cuadriláteros? Explica.

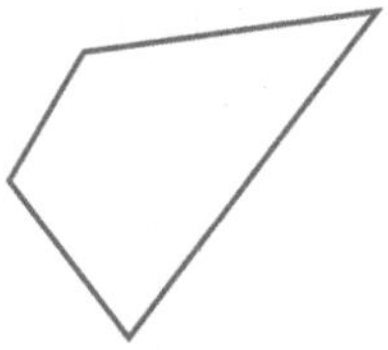

Figura *A*

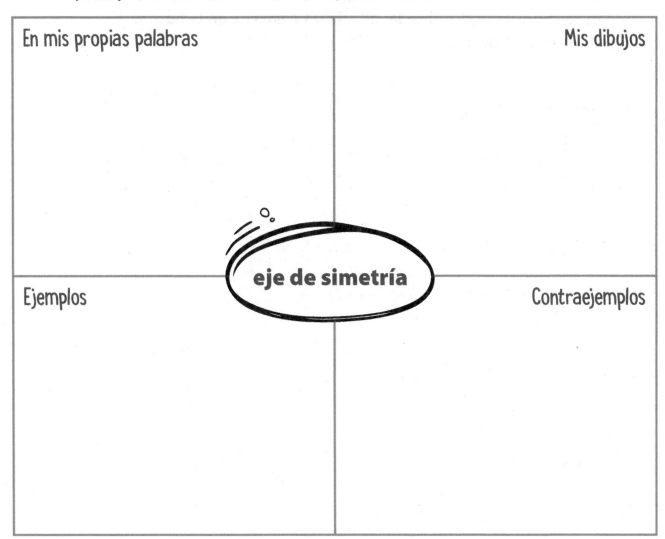

Figura *B*

3 Resuelve el problema. Muestra tu trabajo.

Cada una de las siguientes figuras tiene una línea discontinua que la atraviesa. Supón que doblas cada figura a lo largo de la línea discontinua. Si las dos partes encajan exactamente una sobre la otra cuando la figura está doblada, dibuja una estrella en la figura. Explica tus respuestas.

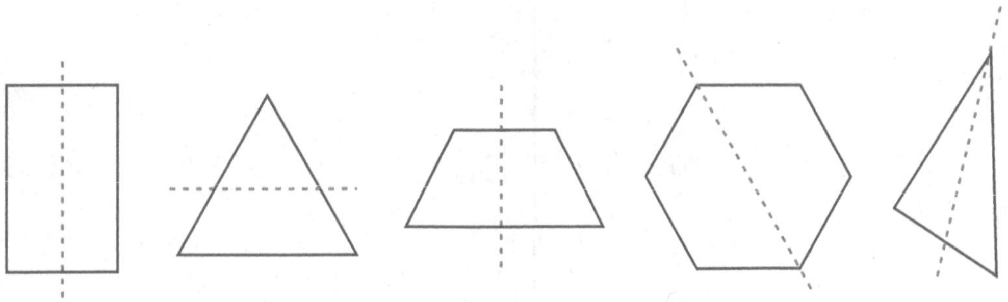

Solución ....

....

....

4 Comprueba tu respuesta. Muestra tu trabajo.

Desarrolla Hallar y dibujar un eje de simetría

Lee el siguiente problema y trata de resolverlo.

Dibuja todos los ejes de simetría de cada una de las siguientes figuras. ¿Cuántos ejes de simetría tiene cada figura?

PRUÉBALO

Herramientas matemáticas

- geoplanos
- reglas
- papel cuadriculado
- papel de calcar
- tarjetas en blanco

CONVERSA CON UN COMPAÑERO

Pregúntale: ¿Cómo empezaste a resolver el problema?

Dile: Comencé por . . .

Explora diferentes maneras de entender cómo hallar y dibujar ejes de simetría.

Dibuja todos los ejes de simetría de cada una de las siguientes figuras. ¿Cuántos ejes de simetría tiene cada figura?

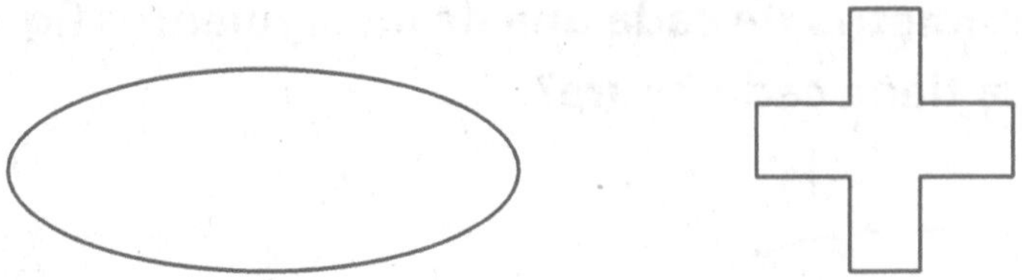

HAZ UN DIBUJO

Puedes usar dibujos para ayudarte a dibujar ejes de simetría.

La parte de arriba y la parte de abajo del óvalo coinciden; por lo tanto, esto muestra un eje de simetría.

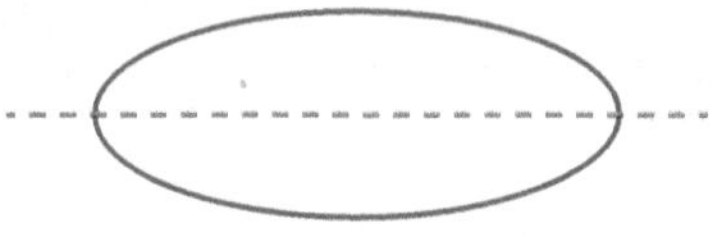

Se puede trazar otra recta de manera que los lados izquierdo y derecho del óvalo coincidan.

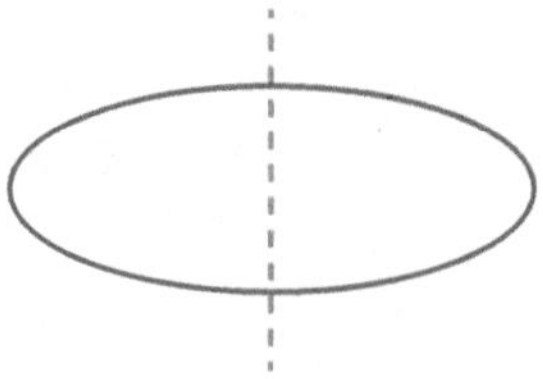

HAZ UN DIBUJO

Puedes imaginar que doblas la figura de diferentes maneras para dibujar ejes de simetría.

Mira el signo de más. Las siguientes rectas muestran cada manera en que se puede doblar para formar partes que encajan una sobre la otra.

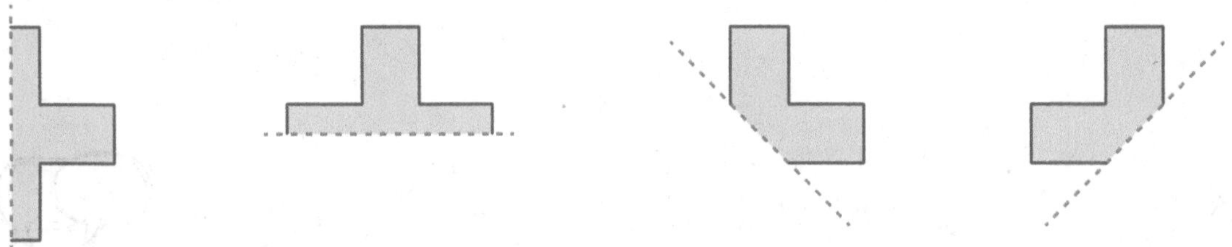

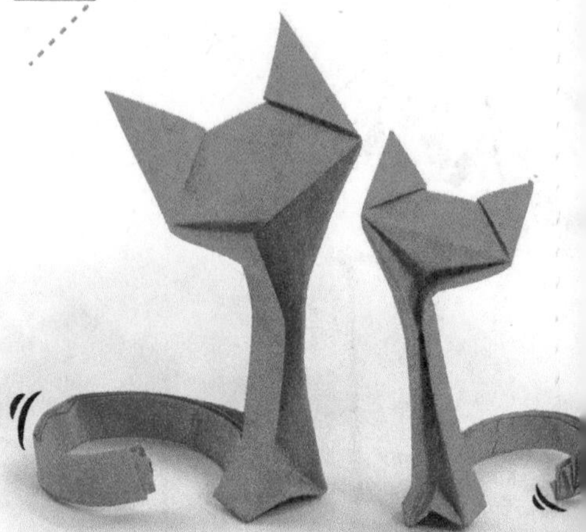

CONÉCTALO

Ahora vas a usar el problema de la página anterior para ayudarte a entender cómo hallar y dibujar ejes de simetría.

1. Comprueba que los ejes de simetría que dibujaste en el óvalo en **Pruébalo** coincidan con las rectas que se muestran en el primer **Haz un dibujo**. ¿Qué notas acerca del lugar donde todos los ejes de simetría se cruzan?

2. Comprueba que los ejes de simetría que dibujaste en el signo de más en **Pruébalo** coincidan con las rectas en el segundo **Haz un dibujo**. ¿Dónde se cruzan los ejes de simetría? ¿Cómo se compara esto con el óvalo?

3. ¿Cuántos ejes de simetría tiene el óvalo? ....

4. ¿Cuántos ejes de simetría tiene el signo de más? ....

5. Explica cómo puedes saber cuándo has hallado todos los ejes de simetría de una figura.

6. ## REFLEXIONA

Repasa **Pruébalo**, las estrategias de tus compañeros y los **Haz un dibujo**. ¿Qué modelos o estrategias prefieres para hallar y dibujar ejes de simetría en una figura? Explica.

....

....

....

APLÍCALO

Usa lo que acabas de aprender para resolver estos problemas.

7 Encierra en un círculo las siguientes figuras que tienen un eje de simetría.

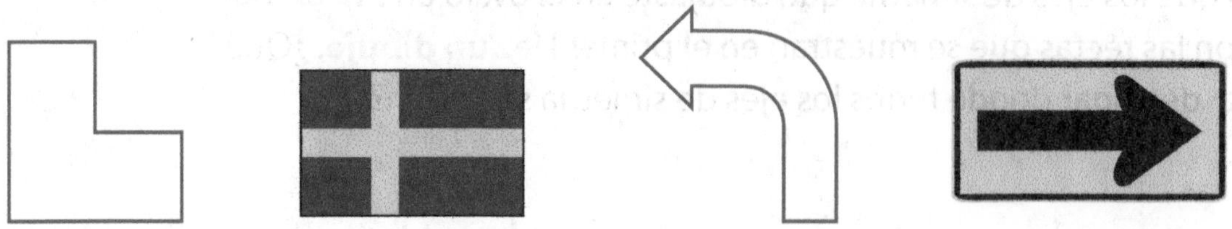

8 Dibuja todos los ejes de simetría en la figura del árbol de la derecha. ¿Cuántos ejes de simetría tiene la figura del árbol?

Solución ....

9 Selecciona todas las figuras que muestran un eje de simetría dibujado de manera correcta.

Ⓐ 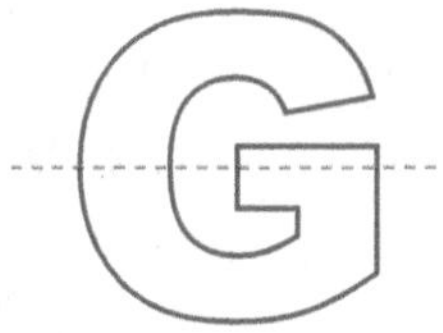

Ⓑ 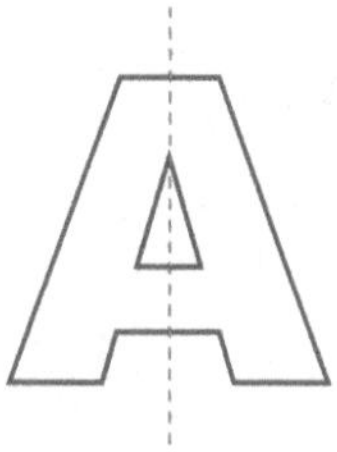

Ⓒ 

Ⓓ 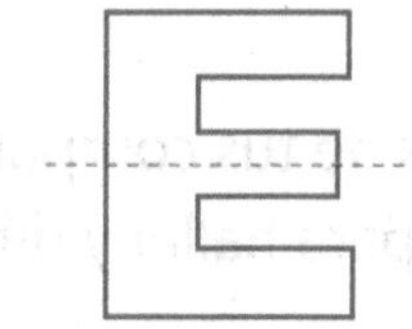

Ⓔ 

Practica hallar y dibujar un eje de simetría

Estudia el Ejemplo, que muestra cómo hallar y dibujar un eje de simetría. Luego resuelve los problemas 1 a 5.

EJEMPLO

Halla y dibuja todos los ejes de simetría para cada figura de estrella. ¿Cuántos ejes de simetría tiene cada figura? ¿Dónde se cruzan todos los ejes de simetría?

La estrella de 6 puntas tiene 6 ejes de simetría.

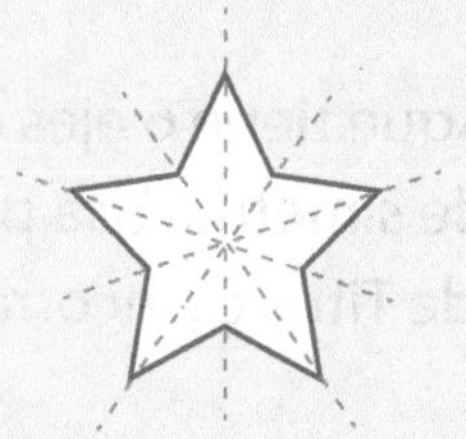

La estrella de 5 puntas tiene 5 ejes de simetría.

Todos los ejes de simetría se cruzan en el punto central de cada figura.

1. Encierra en un círculo la figura o figuras que tengan al menos un eje de simetría.

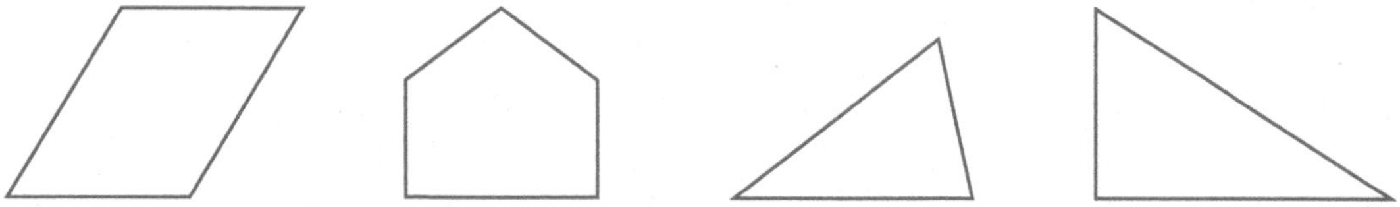

2. Dibuja todos los ejes de simetría en los siguientes cuadriláteros. Encierra en un círculo el cuadrilátero que tenga más ejes de simetría.

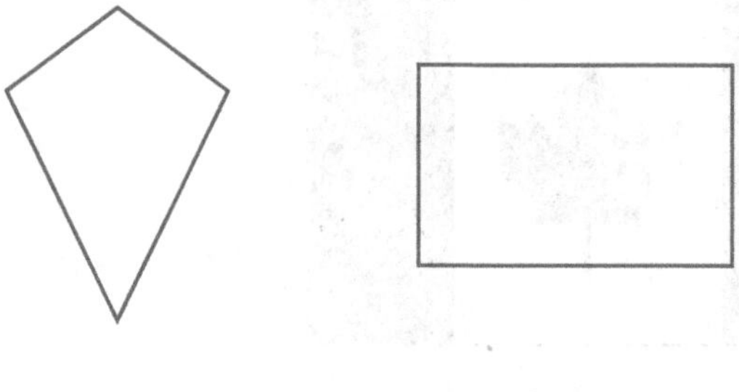

3 Dibuja todos los ejes de simetría de cada uno de los siguientes pentágonos. Escribe cuántos ejes de simetría tiene cada pentágono.

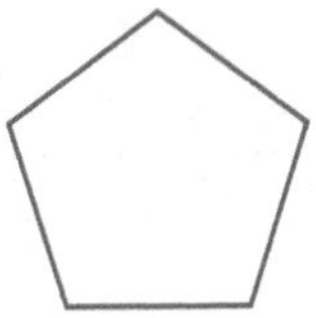

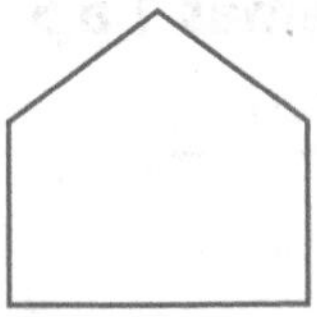

.... eje o ejes de simetría .... eje o ejes de simetría

4 Titus dibuja un hexágono que tiene 6 ejes de simetría. Dice que todos los hexágonos tienen 6 ejes de simetría. Usa palabras y un dibujo para explicar por qué el razonamiento de Titus es incorrecto.

5 Dibuja todos los ejes de simetría que tienen los siguientes diseños de cada bandera. Luego escribe cuántos ejes de simetría tienen los diseños de cada bandera.

eje o ejes de simetría .... eje o ejes de simetría ....

Refina Simetría

Completa el Ejemplo siguiente. Luego resuelve los problemas 1 a 8.

EJEMPLO

¿Cuál de las siguientes figuras tiene menos ejes de simetría?

Mira cómo podrías explicar tu trabajo.

El cuadrado tiene ejes de simetría que conectan las esquinas opuestas y que conectan ambos pares de lados opuestos.

El rectángulo solo tiene ejes de simetría que conectan lados opuestos, no esquinas opuestas.

Solución ....

¡El estudiante pensó en doblar las figuras para saber dónde están los ejes de simetría!

EN PAREJA
¿Por qué crees que los cuadrados y los rectángulos tienen diferente número de ejes de simetría?

APLÍCALO

1 Nombra un tipo de triángulo que tiene un eje de simetría. Nombra otro tipo de triángulo que no tiene un eje de simetría. Muestra tu trabajo.

¿Cuáles son los tipos de triángulos que reciben su nombre según sus lados?

Solución ....

....

....

EN PAREJA
¿Qué es diferente entre el triángulo que tiene un eje de simetría y el que no tiene un eje de simetría?

2 Dibuja todos los ejes de simetría del siguiente hexágono. ¿Cuántos ejes de simetría tiene el hexágono?

¿Por qué punto de una figura pasan todos los ejes de simetría?

EN PAREJA
Dibuja la figura en una hoja de papel cuadriculado y recórtala para comprobar los ejes de simetría.

Solución ....

3 ¿Qué figura muestra el eje o los ejes de simetría correctos?

Supón que doblas las figuras por la mitad a lo largo de las rectas.

Ⓐ 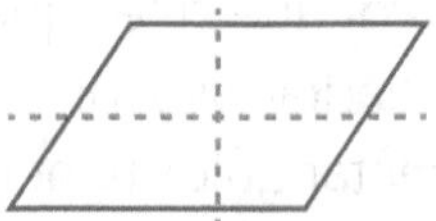

Ⓑ 

Ⓒ 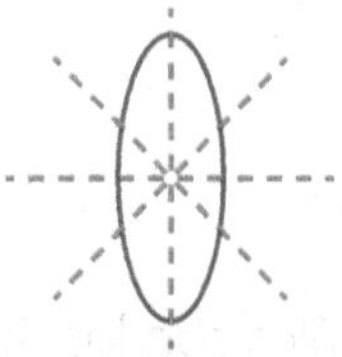

Ⓓ 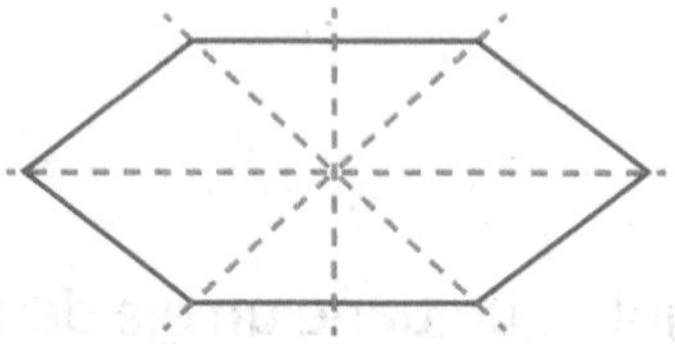

Michael eligió Ⓓ como la respuesta correcta. ¿Cómo obtuvo él esa respuesta?

EN PAREJA
Comenta por qué los ejes de simetría que son incorrectos no funcionan.

4 ¿Qué figura tiene un eje de simetría?

Ⓐ 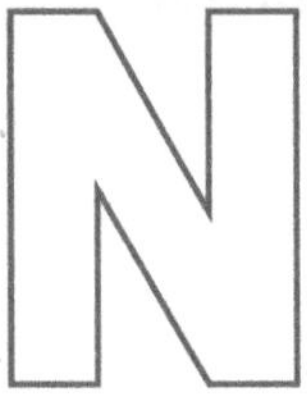

Ⓑ 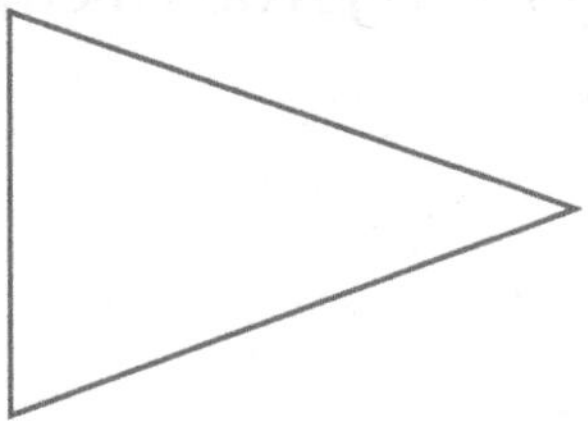

Ⓒ 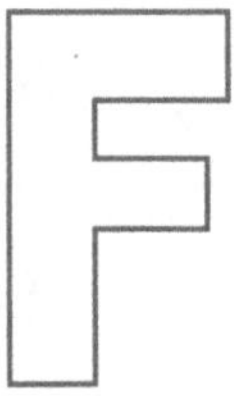

Ⓓ 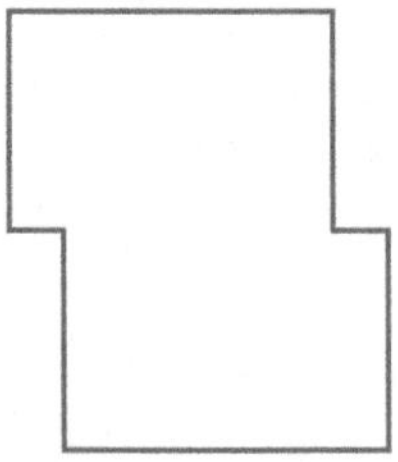

5 Determina el número de ejes de simetría de cada una de las siguientes figuras. Dibuja cada figura en la columna correcta de la tabla. Algunas columnas quizás tengan más de una figura. Algunas columnas quizás no tengan ninguna figura.

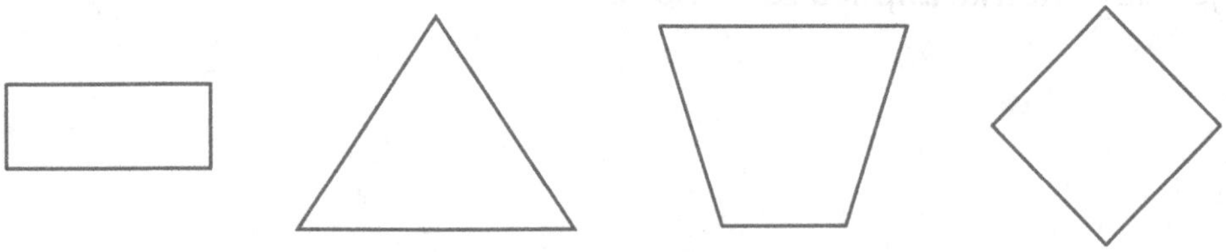

Número de ejes de simetría	**0**	**Exactamente 1**	**Exactamente 2**	**Exactamente 3**	**Exactamente 4**
Figura					

6 Parte de una figura está sombreada en la siguiente cuadrícula. Completa la figura sombreando cuadrados. Las rectas *r* y *s* son ejes de simetría de la figura completa.

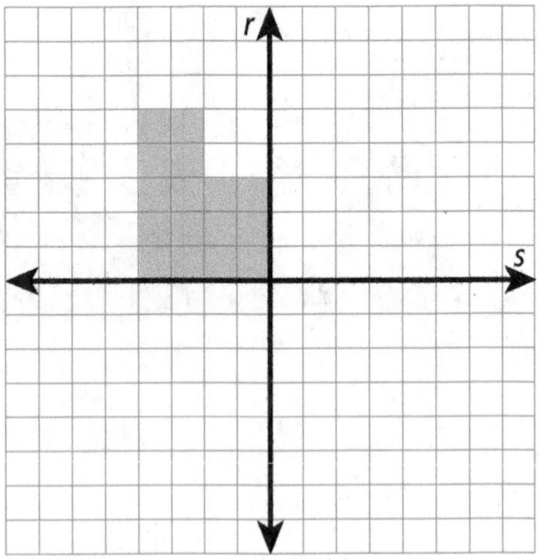

7 Dibuja todos los ejes de simetría en el siguiente cuadrilátero. Luego dibuja un cuadrilátero diferente que tenga más ejes de simetría que la figura que se muestra. Muestra los ejes de simetría. Explica tu trabajo.

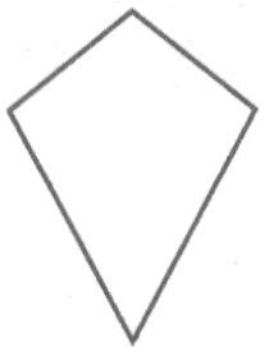

8 **DIARIO DE MATEMÁTICAS**

Lexi dice que la recta trazada de un lado al otro del círculo de la derecha es un eje de simetría. ¿Tiene razón Lexi? Explica.

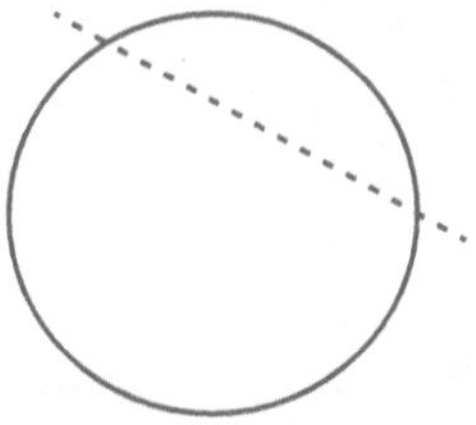

☑ **COMPRUEBA TU PROGRESO** Vuelve al comienzo de la Unidad 5 y mira qué destrezas puedes marcar.

Reflexión

En esta unidad aprendiste a . . .

Destreza	Lección
Identificar puntos, rectas, segmentos de recta, semirrectas y rectas perpendiculares y paralelas, por ejemplo: un signo de más tiene rectas perpendiculares.	30
Medir ángulos usando un transportador, por ejemplo: un ángulo de una señal de Alto mide 135°.	31
Sumar y restar ángulos para resolver problemas.	32
Clasificar figuras bidimensionales según sus lados y ángulos, por ejemplo: los cuadrados y los rectángulos tienen lados paralelos.	33
Trazar e identificar ejes de simetría en las figuras, por ejemplo: un cuadrado tiene 4 ejes de simetría.	34

Piensa en lo que has aprendido.

Usa palabras, números y dibujos.

1. Dos cosas que aprendí en matemáticas son . . .

2. Un error que cometí que me ayudó a aprender fue . . .

3. Podría practicar más con . . .

Clasifica figuras y ángulos

Estudia un problema y su solución

EPM 1 Entender problemas y perseverar en resolverlos.

Lee el siguiente problema sobre clasificar figuras según sus lados y ángulos. Luego mira cómo Bella resolvió el problema.

Trozos de madera

Bella corta trozos de madera en formas diferentes y los guarda para hacer mosaicos. A veces busca piezas que tengan ciertos tipos de lados. Otras veces busca figuras con ciertos tipos de ángulos. Estos son algunos de los trozos de madera que Bella debe clasificar.

Muestra una manera de clasificar todas las figuras. Ten al menos una categoría que se refiera a los lados de las figuras. Ten al menos dos categorías sobre los ángulos de las figuras. Coloca cada figura en todas las categorías a las que pertenezca.

Lee la solución que aparece en la página siguiente. Luego mira la lista de chequeo de abajo. Marca las partes de la solución que corresponden a la lista.

LISTA DE CHEQUEO PARA LA SOLUCIÓN DE PROBLEMAS

- ☐ Di lo que se sabe.
- ☐ Di lo que pide el problema.
- ☐ Muestra todo tu trabajo.
- ☐ Muestra que la solución tiene sentido.

a. Haz un círculo alrededor de lo que se sabe.

b. Subraya las cosas que hace falta averiguar.

c. Encierra en un cuadro lo que se hace para resolver el problema.

d. Pon una marca ✓ junto a la parte que muestra que la solución tiene sentido.

LA SOLUCIÓN DE BELLA

Hola, soy Bella. Así fue como resolví este problema.

- **Sé que debo hallar una categoría para los lados y dos categorías para los ángulos.**

- **Veo que hay figuras con . . .**

  lados de la misma longitud
  lados paralelos
  lados perpendiculares
  — Esto describe los lados.

  ángulos rectos
  ángulos agudos
  ángulos obtusos
  — Esto describe los ángulos.

Pensé en las propiedades de las figuras. Las usé para elegir las categorías.

- **Usaré las propiedades para establecer una categoría de lados y dos categorías de ángulos.**

- **Organizaré las figuras en una tabla.**

Una figura puede estar en más de una categoría.

Al menos 1 par de lados paralelos	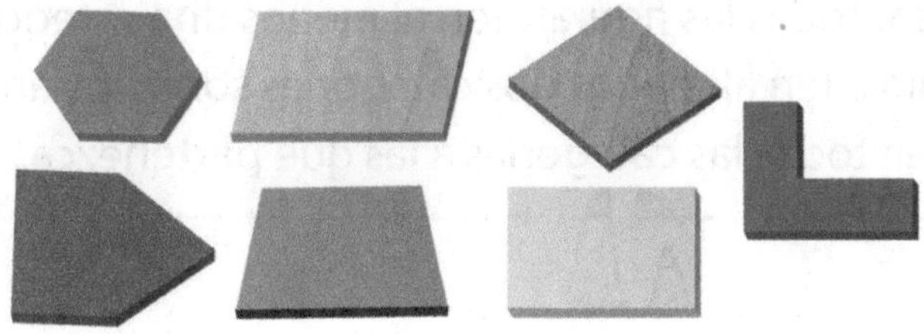
Al menos 1 ángulo recto	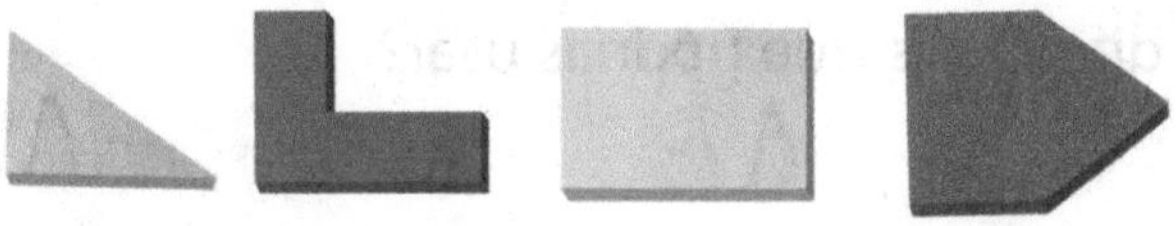
Al menos 1 ángulo agudo	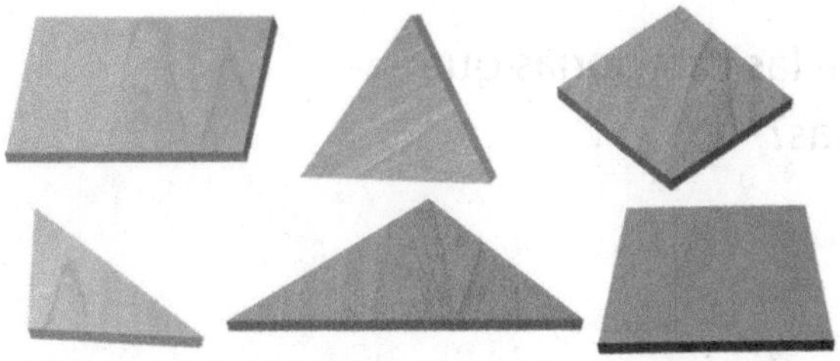

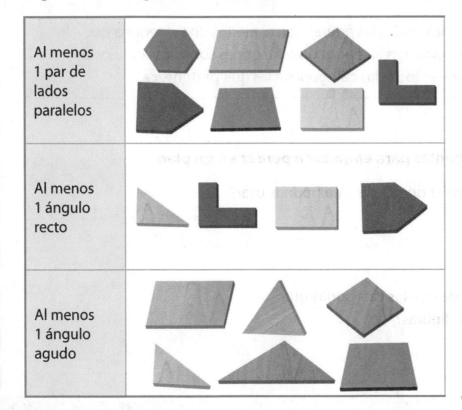

Comprobé que cada figura del problema está en la tabla. Cada figura está incluida al menos una vez.

La tabla muestra mi respuesta final.

Prueba otro método

Hay muchas maneras de resolver problemas. Piensa en cómo podrías resolver el problema de los "Trozos de madera" de una manera distinta.

Trozos de madera

Bella corta trozos de madera en formas diferentes y los guarda para hacer mosaicos. A veces busca piezas que tengan ciertos tipos de lados. Otras veces busca figuras con ciertos tipos de ángulos. Estos son algunos de los trozos de madera que Bella debe clasificar.

Muestra una manera de clasificar todas las figuras. Ten al menos una categoría que se refiera a los lados de las figuras. Ten al menos dos categorías sobre los ángulos de las figuras. Coloca cada figura en todas las categorías a las que pertenezca.

PLANEA

Contesta las siguientes preguntas para empezar a pensar en un plan.

A. ¿Cuáles son algunas categorías diferentes que podrías usar?

B. ¿Cómo puedes asegurarte de que las categorías que elegiste abarcarán todas las figuras?

RESUELVE

Halla una solución distinta al problema de los "Trozos de madera". Muestra todo tu trabajo en una hoja de papel aparte.

Tal vez quieras usar las sugerencias de abajo para empezar.

SUGERENCIAS PARA RESOLVER PROBLEMAS

- **Herramientas** Tal vez quieras usar . . .
  - tablas.
  - diagramas de Venn.
- **Banco de palabras**

paralelo	obtuso	recto
perpendicular	agudo	ángulo

- **Oraciones modelo**
  - _______________ tiene lados que son _______________
  - Los ángulos en _______________

LISTA DE CHEQUEO PARA LA SOLUCIÓN DE PROBLEMAS

Asegúrate de . . .

- ☐ decir lo que se sabe.
- ☐ decir lo que pide el problema.
- ☐ mostrar todo tu trabajo.
- ☐ mostrar que la solución tiene sentido.

REFLEXIONA

Usa las prácticas matemáticas A medida que vayas resolviendo el problema, comenta las siguientes preguntas con un compañero.

- **Persevera** ¿Cómo puedes usar las respuestas a las preguntas de **Planea** para decidir qué categoría usar?
- **Usa el razonamiento repetido** ¿Hay figuras que es más probable que estén en más de una categoría que otras? ¿Por qué crees que sucede?

Comenta modelos y estrategias

Lee el problema. Escribe una solución en una hoja de papel aparte.
Recuerda que puede haber muchas maneras de resolver un problema.

Mosaico simétrico

Bella dibuja diseños de figuras diferentes para su arte con mosaicos. Este es el dibujo que comenzó a hacer.

Mis notas:

- El diseño tiene solo 1 eje de simetría.

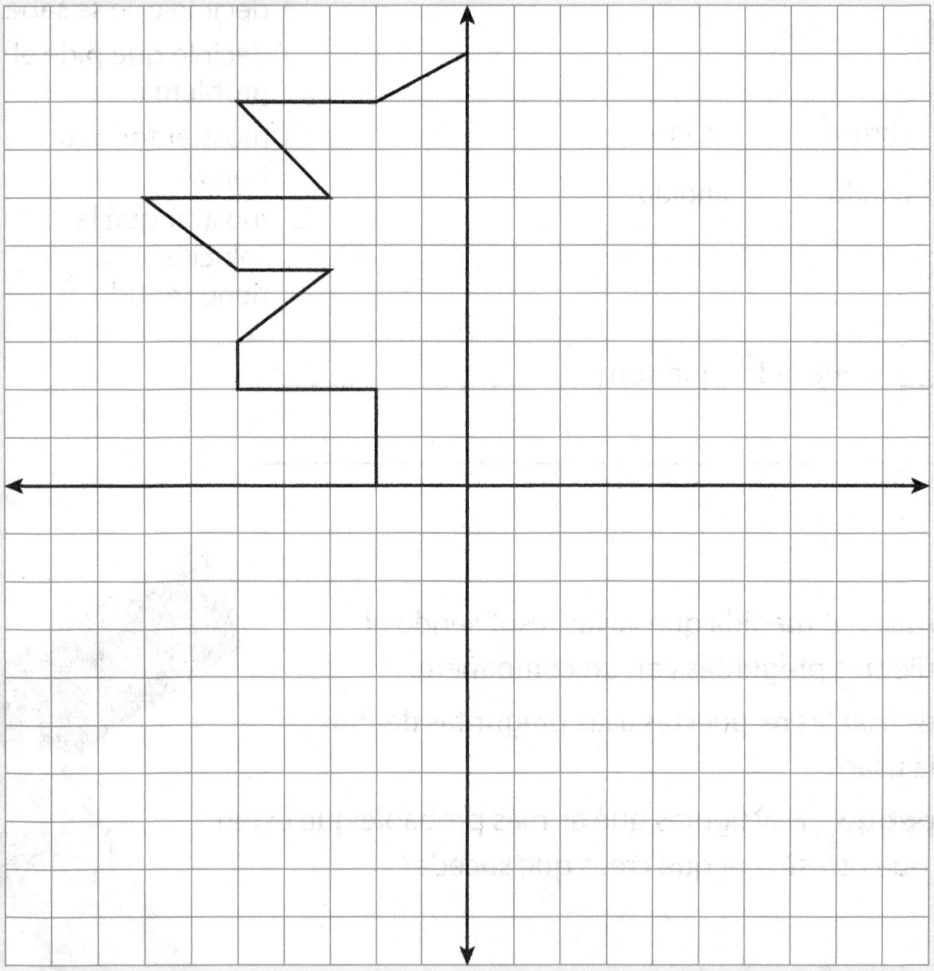

Dibuja la otra mitad del diseño y halla maneras de hacer el diseño con figuras de mosaico.

PLANEA Y RESUELVE

Halla una solución al problema del "Mosaico simétrico".

- Elige una línea como eje de simetría. Luego dibuja la otra mitad de la figura.
- Divide la figura en triángulos, cuadriláteros, pentágonos y/o hexágonos. Usa al menos tres figuras diferentes.
- Escribe el nombre de cada figura en tu diseño. Di cuántas de cada figura usaste.

Tal vez quieras usar las sugerencias de abajo para empezar.

SUGERENCIAS PARA RESOLVER PROBLEMAS

- **Preguntas**
  - ¿Cómo sabes si una recta es un eje de simetría?
  - ¿Cómo son los lados y los ángulos de tus figuras?
- **Banco de palabras**

recto	agudo	triángulo
rectángulo	cuadrado	trapecio

- El eje de simetría ______________.
- Dividí la figura en ______________.

LISTA DE CHEQUEO PARA LA SOLUCIÓN DE PROBLEMAS

Asegúrate de . . .

- ☐ decir lo que se sabe.
- ☐ decir lo que pide el problema.
- ☐ mostrar todo tu trabajo.
- ☐ mostrar que la solución tiene sentido.

REFLEXIONA

Usa las prácticas matemáticas A medida que vayas resolviendo el problema, comenta las siguientes preguntas con un compañero.

- **Usa herramientas** ¿Qué herramientas puedes usar para resolver el problema? ¿Cómo podrías usar las herramientas?
- **Usa el razonamiento** ¿Cómo decides qué figuras usar para hacer el diseño de Bella?

Persevera por tu cuenta

Lee los problemas. Escribe una solución en una hoja de papel aparte.

Arte con mosaicos

Bella está diseñando un mosaico con piezas de madera. Quiere que el contorno del mosaico sea una figura con las características que se nombran abajo.

Mi plan para el mosaico

- al menos 4 lados
- al menos 2 ejes de simetría
- al menos 1 par de lados paralelos

¿Qué figura podría elegir Bella para el contorno?

RESUELVE

Sugiere una figura que Bella podría usar como contorno de su mosaico.

Dibuja una figura que tenga todas las características que se enumeraron arriba.

- Rotula la figura para mostrar que tiene todas las características.
- Usa tantas palabras de geometría como puedas para describir tu figura.

REFLEXIONA

Usa las prácticas matemáticas Cuando termines, elige una de las siguientes preguntas y coméntala con un compañero.

- **Construye un argumento** ¿Cómo puedes mostrar o explicar por qué tu figura tiene todas las características que se enumeraron arriba?
- **Persevera** ¿Con qué figuras diferentes lo intentaste antes de decidir cuál usar en tu solución?

Cortes con ángulos

Cuando Bella corta los pedazos de madera para un proyecto, siempre guarda los trozos que sobran. Estas piezas son excelentes para hacer mosaicos. Los trozos cortados tienen distintas medidas de ángulos. Bella clasifica los trozos según las medidas de los ángulos. Estas son las medidas de ángulos de los trozos que guardó.

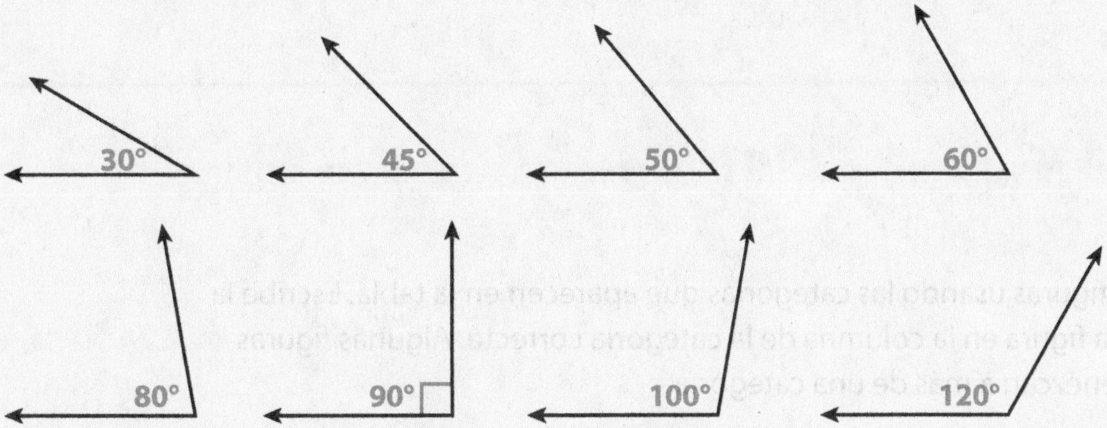

¿Cómo puede Bella unir algunos de estos ángulos para formar un línea recta?

RESUELVE

Ayuda a Bella a unir algunos de los ángulos para formar una línea recta.

Halla una manera en la que Bella puede colocar juntos algunos trozos de madera para formar un ángulo de 180° . Luego mide y traza tus ángulos para mostrar que forman una línea recta.

REFLEXIONA

Usa las prácticas matemáticas Cuando termines, elige una de las siguientes preguntas y coméntala con un compañero.

- **Usa herramientas** ¿Cómo usaste herramientas para dibujar y medir los ángulos?
- **Usa un modelo** ¿Qué ecuaciones podrías escribir para mostrar la medida total de los ángulos que uniste?

Repaso de la unidad

1 Un ángulo que mide 163° está compuesto por tres ángulos más pequeños. Dos de los ángulos miden 15° y 68°. ¿Cuál es la medida del tercer ángulo? Muestra tu trabajo.

Solución ....

2 Clasifica las figuras usando las categorías que aparecen en la tabla. Escribe la letra de cada figura en la columna de la categoría correcta. Algunas figuras quizás pertenezcan a más de una categoría.

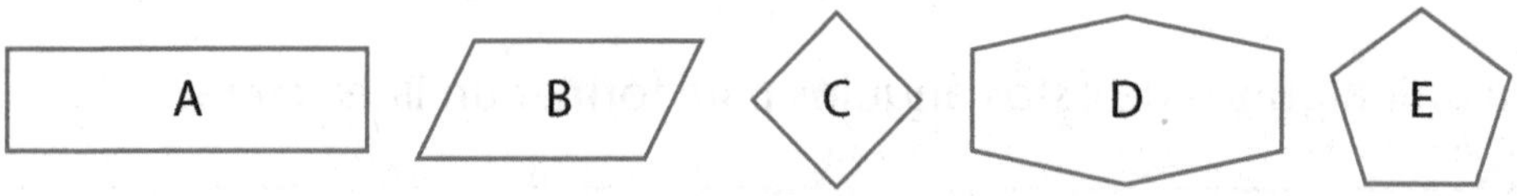

Figuras con al menos un par de lados paralelos	Figuras que no tienen lados perpendiculares	Figuras con al menos un ángulo obtuso

3 ¿Cuál es la medida de este ángulo, en grados?

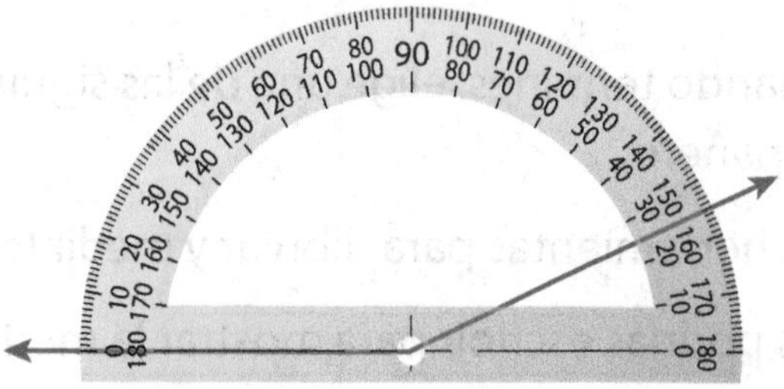

Solución ....

4 ¿Qué dibujo muestra rectas perpendiculares?

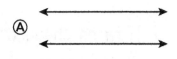

Ⓐ 

Ⓑ 

Ⓒ 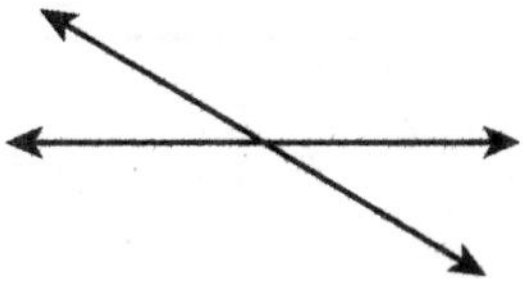

Ⓓ 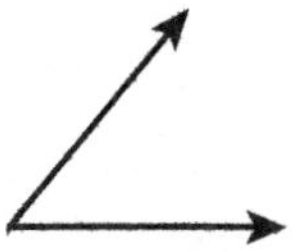

5 Decide cuántos ejes de simetría tiene cada figura.

Elige *0 ejes de simetría, Exactamente 1 eje de simetría, Exactamente 2 ejes de simetría* o *Más de 2 ejes de simetría* para cada figura.

	0 ejes de simetría	**Exactamente 1 eje de simetría**	**Exactamente 2 ejes de simetría**	**Más de 2 ejes de simetría**
	Ⓐ	Ⓑ	Ⓒ	Ⓓ
	Ⓔ	Ⓕ	Ⓖ	Ⓗ
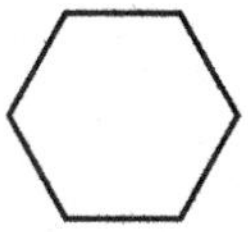	Ⓘ	Ⓙ	Ⓚ	Ⓛ
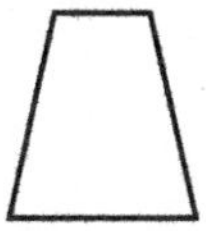	Ⓜ	Ⓝ	Ⓞ	Ⓟ

Prueba de rendimiento

Contesta las preguntas y muestra todo tu trabajo en una hoja de papel aparte.

Tu tío Asher tiene una panadería nueva que abrirá pronto. Te pidió que lo ayudaras a diseñar un logo para el cartel de la panadería. El nombre de la panadería es Los antojos de Asher. Así describió su idea para la forma del logo:

> Mi logo está formado por tres figuras juntas. Una de ellas es una figura de 5 lados con exactamente dos lados paralelos, exactamente dos ángulos rectos y un eje de simetría. Las otras dos figuras son exactamente iguales. Las dos son triángulos isósceles. La base de cada triángulo, el lado que es diferente de los otros dos, coincide con uno de los lados paralelos de la figura de 5 lados.

Lista de chequeo

- ☐ ¿Seguiste las instrucciones para el primer logo?
- ☐ ¿Usaste una regla?
- ☐ ¿Usaste el vocabulario correctamente?

Dibuja el logo de tu tío en un papel cuadriculado. Luego usa figuras geométricas para crear otro logo para que él lo considere. Dibuja el logo y descríbelo en una nota para tu tío usando los términos *paralelo, perpendicular, eje de simetría, agudo, obtuso* y cualquier otro término de geometría de la unidad.

REFLEXIONA

Usa las prácticas matemáticas Cuando termines, escoge una de estas preguntas y contéstala.

- **Sé preciso** ¿Por qué es importante que sepas el significado de los términos geométricos de tu descripción?
- **Construye un argumento y critica** Supón que le pides a tu tío que dibuje un logo que coincida con tu descripción. ¿Crees que su dibujo coincidirá con lo que tenías en mente? Explica tu respuesta.

Vocabulario

Dibuja o escribe para dar un ejemplo de cada término.

ángulo figura geométrica formada por dos semirrectas, rectas o segmentos de recta que se encuentran en un punto.

Mi ejemplo

ángulo agudo ángulo que mide más de 0° pero menos de 90°.

Mi ejemplo

ángulo obtuso ángulo que mide más de 90° pero menos de 180°.

Mi ejemplo

ángulo recto ángulo que parece la esquina de un cuadrado y mide 90°.

Mi ejemplo

eje de simetría recta que divide una figura en dos imágenes reflejadas.

Mi ejemplo

grado (°) unidad de medida para ángulos. Hay 360° en un círculo.

Mi ejemplo

hexágono polígono que tiene exactamente 6 lados y 6 ángulos.

Mi ejemplo

polígono figura bidimensional cerrada compuesta por tres o más segmentos de recta que no se cruzan.

Mi ejemplo

punto una ubicación única en el espacio.

Mi ejemplo

recta fila recta de puntos que continúa infinitamente en ambas direcciones.

Mi ejemplo

rectas paralelas rectas que siempre están a la misma distancia y nunca se cruzan.

Mi ejemplo

rectas perpendiculares dos rectas que se encuentran para formar un ángulo recto, o un ángulo de 90°.

Mi ejemplo

segmento de recta fila recta de puntos que comienza en un punto y termina en otro punto.

Mi ejemplo

semirrecta fila recta de puntos que comienza en un punto y continúa infinitamente en una dirección.

Mi ejemplo

transportador herramienta que se usa para medir ángulos.

Mi ejemplo

trapecio (exclusivo) cuadrilátero que tiene exactamente un par de lados paralelos.

Mi ejemplo

trapecio (inclusivo) cuadrilátero con al menos un par de lados paralelos.

Mi ejemplo

triángulo acutángulo triángulo que tiene tres ángulos agudos.

Mi ejemplo

triángulo equilátero triángulo que tiene los tres lados de igual longitud.

Mi ejemplo

triángulo escaleno triángulo que no tiene lados de igual longitud.

Mi ejemplo

triángulo isósceles triángulo que tiene al menos dos lados de igual longitud.

Mi ejemplo

triángulo obtusángulo triángulo que tiene un ángulo obtuso.

Mi ejemplo

triángulo rectángulo triángulo con un ángulo recto.

Mi ejemplo

vértice punto donde dos semirrectas, rectas o segmentos de recta se cruzan y forman un ángulo.

Mi ejemplo

Práctica acumulativa

Nombre: ______________________________

Conjunto 1: Multiplica por números de un dígito

Multiplica. Muestra tu trabajo.

1. $\begin{array}{r} 152 \\ \times \ \ 6 \\ \hline \end{array}$

2. $\begin{array}{r} 77 \\ \times \ 4 \\ \hline \end{array}$

3. $\begin{array}{r} 273 \\ \times \ \ 8 \\ \hline \end{array}$

Conjunto 2: Multiplica por números de dos dígitos

Multiplica. Muestra tu trabajo.

1. $\begin{array}{r} 55 \\ \times 16 \\ \hline \end{array}$

2. $\begin{array}{r} 39 \\ \times 14 \\ \hline \end{array}$

3. $\begin{array}{r} 78 \\ \times 42 \\ \hline \end{array}$

Conjunto 3: Divide números de tres dígitos

Divide. Muestra tu trabajo.

1. $108 \div 6$

2. $450 \div 8$

Conjunto 4: Divide números de cuatro dígitos

Divide. Muestra tu trabajo.

1. 4,845 ÷ 5
2. 2,121 ÷ 7
3. 3,130 ÷ 6

Conjunto 5: La multiplicación como comparación

Escribe una ecuación de multiplicación para representar y resolver cada problema. Muestra tu trabajo.

1. Zari recogió 8 flores. Su hermano recogió 3 veces más flores. ¿Cuántas flores recogió el hermano de Zari?

2. Ian ganó $9 como niñero en una semana. La siguiente semana ganó 4 veces más. ¿Cuánto ganó Ian la semana siguiente?

3. Cory nadó 6 largos. Jen nadó 2 veces más largos que Cory. ¿Cuántos largos nadó Jen?

4. Juana tiene 7 veces más monedas de 5¢ que monedas de 10¢. Tiene 4 monedas de 10¢. ¿Cuántas monedas de 5¢ tiene?

5. Mireya vive a 9 millas del océano. Louis vive 7 veces más lejos del océano que Mireya. ¿A qué distancia del océano vive Louis?

Nombre: ______________________________

Conjunto 6: Multiplicación y división en problemas verbales

Multiplica o divide para resolver los problemas. Muestra tu trabajo.

1. Kate corrió 9 millas en una semana. Corrió 3 veces la distancia que corrió Jordan. ¿Qué distancia corrió Jordan?

2. Alejo comió 8 pasas. Su hermano comió 5 veces más pasas. ¿Cuántas pasas comió su hermano?

3. Colin estudia durante 5 minutos. Ayana estudia 6 veces más. ¿Cuánto tiempo estudia Ayana?

4. Cristina compró una chaqueta y un par de calcetines. La chaqueta cuesta $32. La chaqueta cuesta 8 veces más que los calcetines. ¿Cuánto cuestan los calcetines?

Conjunto 7: Problemas de varios pasos

Escribe y resuelve una ecuación con una variable para cada problema. Muestra tu trabajo.

1. En un juego, Tom anotó 8 puntos en cada una de las primeras cuatro rondas. Anotó 2 puntos en cada una de las siguientes tres rondas. ¿Cuántos puntos anotó en las siete rondas?

2. Alicia pasa 8 horas en una semana practicando hockey. Eso es 4 veces el número de horas que pasa practicando básquetbol. En total, ¿cuánto tiempo pasa practicando ambos deportes?

Conjunto 8: Redondea números enteros

Redondea los siguientes números a cada posición dada.

Redondea 92,283

1. A la decena más cercana ....
2. A la centena más cercana ....
3. Al millar más cercano ....
4. A la decena de millar más cercana ....

Redondea 215,297

5. A la decena más cercana ....
6. A la centena más cercana ....
7. Al millar más cercano ....
8. A la decena de millar más cercana ....

Redondea 8,749

9. A la decena más cercana ....
10. A la centena más cercana ....
11. Al millar más cercano ....
12. A la decena de millar más cercana ....

Conjunto 9: Suma y resta números enteros

Suma o resta en los problemas 1 a 6. Muestra tu trabajo.

1. 6,152 + 3,726
2. 2,184 + 926
3. 7,651 − 5,421
4. 51,516 + 45,295
5. 63,028 − 32,193
6. 6,103 − 5,945

Completa los dígitos que faltan para que cada problema sea verdadero en los problemas 7 a 9.

7.
```
   □, 1 2 □
 − 4, 2 8 9
 ----------
   1, 8 4 □
```

8.
```
   1 5, 1 9 3
 + □ □, □ □ □
 ------------
   4 2, 5 1 8
```

9.
```
   □, 3 3 □
 − 2, □ 3 5
 ----------
   4, 5 9 8
```

UNIDAD 5

Práctica acumulativa

Nombre: ______________________________

Conjunto 1: Fracciones equivalentes

Escribe los números que faltan para hallar fracciones equivalentes.

1. $\frac{1 \times \square}{4 \times \square} = \frac{\square}{8}$

2. $\frac{1 \times \square}{2 \times \square} = \frac{5}{\square}$

3. $\frac{8 \div \square}{12 \div \square} = \frac{2}{\square}$

4. $\frac{1 \times \square}{3 \times 2} = \frac{\square}{\square}$

5. $\frac{3 \times 3}{4 \times \square} = \frac{\square}{\square}$

6. $\frac{1 \times \square}{3 \times \square} = \frac{4}{\square}$

Conjunto 2: Compara fracciones

Compara las fracciones usando <, > o =. Muestra tu trabajo.

1. $\frac{3}{4}$ y $\frac{7}{8}$

2. $\frac{2}{3}$ y $\frac{3}{8}$

3. $\frac{3}{5}$ y $\frac{6}{10}$

4. $\frac{5}{6}$ y $\frac{4}{3}$

5. $\frac{2}{6}$ y $\frac{1}{4}$

6. $\frac{1}{3}$ y $\frac{2}{6}$

Conjunto 3: Suma y resta fracciones

Resuelve los problemas 1 a 4.

1. ¿Cuánto es $\frac{1}{5}$ más que $\frac{3}{5}$? ....

2. ¿Cuánto es $\frac{1}{5}$ menos que $\frac{3}{5}$? ....

3. $\frac{1}{4} + \frac{1}{4} + \frac{1}{4} =$ ....

4. $\frac{1}{6} + \frac{1}{6} + \frac{1}{6} + \frac{1}{6} + \frac{1}{6} =$ ....

Usa los modelos de área para mostrar la suma o la resta de fracciones para los problemas 5 y 6.

5. Muestra $\frac{1}{4} + \frac{2}{4}$.

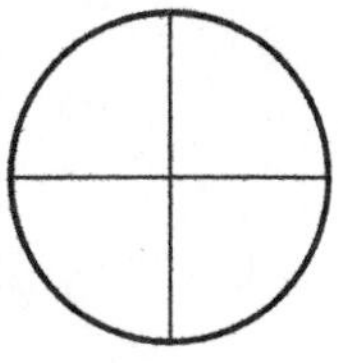

$\frac{1}{4} + \frac{2}{4} =$ ....

6. Muestra $\frac{5}{8} - \frac{3}{8}$.

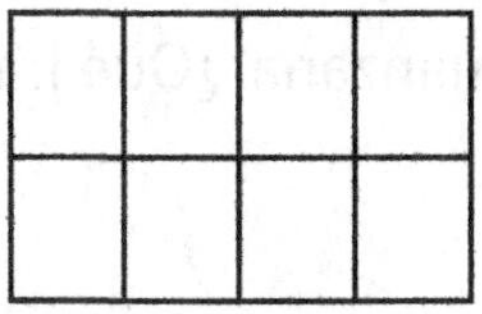

$\frac{5}{8} - \frac{3}{8} =$ ....

Conjunto 4: Descompón fracciones

Completa las ecuaciones para mostrar una manera de descomponer cada fracción.

1. $\frac{5}{8} = \frac{1}{8} + \frac{2}{8} +$ ....
2. $\frac{6}{5} = \frac{4}{5} +$ ....
3. .... $+ \frac{1}{4} = \frac{4}{4}$
4. $\frac{7}{12} = \frac{1}{12} + \frac{2}{12} +$ ....
5. $\frac{45}{100} = \frac{40}{100} +$ ....
6. .... $+ \frac{7}{10} = \frac{13}{10}$
7. $\frac{12}{100} = \frac{3}{100} + \frac{4}{100} +$ ....
8. $3\frac{1}{4} = \frac{7}{4} +$ ....
9. .... $+ \frac{4}{6} = 1\frac{3}{6}$

Conjunto 5: Suma y resta fracciones en problemas verbales

Suma o resta para resolver los problemas. Muestra tu trabajo.

1. Laura comió $\frac{2}{8}$ de una pizza. Hugo comió $\frac{3}{8}$ de la pizza. ¿Qué fracción de la pizza comieron en total?

2. Josefa tenía $\frac{4}{5}$ de una libra de moras. Regaló $\frac{1}{5}$ de una libra de moras. ¿Cuántas libras de moras le quedan?

3. Deion ha quitado la maleza de $\frac{7}{12}$ de su patio. Quiere quitar la maleza de todo el patio. ¿Qué fracción del patio le queda por desmalezar?

4. Nicole caminó $\frac{1}{4}$ de milla a la escuela y $\frac{1}{4}$ de milla a casa. ¿Qué distancia caminó en total?

5. Rodrigo necesita $\frac{1}{6}$ de taza de nueces para preparar una ensalada y $\frac{4}{6}$ de taza de nueces para hacer pastelitos. ¿Cuántas tazas de nueces necesita en total?

6. Diane cortó una manzana en 8 trozos del mismo tamaño. Comió $\frac{3}{8}$ de la manzana. Su amiga comió $\frac{1}{8}$ de la manzana. ¿Qué fracción de la manzana queda?

Nombre: ____________________

Conjunto 6: Suma y resta números mixtos

Suma o resta. Muestra tu trabajo.

1. $1\frac{1}{4} + 2\frac{1}{4}$

2. $2\frac{3}{5} - 1\frac{1}{5}$

3. $3\frac{6}{10} + 2\frac{4}{10}$

4. $1\frac{5}{6} + 1\frac{4}{6}$

5. $5\frac{2}{8} - 2\frac{5}{8}$

6. $4\frac{3}{5} - 3\frac{4}{5}$

Conjunto 7: Multiplica fracciones por números enteros en problemas verbales

Escribe y resuelve una ecuación de multiplicación para resolver cada problema. Muestra tu trabajo.

1. Marcos caminó $\frac{5}{6}$ de milla cada día durante 5 días seguidos. ¿Qué distancia caminó en total?

2. Damian hace pasteles de manzana pequeños. Para un pastel pequeño se necesita $\frac{1}{2}$ libra de manzanas. ¿Cuántas libras de manzanas necesita Damian para hacer 6 pasteles de manzana pequeños?

3. Julia practica futbol durante $\frac{2}{3}$ de hora cada día por 4 días. ¿Cuánto tiempo pasa practicando futbol en total?

4. Eric bebió 3 vasos de agua llenos. En su vaso caben $\frac{4}{5}$ de taza de agua. ¿Cuántas tazas de agua bebió Eric en total?

Conjunto 8: Relaciona decimales y fracciones

Suma. Muestra tu trabajo para los problemas 1 a 3.

1. $\frac{3}{10} + \frac{9}{100}$
2. $\frac{31}{100} + \frac{4}{10}$
3. $\frac{64}{100} + \frac{8}{10}$

Escribe cada decimal como fracción con un denominador de 100 en los problemas 4 a 6.

4. 0.2 = ...
5. 0.04 = ...
6. 0.56 = ...

Escribe un equivalente decimal para cada fracción o número mixto en los problemas 7 a 9.

7. $\frac{7}{10}$ = ...
8. $\frac{8}{100}$ = ...
9. $3\frac{14}{100}$ = ...

Conjunto 9: Compara decimales

Escribe <, > o = en cada círculo para comparar los decimales.

1. 0.2 ◯ 0.3
2. 0.5 ◯ 0.05
3. 0.25 ◯ 0.52
4. 1.46 ◯ 2.46
5. 0.99 ◯ 0.9
6. 0.1 ◯ 0.11
7. 0.2 ◯ 0.08
8. 1.10 ◯ 1.1
9. 0.72 ◯ 0.36

Conjunto 10: Multiplicación de fracciones

Completa la ecuación de multiplicación que representa cada modelo.

1. 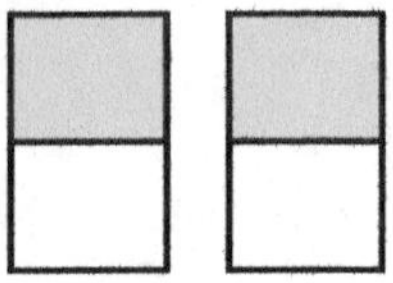

.... $\times \frac{1}{2}$ = ...

2. 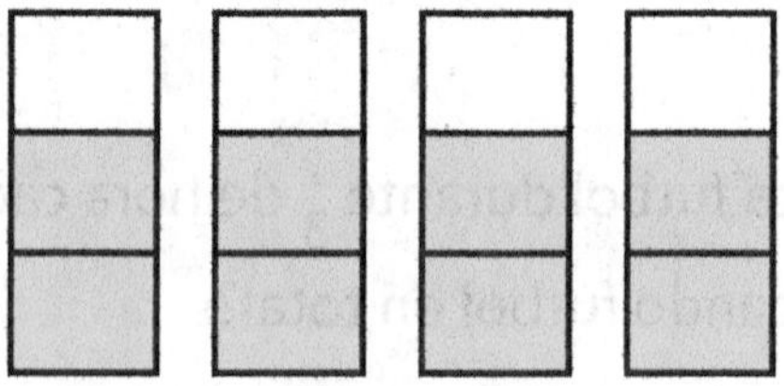

.... $\times \frac{2}{3}$ = ...

3. 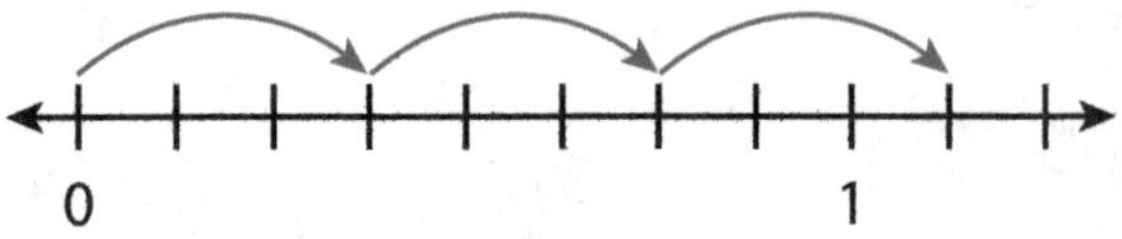

.... $\times \frac{3}{8}$ = ...

Glosario

Ejemplo

Aa

a. m. horas desde la medianoche hasta el mediodía.

algoritmo conjunto de pasos que se siguen rutinariamente para resolver problemas.

$$\begin{array}{r} \overset{2}{2}6 \\ \times\ 14 \\ \hline 104 \\ +\ 260 \\ \hline 364 \end{array}$$

ángulo figura geométrica formada por dos semirrectas, rectas o segmentos de recta que se encuentran en un punto.

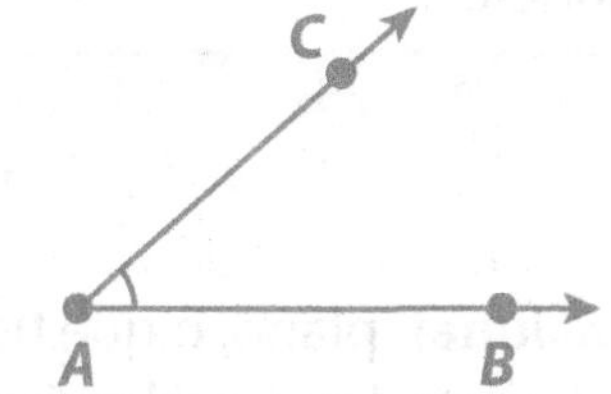

ángulo agudo ángulo que mide más de 0° pero menos de 90°.

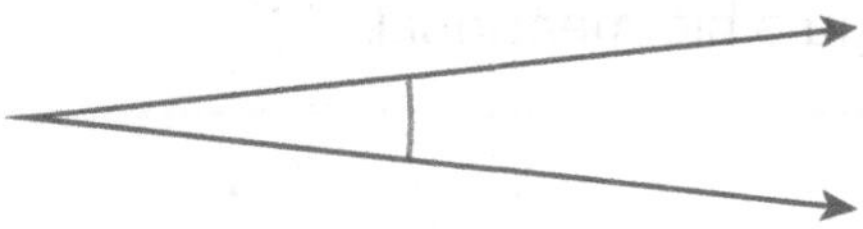

ángulo obtuso ángulo que mide más de 90° pero menos de 180°.

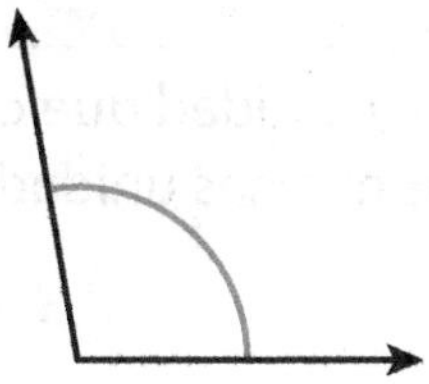

ángulo recto ángulo que parece la esquina de un cuadrado y mide 90°.

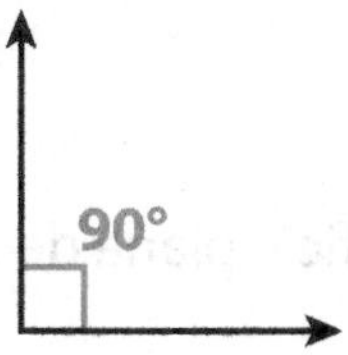

Ejemplo

área cantidad de espacio dentro de una figura bidimensional cerrada. El área se mide en unidades cuadradas, como los centímetros cuadrados.

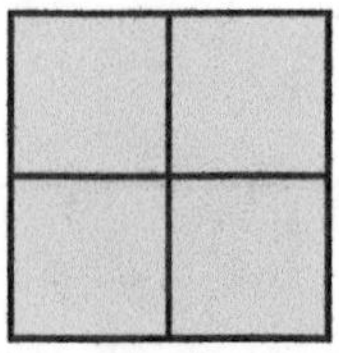

Área = 4 unidades cuadradas

arista segmento de recta donde se encuentran dos caras de una figura tridimensional.

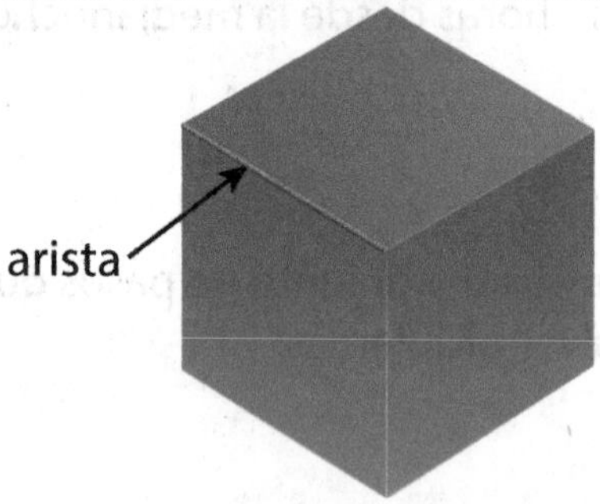

atributo característica de un objeto o una figura, como el número de lados o ángulos, la longitud de los lados o la medida de los ángulos.

atributos de un cuadrado
- 4 esquinas cuadradas
- 4 lados de igual longitud

Bb

bidimensional plano, o que tiene medidas en dos direcciones, como la longitud y el ancho. Por ejemplo, un rectángulo es una figura bidimensional.

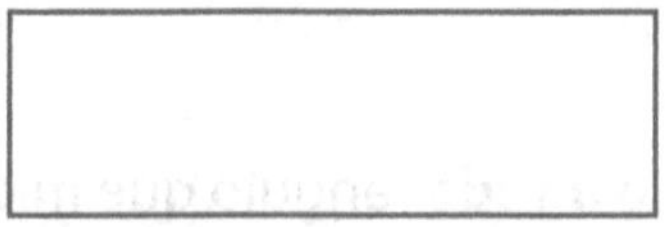

Cc

capacidad cantidad que cabe en un recipiente. La capacidad se mide en las mismas unidades que el volumen líquido.

capacidad de $\frac{1}{2}$ taza

cara superficie plana de una figura sólida.

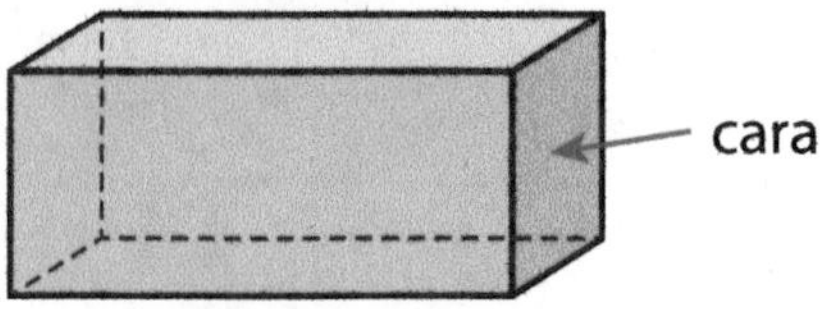

Ejemplo

centésimas (decimales)/centésimos (fracciones) partes que se forman cuando un entero se divide en 100 partes iguales.

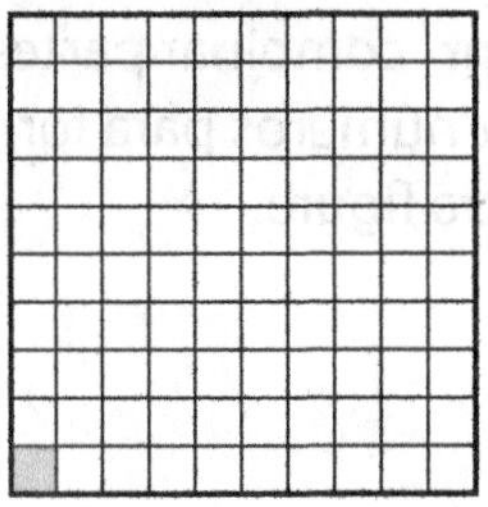

centímetro (cm) unidad de longitud. Hay 100 centímetros en 1 metro.

Tu dedo meñique mide aproximadamente 1 **centímetro** (cm) de ancho.

cociente el resultado de la división.

15 ÷ 3 = **5** ⟵ cociente

cocientes parciales los cocientes que se obtienen en cada paso de la estrategia de cocientes parciales. Se usa el valor posicional para hallar cocientes parciales.

Los cocientes parciales de 2,124 ÷ 4 podrían ser 2,000 ÷ 4 o 500, 100 ÷ 4 o 25, y 24 ÷ 4 o 6.

columna línea vertical de objetos o números, como las de una matriz o una tabla.

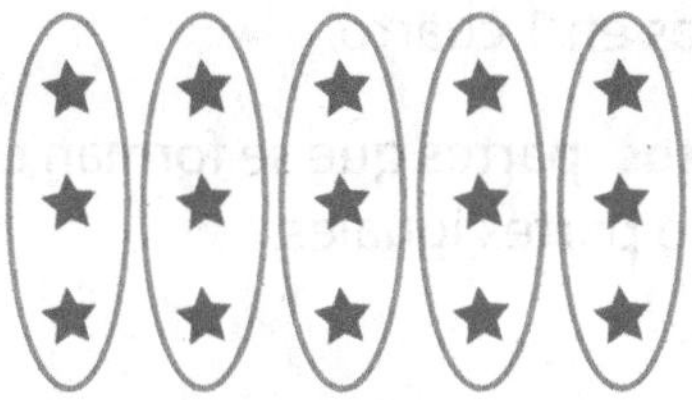

comparación multiplicativa comparación que dice cuántas veces una cantidad es otra cantidad.

7 × 3 = 21 indica que 21 es 3 veces 7, y que 21 es 7 veces 3.

comparar determinar si un número, una cantidad o un tamaño es mayor que, menor que o igual a otro número, otra cantidad u otro tamaño.

6,131 > 5,113

Ejemplo

componer combinar partes para formar algo. Se pueden combinar números para formar un número mayor o figuras para formar otra figura.

Los tres ángulos de 50° componen el ángulo mayor.

convertir expresar una medida equivalente en una unidad diferente.

5 pies = 60 pulgadas

cuadrado cuadrilátero que tiene 4 esquinas cuadradas y 4 lados de igual longitud.

cuadrilátero polígono que tiene exactamente 4 lados y 4 ángulos.

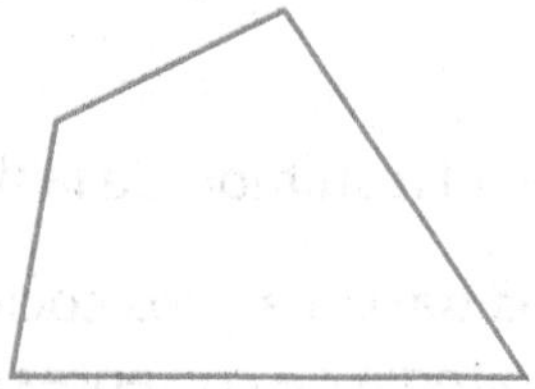

cuarto (ct) unidad de volumen líquido del sistema usual. Hay 4 tazas en 1 cuarto.

4 tazas = 1 cuarto

cuartos partes que se forman cuando se divide un entero en cuatro partes iguales.

cuartos

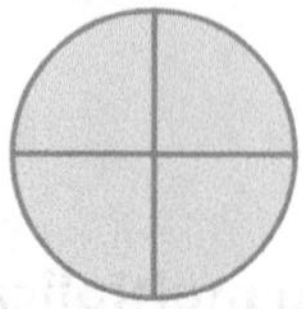

4 partes iguales

Dd

datos conjunto de información reunida. A menudo es información numérica, tal como una lista de medidas.

longitudes de lombrices (en pulgadas)

$4\frac{1}{2}, 5, 5, 5, 5\frac{1}{4}, 5\frac{1}{4}, 5\frac{1}{4}, 6, 6\frac{1}{4}$

Ejemplo

décimas (decimales)/décimos (fracciones) partes que se forman cuando se divide un entero en 10 partes iguales.

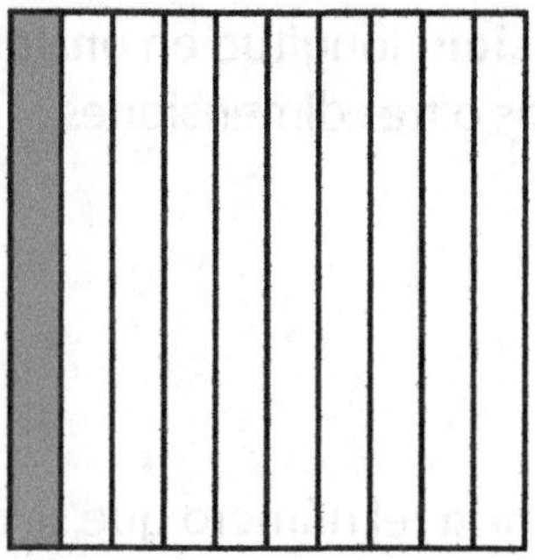

denominador número que está debajo de la línea de una fracción. Dice cuántas partes iguales hay en el entero.

$\frac{2}{3}$

denominador común número que es común múltiplo de los denominadores de dos o más fracciones.

$2 \times 3 = 6$; por lo tanto, 6 es un denominador común de $3\frac{1}{2}$ y $1\frac{1}{3}$.

descomponer separar en partes. Se pueden separar en partes números y figuras.

$\frac{3}{8} = \frac{1}{8} + \frac{1}{8} + \frac{1}{8}$

desconocido el valor que se debe hallar para resolver un problema.

$18 - ? = 9$

diagrama de puntos representación de datos en la cual se muestran los datos como marcas sobre una recta numérica.

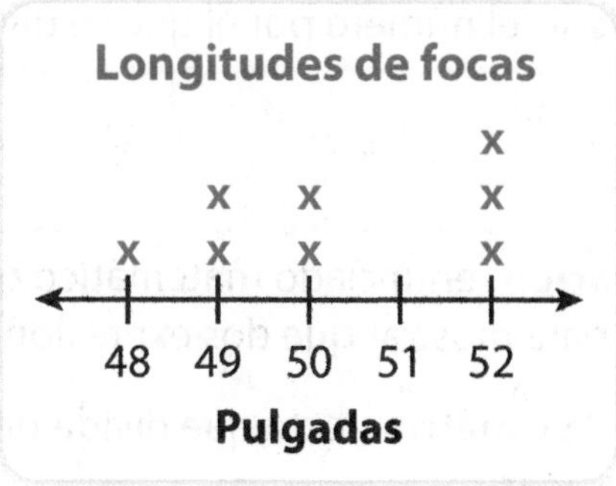

diferencia el resultado de la resta.

$\frac{3}{4} - \frac{1}{4} = \frac{2}{4}$

dígito símbolo que se usa para escribir números.

Los dígitos son 0, 1, 2, 3, 4, 5, 6, 7, 8 y 9.

Ejemplo

dimensión longitud en una dirección. Una figura puede tener una, dos o tres dimensiones.

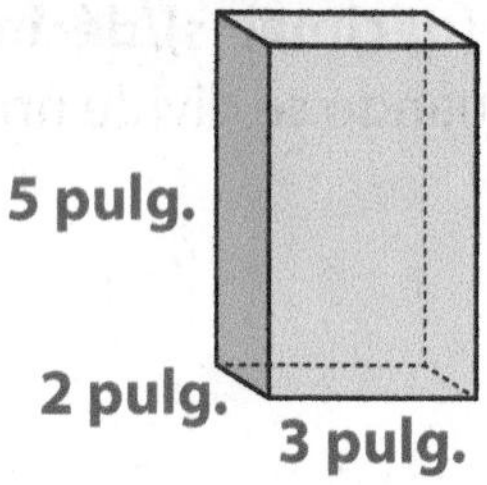

dividendo el número que se divide por otro número.

15 ÷ 3 = 5

dividir separar en grupos iguales y hallar cuántos hay en cada grupo o el número de grupos.

2,850 ÷ 38 = 75

división operación que se usa para separar una cantidad de objetos en grupos iguales.

División

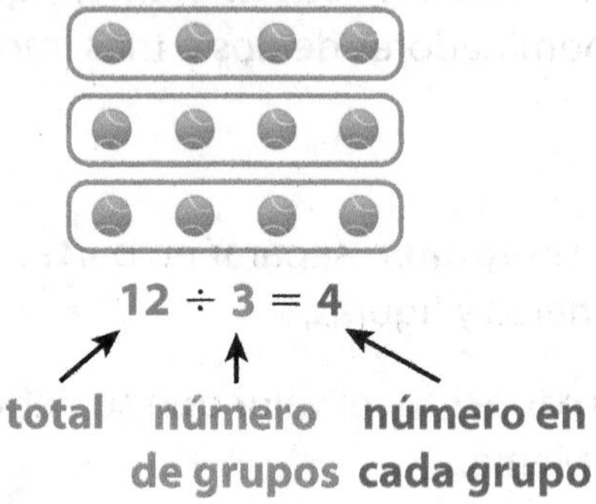

divisor el número por el que se divide otro número.

15 ÷ **3** = 15

Ee

ecuación enunciado matemático que tiene un signo de igual (=) para mostrar que dos expresiones tienen el mismo valor.

25 − 15 = 10

eje de simetría recta que divide una figura en dos imágenes reflejadas.

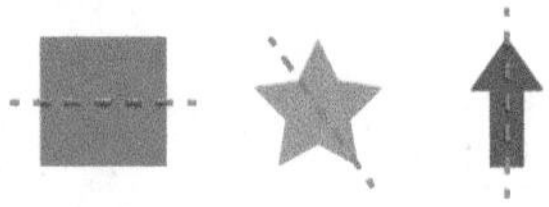

en palabras manera en que se escribe o se dice en voz alta un número usando palabras.

467, 882
cuatrocientos sesenta y siete mil, ochocientos ochenta y dos

Ejemplo

escala (en una gráfica) el valor que representa la distancia entre una marca y la marca siguiente de una recta numérica.

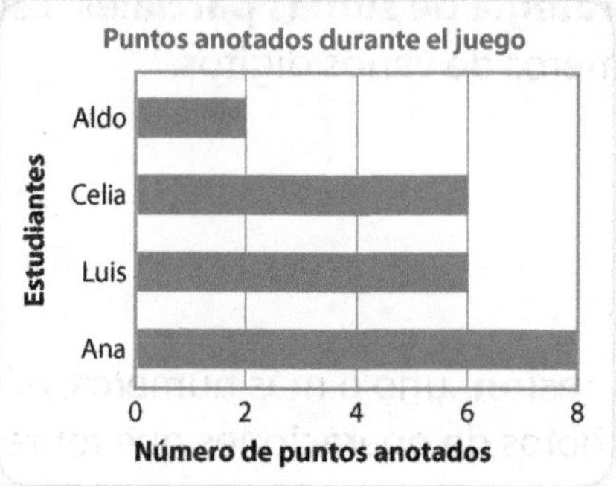

estimación suposición aproximada que se hace usando el razonamiento matemático.

28 + 21 = ?
30 + 20 = 50
50 es una estimación del total.

estimar / hacer una estimación hacer una suposición aproximada usando el razonamiento matemático.

11 × 40 es aproximadamente 400.

estrategia de cocientes parciales estrategia que se usa para dividir números de varios dígitos.

```
      6
     25
    500
 4)2,125
 − 2,000
     125
   − 100
      25
   −  24
       1
```

Los cocientes parciales son 500, 25 y 6. El cociente, 531, es la suma de los cocientes parciales. El residuo es 1.

estrategia de productos parciales estrategia que se usa para multiplicar números de varios dígitos.

```
   218
  × 6
    48 (6 × 8 unidades)
    60 (6 × 1 decena)
+ 1200 (6 × 2 centenas)
  1308
```

Los productos parciales para 218 × 6 son 6 × 200 o 1,200, 6 × 10 o 60, y 6 × 8 o 48.

	Ejemplo
estrategia de sumas parciales estrategia que se usa para sumar números de varios dígitos.	312 +235 Se suman las centenas. 500 Se suman las decenas. 40 Se suman las unidades. + 7 547
expresión uno o más números, números desconocidos o símbolos de operaciones que representan una cantidad.	3×4 o $5 + b$

Ff

factor número que se multiplica.	**4** × **5** = 20 factores
factores de un número números enteros que se multiplican para obtener el número dado.	**4** × **5** = 20 **4** y **5** son factores de 20.
familia de datos grupo de ecuaciones relacionadas que tienen los mismos números, ordenados de distinta manera, y dos símbolos de operaciones diferentes. Una familia de datos puede mostrar la relación que existe entre la multiplicación y la división.	**5 × 4 = 20** **4 × 5 = 20** **20 ÷ 4 = 5** **20 ÷ 5 = 4**
figura plana figura bidimensional, como un círculo, triángulo o rectángulo.	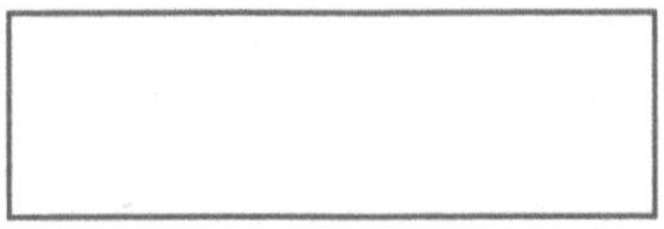
fila línea horizontal de objetos o números, tal como las que aparecen en una matriz o una tabla.	
forma desarrollada manera de escribir un número para mostrar el valor posicional de cada dígito.	249 = 200 + 40 + 9
forma estándar manera de escribir un número usando dígitos.	La forma estándar de *doce* es 12.

	Ejemplo
fórmula relación matemática que se expresa en forma de ecuación.	$A = \ell \times a$
fracción número que nombra partes iguales de un entero. Una fracción nombra un punto en una recta numérica.	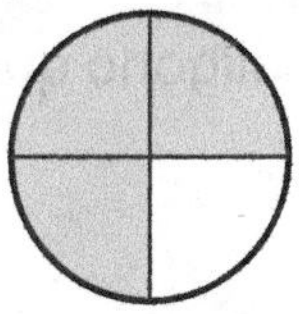 $\frac{3}{4}$
fracción de referencia fracción común con la que se pueden comparar otras fracciones.	$\frac{1}{4}, \frac{1}{2}, \frac{2}{3}$ y $\frac{3}{4}$ suelen usarse como fracciones de referencia.
fracción unitaria fracción cuyo numerador es 1. Otras fracciones se construyen a partir de fracciones unitarias.	$\frac{1}{4}$
fracciones equivalentes dos o más fracciones diferentes que nombran la misma parte de un entero y el mismo punto en una recta numérica.	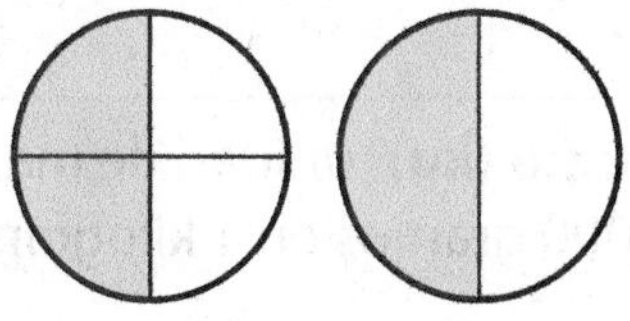 $\frac{2}{4} = \frac{1}{2}$ 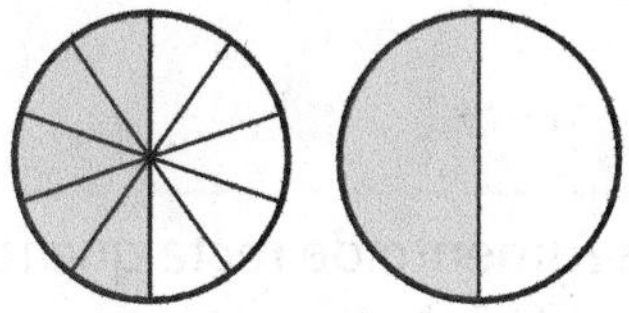 $\frac{5}{10} = \frac{1}{2}$

Gg

galón (gal) unidad de volumen líquido del sistema usual. Hay 4 cuartos en 1 galón.	4 cuartos = 1 galón
grado (°) unidad de medida para ángulos. Hay 360° en un círculo.	Hay 360° en un círculo.
gramo (g) unidad de masa del sistema métrico. Un clip tiene una masa de aproximadamente 1 gramo. Hay 1,000 gramos en 1 kilogramo.	1,000 gramos = 1 kilogramo

Ejemplo

Hh

hexágono polígono que tiene exactamente 6 lados y 6 ángulos.

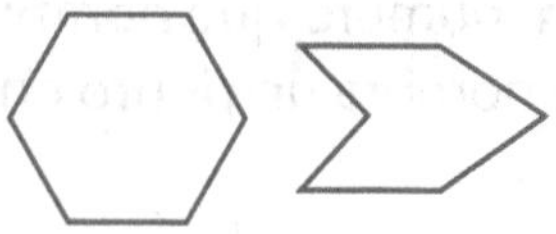

hora (h) unidad de tiempo. Hay 60 minutos en 1 hora.

60 minutos = 1 hora

Ii

igual que tiene el mismo valor, el mismo tamaño o la misma cantidad.

25 + 15 = 40
25 + 15 **es igual a** 40.

Kk

kilogramo (kg) unidad de masa del sistema métrico. Hay 1,000 gramos en 1 kilogramo.

1,000 gramos = 1 kilogramo

kilómetro (km) unidad de longitud del sistema métrico. Hay 1,000 metros en 1 kilómetro.

1 kilómetro = 1,000 metros

Ll

lado segmento de recta que forma parte de una figura bidimensional.

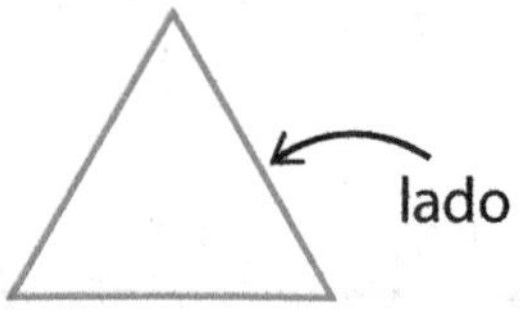

libra (lb) unidad de peso del sistema usual. Hay 16 onzas en 1 libra.

16 onzas = 1 libra

litro (L) unidad de volumen líquido del sistema métrico. Hay 1,000 mililitros en 1 litro.

1,000 mililitros = 1 litro

longitud medida que indica la distancia de un punto a otro, o lo largo que es un objeto.

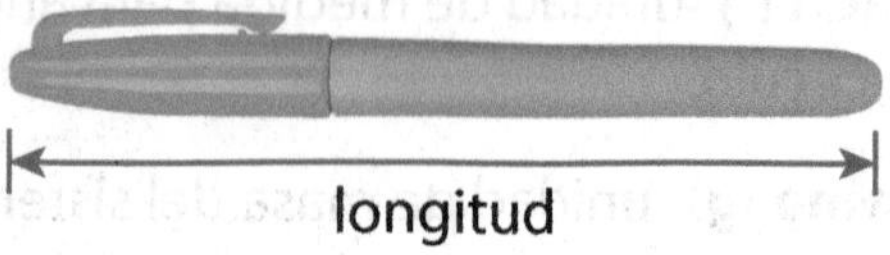

Ejemplo

Mm

masa cantidad de materia que hay en un objeto. Medir la masa de un objeto es una manera de medir lo pesado que es. El gramo y el kilogramo son unidades de masa.

La masa de un clip es aproximadamente 1 gramo.

matriz conjunto de objetos agrupados en filas y columnas iguales.

medios partes que se obtienen cuando se divide un entero en dos partes iguales.

medios

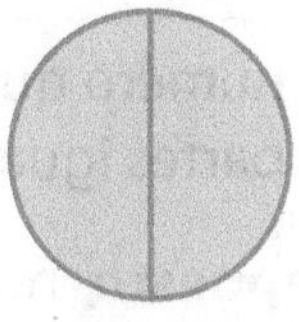

2 partes iguales

metro (m) unidad de longitud del sistema métrico. Hay 100 centímetros en 1 metro.

100 centímetros = 1 metro

mililitro (mL) unidad de volumen líquido del sistema métrico. Hay 1,000 mililitros en 1 litro.

1,000 millilitros = 1 litro

milla unidad de longitud del sistema usual. Hay 5,280 pies en 1 milla.

5,280 pies = 1 milla

minuto (min) unidad de tiempo. Hay 60 minutos en 1 hora.

60 minutos = 1 hora

multiplicación operación que se usa para hallar el número total de objetos en un número dado de grupos de igual tamaño. Ver también *comparación multiplicativa.*

Multiplicación

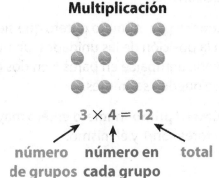

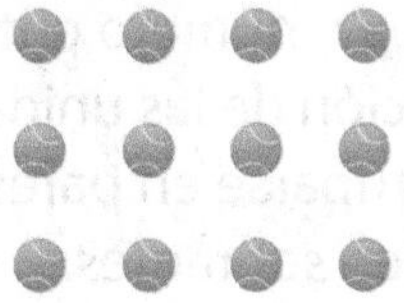

$3 \times 4 = 12$

número de grupos **número en cada grupo** **total**

Ejemplo

multiplicar sumar el mismo número una y otra vez una cierta cantidad de veces. Se multiplica para hallar el número total de objetos que hay en grupos de igual tamaño.

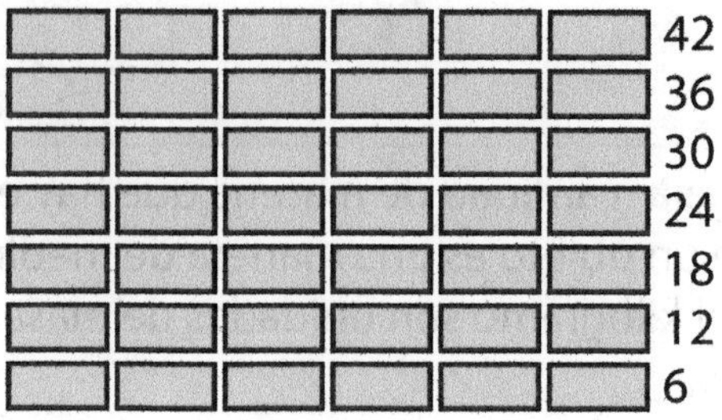

$7 \times 6 = 42$

múltiplo producto de un número y cualquier otro número entero.

4, 8, 12, 16, y así sucesivamente, son múltiplos de 4.

Nn

numerador número que está encima de la línea de una fracción. Dice cuántas partes iguales se describen.

$\frac{2}{3}$

número compuesto número que tiene más de un par de factores.

16 es un número compuesto.

número decimal número que contiene un punto decimal que separa la posición de las unidades de las posiciones fraccionarias (décimas, centésimas, milésimas, etc.).

1.293

número impar número entero que siempre tiene el dígito 1, 3, 5, 7 o 9 en la posición de las unidades. Los números impares no pueden ordenarse en pares o en dos grupos iguales sin que queden sobrantes.

21, 23, 25, 27 y 29 son números impares.

número mixto número con una parte entera y una parte fraccionaria.

$2\frac{3}{8}$

número par número entero que siempre tiene 0, 2, 4, 6 u 8 en la posición de las unidades. Un número par de objetos puede agruparse en pares o en dos grupos iguales sin que queden sobrantes.

20, 22, 24, 26 y 28 son números pares.

número primo número entero mayor que 1 cuyos únicos factores son 1 y él mismo.

2, 3, 5, 7, 11, 13, 17, 19 son números primos.

Ejemplo

Oo

onza (oz) unidad de peso del sistema usual. Una rebanada de pan pesa aproximadamente 1 onza. Hay 16 onzas en 1 libra.

16 onzas = 1 libra

operación acción matemática como la suma, la resta, la multiplicación y la división.

$15 + 5 = 20$
$20 - 5 = 15$
$4 \times 6 = 24$
$24 \div 6 = 4$

Pp

p. m. horas desde el mediodía hasta la medianoche.

par de factores dos números que se multiplican para obtener un producto.

$4 \times 5 = 20$

par de factores

paralelogramo cuadrilátero que tiene lados opuestos paralelos e iguales en longitud.

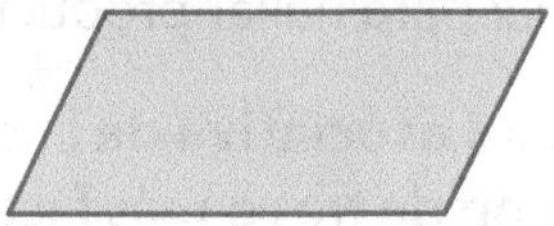

patrón serie de números o figuras que siguen una regla para repetirse o cambiar.

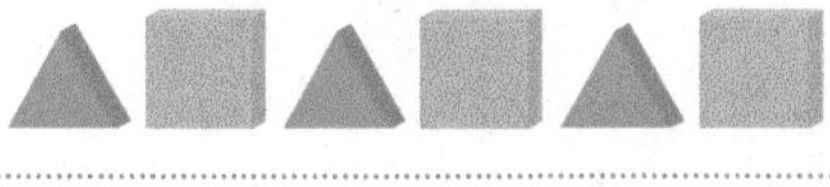

pentágono figura bidimensional cerrada que tiene exactamente 5 lados y 5 ángulos.

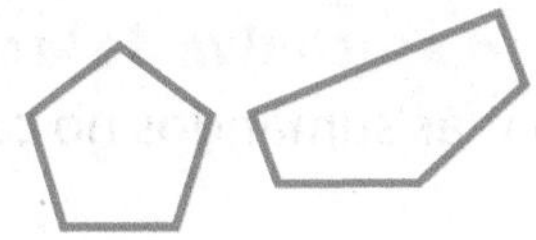

perímetro longitud del contorno de una figura bidimensional. El perímetro es igual al total de las longitudes de los lados.

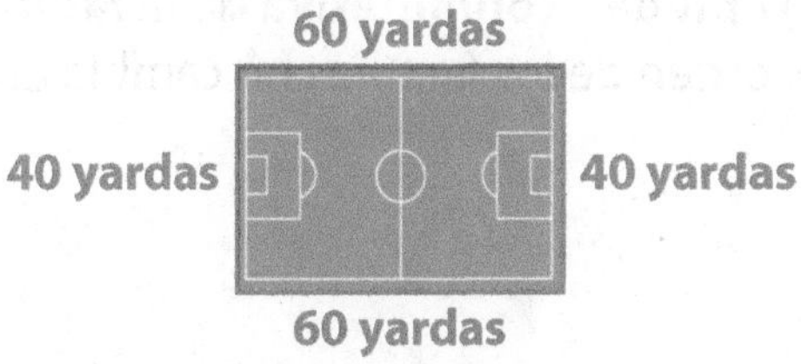

El perímetro del campo de futbol es de 200 yardas. (60 yd + 40 yd + 60 yd + 40 yd)

Ejemplo

período grupo de tres valores posicionales de un número, generalmente separados por comas. Los primeros tres períodos son el período de las unidades, el período de los millares y el período de los millones.

321,987
987 es el primer período.

peso medida que dice lo pesado que es un objeto. Las onzas y las libras son unidades de peso.

Peso
1 libra = 16 onzas

pie unidad de longitud del sistema usual. Hay 12 pulgadas en 1 pie.

12 pulgadas = 1 pie

pinta (pt) unidad de volumen líquido del sistema usual. Hay 2 tazas en 1 pinta.

2 tazas = 1 pinta

polígono figura bidimensional cerrada que tiene tres o más segmentos de recta que no se cruzan.

Polígonos	No polígonos
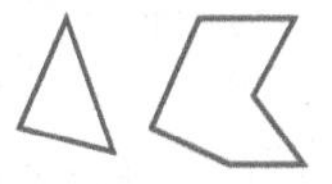	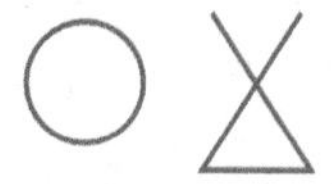

producto el resultado de la multiplicación.

5 × 3 = **15**

productos parciales los productos que se obtienen en cada paso de la estrategia de productos parciales. Se usa el valor posicional para hallar productos parciales.

Los productos parciales de 124 × 3 son 3 × 100 o 300, 3 × 20 o 60, y 3 × 4 o 12.

propiedad asociativa de la multiplicación cambiar la agrupación de tres o más factores no cambia el producto.

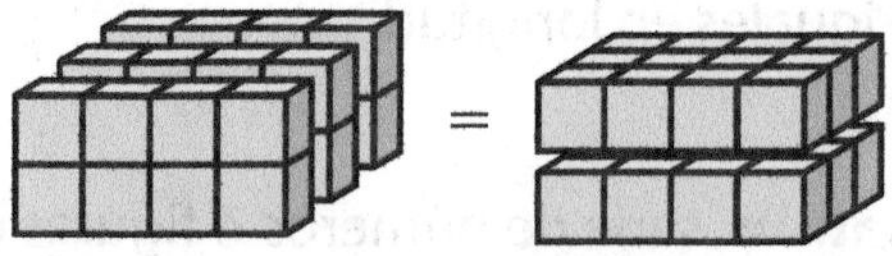

(2 × 4) × 3 = 2 × (4 × 3)

propiedad asociativa de la suma cambiar la agrupación de tres o más sumandos no cambia el total.

(2 + 3) + 4 = 2 + (3 + 4)

propiedad conmutativa de la multiplicación cambiar el orden de los factores no cambia el producto.

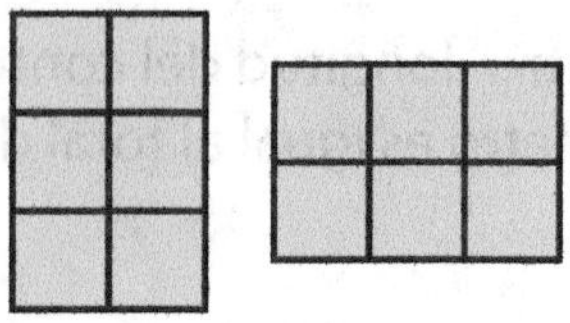

3 × 2 = 2 × 3

propiedad conmutativa de la suma cambiar el orden de los sumandos no cambia el total.

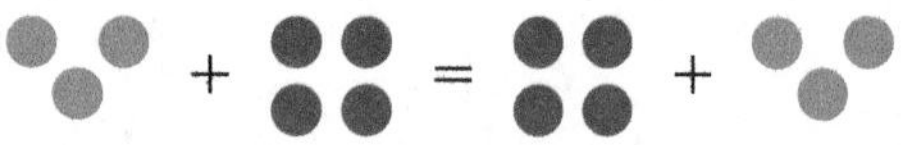

3 + 4 = 4 + 3

	Ejemplo
propiedad distributiva cuando uno de los factores de un producto se escribe como suma, multiplicar cada sumando por el otro factor antes de sumar no cambia el producto.	$2 \times (3 + 6) = (2 \times 3) + (2 \times 6)$
pulgada (pulg.) unidad de longitud del sistema usual. Hay 12 pulgadas en 1 pie.	El diámetro de una moneda de 25¢ es aproximadamente 1 **pulgada** (pulg.). 
punto ubicación única en el espacio.	*A* •
punto decimal punto que se usa en un número decimal para separar la posición de las unidades de la posición de las décimas.	1.65 ↑ punto decimal

Rr

razonable algo que tiene sentido cuando se tienen en cuenta los datos dados.	Se puede estimar para asegurarse de que una respuesta es razonable. $29 + 22 = 51$ $30 + 20 = 50$
reagrupar unir o separar unidades, decenas o centenas.	10 unidades pueden reagruparse como 1 decena, o 1 centena puede reagruparse como 10 decenas.
recta fila recta de puntos que continúa infinitamente en ambas direcciones.	
rectángulo paralelogramo que tiene 4 ángulos rectos. Los lados opuestos de un rectángulo tienen la misma longitud.	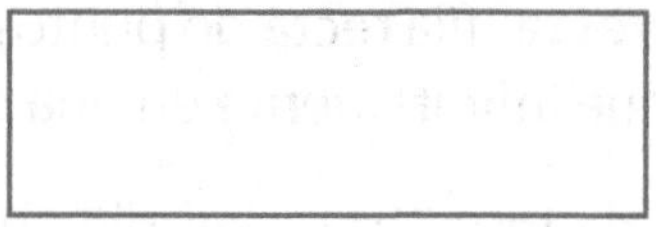
rectas paralelas rectas que siempre están a la misma distancia y nunca se cruzan.	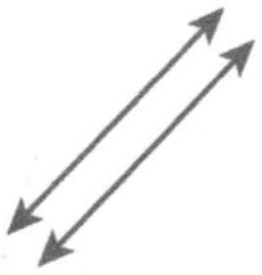

	Ejemplo
rectas perpendiculares dos rectas que se cruzan para formar un ángulo recto, o un ángulo de 90°.	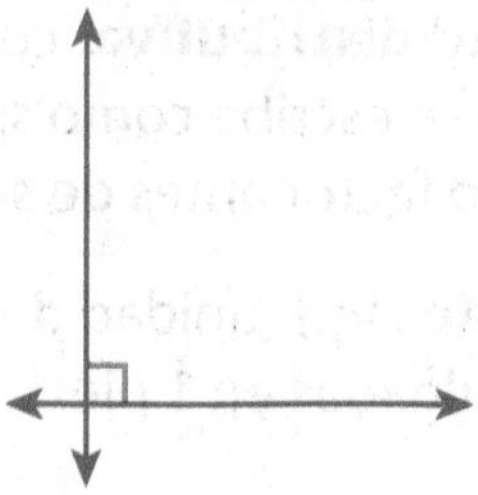
redondear hallar un número que es cercano en valor al número dado hallando la decena, la centena u otro valor posicional más cercano.	48 redondeado a la decena más cercana es 50.
regla procedimiento que se sigue para ir de un número o una figura al número o la figura siguiente de un patrón.	17, 22, 27, 32, 37, 42 regla: sumar 5
residuo la cantidad que sobra cuando un número no divide a otro un número entero de veces.	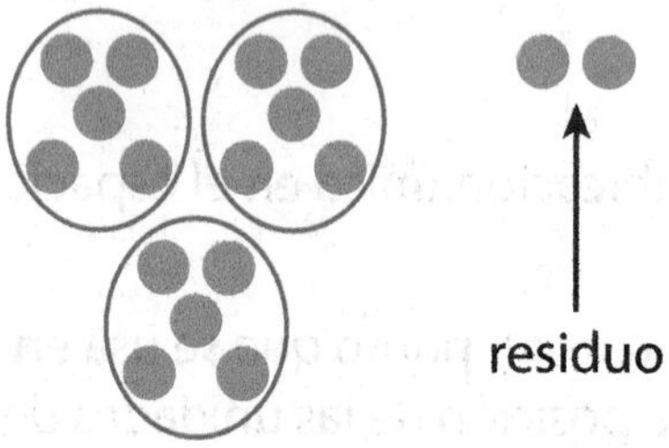 $17 \div 5 = 3$ R 2
rombo cuadrilátero que tiene todos los lados de la misma longitud.	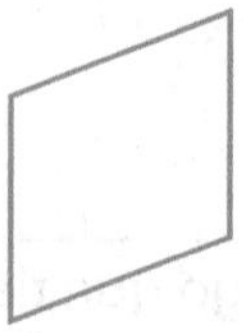

Ss

segmento de recta fila recta de puntos que comienza en un punto y termina en otro punto.	
segundo (s) unidad de tiempo. 60 segundos equivalen a 1 minuto.	60 segundos = 1 minuto
semirrecta fila recta de puntos que comienza en un punto y continúa infinitamente en una dirección.	
signo de igual (=) símbolo que significa *tiene el mismo valor que.*	$12 + 4 = 16$

	Ejemplo
símbolo cualquier marca o dibujo, tal como una letra o un signo de interrogación, que puede usarse para representar un número desconocido en una ecuación.	18 – ? = 9
símbolo de mayor que (>) símbolo que se usa para comparar dos números cuando el primero es mayor que el segundo.	6,131 > 5,113
símbolo de menor que (<) símbolo que se usa para comparar dos números cuando el primero es menor que el segundo.	5,113 < 6,131

sistema métrico sistema de medición. La longitud se mide en metros, el volumen líquido en litros y la masa en gramos.

Longitud
1 kilómetro = 1,000 metros
1 metro = 100 centímetros
1 metro = 1,000 milímetros

Masa
1 kilogramo = 1,000 gramos

Volumen
1 litro = 1,000 mililitros

sistema usual sistema de medición comúnmente usado en Estados Unidos. La longitud se mide en pulgadas, pies, yardas y millas; el volumen líquido en tazas, pintas, cuartos y galones; y el peso, en onzas y libras.

Longitud
1 pie = 12 pulgadas
1 yarda = 3 pies
1 milla = 5,280 pies

Peso
1 libra = 16 onzas

Volumen líquido
1 cuarto = 2 pintas
1 cuarto = 4 tazas
1 galón = 4 cuartos

	Ejemplo
suma el resultado de sumar dos o más números.	34 + 25 = **59**
sumando número que se suma.	**24** + **35** = 59 sumandos
sumas parciales las sumas que se obtienen en cada paso de la estrategia de sumas parciales. Se usa el valor posicional para hallar sumas parciales.	Las sumas parciales de 124 + 234 son 100 + 200 o 300, 20 + 30 o 50, y 4 + 4 u 8.

Tt

taza (tz) unidad de volumen líquido del sistema usual. Hay 4 tazas en 1 cuarto.

tercios partes que se forman cuando se divide un entero en tres partes iguales.

tercios

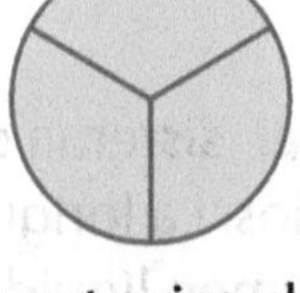

3 partes iguales

tiempo transcurrido tiempo que ha pasado entre el momento de inicio y el fin.

El tiempo transcurrido desde las 2:00 p.m. hasta las 3:00 p.m. es 1 hora.

transportador herramienta que se usa para medir ángulos.

trapecio cuadrilátero que tiene exactamente un par de lados paralelos.

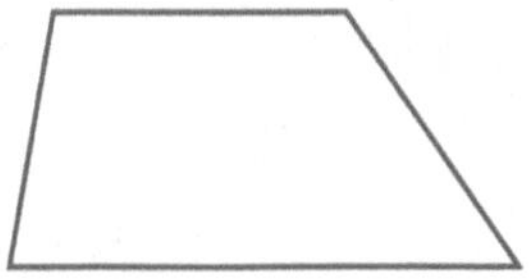

Ejemplo

triángulo polígono que tiene exactamente 3 lados y 3 ángulos.

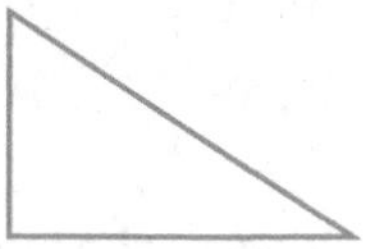

triángulo acutángulo triángulo que tiene tres ángulos agudos.

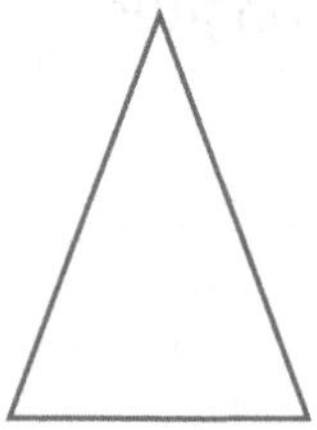

triángulo equilátero triángulo que tiene los tres lados de igual longitud.

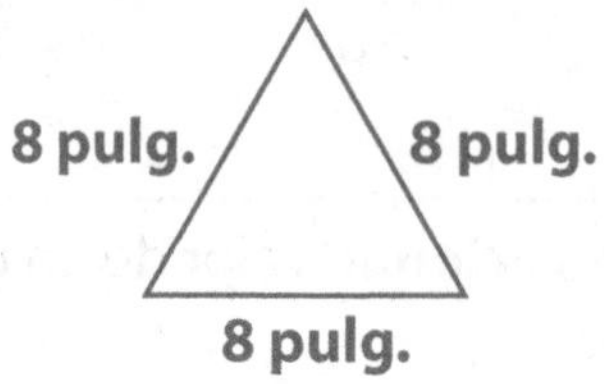

triángulo escaleno triángulo que no tiene lados de igual longitud.

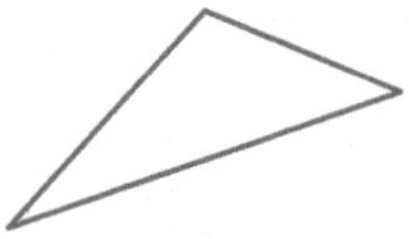

triángulo isósceles triángulo que tiene al menos dos lados de igual longitud.

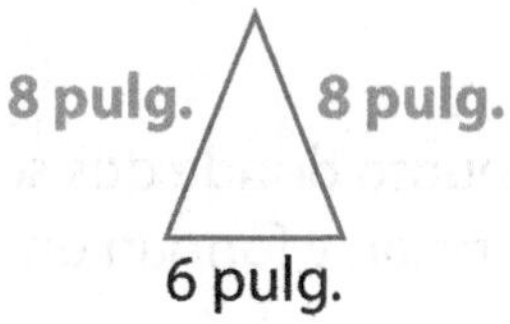

triángulo obtusángulo triángulo que tiene un ángulo obtuso.

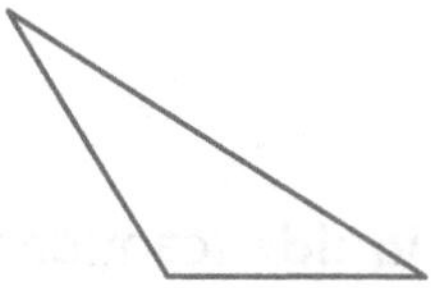

triángulo rectángulo triángulo con un ángulo recto.

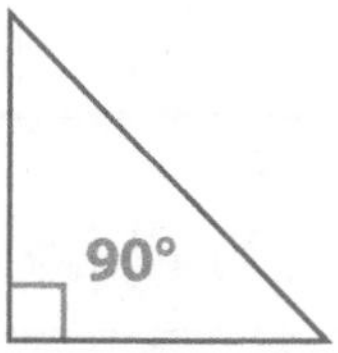

tridimensional sólido, o que tiene longitud, ancho y altura. Por ejemplo, un cubo es una figura tridimensional.

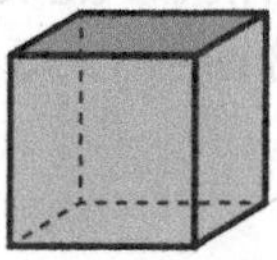

Ejemplo

Uu

unidad cuadrada el área de un cuadrado que tiene lados de 1 unidad de longitud.

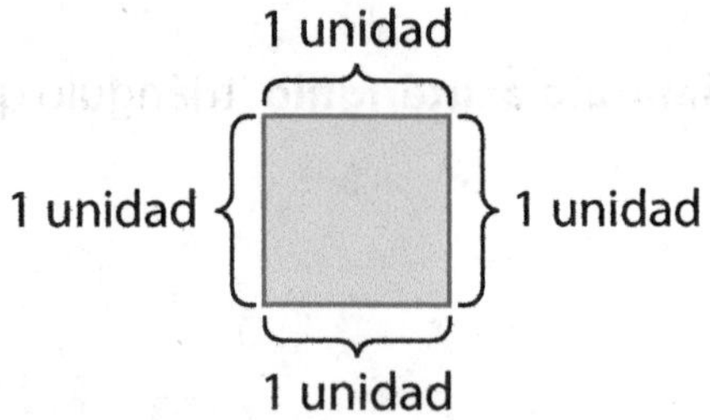

Vv

valor posicional valor de un dígito según su posición en un número.

Centenas	Decenas	Unidades
4	4	4

↓ ↓ ↓

400 40 4

vértice punto donde dos semirrectas, rectas o segmentos de recta se cruzan y forman un ángulo.

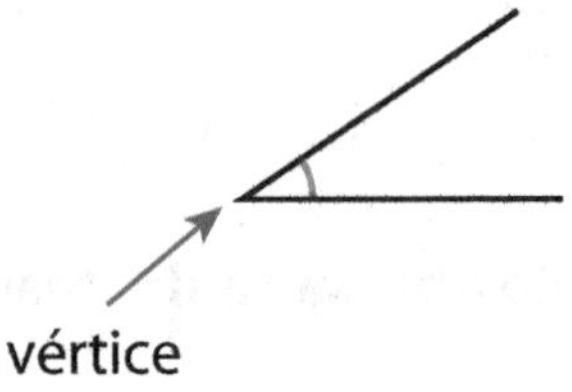

volumen líquido cantidad de espacio que ocupa un líquido.

Cuando se mide cuánta agua hay en un balde, se está midiendo el volumen líquido.

Yy

yarda (yd) unidad de longitud del sistema usual de Estados Unidos. Hay 3 pies, o 36 pulgadas, en 1 yarda.

3 pies = 1 yarda
36 pulgadas = 1 yarda

Agradecimientos

Common Core State Standards Spanish Language Version

Créditos de las fotografías

Imágenes de monedas de los Estados Unidos (a menos que se indique lo contrario) son de la United States Mint.

Imágenes usadas bajo licencia de **Shutterstock.com**.

iii Racheal Grazias, David Herraez Calzada; **iv** Antonia Giroux, tratong; **v** 2happy, Allen McDavid Stoddard; **vi** Gordana Sermek, Thitima Boonnak; **vii** d100, Photoonlife; **1** S. Bonaime; **3** Alex Staroseltsev; **4** Alex Staroseltsev, KaiMook Studio 99, Lano4ka, Mhatzapa; **8** Mhatzapa, NikoNomad; **13** Mhatzapa, Peter Sobolev; **15** Alexsandr Sadkov, Art'n'Lera, Marssanya; **16** Aleksandr Sadkov, Art'n'Lera; **17** piotr_pabijan; **18** Authentic Creations, Pixfiction; **19** Pixfiction; **20** Cheryl Casey; **21** David Lee; **22** Brocreative; **24** Lyekaterina, Super Prin; **29** Khunnoo; **30** Butsaya; **31** Africa Studio; **32** Stratos Giannikos; **33** Africa Studio; **34** Andregric, EkaC; **36** Roman Samokhin; **37** Neveshkin Nikolay; **40** Thodonal88; **44** Antpkr; **45** Kzww; **47** Ann Stryzhekin, dmitro2009, In-Finity, Jason Patrick Ross, Jo Crebbin; **49** Digidreamgrafix, In-Finity, StacieStauffSmith Photos, Steve Bower; **52** Pixeldreams.eu, Zmiter; **53** Racheal Grazias, Redchocolate; **56** Songsak P; **58** Electra, Flipser, Spacaj; **60** Hannamariah; **63** Liskus, Normana Karia; **71** Ekaterina Kondratova, Lotus Images; **74** Bryan Solomon; **75** Ewais; **76** Ericlefrancais; **78** Aperturesound; **79** Dmitry Petrenko; **87** David Herraez Calzada; **89** V J Matthew; **90** Ivonne Wierink; **96** Naruedom Yaempongsa, 3000ad; **105** Lotus_studio; **108** Thodonal88; **115** Cathleen A Clapper; **116** Javier Brosch, olnik_y; **117** olnik_y, Sofiaworld; **118** marssanya, PERLA BERANT WILDER; **119** Efetova Anna; **120** Igor Sirbu, Peyker; **121** tratong; **124** blue67design, Jag_cz; **125–126** Nataliia Pyzhova; **128** Amawasri Pakdara; **130** Denis Belyaevskiy; **131** Elena Schweitzer; **132** Subbotina Anna; **134** Dan Thornberg; **138** Africa Studio, Wonderful Future World; **141** humbak; **142** Sanzhar Murzin; **143** blue67design, Leigh Prather; **146** Eans; **147** Sarah Marchan; **148** ILEISH ANNA, Kaiskynet Studio; **149** Jiri Hera; **150** Good Shop Background; **152** Nata-Lia; **153–154** Narong Jongsirikul; **159** James Steidl; **160** elbud; **169** Kaspri, LDDesign, Maaike Boot, Travelview, Vibe Images; **170** PowerUp; **171** T Cassidy; **175** design56, Kolopach; **176** Ostill; **178** Elena Voynova; **179** Nataliia Pyzhova, RedHead_Anna, Venus Angel; **181–182** Antonia Giroux; **191** Julie Vader; **192** Nikita Biserov; **196** OmniArt, TeddyandMia; **197** EDMAVR, FernPat; **198** Mon Nakornthab; **201** Erik Lam; **202** Vladyslav Starozhylov; **203** Billion Photos; **204** Issarawat Tattong, Levent Konuk; **206** Axio Images; **208** alfocome; **210** Mlorenz; **211** Dmitry Petrenko; **214, 216** Domnitsky; **218** Videowokart, Koncz, Arsentyeva E, Barbol, oksana2010, tr3gin, Pavel Vakhrushev, Stephen B. Goodwin; **220** Evgenyi; **221** Marilyn Barbone, Smspsy, I'm Friday, Temastadnyk; **227** eyal granith; **229** Allen McDavid Stoddard; **230** Owatta, Pandapaw; **241** ravl; **242** Orla; **248** Sashkin; **249** David Franklin, WhiteDragon; **250** Ewapee; **252** PrimaStockPhoto; **257** vdimage; **258** Room27; **261** RemarkEliza; **262** ZanyZeus; **264** Elena Elisseeva; **268** ConstantinosZ, IB Photography; **270** 2happy; **272** Denis Rozhnovsky; **273** Africa Studio; **274** 5 second Studio, Natasha Pankina; **276** Roman Samokhin, Subject Photo; **278** M. Unal Ozmen; **279** Igor Polyakov; **280** Potapov Alexander; **282** Daniela Barreto, Evgeny Karandaev; **284** Beata Becla; **286** GoBOb, Ponsawan saelim; **287** SOMMAI; **288** kolopach; **290** Artem Shadrin; **301** Lori Martin; **304** YolLusZam1802; **306** Ravl; **308** Philip Lange; **309** Heymo; **310** Hong Vo; **312** Art24hrDesign; **317** Alexey Boldin; **322** Sosika; **325** Seregam; **326** Andrei Dubadzel; **327** Jiang Zhongyan; **328** Marco Scisetti, v.s.anandhakrishna; **329** Graph, Vasily Kovalev; **332** JIANG HONGYAN, olnik_y, Visual Generation; **333** Cynoclub, Monica Click; **334** Eric Isselee, olnik_y, Natasha Pankina, Visual Generation; **336** Stephen Orsillo; **339–340** horiyan; **344** Peter Wollinga; **346** Worraket; **348** Lucy Liu, olnik_y, Vilax; **350** Eric Isselee; **352** Igor Zh; **354** Rtimages; **356** Maerzkind; **357** Bas Nastassia, Marekusz, WachiraS, vovan, Vlabo; **363** Ocskay Bence; **365** Tim UR; **366** Gayvoronskaya_Yana; **377** Tatyana Vyc; **378** DenisNata; **379** Andy Dean Photography; **382** HelgaLin, Mark Herreid, Padma Sanjaya; **383** Protasov AN; **384** happymay; **386** Madlen; **389** Africa Studio; **390** kolopach; **397** Davidoff777; **398** Images.etc; **399** PhotoMediaGroup; **400** Lurii Kackkovskyi; **401** Theo Fitzhugh; **402** IB Photography; **405** Naruedom Yaempongsa; **409** Duplass, Stephen Mcsweeny; **410** cynoclub; **411** LittlePigPower; **412** MaraZe, Rodrigobark, Wealthylady; **413** Victor Habbick, Aphelleon, Marc Ward, Niko Nomad, NASA, NASA/JPL-Caltech, NASA/JPL/Cornell University/ Maas Digital, NASA/JPL, NASA, ESA, and M. Livio and the Hubble 20th Anniversary Team (STScI), NASA/Ames **414** Bestv, blue67design; **416** Christian Musat, Don Mammoser, Florida Stock, Gary powell, Jayne Carney, Moosehenderson, Sandy Hedgepeth, Schalke fotografie | Melissa Schalke, Steven Blandin; **417–418** Sergej Razvodovskij; **419** blue67design, Gino Santa Maria; **420** Bernashafo; **421** Africa Studio, Ffolas, Strannik_fox; **422** blue67design, Halfpoint; **423** 3777190317; **424** Mariyana M; **425** Kolopach; **426** Robert_s; **427** Jaroslav74; **428** Africa Studio; **429** Hong Vo; **433** RusGri; **437** John Kasawa; **438** Carlos E. Santa Maria; **439** CameraOnHand; **440** Butterfly Hunter, Lucky-photographer, Luria; **441** Danielle Balderas; **442** showcake; **444** HelloRF Zcool, Wonderful Future World, Yellow Cat; **445** Photo Melon; **446** Lunatictm; **448** bonchan; **449** Gordana Sermek; **451** Zheltyshev; **452** ZoranOrcik; **455** Nattika; **456** Viktar Malyshchyts, Wonderful Future World; **457** Inhabitant; **459** Hurst Photo; **460** Tiger Images, Wintakorn Choemnarong; **461** bonchan; **462** Alfocome; **463** Nataly Studio; **464** Kzww; **466** Gita Kulinitch Studio, smilewithjul; **467** Valentina Razumova; **468** Wk1003mike; **470** Bonchan; **472** Natasha Pankina, Scorpp; **474** Aopsan; **476** olnik_y; **477** Aleksandr Simonov; **479, 480, 482** Manbetta; **483** kolopach; **487** Kalamurzing; **488** Africa Studio; **490** Elizabeth A. Cummings; **499** Sarah Marchant; **501** EG_, RedHead_Anna; **502** gowithstock, M. Unal Ozmen, Padma Sanjaya; **503** Richard Peterson; **506** lineartestpilot, Yellow Cat; **507** Tyler Olson; **508** Sevenke, Thitima Boonnak; **511** Pockygallery; **512** Baishev, RedHead_Anna; **514** Billion Photos; **515** victoriaKh; **516** Mtsaride; **517** Aperture51; **519** Luminis; **522** Daniela Barreto, Gelpi; **523** Jeffrey Sheldon; **526** Ivinni; **527** Matt Benoit; **530** schankz; **532** C-You, hchjjl; **535** Aperture51; **536** Thodonal88; **538** Sharon Day; **539** Daniela Barreto, Jezper; **545** Andrey Yurlov, Eugene Onischenko, ostill; **546** Eugene Onischenko; **549** Natalia D.; **553** 3D_creation, Maaike Boot; **556** HstrongART, Ljupco Smokovski; **557** design56; **558** Bborriss.67; **560** baibaz; **561** karen roach; **565** Tim UR;

Créditos de la portada

©Bill Reitzel/Digital Vision/Getty Images

566 Africa Studio; **567** Dionisvera, irin-k; **568** irin-k, Trofimov Denis; **571** Tiger Images; **574** PrimaStockPhoto; **577** Coprid; **578** Heymo, Monticello; **579** Elena Elisseeva; **582** Jaroslava V; **583** Sasha_Ivv, Myimages-Micha; **586** picamaniac; **588** Mega Pixel; **589** Motorolka; **590** Fotoksa, nimon, Pete Spiro; **592** Africa Studio; **594** Chones, Keith Wilson; **597** CWIS; **598** Evangelos, Gemenacom; **600** Montego; **601** Swardian; **602** Swardian; **605** Garantiopa; **606** Olga Nayashkova; **608** Africa Studio; **610** Eugene Onischenko; **611** GrigoryL; **612** Minur; **614** KarSol; **616** Fascinadora; **617** Heymo; **618** Ulrike Welsch; **620** VAV; **622** New Africa; **626** Peter Zvonar; **627** Steve Mann; **628** Deniza 40x; **630** Marieke Feenstra; **631** Deniza 40x; **632** Sanit Fuangnakhon, OnlyZoia; **633** Vilaiporn Chatchawal; **634** Ksokolowska; **635** JoemanjiArts; **638** Anastasia Sergeeva, M. Unal Ozmen, Hurst Photo, Gts, design56; **641** carlos castilla; **644** Akura Yochi, Ann_saowaluk, Megaflopp, YK; **654** Photoonlife; **656** Optimarc; **659** Ian Scammell, Iiskus; **661** Mega Pixel; **665** d100, denisik11; **666** PloyBuraphon; **668** equinoxvect; **671** Veniamin Kraskov; **672** MR. RAWIN TANPIN, photka, Sergiy Kuzmin; **677** Veniamin Kraskov; **683** Artem Shadrin; **684** Hayati Kayhan; **693** Veniamin Kraskov; **694** DiamondGT, Gmlykin; **702** Dmitry Naumov; **703** Twin Design; **704** Photo Melon; **705** Mtlapcevic; **708** kamnuan; **713** Arthito; **715** grmarc, Petr Malyshev; **717** Farah Sadikhova, Zsolt Biczo; **718** Shah Rohani; **724** Elnur, hchjjl; **730** Farah Sadikhova, Vitezslav Valka; **736** photogal; **738** YaniSinla; **742** Farah Sadikhova, RusGri; **743** Butterfly Hunter, Mr. Alien; **749** George_C; **750** Andrii Cherniakhov; **752** Claudio Divizia, Kriangx1234; **753** wacomka; **754** Murat Irfan Yalcin, Nata9; **757** Aleksangel; **759** Tatiana Popova; **760** Nico99; **762** Nortongo; **763** Laborant; **A3** Prostock-studio; **A11** Trinacria Photo

Manual del estudiante, usadas solo en Student Bookshelf y en la Guía del maestro: MEi ArtMari, Rawpixel.com, Pixfiction, Disavorabuth; **ME1** Africa Studio, opicobello; **ME2** iadams; **ME3** Palabra; **ME5** Harvepino; **ME6** Tatiana Popova; **ME8** Chiyacat; **ME9** Kyselova Inna, Markus Mainka; **ME10** ArtMari; **ME11** Disavorabuth; **ME12** ArtMari, Disavorabuth; **ME13–ME14** ArtMari; **ME16** Rawpixel.com